D1643796

£5

CEZANNE
GEMÄLDE

Götz Adriani

CEZANNE
GEMÄLDE

mit einem Beitrag
zur Rezeptionsgeschichte
von Walter Feilchenfeldt

DuMont Buchverlag Köln

Das Buch erscheint als Katalog der Ausstellung
CEZANNE · GEMÄLDE
Kunsthalle Tübingen   16. Januar bis 2. Mai 1993
Konzeption der Ausstellung Götz Adriani und Walter Feilchenfeldt

Die Ausstellung wird gefördert durch die DAIMLERBENZ AG
und ihre Unternehmensbereiche

Die Deutsche Bibliothek – CIP-Einheitsaufnahme

Adriani, Götz:
Cézanne · Gemälde : [als Katalog der Ausstellung Cézanne, Gemälde,
Kunsthalle Tübingen, 16. Januar bis 2. Mai 1993] / Götz Adriani. Mit einem
Beitrag zur Rezeptionsgeschichte von Walter Feilchenfeldt. –
Köln : DuMont, 1993
ISBN 3-7701-3088-X
NE: Adriani, Götz; Cézanne, Paul [Ill]; Feilchenfeldt, Walter;
Ausstellung Cézanne, Gemälde <1993, Tübingen>;
Kunsthalle <Tübingen>

Vordere Umschlagabbildung:
Der Knabe mit der roten Weste, 1888–1890
Stiftung Sammlung E. G. Bührle, Zürich
Hintere Umschlagabbildung:
Selbstbildnis vor türkis-grünem Hintergrund, um 1885
The Carnegie Museum of Art, Pittsburgh

Redaktion: Karin Thomas
Layout: Winfried Konnertz
Produktion: Peter Dreesen und Matias Möller

© 1993 DuMont Buchverlag Köln
Alle Rechte vorbehalten
Reproduktion: Ringbahnlitho, Neuss
Litho Köcher, Köln
C. Müller & H. Daiber, Sigmaringendorf
Satz: Fotosatz Harten, Köln
Druck: Rasch, Bramsche
Buchbinderische Verarbeitung: Bramscher Buchbinder Betriebe, Bramsche

Printed in Germany   ISBN 3-7701-3088-X

Paul Cézanne, Fotografie um 1874

Vorwort

Die Ausstellung der Gemälde Cézannes in der Kunsthalle Tübingen beendet eine
Ausstellungsreihe, die 1978 erstmals in einem ausführlichen Überblick das
zeichnerische Werk des Künstlers vorstellte und 1982 umfassend auf dessen
Aquarellkunst aufmerksam machte. Mit 97 Exponaten bietet auch die Gemäldeaus-
stellung einen Umfang, wie er in dieser Fülle (außer in der Pariser Retrospektive von
1936) noch nirgends zu sehen war. Daß die drei Tübinger Cézanne-Ausstellungen –
der Zeichnungen, der Aquarelle und nun der Gemälde – die einzigen in Deutschland
erarbeiteten Retrospektiven darstellen (lediglich 1956 wurde in München und Köln
eine von Den Haag und Zürich übernommene Cézanne-Ausstellung gezeigt), ist um so
erstaunlicher im Hinblick darauf, daß gerade die deutsche Cézanne-Rezeption dank
mutiger Museumsdirektoren, Händler und Sammler schon sehr früh einsetzte. Es sei
nur daran erinnert, daß die Nationalgalerie in Berlin als erstes Museum bereits 1897
ein Gemälde von Cézanne ankaufte, daß sich der Berliner Kunsthändler Paul Cassirer
seit der Jahrhundertwende mit Erfolg dem französischen Künstler widmete und Julius
Meier-Graefe 1910 in München die erste monographische Studie veröffentlichen konnte.
    Abgesehen davon, daß die Malerei Cézannes aktuell erscheint wie eh und je,
gibt es keinen äußeren Anlaß – wie etwa eine besondere Jahrestagsverpflichtung – für
das von uns gemeinsam konzipierte und organisierte Ausstellungsvorhaben. In den
letzten Jahren und Jahrzehnten waren in Amerika, England und der Schweiz
Ausstellungen zu sehen, die gewichtige Teilaspekte des Œuvres zeigten, so 1977 das
Spätwerk Cézannes in New York oder 1988 die frühe Zeit in London. So verdienstvoll
diese Unternehmungen waren, laufen sie doch Gefahr, die grandiose Einheit des
Cézanneschen Œuvres periodisch oder auch thematisch zu zerstückeln; sie verhindern
die Zusammenschau einer weiten, über vier Jahrzehnte währenden Wegstrecke, die
aus verschiedensten Faktoren ihre Prämissen und Konsequenzen zog. Das Anliegen
der Tübinger Ausstellung ist es, anhand von Hauptwerken und besonders markanten
Werkreihen, die großenteils noch niemals in Deutschland zu sehen waren, einen
Entwicklungsprozeß nachzuvollziehen, der von 1866 bis 1906 reichte und die
bildnerischen Erkenntnisse der Moderne wesentlich bestimmt hat. Bei der Zusammenstellung der Leihgaben spielten neben den qualitativen Kriterien auch die
quantitativen in jenem Sinne eine Rolle, daß sie die im Gesamtwerk vorgegebenen
Relationen zwischen den einzelnen Bildgattungen, das heißt zwischen Landschaften,
Porträts, Stilleben und Figurenbildern, sehr genau auch in der Ausstellung wider-

spiegeln. So beinhaltet diese – analog zur Gesamtzahl der Gemälde – mit etwas über 40 Prozent Landschaftsbilder, dann Porträts und Stilleben mit jeweils 20 Prozent und schließlich mit je knapp zehn Prozent Figurenbilder sowie Darstellungen mit *Badenden.*

Wenn es der Tübinger Ausstellung gelingt, am Ende unseres Jahrhunderts jenen Maßstab wieder ins Bewußtsein zu rufen, den Cézannes Malerei am Beginn des Jahrhunderts gesetzt hat, dann bedarf es keiner weiteren Rechtfertigung. Denn dieser Maßstab, auf den zuerst die Künstlerkollegen hellsichtig reagierten – nicht zuletzt sind in der Ausstellung Gemälde zu sehen, die ehemals Monet, Renoir, Liebermann, Matisse, Picasso und auch Zola gehörten –, prägte unser Säkulum wie kein anderer. Mit Matisse, Braque und Picasso, mit Duchamp oder Mondrian, mit Kandinsky, Klee, Beckmann, Giacometti und Jasper Johns sind nur einige Künstlernamen genannt, die sich Cézanne in hohem Maße verpflichtet gefühlt haben.

Daß das zunächst aussichtslos erscheinende Vorhaben nun doch in diesem exzeptionellen Umfange geglückt ist, den wir anfangs nicht einmal zu erhoffen wagten, und daß die Modernität der Sicht Cézannes noch einmal in einer solch exemplarischen Form zur Diskussion gestellt werden kann, dafür gilt unser herzlicher Dank den zahlreichen Freunden und Kollegen, die sich als Leihgeber sehr hilfreich zeigten. Ihnen allen sei dafür gedankt, daß schließlich nahezu sämtliche Wünsche um Leihgaben erfüllt wurden. Ein solch großzügiges Entgegenkommen ist umso höher einzuschätzen, da es aus vielerlei Gründen immer schwieriger wird, derartige Retrospektiven mit wissenschaftlich fundierten Katalogen zu realisieren; zumal wenn sie von einem Institut durchgeführt werden, das keine Möglichkeit hat, sich bei gegebenem Anlaß mit Leihgaben aus eigenen Beständen zu »revanchieren«. Ausstellungsumfang und Katalogbuch sind identisch. Es wurde darauf verzichtet, die Publikation zu einem Kompendium aufzublähen, das mehr verspricht, als die Ausstellung hält. Viele der Arbeiten sind hier erstmals großformatig reproduziert und ausführlich katalogmäßig erfaßt. Dies war nur möglich dank des oft bewährten Engagements, das die Freunde und Mitarbeiter des DuMont Buchverlages dem Projekt entgegenbrachten. Nicht zuletzt danken wir den Mitarbeitern in Tübingen, deren bewundernswerter Einsatz die Organisation und Durchführung der Ausstellung mit ermöglicht hat.

Götz Adriani   Walter Feilchenfeldt

Leihgeber

Aix-en-Provence	Musée Granet, Denis Coutagne
Basel	Sammlung Beyeler, Ernst Beyeler
Berlin	Staatliche Museen zu Berlin, Nationalgalerie, Wolf-Dieter Dube, Dieter Honisch, Peter-Klaus Schuster
Boston	Museum of Fine Arts, Allan Shestack, Peter C. Sutton
Bremen	Kunsthalle Bremen, Siegfried Salzmann
Brooklyn	The Brooklyn Museum, Robert T. Buck, Elisabeth W. Easton
Buffalo	Albright-Knox Gallery, Douglas G. Schultz
Cambridge	The Provost & Fellows of King's College, Fitzwilliam Museum Cambridge, Simon Jervis, David E. Scrase
Canberra	Australian National Gallery, Betty Churcher, Michael Lloyd
Chicago	The Art Institute of Chicago, James N. Wood, Douglas Druick
Cleveland	The Cleveland Museum of Art, Evan H. Turner
Columbus	Columbus Museum of Art, Roger D. Clisby
Detroit	The Detroit Institute of Arts, Samuel Sachs II, J. Patrice Marandel
Edinburgh	National Gallery of Scotland, Timothy Clifford, Michael Clarke
Frankfurt/Main	Städtische Galerie im Städelschen Kunstinstitut, Klaus Gallwitz
Helsinki	Art Museum Ateneum, Helmiriitta Sariola
Houston	The Museum of Fine Arts, Peter C. Marzio, George T. M. Shackelford
Kansas City	The Nelson-Atkins Museum of Art, Marc F. Wilson
Karlsruhe	Staatliche Kunsthalle Karlsruhe, Horst Vey
Köln	Wallraf-Richartz-Museum, Hiltrud Kier, Rainer Budde
Liverpool	The Trustees of the National Museums and Galleries on Merseyside, Walker Art Gallery, Julian Treuherz
London	The Trustees of the National Gallery, Neil MacGregor, Christopher Brown, John Leighton
	Berggruen Collection, National Gallery, Heinz Berggruen
	The Trustees of the Tate Gallery, Nicholas Serota
	Courtauld Institute Galleries, Michael Kauffmann, Dennis Farr
	Thomas Gibson Fine Art Ltd., Thomas H. Gibson

Los Angeles	Los Angeles County Museum of Art, Philip Conisbee
Malibu	Collection of the J. Paul Getty Museum, John Walsh
Miami Beach	Mr. und Mrs. Thomas Kramer
Montreal	The Montreal Museum of Fine Arts, John R. Porter
München	Bayerische Staatsgemäldesammlungen, Neue Pinakothek, Johann Georg Prinz von Hohenzollern, Christian Lenz
New York	The Metropolitan Museum of Art, Philippe de Montebello, Gary Tinterow The Museum of Modern Art, Kirk Varnedoe The Brooklyn Museum, Elisabeth W. Easton Stephen Hahn Collection, Stephen Hahn Acquavella Modern Art, William Acquavella
Northampton	Smith College Museum of Art, Linda Muehlig
Oslo	Nasjonalgalleriet, Tone Skedsmo
Ottawa	National Gallery of Canada, Shirley L. Thomson
Paris	Musée d'Orsay, Françoise Cachin Musée Picasso, Gérard Regnier
Philadelphia	Philadelphia Museum of Art, Anne d'Harnoncourt, Joseph J. Rishel
Pittsburgh	The Carnegie Museum of Art, Phillip M. Johnston
Prag	Národní Galerie v Praze, Lubomír Slavíček
Rom	Galleria Nazionale d'Arte Moderna, Augusta Monferini
Sankt Petersburg	Staatliche Eremitage, Michael Pjotrowski
São Paulo	Museu de Arte, Fabio Magalhães
Solothurn	Kunstmuseum, André Kamber
Stockholm	Nationalmuseum, Olle Granath, Görel Cavalli-Björkman
Stuttgart	Staatsgalerie Stuttgart, Peter Beye
Tokyo	Bridgestone Museum of Art, Ishibashi Foundation, Yasuo Kamon, Nobuo Abe Galerie Yoshii, Chozo Yoshii
Wuppertal	Von der Heydt-Museum, Sabine Fehlemann
Yokohama	Museum of Art, Heihachiro Tsuruta
Zürich	Stiftung Sammlung E. G. Bührle, Hortense Anda-Bührle Werner und Gabrielle Merzbacher Fondation Rau pour le Tiers-Monde

sowie zahlreiche Leihgeber, die nicht genannt sein wollen.

»Ich mache nichts, was ich nicht sehe«
Paul Cézanne

Paul Cézanne bei der Arbeit am Chemin des Lauves.
Fotografie von Ker-Xavier Roussel, 1906

»Cézanne etwas beweisen zu wollen, wäre gleichbedeutend mit dem Versuch, die Türme von Notre-Dame dazu zu bewegen, eine Quadrille zu tanzen… Er ist ganz aus einem Stück, starr und schwer zu behandeln. Nichts kann ihn geschmeidig machen, nichts vermag ihn zu Zugeständnissen zu bewegen… Und so steht er denn plötzlich im Leben, mit gewissen Ideen gewappnet, die er nur auf Grund eigener Erkenntnisse zu ändern bereit ist.« »Paul mag das Genie eines großen Malers haben, wird aber nie das Genie besitzen, tatsächlich einer zu werden.«[1] Damit charakterisierte der einundzwanzigjährige Emile Zola 1861 den um ein Jahr älteren Intimus aus Kinder- und Jugendtagen in Aix-en-Provence.

Gewiß vermochte niemand die schwierige, zu Selbstzweifeln neigende Persönlichkeitsstruktur Cézannes treffender zu beschreiben als Zola. Über drei Jahrzehnte sollte er nächststehender Freund und distanzierter Beobachter bleiben. Als es 1886 zum Bruch zwischen den beiden kam, war Anlaß dazu die Veröffentlichung des Künstlerromans *L'Œuvre*. Darin brachte der erfolggewohnte Romancier auch seine Skepsis und Enttäuschung dem erfolglosen Weggefährten gegenüber zum Ausdruck. In den Augen Zolas, dessen robusteres Genie so glanzvoll ihren einstigen Erwartungen zu genügen schien, verkörperte der damals längst aus dem Gedächtnis einer leicht- fertigen Pariser Öffentlichkeit entschwundene Cézanne schließlich das an seinem Anspruch gescheiterte, »unvollkommene Genie, ohne völlige Verwirklichung«.[2]

So sicher Zolas Urteil über den Freund gewesen sein mag, so unergiebig ist es über den Künstler Cézanne. Der rasch zum populärsten Schriftsteller Frankreichs Avancierte hatte keinen Blick für die Hervorbringungen einer subtilen ästhetischen Intelligenz, die sich nur langsam und mit großer Anstrengung entwickelte, sich aber trotz aller Bedenken den Glauben an das eigene Können erhielt. Im Bewußtsein seiner Unzulänglichkeit und der Schwerfälligkeit seines Tuns Flaubert näher als Zola – Monet nannte ihn gar einen Flaubert der Malerei[3] – mühte sich der in vielerlei Widersprüche verstrickte Cézanne auch gegen die Heftigkeit und Verletzbarkeit seines Temperaments. Erst spät gelangte er zu der vagen Gewißheit, auf dem richtigen Weg zu sein. Kaum ein Künstler war von seinem Anliegen so überzeugt und keiner ebenso von Zweifeln geplagt wie er. Dabei war ein provozierender Ausdrucksüberschwang dem Willen zu sachlicher Bestimmtheit eng benachbart. Hoffnung auf Zustimmung paarte sich mit der Angst, Wahrgenommenes könnte nicht realisiert werden. Hinter apodiktischer Kompromißlosigkeit verbarg sich eine weitreichende Unentschiedenheit. Die ordnende Kraft einer aus unerhörter Willensanstrengung erwachsenen Selbst- disziplin verband sich mit unberechenbaren Gefühlslagen, entmutigender Schüchtern- heit und Verklemmungen. Zugleich schlossen sich souveräne Unbeirrbarkeit und platte Verdrängungsmechanismen keineswegs aus.

Dem Bedürfnis, anerkannt zu werden, stand zunächst die Radikalität einer einzigartigen revolutionären Auflehnung diametral entgegen. Rebellion und Reaktion bestimmten eine Kunst, die Übereinkünfte rücksichtslos entwertete, um in Phasen strenger Disziplinierung um so beharrlicher die Traditionen fortzuführen und aus Überliefertem Zukünftiges zu entwickeln. Ein Fremder in seiner Zeit und unter den Menschen, entschied sich Cézanne nach dem Aufbegehren der Frühzeit für die Lange-Weile eines eintönigen Lebens. Seine Arbeit war dem aus der Gesellschaft weitgehend Zurückgezogenen und isoliert von ihren Belangen Existierenden mühsam hervorgebrachte Behauptung.

Es mag paradox klingen, aber der von verschiedenster Seite in Anspruch genommene Wegbereiter, auf dessen eindringlicher Haltung die künstlerischen Neuerungen des 20. Jahrhunderts vielfach basieren, war ein Leben lang auf Auto- ritäten angewiesen. Um auf seinem fast monoman verfolgten Weg sicher zu gehen, stützte er sich auf den autokratischen Lebenssinn des Vaters, auf Zolas Gewandtheit, auf den Rat Pissarros, auf die Meisterwerke in den Museen und zuletzt auf den Sohn

Paul.[4] Nichts lag dem auf sich selbst verwiesenen Cézanne ferner, als mit einem allein der Anschauung verpflichteten Werk, das niemals von zeitgenössischer Bedeutung war wie das eines Courbet oder Manet, Zäsuren zu intendieren. Er dachte nicht im mindesten daran, einer neuen Kunst den Weg zu öffnen. Die konzeptionellen Folgerungen, die die Moderne aus seinem Werk zog, als sie sich zusehends von der Naturanschauung distanzierte und Naturtreue mit Naturabhängigkeit verwechselte, wären kaum von ihm gebilligt worden. Statt dessen wurde die Leben und künstlerisches Schaffen gleichermaßen betreffende Vereinzelung des in seiner Heimat verhöhnten Provenzalen bezeichnend für das inzwischen sentimental verkehrte Bild des unbeheimateten Künstlers, dessen Erwartungen auf dem Glauben beruhen, das Ansinnen eines Einzelnen habe Sinn für ein Ganzes.

Mit Ausnahme seiner rebellischen Anfänge war Cézanne nicht daran gelegen, programmatisch neue Dimensionen zu erschließen. Sein Festhalten an einem seit Jahrhunderten gängigen Themenrepertoire, das Landschaften, Porträts, Stilleben und Figurenkompositionen berücksichtigte, läßt ihn sogar rückschrittlicher als manchen seiner Zeitgenossen erscheinen; weniger zeitgemäß, dafür um so zeitloser. Denn die Gewißheit des Altbewährten gab ihm den größten Spielraum für neue Sehweisen. Anders als Degas, Seurat, Gauguin oder van Gogh, die voraussetzungslose Verfahren geltend machten, hielt sich Cézanne an das seit langem Erprobte. Was seine Sicht allerdings unterscheidet und was ihn auch vor der Routine mancher impressionistischer Produkte bewahrte, war eine ungemein starke visuelle Erfahrung. In faszinierender Nüchternheit analysierte sie den Augenschein stets aufs Neue und verhinderte damit eine unbedachte Anwendung der künstlerischen Mittel. Gerade eine vermeintlich an Cézanne anknüpfende Moderne unterließ es, dessen auf das eigene Sehvermögen zurückgeführte Sicht als entscheidende Voraussetzung schöpferischen Gestaltens mit zu reflektieren.

Die Augenzeugenschaft des Südländers beschränkte sich auf die Natur oder den Menschen sowie auf deren Relikte im geheimen Leben der Nature morte. Eine Anteilnahme an gesellschaftlichen Realitäten hätte zu weit von der eigenen Lebensproblematik weggeführt, die im Naturgemäßen, nicht im Zeitgemäßen Authentizität suchte. Den aktiven, tätigen Menschen und dessen Eingrenzung in ein dokumentierbares Damals oder Heute eliminierte er aus seiner Vorstellung. Dem Daumier- und Courbet-Bewunderer gingen deren kritische Zeitgenossenschaft ebenso ab wie der weltmännische Anstrich eines Manet und Degas oder das unbekümmerte Augenblicksverständnis Pissarros und Monets. Um sein Weltbild herauszuhalten aus den Programmen, die sich das 19. Jahrhundert zurechtgelegt hatte, verzichtete Cézanne weitgehend auf Zeitbezüge. Weder die Gegenwart noch das Vergangene mit all seinen historisierenden Abnutzungserscheinungen zog er in Betracht. Seine karge, bewegungslose Bildwelt zeigt eine Wirklichkeit ohne die Eigenschaften des Momentanen.

Den Landschaften ist die jahreszeitliche Bedingtheit genommen, den Individuen ihr individuelles Milieu, den Gebrauchsgegenständen die triviale Funktionalität. Seine Einsamkeit projizierte der Künstler auf eine von den Menschen und ihren Umtrieben unbelastete Natur. Unnahbar wie er selbst erscheint das in sich fest verschlossene Gefüge seiner Bilder. Wenn er aus Landschaften Natur oder aus Figuren Körper, wenn er aus beliebigen Dingen die Unbeirrbarkeit seiner Stilleben und aus Physiognomien die Erhabenheit der Bildnisse schuf, erregte das Motiv an sich seine Aufmerksamkeit. Das Motiv von historischer Relativität oder zeitgenössischer Vordergründigkeit abzurücken, war das eigentliche Anliegen. In malerische Zusammenhänge gebracht, blieb seine Einmaligkeit – als das Ephemere eines Zeitpunktes oder als Wandel der Umstände – großenteils unberücksichtigt. Ohne jemals auf dem extremen L'art-pour-l'art-Standpunkt einer sich selbst zum Gegenstand gewordenen Kunst zu beharren, war dem Maler das Motiv primär Anlaß, Mittel und Maß der Farbformenanalyse.

16

Mitunter wurde betont, Cézannes sorgfältig geregeltes Leben in Aix-en-Provence habe nur wenig zu tun gehabt mit dessen allein ausschlaggebender Instanz, nämlich der Kunst. Eher das Gegenteil ist richtig. Denn das Gleichmaß seiner Lebensumstände, die jeden sozialen Umfeldes entbehrten – und das, obwohl der Künstler späterhin manche Vorurteile des Kleinstadtbourgeois teilte – bestimmt eine Ikonographie, die sich von all dem abhob, was andernorts in Paris, in Arles oder auf Tahiti an Bildideen geboren wurde. Cézanne schöpfte seine ganze Kraft aus den Landschaften, aus den Menschen und Gegenständen, die dieses Leben als Dasein betrafen. Aus seinem engsten Umfeld schuf er das Äußerste an Einsicht in das Wesen der Dinge.
An den seit der Kindheit wohlbekannten provenzalischen Landschaften, an den nahestehenden Requisiten im Atelier und den ihm vertrauten Modellen fand er den Halt, sein künstlerisches Anliegen zu exemplifizieren. Motive, in die er sich nicht über lange Zeit hineinversetzen konnte, bereiteten ihm Schwierigkeiten. Daher auch der Verzicht darauf, wie die Impressionisten in sonntäglicher Verklärung des Alltäglichen die Menschen und ihre Schauplätze, die Boulevards, die Strände, die Parks oder Rennplätze zu schildern.

Obwohl die auf die Dramatik packender Geschehnisse und handelnder Personen abzielende Wucht der frühen Bilder in den siebziger Jahren – dank Pissarros behutsamer Begleitung – in eine gelassenere, ganz aus der Anschauung gewonnene Naturerfahrung einmündete, hat diese kaum etwas mit den atmosphärisch aufgeladenen Bildeindrücken der Impressionisten gemein. Cézanne, der von 1872 bis 1877 mit ihnen engen Kontakt hielt, wandelte deren von Menschen getragene, heitere Lebenserfülltheit zu ernster Bestimmtheit. Was sie im Augenblick beließen, suchte er in eine aus zeitlichen Abläufen herausgelöste, zur Dauer gesteigerte Ewigkeitsform zu überführen. Das Einvernehmen mit den Errungenschaften der Freilichtmalerei konnte nicht davon abhalten, sie mit einer gleichsam idealen Vorstellung von Formstabilität zu durchdringen. Nahezu alle Zeitgenossen, von Manet über die Impressionisten bis zu Degas oder Toulouse-Lautrec, erfanden, um den im Vorübergehen begriffenen Lebensprozessen zu genügen, Stilmerkmale, die sich in abbreviierten Techniken durch offene Skizzenhaftigkeit sowie durch starke Fragmentierungen im Bildausschnitt auszeichnen. Gerade aber dagegen richtete sich Cézanne. Auf eine vermutete Naturgültigkeit bezogen, ist seine Stilprägnanz auf das Unveränderliche festgelegt. Die Zeit im flüchtigen Wandel des Vergehens, jene der Natur immanenten Zeichen von Veränderung oder Entwicklung, waren nicht sein Thema. Seine Vorstellung des Wesentlichen hob auf die Solidität der Dinge und auf ihre substantielle Beständigkeit ab; nicht jedoch auf das Ungefähre schwereloser Lichterscheinungen oder auf das, was als Beiläufiges psychologische Eigenarten zu verdeutlichen vermag. Folgt man einer von Maurice Denis überlieferten Aussage Cézannes, so wollte er »aus dem Impressionismus etwas Solides und Dauerhaftes wie die Kunst der Museen machen«.[5] Während die Impressionisten die Gegenstände in einer weitgehend atmosphärisch bedingten Schwebe beließen, bestimmte sie Cézanne nachdrücklich durch den konstituierenden Einsatz seiner Farbformen. Um aus dem oberflächlichen Anschein des Wirklichen Grundlagen zu erzielen, galt es die Bildzusammenhänge teilweise mit Hilfe impressionistischer Mittel festzumachen, sie einschneidender, tiefgreifender, schwerwiegender sowie verschlossener als die Impressionisten zu bestimmen. In flirrenden Lichtphänomenen sahen jene das alles belebende Destillat der Natur, das die Dinge transitorisch zur Geltung bringt. Demgegenüber ist das Cézannesche Licht kein die Oberfläche belebendes, sondern ein aus der Intensität der Farbe kraftvoll leuchtendes Element, eine gestaltgebende Energie aus Farbe. Der pulsierenden Vitalität impressionistischer Farbpartikel stellte er seine auf das Ganze des Bildbaus abgestimmten, deutlich gegeneinander kontrastierenden Farbsetzungen entgegen. Mit Spachtel oder Pinseln in unterschiedlicher Stärke aufgetragen, gewinnt die Farbe als fluktuierendes Medium konstruktiven Charakter.

Die in Übereinstimmung mit der Natur erdachten Bilderfindungen Cézannes sind autonom. Ohne Drang nach Originalität resultieren sie allein aus der Gestaltung der ihn betreffenden Gegebenheiten. Sich selbst genug, weisen sie kaum bedeutend auf etwas hin. Ihre Bedeutung liegt ausschließlich in den Bildern selbst – in der Komplexität ihrer Einsichten, in der Klarheit der Strukturen, in der Logik des Aufbaus, in der Monumentalität der Wirkung. Jede Form von stofflicher Fülle oder von reizvollen Details hätte Cézannes Auffassung von Malerei als einer elementaren Einheit, die aus der Farbe ihre Substanz gewinnt, widersprochen. Ungeachtet dessen, daß die Wahl des Motivs ein persönlicher Akt der Entscheidung war, wirken die von Zeit und Ereignissen unbefangenen Bildergebnisse unpersönlich und fremd. Der Künstler tat alles, um keine Vertrautheit mit den Bildobjekten aufkommen zu lassen. Er nahm ihnen das, was Neugier, Gefühle oder Stimmungen veranlaßt hätte. Beispielsweise ist aus den Landschaften eine ins Grenzenlose vergehende Ferne ebenso verbannt wie Detailtreue oder erbauliche Staffagen. Auch lassen nur wenige Stilleben-Gegenstände konkrete Rückschlüsse auf den Autor zu. Entfremdung kennzeichnet die inhaltsschweren Figurenszenen, mit denen der junge Maler wie niemand zuvor die angestammten Grenzen der Orientierungs- und Rezeptionsmöglichkeiten durchbrach; und Vereinsamung charakterisiert später jene Porträts, in denen das Außen zum inneren Monolog geriet. Als Gegenstück zu den vor dem Motiv gestalteten Bildgattungen sind die Figurenszenen die einzig frei erfundenen, ganz aus der Einbildung gewonnenen Sujets. Menschenleere in den Landschaften und Naturferne in den frühen Szenerien heben sich zumindest dort auf, wo das ziel- und handlungslose Vorhandensein der *Badenden* den Erweis glückvollen Eingebettetseins der Menschen in die Natur zu erbringen hat.

II

In seinen letzten Lebensjahren wurde der von einem Kreis junger, theoretisch interessierter Freunde angeregte Maler nicht müde, in Briefen oder Gesprächen auf die Notwendigkeit des Naturstudiums hinzuweisen. »Ich habe Ihnen nur wenig zu sagen«, eröffnete er dem angehenden Maler Charles Camoin, »man spricht in der Tat mehr und wohl auch besser über Malerei, wenn man sich vor dem Motiv befindet, als wenn man sich in rein spekulativen Theorien ergeht, in denen man sich recht häufig verirrt.« Im Anschluß an die Empfehlung, »Studien nach den großen dekorativen Meistern Veronese und Rubens« zu machen, »doch so, als wenn Sie nach der Natur arbeiteten«, faßte Cézanne sein ausdrücklich als solches bezeichnetes Credo 1903 in dem Satz zusammen: »Alles ist, besonders in der Kunst, im Kontakt mit der Natur entwickelte und angewandte Theorie.«[6] Auch in den aufschlußreichen neun Briefen an Emile Bernard kam er wiederholt auf sein Hauptanliegen zu sprechen: »Der Künstler sollte jede Ansicht verwerfen, die nicht auf der verständnisvollen Beobachtung des Charakteristischen beruht. Er soll sich vor der literarischen Einstellung hüten, die den Maler so oft veranlaßt, sich vom wahren Weg, das heißt vom konkreten Naturstudium, zu entfernen, um sich allzulange in ungreifbaren Spekulationen zu verlieren. Der Louvre ist ein gutes Lehrbuch, doch darf er immer nur ein Vermittler sein. Das wahre und großartige Studium, das es zu unternehmen gilt, ist das der Mannigfaltigkeit des Naturbildes.«[7] Vor dem Motiv vermochte Cézanne seinen keineswegs schlüssig durchdachten, gedanklichen Erwägungen überzeugend Ausdruck zu verleihen. Hier war es ihm möglich, sich und den anderen Rechenschaft über seine Arbeit zu geben. Er ließ dann keinen Zweifel, daß ihm die Kunst »der intimste Ausdruck« seiner selbst war und die Arbeit einzige Rechtfertigung vor der Öffentlichkeit und der Geschichte sei. »Ich bin vielleicht zu früh gekommen«, heißt es in einem Brieffragment; »ich war mehr der

Maler Ihrer Generation als der meinigen... Ich werde nicht die Zeit haben, mich auszudrücken... Arbeiten wir!... Die Erfassung des Modells und seine Realisation stellen sich zuweilen nur sehr langsam ein.«[5]

Die Wahrnehmung, Verwirklichung und Vollendung umfassende »Realisierung in der Kunst« wurde zum Schlüsselbegriff von Cézannes Denken und Handeln. »Ich glaube, ich komme ihr jeden Tag näher, wenngleich ein wenig mühsam. Denn wenn auch ein starkes Empfinden für die Natur – und das meine ist gewiß sehr lebhaft – die notwendige Grundlage aller künstlerischen Gestaltung ist und auf ihr die Größe und die Schönheit des künftigen Werkes beruht, so ist doch auch die Kenntnis der Mittel, unsere künstlerische Empfindung zum Ausdruck zu bringen, nicht weniger wesentlich und läßt sich nur durch sehr lange Erfahrung erwerben.« Allein ein starkes Empfinden für die Natur führt, in Verbindung mit der »vor der Natur erfühlten« Kenntnis der Ausdrucksmittel, zur »Realisierung jenes Teiles der Natur..., der vor unsern Augen liegend das Bild ergibt«.[9] Damit war die ganze Vielfalt eines komplexen Vorgehens umschrieben, das sich aus der reflektierenden Arbeit »sur le motif« um die Ebenbürtigkeit von Naturwirklichkeit und autonomer Bildgestalt bemühte.

Insgesamt geht aus Cézannes Äußerungen hervor, daß für ihn der »Kontakt mit der Natur«, das heißt mit landschaftlichen, figürlichen oder dinglichen Naturphänomenen, entscheidend für die Bildgestaltung wurde. Ein tiefgreifendes Naturverständnis war ihm im Laufe der Entwicklung zum Beweggrund, zum Ausgangspunkt und zur Zielsetzung zugleich geworden. Seine Originalität war weniger die des Erfinders als vielmehr die des Augenzeugen, der selbst banale Dinge auf neue Weise sichtbar machte und zur geistigen Möglichkeit werden ließ. Auch wenn manche der späten Werke den Eindruck erwecken, als habe das Eigenleben der malerischen Mittel Vorrang vor den Einsichten gegenüber dem Motiv, hören doch die Farbformen niemals auf, sehr präzise auf die optischen Vorgaben einzugehen. Cézannes Methodik, die jeden Schritt seines Tuns offenlegt, denn er hatte nach eigener Aussage »in Kunstdingen nichts zu verheimlichen«[10], bot eine genau qualifizierbare Handhabe zur Durchforschung der wahrgenommenen Eindrücke. Von manchen Interpreten wurde sie zum Selbstzweck erklärt, insbesondere wenn die Rede ist von zunehmenden Abstraktionen, in denen das Vorbildliche aufgehe. Damit drängt man den Künstler allerdings rückblickend in eine Vorläuferposition, die nichts mit seiner tatsächlichen Wegbereiterfunktion zu tun hat. Denn er setzte nicht durch Abstrahierungstendenzen Maßstäbe für die Malerei des 20. Jahrhunderts, sondern allein durch die Konsequenz, mit der die unzähligen, zur autonomen Bildgestalt führenden Entscheidungen getroffen wurden, sowie durch die Zweifel an deren Richtigkeit. Sämtliche von ihm eingeführten Abstraktionen entfernen sich nicht vom Gegenstand. Sie suchen diesen im Gegenteil anhand verschiedener Orientierungspunkte faßbarer auf der Bildfläche zu realisieren und ohne Vernachlässigung der natürlichen Gegebenheiten einer harmonikalen Farbordnung einzubinden. Beim Vergleich seiner Motive mit den wenigen noch im ursprünglichen Zustand erhaltenen »Schauplätzen« stellt man dann auch fest, daß auf den ersten Blick gegenstandsferne Formbildungen, die restlos in immer freier gesetzten Farbfolgen aufzugehen scheinen, rasch an konkreter Aussage gewinnen, sobald man sich die Mühe macht, die Übereinstimmung von Naturerlebnis und Bildergebnis nachzuvollziehen. Während für Cézanne gerade die Bildung der Gegenstandsformen aus der Farbe Voraussetzung für die Realisierung autonomer Bildkontexte war, entfernten sich die Kubisten in seiner Nachfolge mehr und mehr von gegenständlichen Vorgaben, um mit deren Auflösung und mit der Minimierung der Farbe die Autonomie der Bildgestalt zu erkunden.

Die aus dem Sichtbaren gewonnene Malerei Cézannes dokumentiert den mühsamen, mitunter auch vergeblichen Weg, aus dem ständigen »Studium der Natur« wesentliche Einsichten in die Offenbarungen der Kunst zu erlangen. Richtete er sich anfangs mit Vehemenz gegen eingefahrene Stilkonventionen, so hinterließ er als Fazit den Willen, Kunst als autonomen Vorgang »parallel zur Natur« zu entwickeln.[11]

Paul Cézanne (sitzend) und Camille Pissarro (rechts stehend),
Fotografie 1877, aufgenommen in Pissarros Garten in Pontoise

Paul Cézanne (Mitte) mit Camille Pissarro (rechts) in der Gegend von Auvers,
Fotografie um 1877

Statt naturalistischer Richtigkeit, die der alte Maler genauso ablehnte wie einst der junge, galt es mit den Mitteln der Kunst der Gestaltungskraft und Intensität der Natur zu folgen. Damit reklamierte Cézanne einen eigenständigen Bildbegriff für sich, der darauf abzielte, nicht nach der Natur, sondern wie die Natur Systeme eigener, bildkonformer Gesetzmäßigkeit zu schaffen. Ein einfühlsam sehender Umgang mit der Natur, gepaart mit der profunden Kenntnis künstlerischer Überlieferungen, befähigte ihn zum Nachvollzug natürlicher Strukturen und Ordnungen, das heißt zur Urheberschaft einer der Naturrealität angemessenen Bildrealität. Aus der zur Motivation gewordenen meditativen Arbeit vor dem Motiv wurden stets neue Vorstellungen gewonnen, wie dieses zu realisieren sei. Auch wenn sich die eher Beständiges denn Bestehendes berücksichtigende Motivwahl vielfach wiederholte, entstanden daraus immer andere malerische Ereignisse, die Vergängliches in der Natur unvergänglich manifestierten. In einem Brief vom 8. September 1906 an den Sohn Paul wurde darauf Bezug genommen: »Schließlich will ich Dir sagen, daß ich als Maler vor der Natur hellsichtiger werde, doch daß bei mir die Realisierung meiner Empfindungen immer sehr mühselig ist. Ich kann nicht die Intensität erreichen, die sich vor meinen Sinnen entwickelt, ich besitze nicht jenen wundervollen Farbenreichtum, der die Natur belebt. Hier, am Ufer des Flusses, vervielfachen sich die Motive; dasselbe Sujet, unter einem anderen Blickwinkel gesehen, bietet ein Studienobjekt von äußerstem Interesse und von solcher Mannigfaltigkeit, daß ich glaube, ich könnte mich während einiger Monate beschäftigen, ohne den Platz zu wechseln, indem ich mich bald mehr nach rechts, bald mehr nach links wende.«[12]

Obwohl alles künstlich wirkt in Cézannes eigensinnig spröden Bildfindungen – das gilt sowohl für ihren farbigen Aufbau und die oft merkwürdig deplazierten Formzusammenhänge wie auch für das den perspektivischen Übereinkünften widersprechende Verhalten von Nähe und Ferne oder die formbestimmende Qualität des Lichts –, gewinnt man doch den Eindruck, daß sein Vorgehen ausdrücklich seiner Sehweise entsprach und einen Prozeß analog zur Natur repräsentiert. Im Einklang mit der Natur und eingedenk der Grenzen, die der Wahrnehmung mit den Möglichkeiten der Malerei gesetzt sind, schöpfte der Künstler die Wahrheit seiner Kunstidee aus der Anschauung. Die Genauigkeit seines Blicks schuf aus dem sich erneuernden Verlauf der Natur ein festgebautes Gefüge, das darstellt, statt nachzuahmen. Rekapituliert man heute die Motive Cézannes an jenen Stellen, wo dies noch möglich ist, dann ist man enttäuscht von der Unbestimmtheit der Wirklichkeit. Unwillkürlich ist es die Kunst, die man angesichts der Natur bleibend im Auge behält. Wann immer Cézanne die Wirklichkeit aus ihrer unbeständigen Materialität befreite, überführte er sie in das von Zu- oder Abneigungen kaum tangierte Inbild eines endgültig bleibenden Seins. Selbst wenn Stilleben-Utensilien scheinbar unlogisch verrückt wurden, ergibt sich daraus das unverrückbare Zusammenbestehen andauernder Verbundenheit.

Die zu »lösende Aufgabe« sah der Maler unter anderem darin, »das Abbild dessen zu geben, was wir sehen, und dabei alles zu vergessen, was vor uns dagewesen ist«.[13] Er, der die »Sinneseindrücke zur Grundlage seiner Sache« machte und nachdrücklich unterstrich, daß »die Optik, die sich bei uns durch das Studium entwickelt, uns sehen lehrt«[14], wollte damit auch zum Ausdruck bringen, daß dem Wissen um die Formen, die Inhalte und die Funktionen der Dinge eine von dieser Kenntnis noch nicht besetzte Wahrnehmung vorausgeht. Ihr kam es ausschließlich auf die optisch relevanten Daten und deren Bezugnahme zum Bildganzen an. Ein auf seine Ursprünge zurückgeführter Blick auf das, was zunächst als Licht und Schatten farbig in Erscheinung tritt, entdeckte das Motiv, gleichsam unvorhergesehen, in statu nascendi und erkannte in den »sensations colorantes« die primären optischen Ereignisse. Ausgangspunkt dieser voraussetzungslosen Sicht war also nicht das vorgegebene Wissen um die Erscheinungsweise, sondern es waren die tatsächlich wahrgenommenen Farbeindrücke, aus denen sich dann schrittweise die weiteren Fakten ergeben mußten.

Dem bewunderten Delacroix folgend, bedeutete für Cézanne die Farbe konstituierende Materie schlechthin. Sie war ihm wichtigstes, im Zentrum der Überlegungen stehendes Gestaltungsmittel. Indem immer genauer differenziert wurde zwischen dem einzig sichtbaren farbigen Muster und einem an den gewußten Sachverhalten orientierten Erkennen der Dinge, entfaltete sich ein vor allem den Farbeindrücken vertrauendes Sehen, das unvoreingenommen war durch das Wissen um die Eigenschaften dessen, was gesehen wurde. Bestimmung eines solchen, durch besondere Konzentrationskraft ausgezeichneten Blicks auf eine Wirklichkeit, die zunächst nur aus ungegenständlichen Farb- und Formwerten besteht, war es, mittels farbiger Gewichtungen aus diesem noch gegenstandsfernen Stadium einen Bildkontext zu erarbeiten, in dem Körper- und Raumformen mit der Fläche überzeugend zusammenwirken. Gegenständliche oder räumliche Vorstellungen wurden dann aus einer das Bildganze betreffenden, logischen Folge von Farbentscheidungen ermessen. Daraus ergibt sich, daß Farbauftrag und Pinselführung sowohl malerisches Äquivalent für Gegenstandsformen sind als auch Teil eines übergreifenden Prinzips, das die Bildeinheit sicherstellt und ihr in allen Stadien der Farbigkeit Intensität verleiht. Nach den in ihrer Art so einmaligen, 1907 verfaßten Cézanne-Briefen Rainer Maria Rilkes ist es noch »niemals so aufgezeigt worden, wie sehr das Malen unter den Farben vor sich geht, wie man sie ganz allein lassen muß, damit sie sich gegenseitig auseinandersetzen. Ihr Verkehr untereinander: das ist die ganze Malerei. Wer dazwischen spricht, wer anordnet, wer seine menschliche Überlegung, seinen Witz, seine Anwaltschaft, seine geistige Gelenkigkeit irgend mit agieren läßt, der stört und trübt schon ihre Handlung.« Und an anderer Stelle schrieb Rilke: »Ich denke mir, daß die beiden Vorgänge, des schauenden und sicheren Übernehmens und des Sich-Aneignens und persönlichen Gebrauchens des Übernommenen, sich bei ihm, vielleicht infolge einer Bewußtwerdung, gegeneinander stemmten, daß sie sozusagen zugleich zu sprechen anfingen, einander fortwährend ins Wort fielen, sich beständig entzweiten. Und der Alte ertrug ihren Unfrieden…«[15]

Die im Frühwerk radikal vereinfachten, aus pastosem Farbauftrag gestalteten Bildobjekte erfuhren in den siebziger und achtziger Jahren in der gleichmäßigen Klarheit wohlerwogener Farbsetzungen eine verstärkte Zuwendung. Erneut wurde die Annäherung an den Gegenstand in der Spätzeit zurückgenommen zugunsten eines engmaschigen Gewebes aus relativ kurzen, mit dem breiten Pinsel orthogonal beziehungsweise diagonal gegeneinander gestellten Farbformen. Diese je nach Haltung, Druck und Zug des Pinsels unterschiedlich beschaffenen farbigen Muster verdichteten sich zu Gesamtstrukturen, in die räumliche oder plastische Gegebenheiten zur Bildfläche hin ebenso eingebunden wurden wie das gegenständliche Hervortreten aus ungegenständlichen Erscheinungsbildern. Als wesentliche Bildsubstanz garantiert die Farbtextur die Stabilität des Bildaufbaus. Sie stellt gleichsam einen haltgebenden Grund dar, aus dem das Sujet in unterschiedlicher Deutlichkeit erwächst. Sie bindet Nähe und Ferne des Bildraumes enger zusammen, als wolle der Künstler, ohne Rücksicht auf perspektivische Sehgewohnheiten und ein auf den Betrachter bezogenes Raumkontinuum, das Naheliegende entfernen, um gleichzeitig das Ferne näher zu rücken. Während er das eine aus seiner Vertrautheit entfremdete, suchte er die sich in utopischen Fluchtpunkten verlierenden Weiten des anderen klarer zu bestimmen. So wurden auch die fernsten Anhaltspunkte einer dritten Dimension zu Bausteinen, die sich einzufügen hatten in die Farb-Flächen-Koordinaten des Bildes.

Unabhängig vom Grad der tatsächlichen Vollendung hatte der zunehmende Reichtum der Farbbezüge eine Darstellungsdichte zur Folge, aus der das Gegenständliche als eine in farbige Zusammenhänge eingeflochtene Gewichtung hervorging. Rilke zitierte diesbezüglich, daß es wie auf eine Waage gelegt sei, »das Ding hier, und dort die Farbe; nie mehr, nie weniger, als das Gleichgewicht erfordert. Das kann viel oder wenig sein: je nachdem, aber es ist genau, was dem Gegenstand entspricht.«[16] Dabei mußten alle Teile eines Bildes gleichwertig behandelt werden. Anstatt sie bildbeherrschend einzusetzen, sind schon die schweren Formkomplexe und äußersten Farbigkeiten im Frühwerk ausgewogen miteinander in Bezug gebracht. Das ganze weitere Vorgehen war davon bestimmt, eine auf gleicher Geltung beruhende Gleich-Gültigkeit zu vervollkommnen und derart zu verfeinern, daß im Bild ein lückenloser Zusammenschluß von Fläche, Körpern und Raum aus der Farbe entsteht. Im schrittweisen Zutun geriet jedes neu hinzukommende Detail sofort in ein sinnfälliges Antwortverhältnis zu bereits Vorhandenem; und keiner Farbe gelang es, sich auf Kosten anderer hervorzutun, um das durchdachte Gewirk zu sprengen. Es ist, als wisse das kleinste Segment um die Notwendigkeit eines zusammenhangvollen Ganzen.

Ein bescheidenes Resümee dessen, was Cézanne theoretisch erst spät umschrieb, was er jedoch praktisch jahrzehntelang verwirklicht hatte, als er sich stets aufs neue Gewißheit über das Wesen der Natur verschaffte und die Angemessenheit der künstlerischen Aussage vor dem Naturbild überprüfte, beinhaltet der wenige Wochen vor seinem Tod geschriebene Brief an Bernard vom 21. September 1906: »Jetzt scheint es mir, daß ich besser sehe und daß ich hinsichtlich der Orientierung meiner Studien richtiger denke. Werde ich das so sehr gesuchte und so lange verfolgte Ziel erreichen? Ich wünsche es, aber solange es nicht erreicht ist, bleibt ein gewisser Zustand von Un-behagen bestehen, der erst verschwinden wird, wenn ich den Hafen erreicht haben werde, das heißt, wenn ich etwas realisiert haben werde, das sich besser als bisher entwickelt und eben dadurch die Theorien beweisen kann, die als solche ja immer leicht sind. Was ernsthafte Schwierigkeiten bereitet, ist nur, den Beweis für das, was man denkt, zu erbringen. Ich setze also meine Studien fort… Ich arbeite weiter nach der Natur, und es scheint mir, als machte ich langsame Fortschritte…ich glaube an die logische Entwicklung dessen, was wir beim Studium der Natur sehen und empfinden, und beschäftige mich erst später mit den technischen Verfahren; denn die technischen Verfahren sind für uns nichts als einfache Mittel, um dem Publikum zu veranschau-lichen, was wir selbst empfinden, und um uns verständlich zu machen. Die Großen, die wir bewundern, dürften nichts anderes getan haben.«[17]

III

Auf Schwierigkeiten stößt die Analyse eines über 40 Jahre währenden künst-lerischen Prozesses, der an Gemälden, Aquarellen und Zeichnungen über 2700 Arbeiten umfaßt.[18] Anhaltspunkte für eine eindeutige chronologische Abfolge sind kaum gegeben. Auch stilistische Kriterien lassen sich nur bedingt anwenden, da sich der Werdegang des Gesamtwerks höchst vielschichtig und oft auch in sich folgewidrig zeigt. Von 839 im Werkverzeichnis genannten Gemälden sind nur sechs Beispiele aus der Frühzeit datiert.[19] Kaum anders verhält es sich bei den Zeichnungen und Aqua-rellen, von denen insgesamt 1223 beziehungsweise 645 verzeichnet sind.[20] Weiß man etwa 100 Gemälde nach äußeren Merkmalen mit einiger Sicherheit zeitlich einzu-ordnen, so ist der Prozentsatz bei den Zeichnungen und Aquarellen noch geringer. Man ist also weitgehend auf Annäherungswerte angewiesen, die sich in großen zeit-lichen und stilistischen Spannen bewegen. Da Rückgriffe, Überschneidungen und Vorwegnahmen in allen Bereichen selbstverständlich waren, können Klärungen nur mit Vorbehalt herbeigeführt werden. Mit Vorsicht sind selbst enge Beziehungen zwischen Gemälden, Aquarellen und Zeichnungen zu vermerken, da Cézanne über Jahre hinweg dieselben Landschaftsausschnitte oder Requisiten bevorzugte; ja gelegentlich griff er bei späten Figurenkompositionen in Ermangelung von Modellen auf frühe Akademiestudien zurück. Auch stellen sich Entwicklungen keineswegs in allen Bildgattungen vergleichbar dar, und Gleichzeitiges kann wesentlich voneinander abweichen. Einerseits pflegte der Künstler bestimmte Grundzüge – mit Unterbrechungen – lange Zeit beizubehalten, um andererseits Neuansätze erst sehr viel später auch in anderen Zusammenhängen weiterzuverfolgen. Einmal durchdachte Vorstellungen trug er stets in sich fort. Sogar dann ist dies spürbar, wenn sich späteres Gedankengut, das eine starke Objektivierungstendenz des Subjektiven behauptet, im Widerspruch zum Vorausgegangenen herausbildete oder wenn das auf Konflikten und Kontroversen basierende Frühwerk manches vorwegnahm, was bis in die spannungsgeladene Spätzeit hineinwirkte. Fest steht allein, daß sich die unsagbare Weite, der Ernst und die Schönheit dieses Œuvres jedem oberflächlichen Interesse und allen einseitigen Kategorisierungsversuchen entziehen.

Was in den zitierten Briefen immer wieder zum Ausdruck kommt, nämlich die Empfehlung, sich in erster Linie dem Studium der Natur zu widmen, findet seinen Niederschlag in den zahlreichen Landschaftsdarstellungen, die im Mittelpunkt des Interesses standen. Dabei gab es keine Landschaftsform, die Cézanne besonders favorisiert hätte. Offensichtlich war ihm daran gelegen, die Vielfalt zu gestalten. Reizlose Naturausschnitte lagen ebenso im Bereich des Möglichen wie weite Panoramen oder kompliziert verwinkelte Dachansichten. Ständig alterniert Enges mit Weiträumigem, durch Bäume verstellte Nahsichten wechseln mit offenen Ausblicken auf das Meer oder entlegene Bergmassive ab. Verlockend war der Rundblick auf die Hügelketten um Aix, auf die Montagne Sainte-Victoire, die Meeresbucht vor L'Estaque oder auf zerklüftete Formationen des Steinbruchs Bibémus, dessen Fels- und Gesteinslagen starke Auf- beziehungsweise Untersichten erforderten. Parks mit Alleen, steil aufragende Bergstädte und Waldinterieurs gehörten zum Repertoire wie auch einzelne Baumgruppen, Wasserläufe und Flüsse mit Baumbestand an den Uferzonen. Daß typische Stadtmotive, etwa Straßenszenen und Industrieanlagen aus Paris, Aix oder Marseille, fehlen, mag damit zusammenhängen, daß sich der Maler durch den Betrieb und die Passanten bei seiner Arbeit gestört gefühlt hätte. Zudem waren ihm im Alter alle technischen Errungenschaften Zeugnisse für die Unerbittlichkeit des sogenannten Fortschritts.[21] Wenn Städte oder Dörfer im Bild erscheinen, dann meist als ferne, von »sicherem« Standort aus beobachtete Ansichten, in denen sich die Häuser, Straßen und Wege unbevölkert zeigen.

Rund 40 Prozent der Gemälde sind Landschaften. Stilleben und Porträts nehmen mit jeweils knapp 20 Prozent eine zwischenliegende Position ein, wohingegen die Zahl der Figurenszenen sowie der Bilder mit *Badenden* relativ gering ist. Ähnliche Relationen ließen sich auch im Hinblick auf die Aquarelle nennen, wobei der Anteil der Landschaftsmotive dort noch weit höher liegt und auffällt, daß der Aquarellist nur wenig porträtierte. Dagegen spielte für den Zeichner die Landschaft im Vergleich zu Figurenstudien und Porträts nur eine zweitrangige Rolle. Unter den Zeichnungen dominieren eindeutig die Studien nach Kunstvorbildern. Diesen ausführlichen Dialog mit den Kunstwerken der Vergangenheit, der um 1865 einsetzte und etwa ein Drittel des zeichnerischen Gesamtwerks ausmacht, sucht man bei den Gemälden vergebens. Grund dafür wird der Umstand gewesen sein, daß das zeichnerische Studienmaterial mit fast 400 Arbeiten nach über 160 Vorbildern dem Maler vorwiegend als Formenrepertoire diente. Daß sich Cézanne in den Museen aufs Zeichnen beschränkte, könnte auch damit zu tun gehabt haben, daß es ihm unangenehm war, mit Staffelei und Leinwand, mit Pinseln, Farbtuben und Palette vor einem neugierig Vergleiche anstellenden Publikum zu agieren.[22] Der Zeichenblock konnte mühelos mitgeführt werden, die Utensilien des Malers hätten hingegen einen ziemlichen Aufwand erfordert.

Wie die Papierformate des Zeichners und Aquarellisten bewegen sich auch die Leinwandgrößen des Malers in den gängigen mittleren Bereichen. Am häufigsten, das heißt für knapp die Hälfte der Gemälde, wurden Leinwände bevorzugt – und nur solche sind als Bildträger nachzuweisen –, deren Formate zwischen ca. 46 × 55 cm und ca. 73 × 92 cm liegen.[23] Sie waren vor dem Motiv leicht zu handhaben. Kleinere Leinwände sind vorwiegend in den sechziger und siebziger Jahren benutzt worden, während großformatige nur für einige Porträts und Figurenbilder der Frühzeit und erneut nach 1890 Verwendung fanden.

Um die Strukturen des Bildaufbaus zu skizzieren, verwandte Cézanne seit der Mitte der achtziger Jahre neben Stiften auch ein stark mit Terpentin verdünntes, tiefblaues Ultramarin. Auf halbfertig liegengebliebenen Leinwänden sieht man, daß solche ersten, die gesamte Bildfläche umspannenden Projektierungen mitunter auch in Dunkelgrau oder Braun vorgenommen worden sind. Noch unverbindlich, dienten sie einer vorläufigen Orientierung auf dem hellen Grund der Leinwand. Zunächst ohne erkennbare Darlegung, definierten sie den Bildorganismus und deuteten knapp auf dessen Bezüge hin. Man könnte derart grundlegende Strichlagen mit der Erstellung eines Baugerüsts vergleichen, das, bevor es wieder verschwindet, Prämisse ist für den Aufbau und aus dessen Entstehungsprozeß seine Funktion erhält. Der Weg war nun frei für die Farben, die sukzessive, zunächst vereinzelt, scheinbar wahllos in wenigen Tupfen oder in schmalen Lagen an die vorhandenen Strichkonstellationen anklingend, hinzukamen. Im Fortgang des malerischen Prozesses wurde das von tiefsten Dunkelzonen ausgehende Liniengerüst ersetzt durch eine immer vielfältiger werdende Farbformentextur. Aus dem allmählichen Zusammenwachsen der chromatischen Bezüge und dem bedachtsam »modulierenden« Fortschreiten von farbigen Tiefen- zu Höhenlagen gewann der Bildvorwurf dann in einem aus Schatten zur Sichtbarkeit gelangten Vorhandensein Gestalt.

Da der Maler Emile Bernard, gelegentlich zweier Besuche in Aix-en-Provence im Februar 1904 und nochmals kurz Ende März 1905, Cézanne mehrmals vor das Motiv begleiten konnte, ist zumindest für die Spätzeit ziemlich genau belegt, wie dieser bei der Arbeit vorging und wie seine Palette zusammengestellt war. Demnach vermied er es, beim Malen die Farben zu mischen. Er hatte »fertige Skalen für alle Abstufungen der Farbtöne auf der Palette, die er dann sukzessive anwendete«.[24] Diese Palette war äußerst reichhaltig und sorgfältig aufgebaut. Sie setzte sich aus fünf Gelbtönen, sechs Rot-, jeweils drei Grün- und Blautönen sowie Kernschwarz zusammen.[25] Bernard erinnerte sich, daß Cézanne, der seine Tätigkeit abbrach, sobald die Konzentration nachließ, sehr langsam arbeitete und es deshalb oft geschah, daß ein Bild unvollendet blieb. »So sah ich in einem an das Atelier im oberen Stock in der Rue Boulegon angrenzenden kleinen Verschlag viele Landschaften, die weder Skizzen noch Studien, sondern nur angefangene Skalen waren, die der Witterung wegen nicht weitergeführt worden waren. So waren eine Menge Motive da, bei denen die Leinwand nicht einmal ganz mit Farbe bedeckt war. Man hat den Fehler begangen, Cézanne nach solchen angefangenen Arbeiten, die er selbst aufgegeben hat, zu beurteilen.«[26] Auf einen an der Moderne geschulten Blick mögen die unfertigen Gemälde durch die ungebundene Verteilung der Farbrhythmen und deren Durchsetzung mit grundweißen Stellen überzeugend wirken. Für Cézanne jedoch waren sie Belege seiner Unfähigkeit, Endgültiges zu realisieren. Es wird kaum in seinem Sinne gewesen sein, daß Pissarro die Schönheit nicht fertig gemalter Stilleben hervorhob und Denis gar 1907 von der Mystik des Unvollendeten schwärmte. Darum sollte man vermeiden, Gemäldeprovisorien, die einfach deshalb solche blieben, weil der Künstler sich vor unlösbare Probleme gestellt sah und er das mühsame Mosaik immer neuer Entscheidungen in der Schwebe des Unvollendeten beließ, in einem Atem zu nennen mit Aquarellen, bei denen die offenen Stellen Bestandteil der malerischen Konzeption waren und der Aquarellist aufhörte, weiterzumalen, sobald jeder zusätzliche Farbauftrag die Gesamtstruktur verunklart hätte.[27]

Inwieweit es zutrifft, aufgrund gewisser Analogien Einflüsse der Aquarelltechnik auf die Ölmalerei zu konstatieren, sei dahingestellt. Zugegeben, bei einer beachtlichen Anzahl von Gemälden scheinen die Möglichkeiten der Aquarelltechnik in die Überlegungen miteinbezogen. Ja, man könnte der Ansicht sein, daß die Kompaktheit der mit dem Spachtel bewältigten frühen Bilder auf die Wasserfarbenmalerei einwirkte, wohingegen in manchen der späten Gemälde umgekehrt eine der Aquarelltechnik vergleichbare Offenheit der hellen Gründe angestrebt ist. Doch weder eine solche Offenheit noch relativ dünn aufgetragene Malsubstanzen sind ausreichender Beweis für derartige Rückschlüsse. Ein Vergleich der Aquarelle mit tatsächlich fertiggestellten Gemälden zeigt nämlich, wie wenig die beiden Verfahren gemein haben. Der Maler ließ keinen Zweifel an ihrem jeweiligen Eigencharakter.

IV

Weite Bereiche der Moderne wären ohne die mitunter ingeniösen Verkennungen der Cézanneschen Absichten nicht denkbar. Wollte man all die Künstlernamen nennen, die sich mehr oder weniger berechtigt auf diese beriefen und Einzelaspekte aus deren Fülle für eigene Bildfindungen herauslösten, hätte man eine nahezu lückenlose Kunstgeschichte des 20. Jahrhunderts. Dazu bemerkte André Masson sarkastisch: »Sie haben Cézannes Äpfel in vier Teile geteilt, um ihn besser essen zu können.«[28] Schon zu Lebzeiten Cézannes waren es in erster Linie Künstlerkollegen, die auf die Konsequenz seines Werks scharfsichtig reagierten. Zu den Käufern seiner Arbeiten zählten mit Pissarro, Monet, Renoir, Degas und Gauguin die bedeutendsten unter seinen Zeitgenossen. Zudem hatten jüngere Künstler – wie die Studienfreunde van Gogh und Toulouse-Lautrec etwa – über Emile Bernard und Gauguin von dem Sonderling im fernen Aix erfahren. Da von 1863, als ein Stilleben Cézannes im Salon des Refusés Hohn und Spott geerntet hatte, bis 1895 weniger als zwei Dutzend seiner Arbeiten in Paris öffentlich ausgestellt waren – davon drei Gemälde 1874 bei der ersten sowie 14 Gemälde und drei Aquarelle bei der dritten Impressionisten-Ausstellung 1877 –, war es kaum möglich, einen Eindruck seiner Intentionen zu gewinnen. Lediglich auf dem Montmartre, im Laden des Farbenhändlers Tanguy, wo sich Cézanne zuweilen mit Materialien eindeckte, waren Gemälde von ihm zu sehen. Sie hatte der Künstler in Zahlung gegeben, da er bis zum Tod seines Vaters 1886 ausschließlich auf dessen bescheiden bemessene Monatswechsel sowie auf sporadische Zuwendungen Zolas angewiesen war. Auch der junge Pariser Kunsthändler Ambroise Vollard hatte 1892 die ersten Cézannes bei Tanguy gesehen. Ihm zufolge »ging man selten in die Rue Clauzel, da es damals noch nicht Mode war, die ›Greuelwerke‹ teuer, ja, nicht einmal billig zu kaufen. Und wenn sich trotzdem ein Liebhaber für einen Cézanne zeigte, führte ihn Tanguy in des Malers Atelier, zu dem er einen Schlüssel besaß, und man konnte unter den verschiedenen Bilderhaufen zum festen Preis von vierzig Francs für die kleinen und hundert Francs für die großen auswählen. Es gab auch Bilder, auf denen Cézanne kleine Skizzen verschiedener Themen gemalt hatte. Er überließ es Tanguy, sie auseinanderzuschneiden. Sie waren für jene Liebhaber bestimmt, die weder vierzig noch hundert Francs zahlen konnten. So konnte man Tanguy sehen, wie er mit der Schere kleine ›Motive‹ verkaufte, während irgendein Mäzen ihm einen Louis hinstreckte und sich mit ›drei Äpfeln‹ von Cézanne davonmachte.«[29]

Angeregt von Pissarro, Monet und Renoir kommt Vollard das Verdienst zu, von November bis Mitte Dezember 1895 in seinen Galerieräumen in der Rue Laffitte die erste Cézanne-Ausstellung veranstaltet zu haben. Nach fast zwei Jahrzehnten des Vergessens trat Cézanne damit Ende 1895 plötzlich wieder ins Licht der Öffentlichkeit.[30] Über den kleinen Kreis der Informierten hinaus, zu denen der Sammler Victor Chocquet und Dr. Gachet gehörten, erfolgte nun eine breitere Diskussion des Werks, das vordem entweder auf völliges Unverständnis gestoßen war oder aber nur in Verbindung mit den Impressionisten gesehen wurde, wie von Théodore Duret 1878, von Zola 1880 und zunächst auch von Joris Carl Huysmans 1883.[31] Der Kritiker Gustave Geffroy war der erste, der die Ausstellung am 16. November 1895 in ›Le Journal‹ begeistert rezensierte: »In die Galerie Vollard, Rue Laffitte, können die

Passanten eintreten und stehen dann etwa fünfzig Bildern gegenüber: Figuren, Landschaften, Früchten, Blumen, angesichts deren man sich endlich ein Urteil über eine der schönsten und größten Persönlichkeiten dieser Zeit bilden kann… Er ist ein großer Wahrheitsfanatiker, feurig und naiv, herb und nuanciert. Er wird in den Louvre kommen.«

Die beiden engsten Freunde Cézannes, Zola und Pissarro, vertraten auch nach diesem Ausstellungsereignis ihre gegensätzlichen Positionen. Zola, der sich publizistisch nur 1867 und 1880 über Cézanne geäußert hatte, sah in ihm nach wie vor das »Genie ohne völlige Verwirklichung«. Anläßlich einer am 2. Mai 1896 in ›Le Figaro‹ erschienenen Salon-Besprechung, in der er mit den epigonalen Nutznießern der ehemals Refüsierten abrechnete, erinnerte er sich noch einmal des Jugendfreundes, zu dem die Beziehung seit 1886 abgebrochen war: »Ich war fast in derselben Wiege groß geworden mit meinem brüderlichen Freunde Paul Cézanne, bei dem man erst heute daran geht, die genialen Teile eines großen, nicht gereiften Malers zu entdecken.« Pissarro dagegen – der wohl mehr als 15 Cézanne-Gemälde besaß, die er sowohl von ihrem Urheber erhalten als auch bei Tanguy und später bei Vollard erstanden hatte –, fühlte sich endlich als Fürsprecher seines einstigen Schützlings bestätigt. In mehreren Briefen an seinen Sohn Lucien kam er auf die Ausstellung zu sprechen: »Ich dachte auch an die Ausstellung Cézannes, wo so erlesene Dinge sind, Stilleben von makelloser Vollkommenheit, daneben welche, die sehr durchgearbeitet und doch nicht fertiggemalt sind, noch schöner als die anderen; Landschaften, Akte, unvollendete Köpfe, die doch wahrhaft grandios und so durch und durch Malerei, so geschmeidig sind… Sonderbar: während ich jene merkwürdige, bestürzende Seite Cézannes bewunderte, die ich seit Jahren fühle, kommt Renoir daher. Aber meine Begeisterung ist gar nichts, verglichen mit der Renoirs! Sogar Degas hat den Zauber der Natur dieses raffinierten Wilden an sich erlebt, Monet, alle – ja, irren wir uns denn? Ich glaube nicht. Die einzigen, denen dieser Zauber entgeht, sind gerade jene Künstler und Sammler, die uns eben durch ihre Irrtümer beweisen, daß ihnen ein Sinn fehlt. Übrigens weisen sie alle ganz logisch auf die Fehler hin, die auch wir sehen und die vor der Nase liegen, aber den Zauber, nein, den spüren sie nicht. Wie Renoir mir ganz richtig sagte, besteht hier eine gewisse Analogie zu den so herben, so wundervollen Malereien von Pompeji… Degas und Monet haben herrliche Dinge (von Cézanne) gekauft – ich habe einige wunderbare kleine *Baigneurs* und ein Porträt Cézannes gegen eine schlechte Skizze von Louveciennes eingetauscht.« Noch in einem zweiten Brief Pissarros vom 4. Dezember 1895 ist die Rede vom Enthusiasmus der Künstlerfreunde: »Du kannst Dir nicht vorstellen, wie schwer es mir manchmal wird, gewissen Sammlern, Freunden der Impressionisten, alle großen seltenen Eigenschaften Cézannes verständlich zu machen. Ich glaube, es werden Jahrhunderte vergehen, bis man sich davon Rechenschaft geben wird. Degas und Renoir sind voller Enthusiasmus für Cézannes Werke. Vollard zeigte mir eine Zeichnung mit einigen Früchten; um den glücklichen Besitzer zu bestimmen, zogen sie das Los. Degas so begeistert von Skizzen Cézannes! Was sagst Du dazu? Sah ich 1861 nicht recht, als Oller [ein Freund Pissarros] und ich den sonderbaren Provençalen im Atelier Suisse besuchten, wo Cézanne Aktzeichnungen machte, die das Gelächter aller Nichtskönner der Schule bildeten.«[32]

Während Renoir lediglich vier Gemälde Cézannes sein eigen nennen konnte (Kat.-Nr. 30), stellten die insgesamt 13 Bilder, die Monet gehörten, in qualitativer Hinsicht die Sammlungen seiner Kollegen weit in den Schatten (Kat.-Nrn. 27, 95). Sowohl in der Sammlung Pissarros als auch bei Renoir und Monet überwogen aus naheliegenden Gründen die Landschaftsbilder Cézannes. Anders bei Degas, sein geringes Landschaftsinteresse ließ ihn auf den Kauf einer Landschaft verzichten. Statt dessen erwarb er bei Vollard drei Porträts, zwei Stilleben, eine mythologische Szene und die stehende Figur eines *Badenden*, die heute Jasper Johns gehört.

Seit der Jahrhundertwende war Cézanne »sehr en vogue, was ganz erstaunlich ist«, wie Pissarro vermerkte.[33] 1899, 1901, 1902 und 1905 beteiligte er sich in Paris an

Paul Cézanne vor dem noch unvollendeten Gemälde *Die großen Badenden*
(The Barnes Foundation, Merion), Fotografie von Emile Bernard, 1904

den Ausstellungen des Salon des Indépendants. Und 1904 stellte er 30 Bilder, 1905 und 1906 jeweils zehn im Salon d'Automne aus. Nach dem Tode Cézannes im Oktober 1906 fanden dann 1907 die im Hinblick auf die Rezeption einer nachfolgenden Künstlergeneration wichtigsten beiden Retrospektiven statt. Vom 17. bis 29. Juni zeigte die Galerie Bernheim-Jeune 79 Aquarelle, während im Oktober im Grand Palais, innerhalb des vorwiegend belgischer Kunst gewidmeten V. Salon d'Automne, in zwei Sälen eine Gedächtnisausstellung mit 49 Gemälden und sieben Aquarellen zu sehen war.

Unter den jungen Künstlern war es zuerst Matisse, der die Begeisterung für Cézanne teilte und sich von ihm inspiriert zeigte. Noch der Achtzigjährige betonte 1949, daß es in der modernen Kunst Cézanne war, dem er am meisten verdanke![34] 50 Jahre früher, 1899, hatte er für den Preis von 1200 Francs bei Vollard ein kleines Bild mit *Badenden* gekauft, das ihn 37 Jahre begleitete, bis er es schließlich dem Musée du Petit Palais in Paris als Schenkung überließ. An den Konservator des Museums schrieb er am 10. November 1936 aus Nizza: »In den siebenunddreißig Jahren, da es mir gehörte, lernte ich dieses Bild recht gut kennen und doch nicht ganz, wie ich hoffe. In kritischen Augenblicken meines Künstlerabenteuers hat es mir Mut gemacht; aus ihm schöpfte ich meinen Glauben und meine Ausdauer. Erlauben Sie mir darum die Bitte, ihm den Platz zu geben, den es verlangt, um voll zur Geltung zu kommen. Dazu braucht es sowohl Licht als auch Distanz. Es ist köstlich in der Farbe und in der Machart; in der Distanz offenbart es den wuchtigen Schwung seiner Linien und die außerordentliche Nüchternheit seiner Beziehungen.«[35]

1907 hatte Matisse seinen berühmten, für Picasso wie für Braque zur Herausforderung gewordenen *Blauen Akt* gemalt (Abb. 1), wo er afrikanische Einflüsse mit den Lehren Cézannes in Verbindung zu bringen suchte. Als Vorbild könnte dessen überlebensgroßer *Liegender Akt* gedient haben, der, heute verschollen, 1870 für die Salon-Ausstellung bestimmt gewesen war, und nur in Form einer Cézanne-Karikatur überliefert ist (Abb. 2). Das Großformat aus der Frühzeit hatte neben vier weiteren Cézanne-Gemälden Gauguin gehört, der es aus finanziellen Erwägungen an Tanguy zurückgeben mußte, so daß es Anfang der neunziger Jahre wieder bei diesem zu sehen war.[36] Möglicherweise entdeckte Matisse den Cézanne-Akt später bei Vollard. Vor allem die revolutionäre Haltung des frühen Cézanne, der sich mit imposanten Kampfansagen gegen den Salon in Szene gesetzt hatte und auch noch 1870 dessen Konventionen durch seine »wilden« Bilder in Frage stellte, mögen den Fauvisten Matisse bewogen haben, sich mit seinem ersten wichtigen Bild, das er nach dem Tode Cézannes vollendet hatte, auf eines der frühen Hauptwerke zu beziehen. Mit der absichtlichen Häßlichkeit, der Rohheit und dem Primitivismus seiner Hommage an Cézanne könnte Matisse wie einst dieser den Affront gegen den Schönheitsbegriff des Salons gemeint haben.

Abb. 1
Henri, Matisse, *Blauer Akt (Erinnerung an Biskra)*, 1907.
The Baltimore Museum of Art, Cone Collection,
© 1993 VG Bild-Kunst, Bonn

Wie sehr Matisse sein Leben lang unter dem Eindruck des »Meisters aus Aix« gestanden hat, von dem er im Laufe der Zeit fünf Gemälde erworben hatte (Kat.-Nr. 40), zeigt eine sehr einfühlsame Interview-Aussage aus dem Jahre 1925: »Wenn Sie wüßten, wieviel moralische Kraft, wieviel Ermutigung mir sein wunderbares Beispiel während meines ganzen Lebens gegeben hat! In Augenblicken des Zögerns, als ich noch auf der Suche nach mir selbst war, erschrak ich bisweilen über meine Entdeckungen und dachte dann: ›Wenn Cézanne recht hat, habe ich auch recht‹, und

ich wußte, daß Cézanne sich nicht ge-
täuscht hatte. In Cézannes Werk, sehen
Sie, sind architektonische Gesetze enthalten, die einem jungen Maler sehr zustatten kommen. Er faßte seinen Malerberuf
als hohe Mission auf und hatte unter anderen hervorragenden Tugenden auch jene,
daß er die Farben in einem Bild als Kräfte
wirken lassen wollte. Man sollte sich nicht
darüber wundern, daß Cézanne so lange
und so beharrlich gezögert hat. Ich mei-
nerseits glaube immer, ich male zum
ersten Mal, wann immer ich vor meiner
Leinwand stehe. In Cézanne waren so
viele Möglichkeiten angelegt, daß er es
mehr als ein anderer nötig hatte, seine
Gedanken zu ordnen. Cézanne, sehen Sie,
ist wohl eine Art lieber Gott der Malerei.
Ist er gefährlich, sein Einfluß? Und wenn
schon? Um so schlimmer für jene, die
nicht genügend Kraft haben, ihn zu ertra-
gen! Nicht robust genug sein, um, ohne
schwach zu werden, einen Einfluß zu er-
tragen, ist ein Beweis des Unvermögens.«[37]

Abb. 2
Le Salon par Stock, Cézanne-Karikatur mit den
beiden von der Salon-Jury 1870 zurückgewiesenen
Gemälden, Lithographie

Von Braque und Picasso bis zu Duchamp und Mondrian beriefen sich die
Kubisten recht willkürlich auf Cézanne, ohne dessen naturbezogene Beweggründe
genauer in Erfahrung zu bringen. Diesbezüglich hatte die vielzitierte, 1907 von
Bernard veröffentlichte Cézanne-Empfehlung, »man behandle die Natur gemäß
Zylinder, Kugel und Kegel«, zu manchen formalistischen Mißdeutungen geführt. Ein
bezeichnendes Beispiel dafür findet sich in einem Text von Malewitsch, der *Von den
neuen Systemen in der Kunst* handelt und 1919 in Witebsk erschienen ist: »Cézanne ist
sich des Grundes der Geometrisationen bewußt geworden, und er hat uns sehr
bewußt den Konus, den Würfel und die Kugel als charakteristische Varietäten
angegeben, auf deren Prinzip die Natur aufzubauen ist.«[38]
Konkret bewegte sich Braque auf den Spuren Cézannes, als er sich von jenen
Orten angeregt zeigte, wo auch dieser häufig gemalt hatte. So begab er sich erstmals
von Oktober 1906, dem Zeitpunkt des Todes von Cézanne, bis Februar 1907 sowie im
Herbst desselben Jahres nach L'Estaque, um dort vor dem Motiv seinen vorkubistischen
Stil zu entwickeln. Als Kubist malte er dann im Juni 1909 in La Roche-Guyon im
Seinetal, wo sich Cézanne 24 Jahre zuvor aufgehalten hatte. Über dessen Einfluß in
der vor- und frühkubistischen Periode äußerte sich Braque 1961: »Es war mehr als
Einfluß, es war eine Initiation. Cézanne war der erste, der sich von der gelehrten
mechanisierten Perspektive abwandte…«[39] Ähnlich euphorisch meldete sich Picasso
1943 zu Wort: »Er war für mich der einzige Meister…, er war eine Vaterfigur für uns; er
war es, der uns Schutz bot.«[40] Picassos Auseinandersetzung mit den Figurenbildern der
»Vaterfigur« hatte 1905/06 begonnen und sollte bis in die Spätzeit fortwirken. Nachdem er bereits in den dreißiger und vierziger Jahren zwei große Cézanne-Landschaften (Kat.-Nrn. 23, 96) gekauft hatte, kam 1957 noch eine Komposition mit
Badenden hinzu. Nicht zuletzt mit seinem *Stilleben mit Cézannes Hut* (Privatbesitz), das
einen Cézanne-typischen Hut zeigt, den Braque zu Ehren des Meisters gekauft hatte,
setzte Picasso im Winter 1908/09 diesem ein amüsantes Denkmal. Und Apollinaire
rühmte im Jahr darauf als Kritiker zweier Ausstellungen in den Galerien Bernheim
und Vollard das Genie Cézanne, dessen Wagemut manchmal erschreckend sei, »doch
bezeugt seine Malerei vor allem seine Mühen, seine Ungewißheiten und seine Leiden.

Keiner erinnert mehr an Pascal als Cézanne. Das literarische Genie des ersten war vom gleichen Rang wie das bildnerische Genie des zweiten. Beide Künstler haben in ihren Werken eine Größe geschildert, ›die manchmal den Verstand übersteigt‹.«[41]

Während sich die französischen Museen in ihrem Cézanne-Engagement bis in die jüngste Vergangenheit vornehm zurückhielten – lediglich aufgrund privater Schenkungen und Vermächtnisse erhielt Cézanne Einlaß in die staatlichen Institutionen –, war es die Berliner Nationalgalerie unter ihrem Direktor Hugo von Tschudi, die als erstes Museum bereits 1897 ein Gemälde (Kat.-Nr. 25) erwerben konnte; dem Landschaftsbild sollten 1904 und 1906 noch zwei Stilleben folgen (Kat.-Nr. 55). Dank Tschudi war die Berliner Sammlung prädestiniert, sich den aktuellen französischen Kunstströmungen zu öffnen. Gewiß kam Max Liebermann dabei eine Schlüsselposition zu. Gemeinsam mit Tschudi war er 1896 nach Paris gereist, um dort Werke der Impressionisten kennenzulernen. In seiner mit einer Vielzahl wichtiger Arbeiten von Manet und Degas bestückten Sammlung war Cézanne zweimal vertreten (Kat.-Nr. 16).

In der Galerie des Berliner Kunsthändlers Paul Cassirer hatte auch Rainer Maria Rilke erste Cézanne-Bilder noch »befremdet und unsicher« zu Gesicht bekommen, bevor er im Oktober 1907 aus Paris jene Brieffolge an seine Frau schrieb, die zum Schönsten gehört, was je über den Künstler zu Papier gebracht wurde. Niemand sonst ist seinen Absichten in »sachlichem Sagen« so einsichtsvoll nahe gekommen wie der Dichter, der im Maler sein »stärkstes Vorbild« hatte, dem er »auf allen Spuren nachging«.[42] Durch Paula Modersohn-Becker auf die Gedächtnisausstellungen bei Bernheim-Jeune und im Herbstsalon hingewiesen, berichtete er unter anderem: »Ich war heute wieder bei seinen Bildern; es ist merkwürdig, was für eine Umgebung sie bilden. Ohne ein einzelnes zu betrachten, mitten zwischen den beiden Sälen stehend, fühlt man ihre Gegenwart sich zusammentun zu einer kolossalen Wirklichkeit. Als ob diese Farben einem die Unentschlossenheit abnähmen ein für allemal.«[43]

Auf Cézanne als Mentor auf neuen Wegen berief sich vor allem die Künstlergruppe *Der Blaue Reiter*. Schon 1909 hatte Klee in sein Tagebuch notiert: »Wille und Disziplin ist alles. Disziplin im Hinblick auf das ganze Werk, Wille im Hinblick auf seine Teile… Cézanne ist mir ein Lehrmeister par excellence.«[44] In dem von Kandinsky und Franz Marc 1912 herausgegebenen, dem Andenken Hugo von Tschudis gewidmeten Almanach ›Der Blaue Reiter‹ schrieb Marc von der Geistesverwandtschaft zwischen Cézanne und Greco, deren Werke am Eingang einer neuen Epoche der Malerei stünden; an gleicher Stelle brachte auch August Macke den Franzosen in Verbindung mit dem Griechen.[45] Dagegen konstatierte Kandinsky in seinen Anfang 1912 publizierten Ausführungen *Über das Geistige in der Kunst* die »konstruktiven Bestrebungen in der Malerei Cézannes« und ein »starkes Mitklingen des Abstrakten«.[46]

Von anderer Warte aus brachte Max Beckmann ebenfalls 1912, als in Köln die wichtige ›Internationale Kunstausstellung des Sonderbundes‹ mit insgesamt 24 Cézanne-Gemälden stattfand, in seinen *Gedanken über zeitgemäße und unzeitgemäße Kunst* die Sprache auf seine Bewunderung für Cézanne. Einem in der Zeitschrift ›Pan‹ erschienenen Artikel Franz Marcs über die neue Malerei und deren Schutzpatron setzte er eine scharfe Erwiderung entgegen: »Ich selbst verehre in Cézanne ein Genie. Er konnte durch seine Bilder auf eine neue Weise die mysteriöse Weltempfindung ausdrücken, die vor ihm schon Signorelli, Tintoretto, Greco, Goya, Géricault und Delacroix beseelte. Wenn ihm dies nun gelungen ist, so hat er es selbst nur seinen Bemühungen zu danken, seine koloristischen Visionen der künstlerischen Sachlichkeit und dem Raumgefühl, diesen beiden Grundgesetzen der bildenden Kunst, anzupassen. Nur dadurch hat er es verstanden, seine guten Bilder vor der Gefahr kunstgewerblicher Verflachung zu bewahren… Da ist der Baum nicht nur eine geschmackvolle Arabeske oder eine Konstruktionsidee, wie es vielleicht gebildeter heißt, sondern auch noch Organismus an sich, an dem man die Rinde spürt, die Luft, die ihn umgibt und das Terrain, in dem er steckt. Wie komisch ist es überhaupt, so viel von Kubismus oder Konstruktionsideen zu reden. Als ob nicht in jedem guten Bilde alter und neuer Zeit eine Konstruktionsidee, meinetwegen sogar auf kubischen Wirkungen berechnet, stäke. Nur ist es gerade die große Kunst, diese gewissermaßen prinzipielle Kompositionsidee so zu verstecken, daß die Komposition wieder ganz natürlich und dabei doch rhythmisch und ausgeglichen, im guten Sinn konstruiert, wirkt.«[47]

Seit 1909 arbeitete Aristide Maillol an einem Cézanne-Denkmal in Form eines ausgestreckt sitzenden, weiblichen Akts. Die Realisierung des von Monet, Renoir und Liebermann, von Bonnard, Matisse, Picasso und anderen unterstützten Vorhabens scheiterte jedoch 1920 an der Ablehnung durch die Stadtverwaltung von Aix-en-Provence. Auch einem russischen Denkmalprojekt war kein Erfolg beschieden, obwohl Cézanne durch die Sammlungen von Sergej Schtschukin und Iwan Morosow seit 1904 in Rußland kein Unbekannter mehr war und die russische Avantgarde zeitweise stark unter seinem Einfluß stand. Immerhin hatte Lenin Anfang 1918 angeregt, die Städte sollten für die Heroen der Weltrevolution Denkmäler errichten, und auf der Ehrenliste dafür stand neben dem des Kommunarden Courbet auch der Name Cézannes. Den Stellenwert, den letzterer für die Entwicklung der russischen Moderne einnahm, unterstrich Lissitzky um 1923 in einem Vortrag über *Neue russische Kunst*: »Cézanne trat vor die Leinwand wie vor ein Feld, welches der Maler bearbeitet, pflügt, besät und auf ihm selbst neue Früchte der Natur wachsen läßt… Mit seinem Werk hat er die ewige Passivität der Museumskunst zerstört. Cézanne hat noch Gegenstände, Stilleben, Landschaften gemalt, aber dies war für ihn nur das Gerüst, denn sein Himmel blüht in denselben Farben wie seine Bäume, seine Menschen, seine Erde.«[48]

Neben Matisse war es gewiß Giacometti, der sich am intensivsten mit Cézanne auseinandersetzte. Seine Zeichnungen und Plastiken bewahren eine ähnliche Distanz wie die dem Auge so sonderbar fern bleibenden Bilder des Provenzalen. In den Beschreibungen, die Giacometti von ihm gab, reflektierte er deutlich sein eigenes Handeln. So erläuterte er unter anderem, daß er in der Schweiz die Kriegszeit damit verbracht habe, den Vorstellungen und Absichten Cézannes nachzugehen[49]; und er betonte, daß es diesem doch einzig darum gegangen sei, »die Dinge – einen Apfel, einen Kopf, den Berg… auf der Leinwand so darzustellen, wie er sie sah, so genau, so echt wie möglich zu malen… er befreite sich von allen feststehenden Vorstellungen, wollte nur seinen visuellen Eindruck wiedergeben, und zwar so präzise wie möglich… Cézanne war beinahe ein Wissenschaftler… Für ihn entzog sich der Apfel auf dem Tisch stets jeder möglichen Darstellung. Er konnte sich ihm bloss ein wenig nähern.« Giacomettis spezifische Gegenstandssicht führte auch zu folgender Aussage: »Cézanne ließ eine Bombe platzen, indem er einen Kopf wie einen Gegenstand malte. Er sagte: ›Ich male einen Kopf wie eine Tür, wie irgend etwas.‹ Indem er das linke Ohr enger mit dem Hintergrund verband als mit dem rechten Ohr, indem er die Farbe der Haare enger mit der Farbe des Pullovers verband als mit der Struktur des Schädels, zertrümmerte er die Konzeption, die man vor ihm vom Ganzen, von der Einheit des Kopfes gehabt hatte – und doch wollte er trotz allem ebenfalls zur Einheit eines Kopfes gelangen. Er zertrümmerte ein ganzes Gefüge; er zertrümmerte es so vollständig, daß man zuerst behauptete, der Kopf werde zu einem bloßen Vorwand und man sei folglich bei der abstrakten Malerei angelangt. Jede Darstellung, die heute zur früheren Art des Sehens zurückkehren wollte… wäre nicht mehr glaubwürdig. Ein Kopf, dessen Einheit bewahrt wird, ist kein Kopf mehr. Er gehört ins Museum. Man glaubt nicht mehr daran, weil es Cézanne gegeben hat…«[50]

Selbst für viele zeitgenössische Künstler ist Cézanne nach wie vor ein Leitbild. Zu ihm hat sich Jasper Johns[51] ebenso wie A.R. Penck bekannt, der gerade auf die konzeptionellen, den Zielen der Pop Art entgegenstehenden Errungenschaften Cézannes abhebt: »Cézanne sprach von der Realisierung; seine Bilder können als Modell dieser Realisierung aufgefaßt werden, sie haben, vom heutigen Standpunkt aus gesehen, schon einen konzeptionellen Charakter. Abstrakt gesehen, ist das ein Modell, das sich in einem gewissen Gegensatz zur Pop Art befindet. Mit Cézanne fängt auch das an, was wir heute Untergrund nennen. Die Behauptung eines eigenen Raumes und einer eigenen Zielvorstellung gegen die herrschende Tendenz der Zeit.«[52] Auf einen treffsicheren Nenner hat dies schließlich Per Kirkeby gebracht, der einen aufschlußreichen Cézanne-Text mit dem Satz beginnt: »Cézanne ist eine Krise, die im Leben eines Malers kommt und geht«; er schreibt dann von der furchtbaren Herausforderung, die diese kleinen trockenen Leinwände darstellen, und von ihrem Schöpfer, der sein »Künstlerleben als Pfand gegeben hat für etwas, das das meiste, womit wir uns üblicherweise beschäftigen, als ängstliche Originalitätssucht und Oberflächlichkeit erscheinen läßt«.[53]

Zu den im folgenden abgekürzt zitierten Literaturangaben siehe die Bibliographie S. 282 ff.

1 Cézanne 1962, S. 89, S. 93.
2 Der Maler Emile Bernard, der Cézanne 1904 und 1905 in Aix-en-Provence besucht hatte, erwähnt in seinen 1907 veröffentlichten *Erinnerungen an Paul Cézanne* auch dessen Aussage über die wenig freundschaftliche Haltung Zolas: »Er war ein sehr mittelmäßiger Geist und ein verabscheuungswürdiger Freund. Er sah nur sich. So kam es, daß sein Roman *L'Œuvre*, in dem er mich zu schildern behauptet hat, nur eine unerhörte Entstellung und ganz und gar eine Lüge zu seinem Ruhm ist... Er war mein Schulkamerad gewesen, wir hatten zusammen am Ufer des Arc gespielt... Zola wurde unerträglich, je berühmter er wurde, und es schien mir, er empfange mich nur noch aus gnädiger Höflichkeit. Das ging so weit, daß ich die Lust verlor, ihn zu sehen. Ich besuchte ihn lange Jahre nicht mehr. Eines schönen Tages erhielt ich *L'Œuvre*. Es war ein Schlag für mich, ich sah nun, wie er im Innersten über uns dachte. Kurz und gut: Es ist ein sehr schlechtes und vollkommen falsches Buch«, Bernard 1982, S. 77 f.
3 Monet bezeichnete Cézanne als einen »Flaubert der Malerei, ein wenig schwerfällig, hartnäckig, fleißig, manchmal zögernd wie ein Genie, das um seine Selbstverwirklichung ringt«, Marc Elder, *A Giverny chez Claude Monet,* Paris 1924, S. 49.
4 Vgl. die entsprechenden Briefstellen, Cézanne 1962, S. 110, S. 152, S. 154, S. 156, S. 162, S. 192 f., S. 195, S. 275, S. 295, S. 305, S. 308.
5 Denis 1982, S. 207.
6 Cézanne 1962, S. 262 f., S. 275; vgl. auch S. 277.
7 Ibid., S. 282.
8 Ibid., S. 265, S. 237.
9 Ibid., S. 279, S. 288, S. 295.
10 Ibid., S. 275. Picasso beschrieb diese Methodik sehr einleuchtend: »Daß Cézanne Cézanne ist, hat folgenden Grund: wenn er vor einem Baum steht, betrachtet er aufmerksam das, was er vor Augen hat; er fixiert es wie ein Jäger, der das Tier, das er töten will, im Visier hat. Wenn er ein Blatt erfaßt hat, läßt er es nicht aus dem Blick. Hat er das Blatt, hat er den Zweig; und der Baum wird ihm nicht entkommen. Auch wenn er nur das Blatt hat, ist das schon etwas. Ein Bild ist oft nichts als das... man muß ihm alle Aufmerksamkeit auf einmal schenken«, Jaime Sabartes, *Picasso, Documents iconographiques,* Genf 1954, S. 72.
11 Am 26. September 1897 heißt es in einem Brief: »Die Kunst ist eine Harmonie, die parallel zur Natur verläuft; was soll man von den Dummköpfen halten, die behaupten, daß der Künstler immer der Natur unterlegen ist«, Cézanne 1962, S. 243.
12 Ibid., S. 304 f. Die Notwendigkeit, nach Natureindrücken zu arbeiten, brachte auch Matisse in einem 1925 veröffentlichten Interview in Verbindung mit den Bildreihen Cézannes: »Es gelang mir nur allmählich, das Geheimnis meiner Kunst zu entdecken. Es liegt in einer Meditation nach der Natur, im Ausdruck eines stets von der Wirklichkeit inspirierten Traums... Denken Sie daran, daß die Klassiker ein- und dasselbe Bild immer wieder gemalt haben, und immer auf eine andere Weise. Von einem bestimmten Zeitpunkt an hat Cézanne immer dasselbe Bild der *Baigneuses* gemalt. Nimmt man nicht jeweils mit der eifrigsten Neugierde einen neuen Cézanne zur Kenntnis, obwohl der Meister von Aix immer wieder dieselben Bilder gemalt hat?«, Matisse 1982, S. 104.
13 Cézanne 1962, S. 295. Jules Borély gegenüber äußerte der Maler 1902 den Wunsch, sehen zu können »wie einer, der eben geboren worden ist«, Borély 1982, S. 39.
14 Cézanne 1962, S. 312, S. 296.
15 Rilke 1977, S. 37, S. 21.
16 Ibid., S. 26.
17 Cézanne 1962, S. 307 f.
18 Cézannes wenige druckgraphische Versuche, das heißt fünf 1873 auf Anregung Dr. Gachets gedruckte Radierungen und drei Lithographien, die 1896–1897 für den Kunsthändler Vollard entstanden sind, fallen weder qualitativ noch quantitativ ins Gewicht. 1899 sind zahlreiche Gemälde und Arbeiten auf Papier vom Künstler selbst vernichtet worden, als das jahrzehntelang benutzte Atelier im Haus der Eltern geräumt werden mußte.
19 Venturi Nrn. 22, 59, 101 (Kat.-Nr. 1), 104, 138, 139.
20 Adrien Chappuis edierte 1973 den Œuvre-Katalog der Zeichnungen, John Rewald 1983 den der Aquarelle.
21 An seine Nichte, Paule Conil, schrieb Cézanne am 1. September 1902: »Leider ist das, was man den Fortschritt nennt, nichts als die Invasion der Zweifüßler, die nicht ruhen, bis sie alles in scheußliche

Quais mit Gaslampen und – was noch schlimmer ist – mit elektrischer Beleuchtung verwandelt haben. In welchen Zeiten leben wir!«, Cézanne 1962, S. 273.

22 Emile Bernard bestätigt dies in seinen 1907 edierten *Erinnerungen:* »Als er mich eines Nachmittags in sein eigenes Atelier führte, merkte ich, daß er, nachdem die Leinwand auf die Staffelei gestellt und die Palette präpariert war, auf mein Weggehen wartete. Als ich fragte: ›Ich störe Sie sicher?‹ sagte er: ›Ich habe niemals geduldet, daß man mir bei der Arbeit zusieht; ich mache nichts vor den Augen eines andern‹«, Bernard 1982, S. 82.

23 Es handelt sich um die französischen Leinwandgrößen Toile 10, 20, 25, 30; vgl. die entsprechenden Briefstellen, Cézanne 1962, S. 112, S. 184, S. 217.

24 Bernard 1982, S. 83.

25 Bernard erwähnt im einzelnen für Gelb: Brillantgelb, Neapelgelb, Chromgelb, gelber Ocker, natürliche Terra di Siena – für Rot: Zinnober, roter Ocker, gebrannte Terra di Siena, Krapplack, feiner Karminlack, gebrannter Lack – für Grün: Veronesegrün, Smaragdgrün, grüne Erde – und für Blau: Kobaltblau, Ultramarinblau, Preußischblau, ibid., S. 96 f.

26 Ibid., S. 84.

27 In diesem Zusammenhang sei an eine Beobachtung Picassos erinnert: »Die Hauptsache in der modernen Malerei ist Folgendes: Ein Maler, wie zum Beispiel Tintoretto, arbeitete Schritt für Schritt auf einer Leinwand, und wenn er schließlich die Leinwand voll bemalt und ausgearbeitet hatte, dann erst war sie vollendet. Nun, wenn man ein Gemälde von Cézanne nimmt (und dies ist noch viel klarer in den Aquarellen zu erkennen), ist das Gemälde schon in jenem Augenblick vorhanden, wenn er zum ersten Pinselstrich ansetzt«, Hélène Parmelin, *Picasso: The Artist and his Model, and other Recent Works,* New York 1965, S. 150.

28 Bereits 1910 stellte Apollinaire in einer Ausstellungsbesprechung fest, es sei »ja wohl hinlänglich bekannt, daß die meisten der neuen Maler behaupten, Nachfolger dieses ernsten, nur an der Kunst interessierten Malers zu sein«, Apollinaire 1989, S. 106.

29 Vollard 1960, S. 30.

30 Von Aix-en-Provence aus hatte Cézanne die Ausstellung mit rund 150 Bildern beschickt, von denen wegen des geringen Raumangebots jedoch nur etwa 50 gleichzeitig gezeigt werden konnten.

31 Eine Ausnahme machte lediglich die weitschauende Beurteilung von Georges Rivière im zweiten Heft der Zeitschrift ›L'Impressionniste‹, die 1877 in fünf Ausgaben erschienen war. Darin widerfuhr dem »am meisten angegriffenen, seit 15 Jahren durch Presse und Publikum am schlechtesten behandelten Künstler« zum erstenmal Gerechtigkeit, indem sich Rivière nicht scheute, die Ruhe seiner Bildwelt und die heroische Kühnheit mit den Malereien und Terrakotten der Antike zu vergleichen. Es dauerte erneut elf Jahre, bis sich in Huysmans ein weiterer Kritiker fand, der Anfang August 1888 mit einem Artikel in der Zeitschrift ›La Cravache‹ um ein objektives Cézanne-Bild bemüht war.

32 Pissarro 1953, S. 322, S. 325; vgl. auch S. 320.

33 Ibid., S. 392.

34 Matisse 1982, S. 218.

35 Ibid., S. 141; es handelt sich um das Gemälde *Trois baigneuses* Venturi Nr. 381.

36 Merete Bodelsen, *Gauguin's Cézannes,* in: The Burlington Magazine, CIV, 710, Mai 1962, S. 208 f. In seinen 1907 im ›Mercure de France‹ erschienenen Erinnerungen kommt Bernard auch auf diesen frühen Akt zu sprechen: »Ich sah einst beim alten Tanguy, dem Farbenhändler in der Rue Clauzel, eine *Femme nue couchée,* die, obwohl sehr häßlich, ein meisterliches Werk war; denn gerade diese Häßlichkeit war von jener unbegreiflichen, eindrücklichen Größe, die Baudelaire zu dem Ausspruch veranlaßt hat: ›Les charmes de l'horreur n'enivrent que les forts‹ (ungefähr: Die Reize des Gräßlichen berauschen nur die Starken)«, Bernard 1982, S. 91.

37 Matisse 1982, S. 104 f.

38 Cézanne 1962, S. 281. Kasimir Malewitsch, *Ecrits,* herausgegeben von A. B. Nakov, Paris 1975, S. 289 ff.

39 Jacques Lassaigne, *Les Cubistes,* Bordeaux 1973, S. XVI.

40 Gyula H. Brassai, *Picasso and Co.,* New York 1966, S. 79.

41 Apollinaire 1989, S. 92.

42 Rilke 1977, S. 83.

43 Ibid., S. 27.

44 *Tagebücher von Paul Klee 1898–1918,* herausgegeben von Felix Klee, Köln 1957, S. 247 f.

45 *Der Blaue Reiter. Dokumentarische Neuausgabe,* herausgegeben von Klaus Lankheit, München 1979, S. 23, S. 56.

46 Wassily Kandinsky, *Über das Geistige in der Kunst, insbesondere in der Malerei,* München 1912, S. 50.

47 Max Beckmann, *Die Realität der Träume in den Bildern. Aufsätze und Vorträge, aus Tagebüchern, Briefen, Gesprächen 1903–1950,* herausgegeben von Rudolf Pillep, Leipzig 1984, S. 39.

48 Sophie Lissitzky-Küppers, *El Lissitzky,* Dresden 1976, S. 335 f. Ossip Mandelstam, der bedeutende russische Dichter, leitete einen Hymnus auf den »Meister von Aix« mit den Worten ein: »Grüß Dich, Cézanne! Herrlicher Großvater! Großer, unermüdlicher Arbeiter. Beste Eichel der französischen Wälder«, um dann fortzufahren: »Seine Malerei ist beim Dorfnotar auf dem Eichentisch beglaubigt worden. Er ist unerschütterlich wie ein Vermächtnis, das mit klarem Verstand und beharrlichem Erinnerungsvermögen aufgesetzt worden ist«, Frank 1986, S. 228.

49 James Lord, *Giacometti,* New York 1985, S. 229. Damals sind auch zahlreiche Zeichnungen nach Cézanne-Motiven entstanden, vgl. Alberto Giacometti, *Begegnungen mit der Vergangenheit. Kopien nach alter Kunst,* Zürich o. J., S. 276 ff.

50 Georges Charbonnier, *Entretien avec Alberto Giacometti,* in: Le Monologue du Peintre, Paris 1959, S. 159 ff.

51 Laut einem Statement im Ausstellungskatalog *Sixteen Americans* im Museum of Modern Art, New York 1959, war für Jasper Johns Cézanne, neben Duchamp und Leonardo, das wichtigste Vorbild.

52 Stefan Szczesny, *Maler über Malerei,* Köln 1989, S. 261.

53 Per Kirkeby, *Das Vorhaben Normalität,* in: du, 1989, S. 86, S. 88.

Paul Cézanne, Fotografie um 1875

Katalog

Vorbemerkung zum Katalog

Die angeführten Venturi-Nummern beziehen sich auf den Werkkatalog von Lionello
Venturi: *Cézanne, son art son œuvre,* Text- und Bildband, Paris 1936. Soweit keine
weiterführenden Erkenntnisse vorlagen, wurden die dort vorgeschlagenen Bildtitel
sowie die Angaben zur Datierung und Provenienz übernommen. Ist im Hinblick
auf die Datierung ein Zeitraum von mehreren Jahren genannt, so kann jedes dieser
Jahre für die Entstehung der Gemälde in Frage kommen. Fast alle Exponate konnten
für die Präsentation im Katalog ausgerahmt fotografiert und somit in ganzer Größe
reproduziert werden. Die Maße sind in Zentimeter, Höhe vor Breite, angegeben; dabei
können dann geringe Differenzen auftreten, wenn das Bild nicht ausgerahmt werden
konnte, die Maße also nicht exakt festzustellen waren. Zu den abgekürzt zitierten
Literatur- und Ausstellungsangaben siehe Bibliographie Seite 282 ff.

1   Die Entführung   1867
     L'enlèvement

Venturi Nr. 101 (1867)
Ölfarben auf Leinwand, 89,5 x 115,5 cm
Links unten datiert und signiert: 67 Cezanne
The Provost & Fellows of King's College (Keynes Collection),
Leihgabe im Fitzwilliam Museum, Cambridge

Die gewichtige Komposition ist eines der wenigen signierten und datierten Gemälde
Cézannes. Sowohl die ungewöhnliche Größe des Bildes als auch die Tatsache, daß es
voll bezeichnet ist und durch eine ebenfalls signierte Aquarellstudie beziehungsweise
durch Zeichnungen vorbereitet wurde[1], zeigt, welche Bedeutung der Künstler seiner
manieriert inszenierten Erfindung beimaß. Bestimmt war sie für den Freund Emile
Zola, in dessen Pariser Domizil in der Rue La Condamine sie wohl auch gemalt
worden war. Vielleicht wollte sich Cézanne mit dem Gemälde dafür bedanken, daß
sich Zola am 12. April 1867 in der Zeitschrift ›Le Figaro‹ für ihn eingesetzt hatte
(vgl. Kat.-Nr. 11).
    Erst in der Spätzeit, nach 1895, wurde die Verbindung von Aktfiguren und Land-
schaft im großen Format auf drei überdimensionierten Leinwänden mit *Badenden*
erneut aufgegriffen.[2] Das zentrale Figurenpaar, dessen Ahnenreihe von Pollaiuolo über
Tintoretto bis zu Daumier reicht, agiert vor einer dunklen See- oder Flußlandschaft.
Baumbestandene Uferzonen mit zwei badenden Frauen im Hintergrund geben den
Blick auf die blaue Ferne eines Gebirgsmassivs frei, in dem man eine erste Wiedergabe der Montagne Sainte-Victoire vermuten könnte (vgl. Kat.-Nrn. 89–92). Das
Inkarnat der wohl nach Modellstudien konzipierten beiden Akte ist durch die
kontrastierende Farbigkeit und die Art des modellierenden Farbauftrages deutlich
von der mit kurzen Pinselzügen angedeuteten, heroischen Landschaftskulisse
unterschieden.
    Auch wenn die Gewaltszene, möglicherweise angeregt durch Ovids *Metamor-
phosen,* mythologisch zu deuten wäre – etwa nach dem Vorbild Niccolo dell' Abbates
als Raub der Proserpina, die von Hades in die Unterwelt entführt wird (Abb. 1) –,

Abb. 1
Niccolo dell'Abbate,
Der Raub der Proserpina, um
1560. Musée du Louvre, Paris

entspricht die pointierte Thematik doch eher dem übersteigerten Äußerungswillen einer höchst privaten Ikonographie, die in vehementer Ausgestaltung des Sinnlich-Erotischen einen großen Teil des Frühwerks bestimmte. Kompensierend bot sie dem 1858 von einem Freund als »poetisch, fantastisch, bacchantisch, erotisch, antikisch, physisch und geometrisch«[3] beschriebenen Cézanne die Ausdrucksebene für eine durch väterliche Autorität und provinzielle Konventionen stark in Mitleidenschaft gezogene Gefühlswelt.

Die Entführung steht am Anfang einer bis weit in die siebziger Jahre reichenden Reihe von Figurenbildern, deren zentrales Thema die Konfrontation der Geschlechter in verschiedensten Metamorphosen ist (vgl. Kat.-Nrn. 2, 10-12). Unumwunden berichten sie von den Empfindsamkeiten und zwanghaften Verstrickungen eines als Künstler völlig auf sich gestellten Menschen, der niemals der Obhut familiärer Bevormundung entkommen sollte und noch im Alter in seiner Heimatstadt Aix-en-Provence dem bigotten Wohltätigkeitseifer seiner Schwester ausgesetzt war. Im Gegensatz zu allen späteren Zielsetzungen bevorzugte Cézanne damals extreme Situationen, bei denen im packenden Höhepunkt der Aktionen formale und farbige Kontrastierungen hart aufeinanderprallen. Das ins Unterbewußtsein Verdrängte schaffte sich einen Platz in aggressiven Sinnbildern der eigenen Leidenschaft, in Darstellungen von Greuel-taten und sexuellen Exzessen. Allein auf ihr sinnliches Handeln abgestimmte Körper-energien fanden ihren Niederschlag in einer Formensprache, die sich gegen alle Erwartungshaltungen behaupten mußte. Ihre Authentizität bezogen die im lauten Aufruhr vorgeführten Inhalte aus einem Ausdrucksverlangen, dem Be- und Ver-drängungen Anlaß gaben. Sinnfällig legen sie jenes Gefühlsübermaß offen, das sie als Sublimationsprodukte entstehen ließ.

1 Rewald Nr. 30, vgl. auch Nr. 28; Chappuis Nrn. 199, 200.
2 *Les grandes baigneuses* Venturi Nrn. 719-721.
3 Cézanne 1962, S. 27.

PROVENIENZ: Emile Zola, Paris–Médan; Auktion Zola, Hôtel Drouot, Paris 9.–13. 3. 1903, Nr. 115; Ambroise Vollard, Paris; Durand-Ruel, Paris–New York; H. O. Havemeyer, New York; Auktion Havemeyer, American-Anderson Galleries, New York 10. 4. 1930; Etienne Bignou, Paris; Société La Peinture Contemporaine, Luzern; Auktion Galerie Charpentier, Paris 26. 6. 1934, Nr. 4; Maynard Keynes, London; Lady Keynes, London.
BIBLIOGRAPHIE: Meier-Graefe 1904, S. 62 Abb.; Meier-Graefe 1910, S. 9 Abb., S. 50 f.; Burger 1913, Abb. 45; Vollard 1914, S. 31; Meier-Graefe 1918, S. 86 Abb.; Coquiot 1919, S. 244; Meier-Graefe 1922, S. 92 Abb.; Rivière 1923, S. 46, S. 198, S. 234; Rewald 1936, Abb. 14; Venturi S. 23, S. 88 f. Nr. 101, S. 239, Abb.; Mack 1938, S. 127, S. 247; Barnes, Mazia 1939, S. 8, S. 10, S. 403; Rewald 1939, S. 24, Abb.; Dorival 1949, S. 28, S. 31, S. 105, Abb. 11, S. 148 f.; Schmidt 1952, S. 13; Cooper 1954, S. 346; Raynal 1954, S. 25; Badt 1956, S. 88; Cooper 1956, S. 449; Gowing 1956, S. 186 f.; Berthold 1958, S. 35, S. 45 f., Abb. 72; Reff 1958, S. 153; Ratcliffe 1960, S. 7; Vollard 1960, S. 20; Wayne V. Andersen, *Cézanne's Sketchbook in the Art Institute of Chicago*, in: The Burlington Magazine, CIV, 710, Mai 1962, S. 196; Chappuis 1962, S. 83; Reff 1962, S. 113 f.; Reff 1963, S. 151; Lichtenstein 1964, S. 57, S. 60, Abb. 3; Murphy 1971, S. 42, S. 165; Brion 1973, S. 22; Chappuis S. 84 (bei Nr. 167), S. 93 (bei Nr. 199), S. 94 (bei Nr. 200); Elgar 1974, S. 26 Abb. 9, S. 29, S. 31, S. 42, S. 45; Lichtenstein 1975, S. 127; Rewald 1975, S. 159; Wadley 1975, S. 91 Abb. 81; Adriani 1978, S. 76, S. 308; Krumrine 1980, S. 121; Arrouye 1982, S. 104; Philadelphia 1983, S. XVI, S. 2; Rewald S. 89 (bei Nr. 28), S. 90 (bei Nr. 30), S. 93 (bei Nr. 39); Coutagne 1984, S. 184, Abb.; Rewald 1986, S. 50 Abb., S. 79, S. 93, S. 212; Frances Weitzenhoffer, *The Havemeyers: Impressionism comes to America*, New York 1986, S. 147, Abb. 116; Geist 1988, S. 225 ff. Abb. 183; Lewis 1989, S. 151, S. 155 f., S. 159, S. 161 ff., S. 169 f., S. 173, Abb. X; Rewald 1989, S. 43 f. Abb. 16, S. 51, S. 99, S. 124, S. 128, S. 306 f.; Krumrine 1992, S. 588, S. 594.
AUSSTELLUNGEN: Paris 1930, Nr. 26; London 1933, Nr. 3, Abb.; *French Art,* Museum of Art, Cleveland 1934, Nr. 3; Art Association, Montreal 1934; *French Painting of the 19th Century,* National Gallery of Canada, Ottawa 1934, Nr. 10, Abb.; Art Gallery of Ontario, Toronto 1934; London 1935, Nr. 1, Abb.; *Aquarelles et Baignades de Cézanne,* Galerie Renou & Colle, Paris 1935; Chicago 1952, Nr. 6, Abb.; London 1954, Nr. 4, Abb. 2; London 1988, S. 11 f., S. 22, S. 42, S. 55, S. 61 f., S. 64 f., S. 80, S. 126, S. 128, S. 130, S. 132 f. Nr. 31, Abb.; Basel 1989, S. 39, S. 41 Abb. 18, S. 43 f., S. 58, S. 83, S. 85, S. 100, S. 263, S. 266, S. 311 Nr. 2; Aix-en-Provence 1990, S. 80 Abb. 27, S. 175 Abb. 159, Nr. 24.

2 Der Mord   1867–1869
Le meurtre

Venturi Nr. 121 (1867–1870)
Ölfarben auf Leinwand, 65,6 x 80,5 cm
Trustees of the National Museums and Galleries on Merseyside,
Walker Art Gallery (Inv. Nr. WAG 6242), Liverpool

Mit der mörderischen Figurenszene leitete Cézanne eine Entwicklung ein, die in
Picassos Forderung gipfelte, den entsetzlichen Inhalten die abstoßenden Formen
entsprechen zu lassen. Die übertreibenden Farb- und Formentstellungen offenbaren
den zutiefst existentiellen Behauptungswillen des jungen Malers. In Paris, wo er sich
seit 1861 mehr oder weniger regelmäßig aufhielt, richtete er sich mit solchen
Malereien gegen die Geschmacksdiktatur der im sogenannten Salon vorherrschenden
Kunst. Sie waren Cézannes provokative Antwort auf die ästhetischen Belanglosigkeiten
der Arrivierten, die das seit 1863 alljährlich stattfindende Ausstellungsforum mono-
polisierten. Ihre die Wirklichkeit übermalende, »kunstvolle« Glätte wollte er durch
»kunstlose« Ausdruckskraft ersetzen. Cézanne, der Pissarro am 15. März 1865 viel-
versprechend mitteilte, daß er diesmal Bilder im Salon abzuliefern gedenke, »vor
denen das Institut vor Wut und Verzweiflung erröten wird«[1], betrachtete die Effekt-
haschereien im Salon, aber auch die geistvolle Brillanz Manets als Herausforderung.
Um sich davon abzusetzen und um die eigene Originalität unter Beweis zu stellen,
entschied er sich für eine möglichst konträre Aussage. Er begegnete ihrer Virtuosität
mit einer seinem leidenschaftlichen Temperament gemäßen Gewaltsamkeit, wie sie
kaum je zuvor in der Kunstgeschichte als Reaktion zu erfahren war (vgl. Kat.-Nr. 4).

Die bedrohliche Insistenz der Goya angenäherten Mordszenerie[2] ist ein
schlagendes Beispiel dafür, wie rücksichtslos in des Wortes wahrster Bedeutung sich
der Maler, der seinen Erfolg noch am Skandal maß, unverbrauchter Mittel bediente.
Bis an die Grenzen der Zersetzung reichende Formvergröberungen erfüllten sich im
Wagnis, ein inhaltliches Tabu zu brechen. Als Darstellungs- und Ausdrucksträger
zugleich reagierten auf den anstößigen Inhalt ein anstößiges Formenrepertoire, eine
überspannte Gestik sowie eine suggestive Farbigkeit. Bewußt verzichtete Cézanne auf
glatte Malerei und Formvollendung im hergebrachten Sinne. Dissonanzen blieben
unvermittelt stehen, Form- und Farbheterogenitäten wurden offen ausgetragen.
Unbekümmert um Deformationen folgen die Farbhöhungen einer derben Pinselschrift,
die die Figurengruppe aus einer von düsteren Wolken verhangenen Landschaft
förmlich herausbricht.

Vom Publikum war ein solch extremer Subjektivismus stilistisch oder gattungs-
gemäß nicht einzuordnen; zumal es sich weder um eine ausführlich erzählende
Genreszene noch um eine Historie oder um ein Sittenbild im herkömmlichen Sinne
handelte. Daß der Künstler damit seine spezifische Empfindungsstärke demonstrieren
wollte, dürfte kaum mit dem vielfach in diesem Zusammenhang angewandten
Terminus des »Barocken« zu umschreiben sein. Denn das Ungebärdige und Rohe, wie
es sich hier darstellt, widerspricht einer barocken Haltung, die mit größter Gelassenheit jede Form der Leidenschaft beherrschte. Dies wird deutlich, wenn man davon
ausgeht, daß Cézanne, der auch 1868 die Erlaubnis erhalten hatte, im Louvre zu
kopieren, vermutlich ein Altarbild Caravaggios (Abb. 1) zum Vorbild für seine Figurenanordnung genommen hat.

Auch Vorlagen der populären Druckgraphik mögen anregend auf die
beklemmende Theatralik der Szene gewirkt haben. Entscheidend für deren geradezu
vulgäre Ausrichtung war jedoch die Auseinandersetzung des Malers mit dem
Frühwerk Zolas. Dieser war im Frühjahr 1866 Redakteur der Pariser Tageszeitung
›L'Evénement‹ geworden und bestärkte den Freund in dessen antiautoritärer Haltung.

Seine Forderung an den Künstler als Schöpfer individueller Werte stellte Zola in einer geharnischten Salon-Berichterstattung am 4. Mai: »Ich will, daß man lebendig sei, daß man neu schaffe, außerhalb von Allem, gemäß den eigenen Augen und dem eigenen Temperament.«[3] In seinen frühen Romanen und Novellen hatte sich der Schriftsteller eingehend mit anzüglichen Themen befaßt (vgl. Kat.-Nr. 6). Beispielsweise geht es in seinem zweiten, im Dezember 1867 ausgelieferten Roman *Thérèse Raquin* um den Mord, den ein ehebrecherisches Paar am Gatten der Frau verübt. Mit Entführungs-, Mord-, Vergewaltigungs- und Bordellszenen nahm sich allein Cézanne jenes zwielichtigen Milieus an, das den Kritiker Louis Ulbach veranlaßte, in ›Le Figaro‹ gegen die von Zola bewirkte »Pfütze von Blut und Schmutz« zu wettern. Und wahrscheinlich hatte dieser seinerzeit Cézannes Werk vor Augen, als er in *Thérèse Raquin* einen Maler beschrieb, dessen Studien mit wahrhaftiger Energie in saftiger und fester Art gemalt waren: »jeder Teil des Bildes war durch großartige Pinselstriche betont ... Freilich waren diese Studien unbeholfen, aber sie waren so eigentümlich und ausdrucksstark, daß sie eine hochentwickelte künstlerische Empfindung kundgaben. Man hätte sie gelebte Malereien nennen können.«[4]

1   Cézanne 1962, S. 104.
2   In modifizierter Form wurde sie Mitte der siebziger Jahre nochmals zum Thema: *La femme étranglée* Venturi Nr. 123; vgl. auch das buntfarbige Aquarell Rewald Nr. 39 sowie die Studienblätter Chappuis Nrn. 162, 254.
3   Emile Zola, *Malerei,* Berlin 1903, S. 50.
4   Rewald 1986, S. 78.

PROVENIENZ: Ambroise Vollard, Paris; Paul Cassirer, Berlin; Sally Falk, Mannheim; Paul Cassirer, Berlin; Julius Elias, Berlin; Wildenstein, Paris–London–New York.
BIBLIOGRAPHIE: Meier-Graefe 1918, S. 74, S. 92 Abb.; Meier-Graefe 1922, S. 74, S. 104 Abb.; Rivière 1923, S. 199; Pfister 1927, Abb. 21; Javorskaia 1935, Abb. 10; Rewald 1936, S. 46; Venturi S. 94 Nr. 121, Abb.; Mack 1938, S. 127, S. 129, S. 156; Barnes, Mazia 1939, S. 8, S. 73, S. 161 Abb., S. 404; Schmidt 1952, S. 13; Raynal 1954, S. 25; Badt 1956, S. 226, S. 232; Reff 1958, S. 153; Reff 1962, S. 113 f.; Reff 1962 (stroke), S. 222; Feist 1963, Abb. 6; Lichtenstein 1964, S. 65; Schapiro 1968, S. 52; Murphy 1971, S. 24 f. Abb., S. 42; Brion 1973, S. 74 Abb.; Chappuis S. 83 (bei Nr. 162), S. 105 (bei Nr. 254); Elgar 1974, S. 31 f.; Schapiro 1974, S. 21 Abb.; Sutton 1974, S. 99 f. Abb.; Barskaya 1975, S. 12, S. 19 Abb.; Wadley 1975, S. 93 Abb. 83; Adriani 1978, S. 308; Venturi 1978, S. 48 f. Abb.; Adriani 1980, Abb. 12, S. 57; *Foreign Catalogue,* Walker Art Gallery, Liverpool 1980, S. 44; Krumrine 1980, S. 121; Adriani 1981, S. 20; Rewald S. 93 (bei Nr. 39); Coutagne 1984, S. 186, Abb. 4; Rewald 1986, S. 52 Abb.; Erpel 1988, Nr. 2 Abb.; Geist 1988, S. 99 ff. Abb. 81; Basel 1989, S. 39, S. 42 ff. Abb. 19, S. 83, S. 214; Lewis 1989, S. 151, S. 154 Abb., S. 156.
AUSSTELLUNGEN: *XXVI. Ausstellung der Berliner Sezession,* Berlin 1913, Nr. 24a Abb.; *Eröffnungsausstellung des Kunstvereins Köln,* Köln 1913, Nr. 8; *Französische Malerei des XIX. Jahrhunderts,* Galerie Ernst Arnold, Dresden 1914, Nr. 8; *Sommerausstellung,* Galerie Paul Cassirer, Berlin 1914, Nr. 8 Abb.; *XVIII. Jahrgang, II. Ausstellung,* Galerie Paul Cassirer, Berlin 1915, Nr. 54; Berlin 1921, Nr. 1 Abb.; Basel 1936, Nr. 6; Chicago 1952, Nr. 2, Abb.; Aix-en-Provence 1953, Nr. 2, Abb.; Zürich 1956, Nr. 5, Abb. 2; München 1956, Nr. 2, Abb.; Wien 1961, Nr. 4, Abb. 2; Tokyo 1974, Nr. 7, Abb.; Lüttich 1982, Nr. 2, Abb.; Madrid 1984, Nr. 6, Abb.; London 1988, S. 13, S. 27, S. 42, S. 65, S. 138 f. Nr. 34, Abb., S. 140.

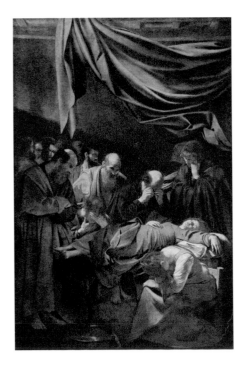

Abb. 1
Caravaggio, *Der Tod Mariens,* 1605–1606.
Musée du Louvre, Paris

3 Stilleben mit Totenkopf und Wasserkanne   um 1865
   Nature morte, crâne et bouilloire

Venturi Nr. 68 (1865–1866)
Ölfarben auf Leinwand, 59,5 x 48 cm
Privatbesitz

Das Gemälde, das ehemals Alfred Flechtheim, dem passionierten Händler post-
impressionistischer und kubistischer Kunst in Deutschland gehörte, ist zusammen mit
dem folgenden Stilleben (Kat.-Nr. 4) die einzige Komposition mit einem Totenschädel
aus der Frühzeit Cézannes.[1] Die in seinen teilweise sarkastisch-makabren Jugend-
gedichten anklingende Todessymbolik sollte dann erst wieder Thema des alten Malers
werden (Kat.-Nrn. 86, 87). In den Aufzeichnungen Joachim Gasquets (vgl. Kat.-Nr. 68)
über Cézannes Jugend ist ein Hinweis auf das Stilleben enthalten: »Vor Zeiten hatte er
in einem warm- und tieffarbigen Bilde, das pastos und feierlich war wie ein Gemälde
von Rembrandt, einen Totenkopf gemalt. Er lag auf einem faltigen Tischtuch neben
einem Milchtopf, leuchtete aus den Tiefen man weiß nicht welchen Grabes, aus man
weiß nicht welcher Höhle des Nichts. In seinen letzten Tagen klärte sich diese Idee
des Todes zu der Vision eines Haufens von Schädeln, deren blaue Augenhöhlen
gedankenvoll beschattet schienen. Ich höre ihn noch, eines Abends am Arc, den
Vierzeiler von Verlaine rezitieren: Denn in dieser erstarrten Welt / Immer von
Gewissensbissen gequält / Ist das einzige verständliche Lachen / Das Grinsen der
Totenköpfe.«[2]
      Offenbar hatte sich Gasquet, der seit 1896 mit dem Maler befreundet war, das
im Aixer Atelier verbliebene Frühwerk nur flüchtig angesehen, denn sowohl der Krug
als auch das, was er als »serviette rugueuse« zu identifizieren glaubte, gehören anderen
Bildentwürfen an als der beschriebene Totenkopf. Das unvollendete Gemälde zeigt
gleichsam unterschiedliche Konzeptionsebenen und klar voneinander abweichende
Realisationsstadien. Dreht man nämlich die Leinwand um 90 Grad nach rechts, so
stellt man fest, daß sie ursprünglich als Querformat gedient hat. Denn links neben
dem Schädel ist auf einer Tischplatte die Wiedergabe eines in hellen Farben

Abb. 1
Gipsmodell eines ehemals
Michelangelo zugeschriebenen
Ecorché

Abb. 2
Paul Cézanne, *Bildnis eines alten
Mannes*, um 1865. Musée d'Orsay,
Paris

skizzierten, halb knienden, halb sitzenden Muskelmannes zu erkennen. Der soge-
nannte Ecorché (der Enthäutete) war als anatomisches Studienobjekt in den Künstler-
ateliers des 19. Jahrhunderts weit verbreitet. Auch Cézanne besaß einen 21 cm
hohen Abguß der ehemals Michelangelo zugeschriebenen Statuette, die, um sämtliche
Muskelpartien gebührend zur Geltung zu bringen, eine äußerst verkrampft wirkende
Haltung einnimmt (Abb. 1). Obwohl ein Großteil der insgesamt 19 Zeichnungen
und der beiden Gemälde nach dem Ecorché erst in den späten siebziger Jahren und
danach angefertigt wurde[3], können wir davon ausgehen, daß der noch heute im Aixer
Atelier vorhandene Abguß den Künstler seit seinen Anfängen begleitet hat.

Bringt man die Leinwand wieder in die Ausgangsposition zurück, dann versteht
man, warum Gasquet die undeutlich umrissene und teilweise vom hintergründigen
Braun des Totenkopfes übermalte Statuette mit den Falten eines weißen Tuches
verwechseln konnte. Aber auch die auf einem hellen Podest stehende Kanne dürfte
ursprünglich kaum zusammen mit dem Schädel konzipiert gewesen sein. Sie gehört
ebenfalls einer tieferliegenden Bildschicht an. Im Fortgang der Realisation wäre sie
wohl, genauso wie die Ecorchéstatuette und das Himmelsblau links oder die lichten
Gelb- und Grüntönungen des Hintergrundes rechts, einer dem Totenkopf adäquaten,
dunklen Übermalung zum Opfer gefallen. Vergleichbare Übermalungen zeigt ein um
1865 entstandener Kopf eines alten Mannes (Abb. 2). Hier sind im unteren Bildgeviert
rechts noch Teile einer Flagellantenprozession mit Totenkopfmasken zu identifizieren;
einer langen Tradition folgend, fanden solche Prozessionen in Aix-en-Provence
alljährlich statt. Porträt und Stilleben sind aufschlußreiche Beispiele dafür, wie der
junge Maler, möglicherweise aus Ersparnisgründen, mit verschiedenen Entwürfen auf
der Leinwand wie auf einem mit Skizzen angefüllten Studienblatt experimentierte.
Indem er einzelnes verwarf, behielt er schließlich das aus Rudimenten »collagierte«
Ganze als spannungsreichen Bildtorso bei (vgl. Kat.-Nr. 35).

1   Vgl. die Zeichnung Chappuis Nr. 125.
2   Gasquet 1930, S. 17 f.
3   Chappuis Nrn. 185, 418, 565-574, 980, 1086-1089, Rewald Nr. 559, Venturi Nrn. 706, 709.

PROVENIENZ: Alfred Flechtheim, Düsseldorf-Berlin; Gottlieb Friedrich Reber, Barmen-Lausanne;
Robert von Hirsch, Basel; Auktion von Hirsch, Sotheby's, London 26. 6. 1978, Nr. 720.
BIBLIOGRAPHIE: Gasquet 1921, S. 18 f. Abb.; Meier-Graefe 1922, S. 96 Abb.; Rivière 1923, S. 198; Gasquet
1930, S. 17; Ors 1936, Abb. 24; Raynal 1936, Abb. 81; Venturi S. 81 Nr. 68, Abb.; Mack 1938, S. 128; Dorival
1949, S. 30, Abb. 16, S. 149; Guerry 1950, S. 34; Chappuis 1962, S. 114; Reff 1962, S. 114; Chappuis S. 77 (bei
Nr. 125B); Adriani 1978, S. 84, S. 338; Adriani 1981, S. 280; Reff 1983, S. 90, Abb. 6; Rewald S. 228 Abb. (bei
Nr. 559); Gasquet 1991, S. 50; Kosinski 1991, S. 521.
AUSSTELLUNGEN: Kunstwerke des 19. Jahrhunderts aus Basler Privatbesitz, Kunsthalle, Basel 1943, Nr. 311;
Zürich 1956, Nr. 4; London 1988, S. 160 f. Nr. 45, Abb.

4   Stilleben mit Totenkopf und Leuchter   1866–1867
     Nature morte, crâne et chandelier

Venturi Nr. 61 (1865–1867)
Ölfarben auf Leinwand, 47,5 x 62,5 cm
Privatbesitz, Schweiz

Das Memento-mori-Stilleben (vgl. Kat.-Nr. 3) war für Heinrich Morstatt, einen
Apothekersohn aus Bad Cannstatt bei Stuttgart gemalt worden. Morstatt, der später in
Stuttgart Musik studierte, hielt sich von 1864 bis Ende 1866 in Marseille auf, um ein
kaufmännisches Praktikum zu absolvieren. Dort lernte er den jungen Naturwissen-
schaftler Antoine Fortuné Marion kennen. Der auch als Maler dilettierende Marion
stammte aus Aix-en-Provence und gehörte zum Freundeskreis um Zola und Cézanne,
von dessen künstlerischer Begabung er von Anfang an überzeugt war. Häufig war
Morstatt von Marseille aus bei den Freunden in Aix, um ihnen nicht nur deutsche
Literatur nahezubringen, sondern auch die deutsche Musik von Beethoven bis zu
Wagner, der von allen als Avantgardist hochgeschätzt wurde. Die teilweise unveröffent-
lichten Briefe Marions an Morstatt, die zunächst nach Marseille und dann 1867 und
1868 nach Stuttgart geschickt wurden, geben aufschlußreiche Einblicke zur Situation
der Aixer Gefährten zwischen August 1865 und Herbst 1868.[1] Zunächst kann man
ihnen entnehmen, wie sehr die Stimmungslage der jungen Künstler von »Weltschmerz«,
»Lebensüberdruß« und »ewiger Schwermut« geprägt war. So wurde am 18. August 1866
über Cézanne geschrieben: »Aber er, lieber Freund, wird immer größer. Ich glaube
wirklich, er ist ein äußerst heftiger und starker Charakter. Im übrigen ganz niedergeschlagen.« Auch im Mai 1867 schien sich an diesem Sachverhalt wenig geändert zu
haben: »Schreib doch Paul nach Paris. Du hast ja seine Adresse: 22, Rue Beautreillis.
Berichte ihm ausführlich, er wird Dir bestimmt antworten, vor allem, wenn er unter
schwermütiger Stimmung leidet.« Und endlich kulminierte das weltschmerzliche
Ungemach Anfang 1868: »Welche Generation von Leidenden, mein armer Alter. Zola,
wir beide und so viele andere. Dabei sind einige von uns Leidenden mit weniger
Sorgen genauso unglücklich wie wir – zum Beispiel Cézanne mit seinem gesicherten
Leben und seinen finsteren Anfällen von seelischer Verzweiflung.«
    Einem solchen Gemütszustand entsprach das Interesse des Malers an
Vergänglichkeitsmetaphern, die seit dem Barock in italienischen, spanischen oder
niederländischen Stilleben vorgegeben waren. Die allzu einseitig auf den Augenblick
und die Oberfläche bezogene Auslegung des Realismus durch Naturalismus und
Impressionismus ließ ihn auf einen Sinngehalt zurückgreifen, den das 17. Jahrhundert
von Caravaggio bis zu Ribera und Zurbarán bereitgestellt hatte.[2] In einer herkömmlichen Symbolsprache knüpfte er ganz bewußt an barocke Vanitasvorstellungen
an. Mit einem Totenschädel, um den die Schatten des Bildgrundes wie ein Nimbus
gelegt sind, mit verwelkenden Blumen oder dem verloschenen Licht der Kerze ist das
Thema der Hinfälligkeit alles Irdischen zum persönlichen Bekenntnis geworden. Was
in den Stilleben Courbets oder Manets an rein sachbezogenen Aspekten zum Tragen
kam, reicherte Cézanne mit emotionalen Affekten an. Wie seine Figurenbilder
beteiligte er auch das in gefühlsbetonte Sinnzusammenhänge gebrachte Stilleben an
dem Ringen um Selbstaussage.
    Die Dramatik der Gestaltung war es vor allem, womit sich Cézanne von der
Feinmalerei barocker Muster, aber auch von der zeitgenössischen Stillebenmalerei
unterschied. Die Leichtigkeit ihres handwerklichen Könnens beantwortete er mit der
Schwere der Formbehandlung und einer Farbigkeit von äußerster Dichte. Das
Stoffliche als Material mußte zurücktreten zugunsten eines aus intensiven barocken
Licht-Schatten-Kontrasten verknüpften Gesamtkontextes. Um die Farbmaterie von
einer allzu engen Gegenstandsbindung abzuhalten, wurde zwischen 1866 und 1868

häufig das Palettmesser zum Farbauftrag verwendet. Schicht für Schicht erwuchs so eine dem Relief angeglichene, plastische Oberflächenstruktur. Während es dem späten Rembrandt mit dem Gebrauch des Palettmessers um den höchsten Ausdruck der Farbe als geistige Substanz gegangen war, »mauerte« Cézanne, in Anlehnung an den vielfach mit dem Spachtel hantierenden Courbet, die Gegenstände aus der robusten Kraft des Farbstoffes mit beträchtlicher Rigorosität auf die Bildfläche.

Seit 1864 versuchte der Künstler alljährlich mit Arbeiten in die Pariser Salon-Ausstellungen aufgenommen zu werden (vgl. Kat.-Nr. 2). Doch vergeblich, seine Malerei war zu weit entfernt von dem, was man sich unter »guter Kunst« vorzustellen in der Lage war. Es blieb ihm nichts anderes übrig, als die Ablehnungen durch die Salon-Jury als Originalitätsbeweis für sich zu verbuchen. Dies vermerkte auch Marion gegenüber Morstatt am 28. März 1866: »Ich habe gerade einen Brief von den Freunden aus Paris bekommen: Cézanne hofft, bei der Ausstellung abgelehnt zu werden, und die Maler aus seinem Bekanntenkreis bereiten eine Ovation für ihn vor.« Am 12. April 1866 zitierte Marion den Parisbericht des gemeinsamen Freundes Antony Valabrègue, der auch auf das Interesse Manets an Cézannes Stilleben einging: »›Paul wird zweifellos bei der Ausstellung zurückgewiesen werden. Als einer der Philister aus der Jury mein Porträt sah[3], rief er aus, das sei ja nicht nur mit der Spachtel, sondern sogar mit der Spritzpistole gemalt. Eine ganze Reihe von Diskussionen ist schon aufgekommen. Daubigny hat einige Worte zur Verteidigung gesagt. Er meinte, daß er die Bilder voller Kühnheit den Nichtigkeiten, die auf jedem Salon angenommen werden, vorziehe. Aber er hat damit keinen Anklang gefunden.‹ Inzwischen habe ich noch weitere Neuigkeiten erfahren: Die ganze realistische Schule wurde zurückgewiesen. Cézanne, Guillemet und die anderen. Man nimmt nur die Leinwände von Courbet an, der anscheinend schwach wird, und einen *Pfeifer* von Manet, einem neuen, wirklich erstrangigen Talent. Cézanne hat sich mit diesem Meister getroffen, und sie scheinen sich gut zu verstehen; hören Sie was Valabrègue dazu meint: ›Cézanne hat Dir schon über seinen Besuch bei Manet geschrieben. Aber er hat Dir noch nicht geschrieben, daß Manet seine Stilleben bei Guillemet gesehen hat. Er hat gefunden, sie seien kraftvoll ausgeführt. Cézanne freute sich sehr darüber. Aber er stellt seine Freude nicht zur Schau und läßt sie sich, ganz wie es seine Gewohnheit ist, kaum anmerken. Manet muß ihn besuchen. Sie haben einen ähnlichen Charakter und werden sich sicherlich gut verstehen‹.« Da letzteres nicht der Fall war, kam es wohl auch nicht zum Besuch Manets bei Cézanne.

Folgt man den Aufzeichnungen Marions, hatte sich auch zwei Jahre später an den Zurückweisungen durch die Salon-Jury nichts geändert: »Dies bringt mich natürlich dazu, Dir von Cézanne und der gegenwärtigen realistischen Malerei zu erzählen. Diese ist, mein Lieber, weiter denn je davon entfernt, sich in den maßgeblichen Teilen der Gesellschaft durchzusetzen, und Cézanne wird sich bestimmt noch lange nicht in der Ausstellung der offiziell anerkannten und bevorzugten Kunstwerke vorstellen können. Sein Name ist schon zu bekannt, und zu viele künstlerisch revolutionäre Ideen verbinden sich mit ihm, als daß die Maler, die Mitglieder in der Jury sind, auch nur für einen einzigen Augenblick schwach werden. Und ich bewundere die Beharrlichkeit und die Kaltblütigkeit, mit der Paul mir schreibt: ›Nun gut! Man wird ihnen so was mit noch größerer Beharrlichkeit in der Ewigkeit vorsetzen.‹ Bei all dem müßte er wohl daran denken, auf andere und noch bessere Weise von sich reden zu machen. Er hat jetzt wirklich ein erstaunliches Können erreicht. Seine allzu große Wildheit ist gezähmt, und ich glaube, es wäre wohl an der Zeit, daß ihm die äußeren Umstände Möglichkeit und Gelegenheit zu ausgedehnter künstlerischer Tätigkeit gäben. Ich denke, er wird bald wieder in die Provence zurückkommen. Dann werden wir Dir zusammen schreiben.«

Wann das Stilleben für Morstatt gemalt worden ist, läßt sich nicht genau rekonstruieren. Der stilistische Befund spricht für eine Entstehung um 1866/67, als Cézanne für zahlreiche Porträts – und das Stilleben könnte man auch als die Vergänglichkeitsform eines Porträts interpretieren – den Spachtel benutzte. In den Mitteilungen Marions ist mehrmals die Rede davon, daß Bilder Cézannes an Morstatt nach Stuttgart geschickt werden sollten. Im Juni 1867 drehte es sich offenbar um Landschaftsstudien: »Paul ... wird in spätestens 14 Tagen zu uns in die Provence zurückkommen. Wir werden uns an der Natur und an der Sonne unseres farbenprächtigen Landes berauschen ... Wir wollen Dir dann gemeinsam Studien schicken, wenn wir mit Paul zusammen einen Tag lang gemalt haben. Das habe ich fest vor, und zwar dann, wenn wir genug Geld für die Versandkosten haben.« Erneut kam Marion im Januar 1868 darauf zu sprechen, daß Morstatt etwas von Cézanne bekomme, wenn dieser aus Paris zurück sei. Und in einem der letzten Briefe vom 17. Juli des Jahres stellte er dann unter anderem das Stilleben in Aussicht, das ein Deutscher namens Katz von Aix nach Stuttgart überbringen werde: »Spiele mit Eifer und Ausdauer Klavier, und mach Musik, mir scheint, Du könntest Dir dann in Frankreich eine gute Stellung verschaffen, irgendwo, wo auch Paul und ich hingehen könnten. Das ist kein Luftschloß, und ich hoffe, daß dieser Plan sich bald verwirklichen wird. Wir drei, Maler, Musiker und Wissenschaftler, wir wären doch ein prachtvolles Gespann. Die Literaten aus unserer Clique könnten auch von Zeit zu Zeit dazu stoßen. Aber für Zola und Valabrègue ist Paris ein und alles, während uns dreien die Provence sehr gut zusagen würde. An dem Tag, an dem Katz abgefahren ist, konnte ich Dir nicht mehr schreiben. Er bringt Dir ein kleines Bild von mir mit, das recht gut gelungen ist ... Du bekommst auch ein Stilleben von Paul. Später werden wir Dir noch andere Bilder schicken.«

1   Auszüge aus Marions Briefen an Morstatt wurden von Alfred Barr veröffentlicht: *Cézanne d'après les lettres de Marion à Morstatt 1865–1868,* in: Gazette des Beaux Arts, XVII, 79, 1937, S. 37 ff. Die noch erhaltenen 38 Briefe, die sich in Stuttgarter Privatbesitz befinden, sind hier, unter Berücksichtigung bisher unveröffentlichter Teile, nach den Originalen zitiert.
2   In der Zeitschrift ›Mémorial d'Aix‹ vom 3. Dezember 1865 wurde der angehende Künstler als Bewunderer Riberas und Zurbaráns vorgestellt.
3   *Portrait de Valabrègue* Venturi Nr. 126.

PROVENIENZ: Heinrich Morstatt, Stuttgart; Heinrich Thannhauser, München-Berlin-Luzern; Bernhard Mayer, Zürich.
BIBLIOGRAPHIE: Pfister 1927, Abb. 18; Venturi S. 23 f., S. 79 Nr. 61, Abb.; Alfred H. Barr, *Cézanne d'après les lettres de Marion à Morstatt 1865–1868,* in: Gazette des Beaux-Arts, 6, XVII, 79, 1937, S. 42, S. 50 Abb. 6; Schmidt 1952, S. 12; Ratcliffe 1960, S. 8; Reff 1962, S. 114; Schapiro 1968, S. 52 f.; Brion 1973, S. 18 Abb.; Chappuis S. 77 (bei Nr. 125B); New York 1977, S. 33 Abb., S. 396; Adriani 1978, S. 84, S. 338; Venturi 1978, S. 9 Abb.; Adriani 1981, S. 280; Arrouye 1982, S. 55; Reff 1983, S. 91, Abb. 7; Rewald S. 140 (bei Nr. 232); Frank 1986, Abb.; Lewis 1989, S. 37, Abb. 1; du 1989, S. 16 Abb.
AUSSTELLUNGEN: Berlin 1927, Nr. 10 Abb.; Basel 1936, Nr. 3; Den Haag 1956, Nr. 1; Zürich 1956, Nr. 1, Abb. 3; *Chefs-d'œuvre des collections suisses, de Manet à Picasso,* Palais de Beaulieu, Lausanne 1963, Nr. 84, Abb.; Basel 1983, Nr. 3, Abb.; London 1988, S. 55, S. 92 f. Nr. 12, Abb., S. 128.

5 Paul Alexis liest Zola vor 1869–1870
La lecture de Paul Alexis chez Zola

Venturi Nr. 118 (1869–1870)
Ölfarben auf Leinwand, 52 x 56 cm
Privatbesitz, Schweiz

Der Schriftsteller und Journalist Paul Alexis (1847–1901) war ein Bewunderer und Freund Zolas (1840–1902), dessen Biographie er 1882 unter dem Titel *Emile Zola, notes d'un ami* veröffentlichte.[1] In den Briefen Cézannes ist erstmals im Juli und Ende November 1868 die Rede von dem angehenden Poeten aus Aix-en-Provence: »Alexis hatte die Güte, mir ein Gedicht vorzulesen, das ich wirklich sehr gut fand, und dann hat er mir aus dem Gedächtnis noch einige Strophen eines anderen aufgesagt, das *Symphonie en la mineur* betitelt ist. Ich fand diese Verse noch sonderbarer, noch origineller und habe ihn dazu beglückwünscht.« »Herr Paul Alexis, ein übrigens sehr viel besserer Bursche, der, wie man wohl sagen kann, nicht stolz ist, lebt von Dichtungen und anderem. Ich sah ihn einige Male [in Aix] während der schönen Jahreszeit und habe ihn noch letzthin getroffen … Er brennt darauf, ohne die väterliche Erlaubnis nach Paris zu fahren; er will sich einiges Geld als Hypothek auf den väterlichen Schädel borgen und unter einen anderen Himmel fliehen … «[2]

Freilich sollte es noch fast ein Jahr dauern, bis Alexis im September 1869 nach Paris übersiedeln konnte, wo er sich eng an Zola anschloß, um als dessen Sekretär zu fungieren. Zola war auf die Hilfe von Alexis angewiesen, nachdem er 1869 mit der Arbeit an seinem gigantischen Romanzyklus *Les Rougon-Macquart* begonnen hatte. 1869 hielt sich Cézanne ebenfalls die meiste Zeit in Paris auf und kehrte erst nach Ausbruch des Deutsch-Französischen Krieges am 18. Juli 1870 in den Süden zurück. Demnach wird die Wiedergabe eines Interieurs der Wohnung Zolas in der Rue La Condamine mit den beiden Schriftstellerkollegen zwischen Herbst 1869 und Sommer 1870 gemalt worden sein (vgl. Kat.-Nr. 6). Im Hinblick auf eine frühere Datierung wurden stilistische Gründe angeführt.[3] Doch abgesehen davon, daß ein Zusammentreffen der Aixer Freunde in Paris frühestens im Herbst 1869 möglich war, zeigen Gemälde, die um 1870 entstanden (vgl. Kat.-Nrn. 8–10), vergleichbar effektvolle Farbgebungen, ähnliche Formvereinfachungen und entsprechend extreme Hell-Dunkel-Divergenzen. In all diesen Bildern lebt eine »großspurig« ausströmende Farbigkeit aus der polaren Spannung der Kontraste.

Um Einblick in die Tiefe des karg möblierten Raumes zu gewinnen, bediente sich der Maler eines Kunstgriffes, der im 17. und 18. Jahrhundert perfektioniert worden war. Das heißt, er öffnet die an holländische Barockinterieurs gemahnende Komposition durch eine Vorhangdraperie (vgl. Kat.-Nrn. 11, 35, 41, 45, 62) und läßt die Figuren mit Blick von oben gleichsam auf einem von Schlaglichtern erhellten Bühnenraum agieren. Die beiden Sitzenden sind in ein strenges System rektangulär begrenzter Farbfelder eingebunden. Mit dem Rücken zum Betrachter hockt vorne Zola in roter Jacke an einem Tisch, als Schriftsteller ausgezeichnet durch den erhobenen Federkiel, etwas zurückgesetzt der lesende Alexis. Auf einem Gesims ist im Hintergrund die vom Profil Zolas teilweise verdeckte schwarze Uhr lokalisiert, der auf einem gleichzeitigen Stilleben eine prominente Rolle zuteil wurde.[4] Eingedenk dessen, daß dem Bild-im-Bild-Motiv stets eine besondere inhaltliche Bedeutung zukam, könnte die durch ein hellgraues Wandpaneel und Goldrahmung herausgehobene, jedoch nur undeutlich kenntlich gemachte Wiedergabe eines liegenden Aktes auf weißem Laken auf die Hochzeit Zolas anspielen, die am 31. Mai 1870 in Paris in Anwesenheit Cézannes als Trauzeugen stattfand.

Von der Vielzahl der Porträts, die Cézanne im Laufe seines Lebens schuf, hebt sich eine kleine Gruppe ab, die bedeutungsvoll das Freundschaftsbild in der Beziehung

zweier Personen herausstellt. Dazu gehören die Bildvarianten der Dichterfreunde (Kat.-Nrn. 5, 6), die Zola geschenkt wurden und in dessen Besitz verblieben[5], dazu gehört auch das *Mardi gras* genannte Doppelbildnis des Sohnes Paul mit Louis Guillaume als Harlekin und Pierrot[6], und zu guter Letzt gehören dazu die grandiosen Fassungen der beiden *Kartenspieler* (Kat.-Nrn. 65, 66).

1   Am 15. Februar 1882 bedankte sich Cézanne in einem rührenden Brief bei Alexis, der ihm ein Exemplar der Biographie nach Aix geschickt hatte, Cézanne 1962, S. 190.
2   Ibid., S. 123 ff.
3   Chappuis datiert die Vorzeichnungen, Nrn. 220-222, 1866-1869.
4   *La pendule noire* Venturi Nr. 69.
5   Neben den beiden Doppelporträts besaß Zola die frühen Cézanne-Gemälde Venturi Nrn. 22, 55, 64, 69, 81, 101 (Kat.-Nr. 1).
6   Venturi Nr. 552. Cézannes Absicht, großfigurige Gruppenporträts zu realisieren, wurde nie in die Tat umgesetzt. Am 2. November 1866 teilte er Zola mit, »daß, wie Du es befürchtet hattest, aus meinem großen Bild von Valabrègue und Marion nichts geworden ist [vgl. die Bildskizze Venturi Nr. 96] und daß ich einen *Familienabend* begonnen hatte, aus dem erst recht nichts wurde. Ich werde dennoch zu arbeiten fortfahren, und vielleicht wird es bei einem anderen Angriff gelingen«, Cézanne 1962, S. 119. Auch das spätere Projekt eines Gruppenbildes der Freunde im Freien blieb in den Anfängen stecken. Lediglich einige Vorzeichnungen, Chappuis Nrn. 223, 224, 224 bis, sowie ein Brief Marions an Morstatt vom 24. Mai 1868 legen davon Zeugnis ab: »Cézanne will in dieser Zeit ein Bild malen, für das er die Porträts seiner Freunde verwenden wird. Mitten in einer Landschaft wird einer von uns sprechen, die anderen werden zuhören. Ich habe eine Photographie von Dir, und Du wirst dabei sein. Zum krönenden Abschluß will Paul das schön gerahmte Bild, wenn es gut gelungen ist, dem Marseiller Museum schenken, das auf diese Weise gezwungen sein wird, realistische Malerei auszustellen und zu unserem Ruhm beizutragen«, siehe Kat.-Nr. 4, Anm. 1.

PROVENIENZ: Emile Zola, Paris–Médan; Auktion Zola, Hôtel Drouot, Paris 9.-13. 3. 1903, Nr. 113; Josse Hessel, Paris; Auguste Pellerin, Paris; Jean-Victor Pellerin, Paris; Wildenstein, Paris–London–New York.
BIBLIOGRAPHIE: Lehel 1923, Abb.; Rivière 1923, S. 198, S. 229, S. 234; Fry 1927, S. 24, Abb. 12; Gasquet 1930, Abb.; Ors 1936, Abb. 41; Raynal 1936, Abb. 8; Rewald 1936, Abb. 20; Venturi S. 92 f. Nr. 118, Abb.; Novotny 1937, S. 14, S. 16, S. 19, Abb. 9; Mack 1938, S. 247; Barnes, Mazia 1939, S. 8, S. 19, S. 40, S. 154 Abb., S. 308 f., S. 404; Rewald 1939, Abb. 23; Guerry 1950, S. 30 ff., S. 163; Badt 1956, S. 117, S. 223, Abb. 25; Reff 1958, S. 20, S. 75; Adhémar 1960, S. 289, Abb. 6; Ratcliffe 1960, S. 8; Chappuis 1962, S. 56 Abb.; Theodore Reff, *Cézanne Drawings*, in: The Burlington Magazine, CV, 725, August 1963, S. 375; Andersen 1970, S. 5, S. 7, S. 37, S. 41, S. 223 ff., Abb.; Chappuis S. 82 (bei Nr. 158), S. 98 (bei Nrn. 219, 220), S. 99 (bei Nrn. 221, 222); Newcastle 1973, S. 152; Rewald 1986, S. 49 Abb., S. 212; Lewis 1989, S. 138 f., Abb. VIII; Krumrine 1992, S. 589.
AUSSTELLUNGEN: Paris 1907, Nr. 7; *Cent ans de théâtre, music-hall et cirque*, Galerie Bernheim-Jeune, Paris 1936, Nr. 12 Abb.; *Emile Zola*, Bibliothèque Nationale, Paris 1952, Nr. 53; *Faces from the World of Impressionism and Post-Impressionism*, Wildenstein Galleries, New York 1972, Nr. 12; Tokyo 1974, Nr. 5, Abb.; London 1988, S. 30, S. 60, S. 64 f., S. 156 f. Nr. 43, Abb., S. 164; Basel 1989, S. 66 Abb. 38, S. 257, S. 262, S. 311 Nr. 3.

6 Paul Alexis liest Zola vor 1869–1870
La lecture de Paul Alexis chez Zola

Venturi Nr. 117 (1869–1870)
Ölfarben auf Leinwand, 131 x 160 cm
Museu de Arte de São Paulo

Man kann sich kaum größere Gegensätze denken als die beiden Freundschaftsbilder mit Zola und Alexis (Kat.-Nr. 5). Schon die Formate sind völlig verschieden. Die Porträtierten präsentieren sich hier noch gewichtiger als auf der kleineren Fassung. Spielte sich dort das Geschehen im Innenraum ab, wurde es nun ohne jede Andeutung eines den Dargestellten entsprechenden, von ihrem Geschmack oder ihren Interessen kündenden Ambiente ins Freie vor das Haus verlagert. Weder die stilistischen Voraussetzungen der Bilder noch der Grad ihrer Vollendung sind vergleichbar. Die Farbgebung, die Stärke des Farbauftrages, die Form des Bildausschnitts sowie die psychologische Erfassung weichen grundsätzlich voneinander ab. Es scheinen Welten zwischen den ungleichen Konzeptionen zu liegen, und doch sind sie beide in Paris in einem Zeitraum von Herbst 1869 bis Sommer 1870 erarbeitet worden. Erklären lassen sich solche gravierenden Diskrepanzen allenfalls durch unterschiedliche Einflußnahmen. Denn in der zweiten Hälfte der sechziger Jahre orientierte sich der junge Cézanne an so konträren Temperamenten wie Courbet und Manet.

Wie sehr die Freunde aus Aix-en-Provence gerade diese umstrittenen Künstlerpersönlichkeiten interessierten, erfahren wir aus verschiedenen Berichten, die Marion an Heinrich Morstatt 1867 nach Stuttgart geschickt hat: »Paul und ich, wir gedenken uns Mitte August für eine Woche nach Paris zu begeben … Eigentlich wollen wir dort nur die Ausstellungen von Manet und Courbet besuchen; einer jener Vergnügungszüge, welche die Provenzalen für 30 frs. nach Paris und zurück transportieren, bietet uns dazu die günstige Gelegenheit.« Aus Paris wurde dann am 15. August mitgeteilt: »Die Sonderausstellung von Courbet ist wirklich wundervoll. 300 [?] hervorragende Bilder sind ausgestellt, sie sind alle bemerkenswert und die meisten von höchster Vollendung. Dieser Künstler besitzt tatsächlich eine unversehrte, ungebrochene Kraft. Die Ausstellung von Manet ist in anderer Hinsicht sehr bemerkenswert. Stell Dir vor, seine Malerei hat mich wirklich in Staunen versetzt, und ich mußte mich zuerst daran gewöhnen! Letztlich sind diese Bilder sehr schön, sie fallen wegen ihrer treffsicheren Farbgebung ins Auge. Aber sein Werk hat noch nicht seine volle Reife erreicht, ich glaube, er wird sich noch vervollkommnen und an Kraft gewinnen.« Zusammenfassend kam Marion am 6. September 1867 zu dem tollkühnen Schluß: »Paul ist wirklich weitaus besser als dies alles.«[1]

Erinnern im kleinen Format (Kat.-Nr. 5) die farbige Leuchtkraft oder die kompakte Schwere der Formbehandlung eher an Delacroix und Courbet, so steht das große Doppelporträt, das vielleicht für die Salon-Ausstellung 1870 vorgesehen war, jedoch wegen des Kriegsausbruch in Paris nicht vollendet werden konnte, ganz im Zeichen der Einwirkungen Manets. Ja, man könnte soweit gehen, diese Hommage an Zola in dessen mutigem Eintreten für Manet begründet zu sehen. Im Januar 1867 hatte der Dichter eine biographische Broschüre über Manet ediert. Als Dank dafür malte dieser im Jahr darauf sein berühmtes Zola-Porträt (Abb. 1) mit der als Widmung und Signatur gleichzeitig gedachten Wiedergabe der betreffenden Manet-Streitschrift. Nachdem das Bildnis in der Salon-Ausstellung von 1868 Aufsehen erregt hatte und danach im Pariser Domizil Zolas von Cézanne ausgiebig studiert werden konnte, ließ es sich dieser nicht nehmen, auch seinerseits ein repräsentatives, über Manets traditionelle Porträtform hinausführendes Bildnis des Freundes zu entwerfen. Obwohl querformatig angelegt und das Vorbild an Größe übertreffend, sind die Berührungspunkte unverkennbar. So nimmt der lesende Alexis auf Cézannes Bild die Position Zolas ein, während dieser auf einem nur skizzenhaft angedeuteten Diwan lagert. In Anspielung auf das Einverständnis, das zwischen Manet und Zola als dessen couragiertem Parteigänger bestand, ist der Dichter dort prominent plaziert, wo im Zola-Bildnis Manets dessen Namenszug steht. Daß Zolas Kopf von einem dunklen Fensterausschnitt hinterfangen wird, wie er ähnlich auf Manets im Salon von 1869 gezeigtem *Balkon* (Abb. 2) vorgegeben war, ist zusammen mit einer von Manet ausgehenden Farbgebung ein weiteres Indiz für die Bereitschaft Cézannes, dem sieben Jahre älteren Künstlerkollegen zu folgen. Trotzdem vermochte er mit seinen Vorstellungen bei Zola keine besondere Ehre einzulegen. Denn anders als Manets Geschenk, dem stets ein bevorzugter Platz in den prunkvollen Behausungen des Literaten zuteil wurde, geriet Cézannes Werk in Vergessenheit und wurde erst 1927 nach dem Tode Madame Zolas auf dem Speicher des Zolaschen Sommerhauses in Médan ausfindig gemacht.

Noch keine 30 Jahre alt und von Manet sowie Cézanne als Dichterfürst verewigt, hatte sich Zola Ende der sechziger Jahre bereits einen Namen gemacht. Die schwierige, von Existenzsorgen bestimmte Anfangszeit war kaum vergangen, von der Morstatt durch Marion noch am 9. Oktober 1867 erfuhr: »Zola war acht Tage lang im Süden. Warum warst Du nicht hier? Wir hätten noch ein paar recht lustige Stunden verbringen können, er, Cézanne, Du und ich. In der Turnhalle von Marseille wurde ein Stück von ihm gespielt *(Les Mystères de Marseille),* deshalb seine Reise. Dieses Theaterstück ist nicht gänzlich zu verurteilen, wenn auch Zola selbst sagt, es sei abscheulich. An einigen Stellen, die sehr gewagt und künstlich sind, kann man keinen Gefallen finden. Zum Beispiel wird auf der Bühne selbst ein Diebstahl dargestellt, ein Angestellter stiehlt aus der Kasse eines Kaufmanns, mit einem leidenschaftlichen Monolog vor dem Geldschrank. In diesem Schauspiel kommt eine Mutter vor, die zur Hure wird, um ihren Sohn wiederzufinden, der entführt und von Verwandten ins Laster getrieben wurde. Ziemlich gewagt, das ganze, wie Du siehst. Das Stück hat etwa das gleiche Schicksal gehabt wie *Henriette Maréchal:* bei der ersten Aufführung wurde gepfiffen und Beifall geklatscht, die zweite lief besser, ohne allzuviel Lärm und mit recht gutem Erolg. Für ihn ist das bloß eine Geldsache, und nichts weiter. Er hat gerade einen wirklich guten Roman, *Thérèse Raquin,* beendet. Er ist schon in ›L'Artiste‹, einer Pariser Illustrierten, erschienen und wird bald als Buch herauskommen. Zola wird es mir sofort zuschicken. Er ist fest entschlossen, für das Theater hart zu arbeiten, auf die Gefahr hin, genausowenig Erfolg zu haben wie die Brüder Goncourt. Ich rate ihm dringend dazu. Damit kann er sich schnell seinen Unterhalt verdienen. Das wäre eine feine Sache. Paul und er wollen bald wieder nach Paris zurück, und dann werde ich wieder alleine sein.« 1868 schien sich das Blatt gewendet zu haben. In Aix beabsichtigte man sogar, eine Straße nach Zola zu benennen: »Paul lebt in gesicherten Verhältnissen, und Zola schreibt uns, er sei nun überzeugt, daß er sich in Zukunft immer seinen Lebensunterhalt sichern könne – sogar ohne allzugroße Mühe. In letzter Zeit ist er ziemlich ins Gerede gekommen. Er handelt recht geschickt. Er hat sich mit der Stadtverwaltung in Aix angelegt, die sich damals seinem Vater gegenüber sehr übel verhalten hat. Es ist ihm gelungen, einer Menge Leute Ärger zu machen, so daß zu guter Letzt der Stadtrat heute einen Boulevard unserer Stadt in Boulevard Zola umbenennt.«[2]

Über das gute Verhältnis zwischen Zola und Alexis kolportierte Marion eine amüsante Geschichte, die zeigt, daß Zola seinem jüngeren Gefährten auch listig zur Seite stehen konnte: »Alle unsere Freunde sind in Paris: Cézanne, Zola, Valabrègue: Cézanne malt mit Ausdauer. Zola hat dieses Jahr gerade einen neuen Roman herausgebracht: *Madeleine Férat,* der besser als alles Frühere ist; ein Buch wie ich es gerne selbst geschrieben hätte: ein Mann, der eifersüchtig auf die Vergangenheit der geliebten Frau ist; das ganze mit der uns eigenen Zurückhaltung und Einsicht beobachtet … Ich habe eine Neuigkeit für Dich, die hier jedoch schon ziemlich

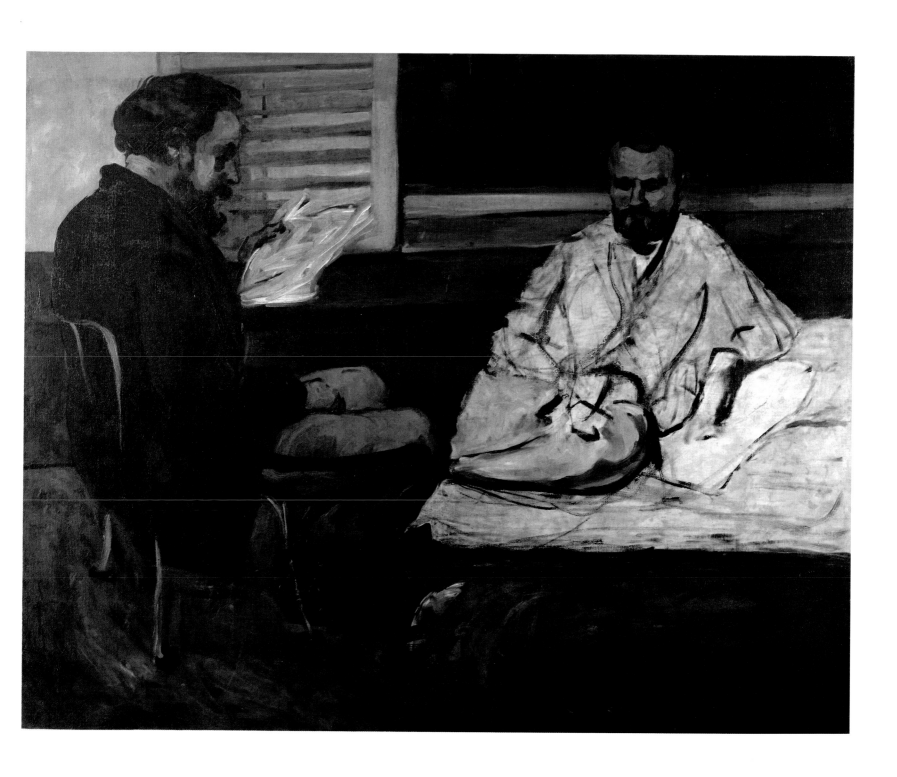

bekannt ist: Du erinnerst Dich doch an Alexis, den jungen Mann aus Aix, mit dem wir ein paar Tage zusammen waren. Dieser Junge ist wirklich sehr begabt. Zola hat ihm zu einem sehr amüsanten und erfreulichen Erfolg verholfen … Alexis hat eine Reihe von Versen mit dem Titel *Les vieilles plaies* gemacht. Diese Verse zeugen von umwerfendem Geschick, Können und Temperament. Nun, im Augenblick werden hier gerade die Werke von Baudelaire, der unlängst verstorben ist, neu aufgelegt. Und nun behauptet Zola, der noch einen Kollegen in den Betrug mit einbezieht, daß er noch unveröffentlichte Stücke von Baudelaire irgendwo ausgegraben hätte, und dabei veröffentlicht er die Verse von Alexis. Die Sache ist vorzüglich gelungen. Die Verse von Alexis haben die Runde durch die ganze Pariser Presse sowie die der Provinz gemacht. Man sprach ihnen die ›magische Kraft des Meisters‹ zu, usw. usw. Dann wurde das Geheimnis ausgeplaudert, der Betrug entdeckt, und Alexis hatte einen echten Erfolg.«[3]

1   Siehe Kat.-Nr. 4, Anm. 1. Courbet und Manet waren 1867, dem Jahr der Pariser Weltausstellung, nicht im Salon vertreten. Statt dessen zeigten sie in eigens von ihnen finanzierten Pavillons (Rond-Point de l'Alma Champs-Elysées und Avenue de l'Alma) erste Retrospektiven mit 137 beziehungsweise 50 Arbeiten.
2   Siehe Kat.-Nr. 4, Anm. 1.
3   Ibid.

PROVENIENZ: Emile Zola, Paris-Médan; M. Helm, Le Vesinet; Paul Rosenberg, Paris; Wildenstein, Paris-London-New York.
BIBLIOGRAPHIE: Gasquet 1930, Abb.; Javorskaia 1935, Abb. 4; Huyghe 1936, Abb. 43; Rewald 1936, Abb. 21; Venturi S. 23, S. 92 f. Nr. 117, Abb.; Barnes, Mazia 1939, S. 8, S. 14, S. 155 Abb., S. 312, S. 403; Cogniat 1939, Abb. 20; Rewald 1939, Abb. 24; Dorival 1949, S. 35, Abb. 26, S. 152; Schmidt 1952, S. 14; Cooper 1954, S. 346; Raynal 1954, S. 28 Abb., S. 32; Gowing 1956, S. 186 f.; Adhémar 1960, S. 288, Abb. 5; Ratcliffe 1960, S. 8; Cézanne 1962, Abb.; Chappuis 1962, S. 55 f.; Andersen 1970, S. 5, S. 7, S. 37, S. 223, S. 226; Chappuis S. 82 (bei Nr. 158), S. 98 (bei Nr. 220), S. 99 (bei Nr. 222); Newcastle 1973, S. 152; Elgar 1974, S. 35, S. 40 Abb. 20; Schapiro 1974, S. 9 Abb., S. 26; Sutton 1974, S. 101 Abb.; Venturi 1978, S. 15 Abb.; Adriani 1980, S. 14 f. Abb.; Cézanne 1988, S. 29 Abb.; Erpel 1988, Abb.; Geist 1988, S. 220 f. Abb. 177; London 1988, S. 14, S. 55; Lewis 1989, S. 138 f.; Gasquet 1991, S. 92 Abb.
AUSSTELLUNGEN: *Pictures of People, 1870–1930,* Knoedler Gallery, New York 1931, Nr. 5; *Modern French Painting,* Institute of Arts, Detroit 1931, Nr. 17 Abb.; Philadelphia 1934, Nr. 2; *Modern French Painting,* Museum of Art, San Francisco 1935, Nr. 4 Abb.; *Nineteenth Century Masterpieces,* Wildenstein Galleries, London 1935, Nr. 8 Abb.; Paris 1936, Nr. 178; Lyon 1939, Nr. 8; Paris 1939, Nr. 5; London 1939, Nr. 8; New York 1947, Nr. 3, Abb.; Chicago 1952, Nr. 14, Abb.; London 1954, Nr. 6; Tokyo 1974, Nr. 6, Abb.; Madrid 1984, Nr. 4, Abb.; Tokyo 1986, Nr. 5, Abb.; Ettore Camesasca, *Trésors du Musée de São Paulo,* Fondation Gianadda, Martigny 1988, S. 86 ff. Abb.; London 1988, S. 30, S. 64 f., S. 156, S. 164 f., Nr. 47, Abb.

 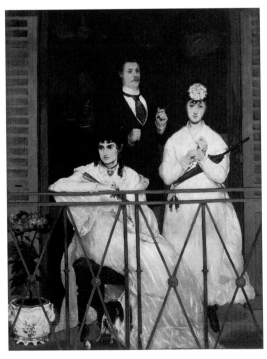

Abb. 1
Edouard Manet,
Porträt Emile Zola, 1868.
Musée d'Orsay, Paris

Abb. 2
Edouard Manet,
Der Balkon, 1868–1869.
Musée d'Orsay, Paris

7   Straßenbiegung in der Provence   1867–1868
     Route tournante en Provence

Venturi Nr. 53 (1867–1870)
Ölfarben auf Leinwand, 92,4 x 72,5 cm
The Montreal Museum of Fine Arts Collection,
Adaline van Horne Bequest (Inv. Nr. 1945.872), Montreal

Obwohl Zola schon im Februar 1861 seiner Verwunderung darüber Ausdruck gab, daß Cézanne mitten im Winter im Freien malte und, ohne sich um die Kälte zu kümmern, auf dem gefrorenen Boden saß – und sich der Maler selbst 1863 reimend zurück in die Zeit versetzte, als sie gemeinsam »… mit der Palett in der Hand/die Landschaft auf die Leinwand gebannt« hatten[1] –, begann sich sein Interesse für das Landschaftsmotiv erst seit der Mitte der sechziger Jahre in eigenständigen Bildfindungen niederzuschlagen. In durchweg kleineren Formaten vermischen sich zunächst Einflüsse Corots und Courbets mit denen der Landschaftsmaler von Barbizon. Meist sind es mit breiten Pinseln oder mit dem Palettmesser aufgetragene, dunkeltonige Landschaftsgebilde, die sich kontrastreich von hellen Himmelsfolien absetzen. Erst gegen Ende des Jahrzehnts wurden die Formate größer und die Farb- beziehungsweise Formkomplexe großflächiger gegeneinander gesetzt.

Exemplarisch dafür steht die dekorative Provence-Landschaft als erstes großes Landschaftsbild Cézannes. Unter dem bewölkten Blau des Himmels befindet sich am Rande eines steil in die Bildtiefe führenden Weges eine hochragende Kiefer vor dem dunklen Baumschlag des Mittelgrundes und einem Bergrücken dahinter. Der in großzügiger Abstimmung gegliederte Landschaftsausschnitt war im Sommer 1867 oder 1868, als sich Cézanne von Mai bis Dezember in Aix aufhielt, gemalt worden. Häufig arbeitete er damals in der Umgebung der Stadt zusammen mit dem Naturwissen-schaftler Antoine Fortuné Marion (vgl. Kat.-Nr. 4), der ihn mit den geologischen Formationen der provenzalischen Heimat vertraut machte.

Bezugnehmend auf einen Porträtentwurf, der Marion zusammen mit Antoine Valabrègue auf dem Weg zum Motiv zeigt[2], hatte sich Cézanne Zola gegenüber im Oktober 1866 ausdrücklich zur Freilichtmalerei bekannt: »Doch siehst Du, all die Bilder, die drinnen, im Atelier gemacht sind, werden nie den im Freien gemalten Sachen gleichkommen. Wenn man Freilichtszenen darstellt, sind die Kontraste zwischen den Figuren und dem Gelände ganz erstaunlich, und die Landschaft ist wundervoll. Ich sehe hier herrliche Dinge und werde mich entschließen müssen, nur noch im Freien zu malen. Ich habe Dir schon von einem Bilde berichtet, das ich zu machen vorhabe; es soll Marion und Valabrègue darstellen, wie sie zum Motiv aufbrechen (ein Landschaftsmotiv selbstverständlich). Neben dem Entwurf dazu, den Guillemet gut fand und den ich nach der Natur gemacht habe, fällt alles andere ab und wirkt schlecht. Ich glaube, daß alle Bilder der alten Meister, die Freilichtszenen darstellen, in Innenräumen gemalt sind, denn sie scheinen mir nicht den wahren und vor allem ursprünglichen Aspekt zu haben, den die Natur vermittelt.«[3]

Gewiß war sich der Künstler im klaren darüber, daß allein gründliche Natur-studien objektivierend zu wirken vermochten gegenüber seinen aus der Phantasie geborenen, wilden Figurenszenerien (vgl. Kat.-Nrn. 1, 2). An die Stelle impulsiver Einbildungskraft mußte eine genaue Analyse des Vorgegebenen treten. Aus Marions Briefen an Heinrich Morstatt nach Stuttgart vom Sommer 1867 und von 1868 erfährt man dann auch, wie sehr Cézanne bemüht war, sein Temperament zu zügeln und die Übertreibung der Mittel einzuschränken: »Paul ist hier [in Aix] und malt. Er ist mehr er selbst denn je; aber dieses Jahr hat er den festen Willen, so schnell wie möglich zum Erfolg zu gelangen. Neulich hat er einige sehr schöne Porträts geschaffen; nicht mehr mit dem Spachtel, aber genauso kraftvoll, und dabei mit viel größerem handwerklichen Geschick und viel gefälliger.« »Paul ist überzeugt, daß er einerseits seine großflächige Malweise beibehalten, andererseits aber gleichzeitig, durch große handwerkliche Geschicklichkeit und Genauigkeit in der Beobachtung, zur Ausarbeitung der Details gelangen kann. Damit hätte er sein Ziel erreicht, und sein Werk wäre bald auf der Stufe der Vollendung angekommen. Ich glaube, dieser Augenblick ist nicht mehr weit entfernt. Das wichtigste für ihn ist jetzt, daß er arbeitet ...« »Cézanne arbeitet immer noch hart und wendet alle seine Kräfte auf, um sein Temperament zu zügeln und es den Regeln einer nüchternen Wissenschaftlichkeit zu unterwerfen. Wenn er dieses Ziel erreicht, mein Lieber, werden wir kraftvolle, vollkommene Werke bewundern können.«[4]

1   Cézanne 1962, S. 82, S. 100.
2   *Les promeneurs* Venturi Nr. 96.
3   Cézanne 1962, S. 113 f.
4   Siehe Kat.-Nr. 4, Anm. 1. Überzeugt von seiner Arbeit vor dem Landschaftsmotiv, sah Cézanne im November 1868 ein Landschaftsbild für die nächstjährige Salon-Ausstellung in Paris vor: »Ich arbeite immer noch viel an einer Landschaft an den Ufern des Arc; sie ist wie immer für den nächsten Salon. Wird es der von 1869 sein?«, Cézanne 1962, S. 125. Die Frage wurde negativ entschieden, denn wie bereits zuvor wurde auch 1869 Cézannes Einsendung von der Salon-Jury zurückgewiesen.

PROVENIENZ: Ambroise Vollard, Paris; Bernheim-Jeune, Paris; William van Horne, Montreal; Adaline van Horne, Montreal.
BIBLIOGRAPHIE: Venturi S. 16, S. 78 Nr. 53, Abb.; Schmidt 1952, S. 14.
AUSSTELLUNGEN: *The Sir William van Horne Collection*, Art Association, Montreal 1933, Nr. 146b; New York 1959, Nr. 5, Abb.; London 1988, S. 65, S. 142 f. Nr. 36, Abb.

8   Schneeschmelze bei L'Estaque   1870–1871
     La neige fondue à L'Estaque
     Venturi Nr. 51 (um 1870)
     Ölfarben auf Leinwand, 72,5 x 92 cm
     Privatbesitz, Schweiz

Als im Juli 1870 Napoleon III. Preußen den Krieg erklärt hatte, sah sich Cézanne
gezwungen, möglichst rasch Paris in Richtung Süden zu verlassen, um der
Mobilmachung zu entgehen. Er arbeitete zunächst in Aix, später dann in dem 30
Kilometer entfernten, am Meer gelegenen L'Estaque, wo er sich in der Obhut seiner
Familie schon einmal 1868 aufgehalten hatte (vgl. Kat.-Nrn. 19, 22, 23, 29, 72).[1] In der
kleinen Industriestadt verbarg er sich sowohl vor den Nachstellungen des Vaters als
auch vor denen der Einberufungskommission, zusammen mit Marie Hortense Fiquet,
die seit 1869 in Paris sein Modell war und erst 17 Jahre später seine Frau werden sollte
(vgl. Kat.-Nrn. 14, 37–44). Auch Zola zog es damals für einige Zeit nach L'Estaque.
Unberührt von den chaotischen politischen Ereignissen, von der Niederlage des
Kaisers, der Proklamation der Republik, von der Invasion der preußischen Truppen, der
Kapitulation Frankreichs und von der Kommune, verbrachte Cézanne dort eine Zeit
äußerster Konzentration. Nachdem er L'Estaque im März 1871 verlassen hatte, reiste er,
nach einem Zwischenaufenthalt in Aix, erst im Herbst nach Paris, als sich die
politischen Turbulenzen wieder beruhigt hatten. Auf die Frage des Kunsthändlers
Ambroise Vollard, wie er und Zola den Krieg überstanden hätten, antwortete Cézanne
später höchst unbekümmert: »Während des Krieges arbeitete ich sehr viel am Motiv in
L'Estaque. Übrigens kann ich Ihnen kein einziges ungewöhnliches Ereignis aus den
Jahren 70/71 erzählen. Ich teilte meine Zeit zwischen der Landschaft und dem
Atelier ... Ich saß damals an einer Landschaft, mit der es nicht vorwärts gehen wollte.
So blieb ich noch einige Zeit in Aix und arbeitete am Motiv.«[2]
     Immerhin kann man der lakonischen Aussage entnehmen, daß der Maler in
L'Estaque seine Arbeit im Freien systematisch fortsetzte (vgl. Kat.-Nr. 7). Ihren
vorläufigen Höhepunkt erreichte sie im Winter 1870/71 mit dem Bild der *Schneeschmelze bei L'Estaque*.[3] Wüßte man nicht um deren Autorschaft, würde man die
von Stürmen gepeitschte Landschaft eher in der Nähe von Fauvismus oder
Expressionismus vermuten. Aus einem Guß gemalt, sind die massigen Formkomplexe
recht eigenwillig bis zu den kalten Lichtreflexen des Horizontes zusammengefaßt. Ein
steiler Abhang ist unter noch im Fluß befindlichen Schneemassen begraben. Gegen
die als barockes Bewegungselement eingesetzte Diagonale stemmen sich einige
Pinienstämme mit vom Mistral stark in Mitleidenschaft gezogenem Geäst. Zwischen
dem schmutzig-schweren Weiß des Schnees und der Düsternis eines bedrohlichen
Himmels erstreckt sich eine Hügellandschaft, in die verloren einige rote Dächer
eingebaut sind. Die zum Hintergrund abrupt zurückweichenden Schrägen suggerieren
einen Tiefensog, der den urtümlichen Ort raumgreifend in Bewegung hält. Trotz der
nun erreichten Sicherheit im Umgang mit Farben und Raumordnungen steht die
Winterlandschaft der Dramatik der ersten Figurenbilder näher als einer Landschaftssicht, die fortan durch die Unerschütterlichkeit der strukturellen Zusammenhänge
gekennzeichnet ist. Die gefühlsbetonte Emphase der Frühzeit forderte noch immer
ihren Tribut. Alle Bildelemente wurden in den Dienst eines leidenschaftlichen
Temperaments gestellt, das nun freilich vornehmlich auf die Natur gerichtet war.

1   Laut Marions Brief an Morstatt vom 13. September 1868, siehe Kat.-Nr. 4, Anm. 1.
2   Vollard 1960, S. 21.
3   Obwohl die schneebedeckte Landschaft häufig variiertes Motiv der Impressionisten war, befaßte sich
     Cézanne nur noch einmal um 1880 damit: *Neige fondante à Fontainebleau* Venturi Nr. 336.

PROVENIENZ: Ambroise Vollard, Paris; Bernheim-Jeune, Paris; Auguste Pellerin, Paris; Jean-Victor Pellerin, Paris; Wildenstein, Paris-London-New York; Arthur M. Kauffmann, London.
BIBLIOGRAPHIE: Meier-Graefe 1910, S. 65 Abb.; Vollard 1914, Abb. 9; Meier-Graefe 1918, S. 99 Abb.; Coquiot 1919, S. 68; Meier-Graefe 1922, S. 114 Abb.; Klingsor 1923, S. 16; Rivière 1923, S. 199; Fry 1927, S. 22; Pfister 1927, Abb. 23; Ors 1930, S. 73; Vollard 1931, S. 392 Abb.; Huyghe 1936, S. 167, Abb. 41; Raynal 1936, S. 6, S. 57, S. 146 Abb. 35; Venturi S. 16, S. 25, S. 77 Nr. 51, Abb.; Novotny 1937, S. 17; Barnes, Mazia 1939, S. 159 Abb., S. 312; Cogniat 1939, Abb. 17; John Rewald, *Paul Cézanne: New Documents for the Years 1870-1871*, in: The Burlington Magazine, LXXIV, CDXXXIII, April 1939, S. 164, Abb.; Dorival 1949, S. 39, S. 41, S. 48, S. 61, Abb. 27, S. 152; Guerry 1950, S. 39 ff., S. 156 ff.; Schmidt 1952, S. 14 f.; Cooper 1954, S. 346; Raynal 1954, S. 26 Abb., S. 101; Badt 1956, S. 199, S. 202, S. 232, S. 263; Neumeyer 1958, S. 54; *Sammlung Emil G. Bührle*, Zürich 1958, S. 127, S. 229 Abb.; Ratcliffe 1960, S. 9; Vollard 1960, S. 22; Reff 1962 (stroke), S. 226; Leonhard 1966, S. 118, S. 123 Abb.; Andersen 1970, S. 121, S. 194; Cherpin 1972, S. 18 Abb.; Brion 1973, S. 22, S. 29 Abb.; Elgar 1974, S. 36, S. 47 f. Abb. 24; Schapiro 1974, S. 38 f. Abb.; Barskaya 1975, S. 26 f. Abb.; Rewald 1975, S. 167; Wadley 1975, S. 28 Abb. 26; New York 1977, S. 73; Paris 1978, S. 16; Venturi 1978, S. 54 f. Abb., S. 59; Arrouye 1982, S. 43, S. 79; Rewald 1986, S. 90 Abb.; Cézanne 1988, S. 51 Abb.; London 1988, S. 60, S. 65, S. 166 Abb.; Lewis 1989, S. 196 f. Abb. XV.; Krumrine 1992, S. 586.
AUSSTELLUNGEN: *L'Impressionnisme*, Palais des Beaux-Arts, Brüssel 1935, Nr. 11; Paris 1936, Nr. 13; Lyon 1939, Nr. 9, Abb. 3; London 1939, Nr. 11; New York 1947, Nr. 4, Abb.; Chicago 1952, Nr. 13, Abb.; Hamburg 1963, Nr. 3, Abb. 11; *Meisterwerke der Sammlung Emil G. Bührle, Zürich*, National Gallery of Art, Washington 1990 - Museum of Fine Arts, Montreal - Museum of Art, Yokohama - Royal Academy of Arts, London 1991, Nr. 38, Abb.

9 Felslandschaft 1870-1871
Paysage de rocher

Nicht bei Venturi
Ölfarben auf Leinwand, 53,8 x 64,9 cm
Städtische Galerie im Städelschen Kunstinstitut
(Inv. Nr. SG 458), Frankfurt/Main

Cézannes weitgefaßte Landschaftssicht beinhaltete von Anfang an den großen Atem geräumiger Ausblicke ebenso wie die Ausschnitte von Waldinterieurs. Gegenüber dem mitreißenden Pathos der *Schneeschmelze bei L'Estaque* (Kat.-Nr. 8) begnügte sich der Maler nun mit dem unscheinbaren Motiv einer Felsformation mit Kiefernbestand und einem sich breit nach vorn öffnenden Waldweg. Wie ein steinerner Vorhang ist die schwere Wucht des Felshangs ins Bild geschoben. Seine von reinem Weiß bis zu gemischten Grau- und Beigetönen reichende Farbigkeit steht dem dunkel unterlegten Grün der Nadelbäume kontrastreich entgegen. Horizontale Schattenbahnen rhythmisieren das einfallende Sonnenlicht und verlegen einer fluchtlinienbestimmten Perspektive den Weg. Die Unmittelbarkeit der Wahrnehmung und die schwungvoll zupackende Art der Pinselführung sprechen dafür, daß sich Cézanne zunehmend der Naturwirklichkeit öffnete und die aufmerksame Beobachtung der natürlichen Gegebenheiten gegenüber den inhaltsschweren Ambitionen der ersten Jahre an Gewicht gewann.

PROVENIENZ: Ambroise Vollard, Paris.
BIBLIOGRAPHIE: Vollard 1931, S. 395 Abb.; Hans Joachim Ziemke, *Die Gemälde des 19. Jahrhunderts. Katalog der Gemälde im Städelschen Kunstinstitut*, Frankfurt/Main 1972, Textband S. 58 f., Bildband Abb. 267; Rewald 1986, S. 90 Abb.
AUSSTELLUNGEN: *Vom Abbild zum Sinnbild*, Städelsches Kunstinstitut, Frankfurt/Main 1931, Nr. 19.

10　Weibliche Badende, von einem Beobachter überrascht　um 1870
Baigneuses surprises par un passant les observant

Nicht bei Venturi
Ölfarben auf Leinwand, 32,8 x 40 cm (Komposition 31,5 x 35 cm)
Privatbesitz, Courtesy Galerie Jean-Claude Bellier, Paris

Mit der um 1870 gemalten Komposition klingt das Thema der *Badenden,* das Cézanne
seit der Mitte der siebziger Jahre wiederholt beschäftigen sollte (vgl. Kat.-Nrn. 33, 34,
79–83), zum erstenmal an. Während die *Badenden* in der Folge mit der Aufhebung
der thematischen und formalen Gegensätze darauf abzielten, zu Inbildern einer
Lebenseinheit von Natur und Figur zu werden, ist das Motiv hier allerdings noch von
den Konfliktsituationen des Frühwerks geprägt. Der Schritt ist noch nicht getan von
einer auf die Konfrontation der Geschlechter abhebenden Ikonographie hin zu den
strikt nach Geschlecht geschiedenen, formal disziplinierten *Badenden.* Die für
Cézanne so entscheidende definitive Auseinander-Setzung von männlichen und
weiblichen Figuren ist noch nicht vollzogen. Ihre Polarisierung geht noch immer
konform mit der Polarität der Darstellungsmittel. Denn die vier in hellem Rosé aus
dem tiefen Blau des Grundes herausmodellierten Akte sind gerade in jenem
Augenblick erfaßt, als sie gewahr werden, daß sie den Indiskretionen eines am linken
Bildrand hinter einem Baumstamm versteckten Außenstehenden ausgesetzt sind.[1]
　　Erst jüngst wurde das vor einem theatralischen Landschaftsprospekt
angesiedelte Geschehen als Venusgrotte aus Wagners *Tannhäuser* interpretiert.[2] Gewiß
ließe die Wagner-Begeisterung Cézannes eine solche Auslegung mit der Göttin rechts
und den drei Grazien vor ihr zu.[3] Doch sprechen sowohl die Beobachtergestalt als
auch die eher pathetische denn romantische Landschaftsauffassung dagegen. Näher
läge der Vergleich mit Cézannes *Versuchung des heiligen Antonius* (Stiftung Sammlung
E. G. Bührle, Zürich). Sie konfrontiert in einer durch ähnliche Farbkontraste charakte-
risierten Umgebung ebenfalls vier voluminöse weibliche Akte mit einer »störenden«
männlichen Gestalt links im Hintergrund. Als Äquivalent für die sexuellen Obsessio-
nen des Künstlers und seine daraus resultierende Befangenheit allem Weiblichen
gegenüber kommt in beiden Fällen dem erotischen Aspekt eine zentrale Rolle zu. Die
Sorgfalt, mit der die Nacktheit der fahl aus dem Dunkel herausgewölbten Körper mit
breitem Pinsel durchformt wurde, ist nicht zuletzt ein Indiz dafür. Neugierigen Blicken
preisgegeben, merkt man den an einem Gewässer lagernden Akten ihr Herkommen
aus religiösen beziehungsweise mythologischen Themenbereichen an.[4] Als Protagonisten eines entheiligten Bildes der Versuchung stehen sie auch in Zusammenhang
mit dem Paris-Urteil als dem mythologischen Korrelat der Versuchung.

1　In dem kleinen Gemälde *Trois baigneuses* Venturi Nr. 266 sowie in dessen gezeichneten und aquarel-
　lierten Studien, Chappuis Nr. 368, Rewald Nr. 62, wurde der Voyeur um 1875 erneut zum
　beunruhigenden Gegenüber weiblicher Akte; vgl. auch *La baignade* Venturi Nrn. 272, 275.
2　Lewis 1989, S. 189 ff.
3　Vgl. Cézanne 1962, S. 105, S. 121. Auch in den Briefen Marions an Morstatt, siehe Kat.-Nr. 4, Anm. 1, ist
　verschiedentlich von der Begeisterung der Freunde für Wagner die Rede; vgl. auch den Bildtitel
　L'ouverture du Tannhäuser Venturi Nr. 90.
4　Abgesehen davon, daß die links sitzende Figur etwa fünf Jahre später in vergleichbarer Form wiederholt
　wurde, Venturi Nr. 256, fanden die Akte ansonsten weder als Gruppe noch als Einzelfiguren weitere
　Verwendung.

PROVENIENZ: Dr. Paul Fernand Gachet, Auvers-sur-Oise; Paul Gachet, Auvers-sur-Oise; Wildenstein,
Paris–London–New York.
BIBLIOGRAPHIE: Rewald 1986, S. 87 Abb. (mit einem Leinwandstreifen rechts, der ursprünglich wohl
eingeschlagen war und nicht zur Bildkomposition gehört); London 1988, S. 32 Abb.; Lewis 1989, S. 173,
S. 185 f., S. 189 ff., S. 195, S. 200, Abb. 13.
AUSSTELLUNGEN: Basel 1989, S. 110 Abb. 73, S. 167, S. 311 Nr. 6.

11   Nachmittag in Neapel. Der Rumpunsch   1875–1877
      L'après-midi à Naples. Le punch au rhum
      Venturi Nr. 224 (1872–1875)
      Ölfarben auf Leinwand, 37 x 45 cm
      Australian National Gallery (Inv. Nr. 85.460), Canberra

Von besonderer Tragweite scheint ein dem Genuß der Liebe und des Alkohols
gewidmetes Thema gewesen zu sein, das Cézanne über Jahre hinweg angeregt und
bis zu dieser letzten Gemäldefassung beschäftigt hat. Schon 1867 befleißigte er sich,
die Jury des Pariser Salons (vgl. Kat.-Nrn. 2, 4) mit zwei im Handkarren herangeführten
Gemälden zu brüskieren, die die merkwürdigen, wahrscheinlich von Antoine
Guillemet stammenden Titel *Nachmittag in Neapel* oder *Der Rumpunsch* trugen (vgl.
Abb. 1).[1] Ihr eindeutiger Inhalt mußte als Affront gewertet werden. Wie üblich zurückgewiesen – den strengen Auswahlkriterien fielen in diesem Jahr auch Pissarro,
Guillemet, Renoir, Bazille, Sisley und Monet zum Opfer –, erreichte Cézanne mit
seinem ostentativen Vorgehen immerhin, daß ein gewisser Arnold Mortier in der Zeit-
schrift ›Europe‹ boshaft über ihn berichtete und dieser Artikel auszugsweise auch in
›Le Figaro‹ erschien: »Ich habe gehört, daß zwei Bilder von Monsieur Sésame [sic] (er
hat nichts mit den *Arabischen Nächten* zu tun) abgelehnt wurden. Er ist derselbe
Mann, der 1863 im Salon des Refusés – natürlich! – mit einem Bild, das zwei Schweins-
füße in Kreuzform darstellt, zur allgemeinen Erheiterung beitrug. Dieses Mal hat
Monsieur Sésame zwei Bilder für die Ausstellung eingereicht. Sie sind zwar weniger
ausgefallen, verdienen jedoch genauso, von der Ausstellung ausgeschlossen zu werden.
Diese Kompositionen sind beide mit *Der Rumpunsch* betitelt. In einem Bild ist ein
nackter Mann dargestellt, dem eine sehr fein gekleidete Dame gerade einen
Rumpunsch gebracht hat, das andere zeigt eine nackte Frau und einen als Lazzarone
gekleideten Mann: Hier ist der Punsch verschüttet.«[2] Emile Zola, der die Aussage
seines Freundes Cézanne niemals in ihrer Tragweite zu ermessen vermochte, hob
immerhin die Unzulänglichkeit der Beschreibungen hervor. Am 12. April 1867
veröffentlichte er in ›Le Figaro‹ eine scharfe Entgegnung: »Verehrter Herr Kollege, bitte
seien Sie so freundlich und lassen Sie diese kurze Richtigstellung abdrucken. Es geht
um einen meiner Jugendfreunde, einen jungen Maler, vor dessen Talent und aus-
geprägter Individualität ich größte Achtung habe … In der Tat wurden Monsieur Paul
Césanne [sic] dieses Jahr – und damit befindet er sich in bester und zahlreicher
Gesellschaft – zwei Bilder abgelehnt: *Der Rumpunsch* und *Der Rausch*. Monsieur
Arnold Mortier hielt es für angebracht, sich über diese Bilder lustig zu machen und sie
mit viel Phantasie zu beschreiben, was ihm alle Ehre macht. Ich weiß, daß dies alles
nur ein gelungener Scherz ist, über den man sich keine Gedanken machen soll. Aber
ich konnte noch nie diese besondere Art von Kritik verstehen, die sich darauf
beschränkt, etwas lächerlich zu machen und zu verurteilen, was der Verfasser nicht
einmal gesehen hat. Ich lege großen Wert darauf, wenigstens zum Ausdruck zu
bringen, daß Monsieur Arnold Mortiers Beschreibungen ungenau sind.«[3]

    Gegenüber der Darstellung, die Anlaß für den öffentlich ausgetragenen Disput
geboten hatte (vgl. Abb. 1), ist die Jahre später geschaffene und durch zahlreiche
Studien[4] weiterentwickelte Fassung ausgewogener in der Figurenanordnung und in
der Raumdefinition. Auch die Farbigkeit ist nuancenreicher im Spiel zwischen
der äußersten Helligkeit des Bettlakens und dem Inkarnat des exotischen Domestiken,
der Delacroix' Gemälde *Die Frauen von Algier* (1834, Musée du Louvre, Paris)
entstammen dürfte. Im komplementären Gegeneinander tragen nicht nur Schwarz
und Weiß, sondern auch Rot und Grün sowie Gelb und Blau als spannungsreich
kontrastierte Bezugssysteme zur engen Verzahnung der Bildebenen bei.

Nichts geändert hat sich dagegen am provokativen Inhalt der Szene, die keinen ästhetischen oder moralischen Standards zu entsprechen vermochte. Vorbei an einer zurückgeschlagenen, rechts von einem Standspiegel reflektierten purpurnen Vorhangdraperie wird dem Betrachter Einblick gewährt in das intime Geschehen. Dem in eindeutiger Pose auf einem Bett lagernden Paar kredenzt ein herbeieilender dienstbarer Geist mit rotem Lendenschurz auf einem Tablett den »Liebestrank«. In einer Wandnische sind Gläser und ein Krug plaziert (vgl. Kat.-Nr. 62). Weder das geschäftige Treiben des Bediensteten noch die Indiskretion des betrachtenden Augenzeugen vermögen das Paar aus der anzüglichen Ruhe zu bringen.[5]

Auch wenn die Zusammenarbeit mit Pissarro in der ersten Hälfte der siebziger Jahre Cézannes Ausdrucksüberschwang disziplinierte (vgl. Kat.-Nr. 16), bestand noch immer dessen Wille, zumindest thematisch an das anzuknüpfen, was ihn in den Jahren zuvor bewegt hatte. So ist die Ikonographie des Bildes auch weiterhin bestimmt durch Manets *Olympia* (Abb. 2). Jener herausfordernd auf einer Bettstatt ausgestreckte, von der Kritik sofort als Darstellung einer Kurtisane interpretierte Mädchenakt mit schwarzer Dienerin und einer buckelnden Katze war 1865 zum Skandalbild schlechthin avanciert. Rückhaltlos für den vielgeschmähten Manet und dessen programmatische Provokation einzutreten und darauf aufzubauen, hieß, in vorderster Linie gegen den Unverstand der öffentlichen Meinung anzukämpfen. Cézanne und Zola taten es auf ihre Art, wobei der gewandte Wortführer Zola rasch die erwünschte Publizität für sich verbuchen konnte (vgl. Kat.-Nr. 6). In seiner Bildreihe zum Thema *Nachmittag in Neapel* ging Cézanne davon aus, daß er nur dann einen vergleichbaren »succès de scandale« erringen könne, wenn er die malerischen und ikonographischen Neuerungen Manets noch kompromißloser fortführen und sich mit Belegen noch banalerer Sinnlichkeit der Öffentlichkeit präsentieren würde. Was Manet zur »pose profane« einer zielbewußten Provinzschönen entwertet hatte, trivialisierte Cézanne vollends durch die Einbeziehung einer männlichen Gestalt in den von der *Olympia* übernommenen Figurenbestand. Den Skandal, den die *Olympia* erregt hatte, empfand er als Herausforderung, sich mit Vergleichbarem der öffentlichen Kritik zu stellen; und

Abb. 1
Paul Cézanne, *Der Rumpunsch*,
1866–1867, Gouache. Privatbesitz

zwar mittels eines auf geradezu vulgäre Weise die guten Sitten verletzenden Inhalts, der dem Mädchenakt einen Mann zugesellt, um keinerlei Zweifel über deren tatsächliches Metier und das Wollen ihres Gastes aufkommen zu lassen. Einer von gängigen Abgeschmacktheiten verwöhnten Optik ließ er mit derart brüskierenden Anzüglichkeiten, die weder mythologisch noch religiös oder historisch bemäntelt waren, keinerlei Ausweichmöglichkeiten in Bereiche moralisierender Allegorie. Mit der Frage an Guillemet, wie er nur eine so schmutzige Malerei gernhaben könne, verhehlte selbst Manet seinerseits nicht, was er vom Schöpfer des *Nachmittag in Neapel* hielt.[6]

1 Die beiden Gemälde sind nicht erhalten. Die abgebildete Gouache, Rewald Nr. 34, dürfte jedoch eine ziemlich genaue Vorstellung des Motivs in seiner ursprünglichen Form geben.
2 Rewald 1986, S. 69.
3 Ibid., S. 69.
4 Venturi Nrn. 112, 223; Rewald Nr. 35; Chappuis Nrn. 180, 275–280, 284–286, 460, 461.
5 Zurückzuführen ist das Gemälde auf eine um 1871 skizzierte Aquarellstudie Rewald Nr. 35, auf der vor dem Liebeslager eine schwarze Katze mit aufgerichtetem Schwanz mit von der Partie ist. Sie hatte seit alters her für teuflische Inkarnationen und sexuelle Aggressivität zu stehen. In der Gegenfarbe des Lichts zeugt sie von den dunklen Geheimnissen rebellischer Lebenskraft. Obwohl ihr auf den meisten der Bildentwürfe gleichen Inhalts eine bedeutungsvolle Rolle zukam, wurde sie aus der letzten Gemälde-fassung gestrichen.
6 Vollard 1960, S. 22.

PROVENIENZ: Ambroise Vollard, Paris; Bernheim-Jeune, Paris; Auguste Pellerin, Paris; Jean-Victor Pellerin, Paris; Wildenstein, Paris–London–New York.
BIBLIOGRAPHIE: Vollard 1924, S. 36 f.; Ors 1936, Abb. 42; Raynal 1936, Abb. 18; Venturi S. 91, S. 115 Nr. 224, S. 239, S. 291, S. 350, Abb.; Cogniat 1939, Abb. 30; Rewald 1939, S. 447, Abb. 42; Dorival 1949, S. 50, Abb. 49, S. 156; Guerry 1950, S. 186; Schmidt 1952, S. 25; Badt 1956, S. 71, S. 226, S. 240; Berthold 1958, S. 58; Neumeyer 1958, S. 22, S. 36; Reff 1958, S. 72; Chappuis 1962, S. 53, S. 62 f. Abb.; Reff 1962, S. 113; Reff 1963, S. 151; Lichtenstein 1964, S. 59, Abb. 11; Schapiro 1968, S. 51 f.; Elgar 1974, S. 41 f. Abb. 21; Adriani 1978, S. 79, S. 311; Adriani 1981, S. 259 f.; Rewald S. 90 (bei Nr. 34), S. 92 (bei Nr. 35); Rewald 1986, S. 68 Abb.; Lewis 1989, S. 75; Krumrine 1992, S. 586.
AUSSTELLUNGEN: London 1988, S. 21, S. 33, S. 45, S. 52, S. 61 f., S. 124 f. Nr. 27, Abb., S. 204; Basel 1989, S. 100, S. 102, Abb. 66, S. 105, S. 312 Nr. 27.

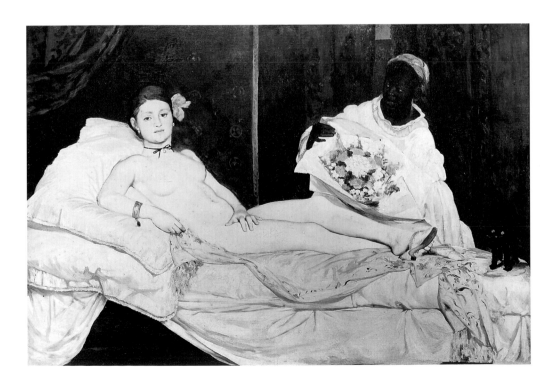

Abb. 2
Edouard Manet, *Olympia*, 1863.
Musée d'Orsay, Paris

12 Das Ewigweibliche 1875–1877
L'éternel féminin

Venturi Nr. 247 (1875–1877)
Ölfarben auf Leinwand, 43,2 x 53,3 cm
Collection of the J. Paul Getty Museum, Malibu, California

Zu den späten Interpretationen jenes frühen Themas der Konfrontation der Geschlechter (vgl. Kat.-Nrn. 1, 2, 10, 11) zählt auch dieses den weiblichen Akt ironisch verherrlichende Bild. Dem in strahlendes Licht getauchten Ewigweiblichen liegt die Männerwelt zu Füßen. In der hingebungsvollen Parade und Parodie geschlechtsspezifischer Positionen thront die zum Kultgegenstand Avancierte urwüchsig auf dem Piedestal eines Bettenberges. In einem öffentlichen Raum, der über eine Balustrade den Blick in eine Landschaft freizugeben scheint, empfängt sie die Ovationen derer, die sich ihrer Willkür unterwerfen. Mit der Ausrichtung auf das Faktum kollektiven Begehrens, mit einem Baldachin als Hoheitszeichen und dem pompösen Dreiklang aus Blau, Scharlachrot und Goldgelb gewinnt die Travestie des Idols die Dimension einer profanierten Sacra conversazione, die den Umgang mit dem Himmel auf das gleichschenklige Dreieck des Betthimmels reduziert. Als das den unnachsichtigen Blicken ausgelieferte Schaustück männlicher Komplementärfiguren hält sich die benutzte und deshalb um so verlogener mißachtete Dirne schadlos an den »grands corrupteurs«, die sie und die soziale Schicht, der sie angehört, ausbeuten. Mit der Vergötzung und Verteufelung der Frau in der reversiblen Rolle von Ausbeuterin und Ausgebeuteter reflektierte Cézanne ein Spannungsfeld aus Faszination und Animosität. Nicht von ungefähr beschrieb er das dem Manne entrückte Weibs-Bild mit blutunterlaufenen Augenhöhlen als heil-losen Anbetungsgegenstand.

Das von gemeinsamer Absicht zusammengeführte Panorama der Männerwelt (vgl. Kat.-Nr. 63) ist nach Klassen, Typen und Berufen geordnet. Schlüsselfigur zweier divergierender Gesellschaftskomplexe – mit den Artisten im weitesten Sinne rechts und den etablierten Berufsständen links – ist in axialer Bezugnahme zum Akt eine Rückenfigur am unteren Bildrand. Der wuchtige, teilweise kahle Schädel, der von einem dunklen Haarkranz umrahmt ist, legt die Vermutung nahe, daß es sich um ein Bildnis des Künstlers handelt[1], um den die ständischen Vertreter geschart sind. Angeführt werden sie rechts oben von einem mit Pinsel und Palette hantierenden Maler vor seiner Staffelei, der die Schöne unter dem auf der Leinwand bereits skizzierten Betthimmel zu verewigen gedenkt. Es folgen ein Zauberer mit Stab und fliegendem Zylinder, dann Akrobaten in blauweiß gestreiftem Trikot sowie Fanfaren blasende Musikanten. Ein Gastronom sorgt mit Wein und goldgelben Früchten auf einem Tablett für das leiblich-weibliche Wohl. Allein durch ihr Tun huldigen diese auch die Sinne bezeichnenden Nachkommen der Artes liberales der fülligen Gleichmacherin, wobei Maler und Artisten, Ton- und Kochkünstler unterschiedslos das Ihre geben. Ihnen entgegen steht das bürgerliche Establishment. An der Spitze, in prächtigem Ornat, der kaum um das geistliche Wohl seines Schäfleins besorgte Bischof, dessen Herrschaftsinsignien, Mitra und Krummstab, demonstrativ ins Bild ragen. Den Halbkreis der Adoranten schließen die weltlichen Würdenträger, die Delegierten juristischer, militärischer und fiskalischer Macht. Personifiziert werden sie von devoten, graubefrackten Staatsdienern, einem mit Zweispitz und Epauletten geschmückten Offizier sowie dem unerläßlichen Finanzier mit prall gefülltem Geldsack. Cézanne, der einst als »Herkules am Scheideweg« zwischen Advokatur und Atelier, zwischen Sicherheit und Risiko zu wählen hatte[2], scheint eher passiver Mitläufer, der Abstand hält zu dem Panoptikum um ihn. Er identifiziert sich weder mit der einen noch mit der anderen Seite. Wohl hat er sich damit abgefunden, daß ihm lediglich eine Beobachterrolle am Rande zukommt. Die einnehmende Schöne ist unüberbrückbar seiner Reichweite entzogen. Wie sie ist auch der »peintre-voyeur« nur scheinbarer Mittelpunkt der Gesellschaft. In Wahrheit stehen sie beide, als Homme und Femme fatale im 19. Jahrhundert zum sozialen Sprengstoff geworden, außerhalb jeder Sozietät. Der Kult um den Künstlerfürsten ähnelt in seiner Flüchtigkeit dem um das Luxusgeschöpf, denn beide funktionieren nur so lange routiniert in ihrem jeweiligen Metier, wie sie den Ansprüchen ihrer splendiden Gönner genügen.

Aufschluß über Cézannes vielschichtige Auslegung des Themas[3], das nicht nur die Polarität von Mann und Frau sowie die von Künstler und Gesellschaft erhellt, sondern auch das zur öffentlichen Angelegenheit gewordene Boudoir zum Treffpunkt von Prestige und Geist, von staatlicher Herrschaft sowie freiem Künstlertum macht, mögen einige etwa gleichzeitig notierte Gedankenskizzen Zolas geben. Dort heißt es im Hinblick auf den 1879/80 veröffentlichten Erfolgsroman *Nana* über die heimtückische »mouche d'or«, deren »toute puissance de son sexe« sich die Pariser Lebewelt unterwirft: »Nana wird eine Elementarkraft, ein Ferment der Zerstörung, doch ohne dies zu wollen, nur durch ihr Geschlecht und ihren Frauengeruch zerstört sie alles, was in ihre Nähe kommt … Der Hintern in seiner ganzen Macht. Der Hintern auf einem Altar, vor dem alle opfern. Das Buch muß die Dichtung des Hintern sein, und die Moral wird der Hintern sein, der alle um sich tanzen läßt … Dies ist das philosophische Thema: Eine ganze Gesellschaft stürzt sich auf den Hintern. Eine Meute hinter einer Hündin, die nicht in der Brunst ist und sich über die Hunde lustig macht, die sie verfolgen. Das Gedicht von der männlichen Begierde, der große Hebel, der die Welt in Bewegung setzt. Es gibt nur den Hintern und die Religion. Ich muß also Nana zeigen: Mittelpunkt wie das Idol, zu dessen Füßen sich alle Männer hinwerfen, für verschiedene Motive und mit verschiedenen Temperamenten … Ich werde eine Anzahl Männer versammeln, welche die ganze Gesellschaft verkörpern.«[4]

Die kunstgeschichtliche Genese des Bildvorwurfs reicht weiter zurück. Unter anderem wäre der Stich eines Antwerpener Manieristen anzuführen (Abb. 1), der die Artisten in Gestalt von Narren, Musikanten und Gauklern um die mit Vanitashinweisen versehene Eitelkeit einer Frau-Welt tanzen läßt. Besonders zahlreich sind dann im französischen 19. Jahrhundert in den verschiedenen Sparten populärer Illustrationsgraphik die Vorlagen für die Dissoziation von überhöhter Einzelperson und rückhaltloser Masse. Sie dienten beispielsweise in der naiven Bildsprache politischer Agitation zur Glorifizierung der République Française (Abb. 2) oder in der Karikatur dazu, die Allmacht des Journalisten ironisch zu durchleuchten (Abb. 3). Nicht zuletzt

Abb. 1
Antwerpener Meister, *Der Tanz um die Frau Welt*, um 1600, Kupferstich

Abb. 2
Allegorie der République Française, 1848, Lithographie aus
›Le Charivari‹

Abb. 3
Grandville, *Die Morgentoilette des großen Journalisten*, 1846, Holzschnitt

dürften Delacroix mit einer Darstellung von *Simson und Delila* (1849–1856, Sammlung Reinhart, Winterthur) sowie Courbet mit der epochalen Allegorie *Das Atelier* (1854–1855, Musée d'Orsay, Paris) zur spezifischen Form und Ikonographie der Cézanneschen Bilderfindung beigetragen haben. Delacroix schildert die Unterwerfung des Mannes durch das »schwache Geschlecht« am Fuße des von einem weitausladenden Baldachin bekrönten Liebeslagers, wohingegen in Courbets Allégorie réelle die Kombination von Selbstbildnis und Akt inmitten einer Figurenansammlung, aber auch die Aufteilung der Gruppen in zwei gegensätzliche Lager vorgegeben ist. Nach Courbets Worten sind auf seinem anspruchsvollen Bildkosmos zur Rechten »die Freunde, die Mitarbeiter, die Liebhaber der Welt der Kunst« angesiedelt; dagegen befindet sich »zur Linken die Welt des gewöhnlichen Lebens, das Volk, das Elend, die Armut, der Reichtum, die Ausgebeuteten, die Ausbeuter, die Leute, die vom Tod leben«.[5]

1   Auf einer Aquarellstudie, Rewald Nr. 57, ist das Halbprofil Cézannes deutlich zu erkennen.
2   Als junger Mann hatte sich der Künstler mit dem Herkules-Thema befaßt, vgl. Cézanne 1962, S. 32 f., S. 75 f., S. 78.
3   Vgl. die Aquarell- und Zeichnungsvarianten Rewald Nrn. 139, 385, Chappuis Nrn. 257, 258, 317.
4   Werner Hofmann, *Nana, Mythos und Wirklichkeit,* Köln 1973, S. 58.
5   Klaus Herding, *Realismus als Widerspruch. Die Wirklichkeit in Courbets Malerei,* Frankfurt/Main 1978, S. 24.

PROVENIENZ: Ambroise Vollard, Paris; Bernheim-Jeune, Paris; Auguste Pellerin, Paris; Jean-Victor Pellerin, Paris; Wildenstein, Paris–London–New York; Harold Hecht, Beverly Hills.
BIBLIOGRAPHIE: Coquiot 1919, S. 212 f.; Rivière 1923, S. 204; Fry 1927, S. 80, Abb. 49; Raynal 1936, Abb. 22; Rewald 1936, Abb. 22; Venturi S. 17, S. 37, S. 120 Nr. 247, S. 250, S. 252, S. 295, Abb.; Barnes, Mazia 1939, S. 180 Abb., S. 324; Dorival 1949, S. 48, Abb. VI, S. 177; Guerry 1950, S. 24 f., S. 41, S. 120; Schmidt 1952, S. 25; Badt 1956, S. 71, S. 77, S. 215, S. 226; Chappuis 1962, S. 66; Reff 1962, S. 113 f., S. 119, S. 122; Reff 1962 (stroke), S. 217 Abb. 1, S. 219, S. 221 ff.; Lichtenstein 1964, S. 58 f., Abb. 7, S. 66; Schapiro 1968, S. 49, S. 51 Abb. 18, S. 53; Cherpin 1972, S. 56 Abb.; Max Dellis, *Note relative au tableau »L'éternel féminin« de Cézanne,* in: Arts et Livres de Provence, 81, 1972, S. 7 ff. Abb.; Brion 1973, S. 31 Abb.; Chappuis S. 105 (bei Nr. 258), S. 142 (bei Nr. 464); Newcastle 1973, S. 151; Elgar 1974, S. 46, S. 66 Abb. 34; Lichtenstein 1975, S. 126; Adriani 1978, S. 312; Adriani 1980, Abb. 4, S. 51 ff.; Krumrine 1980, S. 115, S. 122; Adriani 1981, S. 262; Arrouye 1982, S. 55; Rewald S. 97 (bei Nr. 57), S. 118 (bei Nr. 139), S. 179 (bei Nr. 385); Rewald 1986, S. 115 Abb.; Geist 1988, S. 132 f. Abb. 116; London 1988, S. 29 Abb., S. 53; Aix-en-Provence 1990, S. 84 Abb. 30, S. 200 Abb. 179; Wayne Andersen, *Cézanne's L'éternel féminin and the Miracle of her restored Vision,* in: The Journal of Art, III, Dezember 1990, S. 43 f. Abb.; Krumrine 1992, S. 586 f. Abb. 10, S. 591 f., S. 594.
AUSSTELLUNGEN: Paris 1895; Paris 1907, Nr. 5; Berlin 1909, Nr. 24; *L'Impressionnisme,* Palais des Beaux-Arts, Brüssel 1935, Nr. 10; Paris 1936, Nr. 37; London 1939, Nr. 16; New York 1947, Nr. 13, Abb.; Chicago 1952, Nr. 23; New York 1959, Nr. 11, Abb.; Basel 1989, S. 16, S. 39, S. 78, S. 83 f. Abb. 49, S. 92 ff., S. 96, S. 137, S. 159, S. 190, S. 208, S. 218, S. 257, S. 262, S. 313 Nr. 29.

13 Selbstbildnis vor blaßrotem Hintergrund   um 1875
Portrait de l'artiste au fond rose

Venturi Nr. 286 (1873–1876)
Ölfarben auf Leinwand, 66 x 55 cm
Privatbesitz

Das bedeutendste Selbstbildnis aus dem ersten Schaffensjahrzehnt des Künstlers ist
das vor einem hell gemusterten, blaßroten Hintergrund. Das hier erstmals zu höchster
Vollendung gebrachte Auge-in-Auge mit sich selbst blieb Cézanne sein Leben lang ein
besonderes Anliegen (vgl. Kat.-Nrn. 36, 67). Gerade in einer Zeit, als er zwischen 1872
und 1877 in enger Verbindung mit den Impressionisten stand, befaßte er sich ausgiebig
mit dem Thema des Selbstbildnisses, das den Freilichtmalern nur wenig bedeutete.[1]
Offensichtlich hatte es der zur Übertreibung seiner Persönlichkeit neigende Cézanne
Pissarros Verantwortungsgefühl zu danken, daß ihre Zusammenarbeit seinem ausgeprägten Streben nach Individuation keinen Abbruch tat (vgl. Kat.-Nr. 16).
  Gezeigt wird in Form des seit der Frührenaissance erprobten Brustbildnisses ein
zutiefst verschlossener Mensch, der die Vereinsamung in ihrer ganzen Tragweite
erfahren mußte und aus dieser existentiellen Lage seine Erkenntnisse schöpfte.
Verstört von den ständigen Mißerfolgen, begann sich Cézanne damals abzukapseln,
um sich auf das Wenige, in seiner Reichweite Befindliche zu konzentrieren. Das ganz
der Autorität der Farbe als wichtigstem Gestaltungsmittel überantwortete Porträt
enthüllt die Komplexität einer Persönlichkeit, der niemals die platte Gewißheit des
Selbstbewußtseins zu Gebote stand. Die zum Ausdruck gebrachte Selbstbeherrschtheit
erwuchs aus Selbstbescheidung und die Kraft des Schaffens aus den ständigen
Zweifeln daran. Die Sicherheit der mit Energie und innerem Widerstreit erfüllten
Gestalt ist einzig eine Frage der aus der Farbe gebildeten Form, nicht der repräsentativen Haltung, wie dies noch bei den höchst urbanen Selbstbildnissen Delacroix',
Courbets oder Manets der Fall war.
  Über die massig aufragende Büste erhebt sich das Rund eines mit durch-
dringendem Blick dem Betrachter zugewandten Schädels. Vom Bart und den Rest-
beständen der Haare flankiert[2], behauptet sich dieser im wahrsten Wortsinne gegen
die rocailleartige Musterung der Wand. Zwischen dem mit Violett durchsetzten
Blauschwarz der Haare und des Rockes, einem geringen Zinnober am Halsansatz und
dem aus einer Mischung von blassem Rot, Grau und Beige bestehenden Ornament
kulminiert der mit kleinen Pinselstrichen zusammengetragene Reichtum der Farbe in
den von Licht- und Schattenhälften differenzierten Gesichtszügen. Die Logik der
Proportionsverhältnisse geht derart konform mit der plastischen Kraft des Körpers, daß
man geneigt ist, das Bild mit Florentiner Renaissancebüsten oder mit Giacomettis
Büstenformen in Verbindung zu bringen – wäre da nicht ein Hintergrund in den
Farben des Inkarnats, der die Körperstatur eng an die Fläche bindet. Sein Dekor
antizipiert das, was später auch Matisse, der das Selbstbildnis aus der ehemaligen
Sammlung Pellerin wahrscheinlich kannte, zum wesentlichen Bestandteil seiner
Porträts machen sollte.
  Keiner verstand es, das Phänomen der Farbe bei Cézanne so in Worte zu fassen
wie Rilke. Anläßlich des Besuches der Gedächtnisausstellung, die im Oktober 1907 mit
56 Werken für den im Jahr zuvor verstorbenen Maler im Grand Palais durchgeführt
wurde, schrieb er über das Bildnis am 23. Oktober aus Paris an seine Frau: »Einen
Augenblick schien es mir leichter, von dem *Selbstbildnis* zu reden; es ist früher
offenbar [als das vorher beschriebene Bildnis der *Hortense Fiquet im roten Sessel*
Kat.-Nr. 14], es reicht nicht durch die ganze aufgeschlagene Palette, es scheint sich in
ihrer Mitte zwischen Gelbrot, Ocker, rotem Lack und violettem Purpur zu halten und
im Rock und Haar bis auf den Grund eines feuchtvioletten Brauns zu gehen, das mit

einer Wand in Grau und blassem Kupfer sich auseinandersetzt. Bei näherem Hinsehen aber ist auch in diesem Bilde ein innerliches Vorhandensein heller Grüns und saftiger Blaus festzustellen, die die rötlichen Töne heraustreiben und die Lichtheiten präzisieren. Indessen ist hier der Gegenstand für sich erfaßbar, und die Worte, die sich im Angeben malerischer Tatsachen so unglücklich fühlen, würden nur zu gerne an dem Dargestellten, mit welchem ihr eigenes Gebiet beginnt, zu sich selber kommen und beschreiben, was da ist. Da ist ein Mann aus dem rechten Profil um ein Viertel nach vorn gewendet, schauend. Das dichte, dunkle Haar ist auf dem Hinterkopf zusammengerutscht und hält sich über den Ohren, derartig, daß die ganze Schädelkontur bloßliegt; sie ist mit eminenter Sicherheit gezogen, hart und doch rund, die Stirne abwärts aus einem Stück, und ihre Festigkeit gilt noch, auch dort, wo sie, in Form und Fläche aufgelöst, nur der äußerste von tausend Umrissen wird. An den Kanten der Augenbogen kommt die starke Struktur dieses von innen getriebenen Schädels nochmals zur Geltung; von da ab aber hängt, nach unten hin vorgeschoben, an dem engbebarteten Kinn gleichsam vorgeschuht, das Gesicht, hängt, als ob jeder Zug einzeln eingehängt wäre, in unglaublicher Steigerung und zugleich auf das primitivste herabgesetzt jenen Ausdruck unbeherrschten Staunens ergebend, in dem Kinder und Leute vom Lande sich verlieren können, – nur daß die blicklose Blödigkeit ihres Versinkens durch eine animalische Aufmerksamkeit ersetzt worden ist, die in den, durch keinen Liderschlag unterbrochenen Augen eine ausdauernde, sachliche Wachheit unterhält. Und wie groß und unbestechlich diese Sachlichkeit seines Anschauens war, wird auf beinah rührende Weise durch den Umstand bestätigt, daß er sich selbst, ohne im entferntesten seinen Ausdruck auszulegen oder überlegen anzusehen, mit so viel demütiger Objektivität wiederholte, mit dem Glauben und der sachlich interessierten Teilnahme eines Hundes, der sich im Spiegel sieht und denkt: da ist noch ein Hund. Leb wohl ... für nun; vielleicht siehst Du ihn ein wenig aus allem, den Alten, auf den stimmt, was er selbst dem Pissarro zuschrieb: humble et colossal. Heute ist der Jahrestag seines Todes ...« Einen Tag später fuhr er fort: » ... ich sagte: grau – gestern, als ich den Hintergrund des *Selbstbildnisses* angab, helles Kupfer von einem grauen Muster quer durchkreuzt; – ich hätte sagen müssen: ein besonderes metallenes Weiß, Aluminium oder ähnlich, denn Grau, wörtlich Grau, ist in den Cézanneschen Bildern nicht zu zeigen. Seinem immens malerischen Blick bestand es nicht als Farbe: er kam ihm auf den Grund und fand es dort violett oder blau oder rötlich oder grün. Besonders Violett (eine Farbe, die noch nie so ausführlich und abgewandelt aufgeschlagen worden ist) erkennt er gerne dort, wo wir nur Grau erwarten und uns damit befriedigen würden; da läßt er nicht nach und holt die gleichsam eingeschlagenen Violetts heraus, ganz wie manche Abende es tun, Herbstabende vor allem, die das Eingrauende der Façaden gerade als Violett ansprechen, so daß es ihnen in allen Tönen antwortet, von leichtem schwebenden Lila bis zu dem schweren Violett des finnländischen Granits.«[3]

1   Vgl. die Selbstbildnisse Venturi Nrn. 287–290.
2   Für den in jungen Jahren bereits kahlköpfigen Cézanne waren die Zeiten längst vorbei, als er 1864 davon schrieb, daß seine Haare und sein Bart länger seien als sein Talent, Cézanne 1962, S. 102, und Marion an Morstatt am 28. August 1867 berichten konnte: »Dieses Jahr sieht er prachtvoll aus mit seinem lichten, ungeheuer langen Haar und seinem revolutionären Bart«, siehe Kat.-Nr. 4, Anm. 1.
3   Rilke 1977, S. 40 f.

PROVENIENZ: Auguste Pellerin, Paris; René Lecomte, Paris.
BIBLIOGRAPHIE: Meier-Graefe 1910, Frontispiz; Burger 1913, Abb. 69; Meier-Graefe 1918, S. 110 Abb.; Meier-Graefe 1922, S. 131 Abb.; Rivière 1933, S. 73 Abb.; Venturi S. 36, S. 127 Nr. 286, Abb.; Barnes, Mazia 1939, S. 204 Abb., S. 339; Dorival 1949, Abb. 44, S. 155; Cooper 1954, S. 346 f.; Badt 1956, S. 142; Gowing 1956, S. 187, S. 192; Leonhard 1966, S. 141, S. 143 Abb.; Andersen 1970, S. 15 Abb. 14; New York 1977, S. 75; Rilke 1977, S. 40 f.; Paris 1978, S. 17; Gasquet 1991, S. 84 Abb.
AUSSTELLUNGEN: Paris 1907, Nr. 22; *Modern French Art*, Grosvenor House, London 1914; Paris 1936, Nr. 47, Abb. 2; Chicago 1952, Nr. 39, Abb.; Paris 1954, Nr. 33, Abb. 14; Basel 1983, Nr. 8, Abb.; Basel 1989, S. 104, Abb. 68, S. 312 Nr. 17.

14 Hortense Fiquet im roten Sessel 1877–1878
Hortense Fiquet dans un fauteuil rouge

Venturi Nr. 292 (um 1877)
Ölfarben auf Leinwand, 72,5 x 56 cm
Museum of Fine Arts, Bequest of Robert Treat Paine, 2nd
(Inv. Nr. 44.776), Boston

Cézanne hatte als Porträtist genauso wenige Auftraggeber wie als Landschafts- oder Stillebenmaler. Nicht zuletzt deshalb beschränkte er sich auf Bildnismotive, die ihn im eigensten Sinne motivierten, das heißt auf einen Personenkreis, der ihm vertraut war und sich ihm in einer sehr persönlichen Bedeutung der Erinnerung, der Liebe oder Freundschaft zuneigte. Im Gegensatz zu den Salon-Porträtisten – freilich auch zu Manet, Renoir, Degas oder Toulouse-Lautrec –, die nicht zuletzt auf gesellschaftliche Hintergründe abhoben, konzentrierte sich Cézanne auf die wenigen Menschen, die ihm nahestanden.

Dazu gehörte in erster Linie Hortense Fiquet (geb. 1850), die Tochter eines Bankangestellten aus Saligny im Jura, die der Maler 1869 als Modell kennengelernt hatte und mit der er zunächst in Paris und dann auch in L'Estaque zusammenlebte. Um den spärlichen Monatswechsel nicht zu gefährden, wurde über Jahre hinweg alles getan, um die Liaison mit der elf Jahre jüngeren Hortense, die am 4. Januar 1872 den Sohn Paul zur Welt gebracht hatte, vor dem Vater Cézannes geheimzuhalten. Erst kurz vor dessen Tod wurde im April 1886 die Verbindung, die längst keine solche mehr war, durch Heirat legalisiert.

Obwohl sich das Paar nicht sonderlich verstand, diente Hortense Fiquet dem Maler wiederholt als Modell (Kat.-Nrn. 37–44). Offenbar hatte sie viel Geduld und ließ die anstrengenden Sitzungen bewegungslos und stillschweigend über sich ergehen. Sie war ihm willkommenes Objekt, an dem ein nun voll entwickelter malerischer Stil seine Anwendung finden konnte. Keinen Menschen porträtierte der Künstler so häufig wie die Mutter seines Sohnes. Bis in die frühen neunziger Jahre sind insgesamt 27 Porträts überliefert, wobei nur ein Bild der nähenden Hortense dasselbe Ambiente mit dem quastenbehängten Sessel und der olivgrünen Tapete zeigt.[1] Die Tapete mit ihren jeweils sternförmig zusammengesetzten, blauen Musterungen ist auch auf verschiedenen Stilleben wiederzuentdecken.[2] Mit ihr war vermutlich die Pariser Wohnung, 67, Rue de L'Ouest, ausgestattet, wo der Maler und seine Familie den größten Teil des Jahres 1877 beziehungsweise bis März 1878 wohnten.

Mit dem Bildnis wurde an die Tradition der großformatigen, frühen Porträts des Vaters und des Freundes Emperaire angeknüpft, die beide ebenfalls frontal dem Betrachter zugewandt auf einem Polstersessel als bourgeoisem Hoheitszeichen thronen.[3] Das karminrote Gewicht des nach rechts ausladenden Fauteuils hält die Balance zum leicht geneigten Oberkörper der in sich ruhenden Gestalt. Seine laute Farbigkeit schafft Distanz zwischen den aufeinander abgestimmten Tonlagen der Kleidung und des Hintergrundes. Gleichzeitig nobilitiert das auffallende Rot ein etwas großflächiges Gesicht mit einem Augenpaar, das teilnahmslos in die Ferne blickt. Wiederholt wird das voluminöse Halbrund der Rückenlehne in der von den Knien herausgewölbten Form des gefalteten Rockes, dessen kostbar gemalte Grünvariationen selbst den Infantinnenporträts von Velázquez zur Ehre gereicht hätten.

Als erster hatte sich Rilke eingehend und unerreicht mit dem Bildnis befaßt (vgl. Kat.-Nr. 13). Er berichtete darüber am 22. und 23. Oktober 1907, zum Ende der Gedächtnisausstellung für Cézanne im Salon d'Automne, aus Paris seiner Frau: »Schon, obwohl ich so oft aufmerksam und unnachgiebig davorgestanden habe, wird in meiner Erinnerung der große Farbenzusammenhang der Frau im roten Fauteuil so wenig wiederholbar wie eine sehr vielstellige Zahl. Und doch hab ich sie mir

eingeprägt, Ziffer für Ziffer. In meinem Gefühl ist das Bewußtsein ihres Vorhanden-
seins zu einer Erhöhung geworden, die ich noch im Schlafe fühle; mein Blut
beschreibt sie in mir, aber das Sagen geht irgendwo draußen vorbei und wird nicht
hereingerufen. Schrieb ich von ihr? – Vor eine erdiggrüne Wand, in der ein kobalt-
blaues Muster (ein Kreuz mit ausgesparter Mitte) rar wiederkehrt, ist ein roter, ganz
gepolsterter niedriger Sessel geschoben; die rund gewulstete Lehne rundet und senkt
sich nach vorne zu Armlehnen (die wie der Rockärmelstumpf eines Armlosen
geschlossen sind). Die linke Armlehne und die Quaste, die voller Zinnober von ihr
herunterhängt, haben schon nicht mehr die Wand hinter sich, sondern einen breiten
unteren Randstreifen aus grünem Blau, gegen den ihr Widerspruch laut anklingt. In
diesen roten Fauteuil, der eine Persönlichkeit ist, ist eine Frau gesetzt, die Hände im
Schoß eines breit senkrecht gestreiften Kleides, das ganz leicht mit kleinen verteilten
Stücken grüner Gelbs und gelber Grüns angegeben ist, bis an den Rand der blau-
grauen Jacke, die eine blaue, mit grünen Reflexen spielende Seidenschleife vorne
zusammenhält. In der Helligkeit des Gesichts ist die Nähe all dieser Farben zu einer
einfachen Modellierung ausgenutzt; selbst das Braun des über den Scheiteln rund
aufgelegten Haars und das glatte Braun in den Augen muß sich äußern gegen seine
Umgebung. Es ist, als wüßte jede Stelle von allen. So sehr nimmt sie teil; so sehr geht
auf ihr Anpassung und Ablehnung vor sich; so sehr sorgt jede in ihrer Weise für das
Gleichgewicht und stellt es her: wie das ganze Bild schließlich die Wirklichkeit im
Gleichgewicht hält. Denn sagt man, es ist ein roter Fauteuil (und es ist der erste und
endgültigste rote Fauteuil aller Malerei): so ist er es doch nur, weil er eine erfahrene
Farbensumme gebunden in sich hat, die, wie immer sie auch sein mag, ihn im Rot
bestärkt und bestätigt. Er ist, um auf die Höhe seines Ausdrucks zu kommen, um das
leichte Bildnis herum ganz stark gemalt, daß etwas wie eine Wachsschicht entsteht;
und doch hat die Farbe kein Übergewicht über den Gegenstand, der so vollkommen
in seine malerischen Äquivalente übersetzt erscheint, daß, so sehr er erreicht und
gegeben ist, doch andererseits auch wieder seine bürgerliche Realität an ein
endgültiges Bild-Dasein alle Schwere verliert. Alles ist, wie ich schon schrieb, zu einer
Angelegenheit der Farben untereinander geworden: Eine nimmt sich gegen die
andere zusammen, betont sich ihr gegenüber, besinnt sich auf sich selbst.... Nur dies
für heute ... Du siehst, wie schwer es wird, wenn man ganz nah an die Tatsachen
heran will ...« »Ich mußte denken gestern abend, ob mein Versuch, die Frau im roten
Polstersessel anzudeuten, Dich zu irgendeiner Vorstellung bestimmen konnte? Ich bin
nicht sicher, auch nur das Verhältnis ihrer Valeurs getroffen zu haben; mehr als je
schienen mir Worte ausgeschlossen, und doch müßte die Möglichkeit, sich ihrer
zwingend zu bedienen, da sein, vermöchte man nur, ein solches Bild wie Natur
anzuschauen: dann müßte es als ein Seiendes auch irgendwie ausgesagt werden
können.«[4]

1   *Hortense Fiquet cousant* Venturi Nr. 291.
2   Venturi Nrn. 209, 210, 212–214.
3   *Portrait de Louis-Auguste Cézanne* Venturi Nr. 91, *Portrait d'Achille Emperaire* Venturi Nr. 88.
4   Rilke 1977, S. 38 ff.

PROVENIENZ: Ambroise Vollard, Paris; Egisto Fabbri, Florenz; Paul Rosenberg, Paris; Samuel Courtauld,
London; Robert Treat Paine, Boston.
BIBLIOGRAPHIE: Meier-Graefe 1918, S. 135 Abb.; Meier-Graefe 1922, S. 165 Abb.; Faure 1923, Abb. 14;
Rivière 1923, S. 204; Fry 1927, Abb. 21; Javorskaia 1935, Abb. 14; Mack 1935, Abb. 16; Ors 1936, Abb. 6;
Venturi S. 36, S. 112, S. 128 f. Nr. 292, Abb.; Mack 1938, Abb.; Barnes, Mazia 1939, S. 209 Abb., S. 338;
Dorival 1949, Abb. 45, S. 155; James M. Carpenter, *Cézanne and Tradition,* in: The Art Bulletin, XXXIII,
September 1951, S. 180; Raynal 1954, S. 49 Abb.; Badt 1956, S. 142; Cooper 1956, S. 449; Gowing 1956, S. 188;
Reff 1958, S. 154; Andersen 1967, S. 138 f.; Andersen 1970, S. 16 Abb. 15, S. 19 f., S. 152; Elderfield 1971, S. 52 f.
Abb.; Murphy 1971, S. 55, S. 105 Abb.; Elgar 1974, S. 72; Rewald 1975, S. 160 f. Abb.; Wadley 1975, S. 99
Abb. 88; Rilke 1977, S. 38 ff., Abb. 4; Arrouye 1982, S. 71; Frank 1986, Abb.; Rewald 1986, S. 120 Abb.; Kirsch
1987, S. 21 ff., S. 25 f.; Cézanne 1988, S. 92 Abb.; Geist 1988, S. 134 f. Abb. 117, S. 136 ff.; Rewald 1989, S. 25, S. 30.
AUSSTELLUNGEN: Paris 1910, Nr. 18; Venedig 1920, Nr. 7 Abb.; Philadelphia 1934, Nr. 14, Abb.; Paris 1936,
Nr. 46, Abb. 4; Washington 1971, Nr. 5, Abb.

15   Victor Chocquet im Lehnstuhl   1877
      Victor Chocquet assis

Venturi Nr. 373 (1879–1882)
Ölfarben auf Leinwand, 45,7 x 38,1 cm
Rechts unten signiert: P. Cezanne
Columbus Museum of Art, Howald Fund (Inv. Nr. 50.24),
Columbus, Ohio

Victor Chocquet (1821–1891) wurde als der engagierte Sammler, der er war, in dem ihm
angemessenen Ambiente, umgeben von kostbaren Möbeln, von Teppichen und den
üppig gerahmten Gemälden an der Wand, dargestellt. Mit Ausnahme eines Konterfeis
des Kunstkritikers Gustave Geffroy[1] ist das Chocquet-Porträt das einzige Bildnis
Cézannes, bei dem man aufgrund solcher Gegebenheiten sofort auf die speziellen
Interessen des Porträtierten schließen kann. Die ansonsten meist karge Raumsituation
ist hier angefüllt mit den Sammelobjekten dessen, der sie mit großer Kenntnis
zusammengetragen hat. Gleichwohl ist die Wiedergabe des stolzen Besitzers zwischen
seinen Bildern in der Pariser Wohnung, 198, Rue de Rivoli, alles andere als
repräsentativ zu nennen. Eher lässig hat er es sich auf einem übereck in den Raum
gestellten, purpurrot gepolsterten Sitzmöbel bequem gemacht. Dem Anspruch des
Ambientes sind mit der legeren Haltung des aus der Schräge in ein strenges en face
gedrehten Körpers Grenzen gesetzt. Auch erhält der pompöse Zusammenklang aus
Blau, Purpurrot und Goldgelb eine ironische Pointe in den braunen Pantoffeln, die van
Gogh gemalt haben könnte. Gegenüber dem vordergründigen, vom Weiß der Socken
unterstützten Unten ist das vom Bildrand etwas angeschnittene Oben des Kopfes
am weitesten zurückgenommen. Subtile Ponderationen aus senkrecht aufsteigenden
und sich neigenden, aus diagonal verzahnten und abgeschrägten Körperformen bilden
die feingliedrige Gestalt in blaugrauem Anzug, die eine von links einfallende Helligkeit in Licht- und Schattenzonen aufteilt. Ihre raumgreifende Funktion wird kaum
merklich von einer dunkelblauen Bodenleiste unterstrichen, die das von roten Tropfenformen durchbrochene violette Oliv der Tapete vom abstrakt ornamentierten
Teppich trennt und rechts etwas weiter in die Raumtiefe reicht als unter dem barock
geschwungenen Schreibtisch links. Aus solchen Details mag man ersehen, welche
Sorgfalt im einzelnen zu einer durchdachten Bildkonstruktion im ganzen geführt hat.
Den ineinandergreifenden Händen vergleichbar ist das eine mit dem anderen aufs
engste verknüpft in der Hommage an den Freund und Bewunderer.
       Cézanne hatte Chocquet 1875 durch Renoir kennengelernt. 1877 ließ sich der
Oberinspektor bei der Pariser Zollverwaltung pensionieren, um sich mit seinen damals
noch bescheidenen Mitteln, die ein Monatssalär von etwas über 300 Francs umfaßten,
ganz seiner eigentlichen Passion, dem Sammeln von Gemälden zeitgenössischer
Künstler, widmen zu können. Zunächst auf Delacroix fixiert, entdeckte er bald die
Impressionisten und unter ihnen vor allem Renoir. Dieser erinnerte sich später:
»Sobald ich Herrn Chocquet kannte, dachte ich, er müsse einen Cézanne kaufen! Ich
führte ihn zu Père Tanguy [ein Farbenhändler in der Rue Clauzel, der als erster mit
Bildern Cézannes handelte, die er für Malmaterialien in Zahlung genommen hatte],
wo er eine kleine Studie mit Akten auswählte. Er war von seinem Erwerb entzückt und
meinte auf dem Heimweg: ›Wie sich dies gut zwischen einem Delacroix und einem
Courbet machen wird‹.«[2] Mit diesem Ankauf begann Chocquet als erster, die Arbeiten
des von ihm glühend verehrten Cézanne zu sammeln, bis er schließlich über 35
Gemälde sein eigen nennen konnte.[3] Wohl auf Wunsch des Sammlers wurden viele
seiner Bilder vom Künstler in Rot signiert (vgl. Kat.-Nrn. 16, 19).
       Im April 1877, bei der dritten Impressionisten-Ausstellung, zeigte Cézanne unter
anderen Leihgaben Chocquets ein kleines Porträt, das er um 1876 zuerst von dem

Freund gemalt hatte.[4] Aufgrund seiner starken Farbigkeit zog es das Hohngelächter und das Gespött des Publikums und der Pressekritik auf sich. Doch Chocquet selbst ließ sich nicht entmutigen. Unermüdlich versuchte er, in der Ausstellung die Besucher von Cézannes Können zu überzeugen.

Der Kunstkritiker Duret schrieb rückblickend: »Er war sehenswert, er wurde eine Art Apostel. Er ging auf jeden Besucher, den er kannte, zu, anderen näherte er sich einfach so und versuchte, ihnen seine Bewunderung und seine Freude zu vermitteln. Es war eine undankbare Aufgabe... Er erntete nichts als Lächeln oder Spötteleien. Doch Monsieur Chocquet ließ sich nicht entmutigen. Ich erinnere mich, wie er bekannte Kritiker und feindselige Künstler zu überzeugen suchte, die nur gekommen waren, um die Ausstellung herunterzumachen. Dadurch wurde Chocquet bekannt, und wo er auch hinkam, machten sich die Leute einen Spaß daraus, mit ihm über sein Lieblingsthema zu streiten. Er war immer dazu bereit. Ging es um seine Malerfreunde, so fand er immer das richtige Wort. Unermüdlich war er vor allem, wenn Cézanne zur Debatte stand, da er ihn für den besten Maler hielt... Viele amüsierten sich über Chocquets Begeisterung, die sie gewissermaßen als einen Anflug geistiger Umnachtung betrachteten.«[5]

Außer dem Porträt des sitzenden Chocquet, das Cézanne wohl 1877, im Jahr der Impressionisten-Ausstellung, von seinem Gönner entworfen hat, existiert noch ein später von Degas erworbenes Brustbildnis (Abb. 1), das einen Ausschnitt der ganzfigurigen Komposition wiederholt. Kennzeichnend für beide Bildnisse ist die Frontalität von Kopf und Oberkörper, der die gefalteten Hände diagonal in die Quere kommen. Renoir hatte die Kompositionsidee in einem Bild vorgegeben, das die feinen Gesichtszüge Chocquets vor dem Hintergrund eines Delacroix-Gemäldes nahebringt (Abb. 2). Allein die geringe Neigung des Kopfes und ein Blick, der sich vertrauensvoll öffnet, charakterisieren diesen unabhängigen Geist als empfindsame, besonders sensible Natur. Demgegenüber wurde Chocquet von Cézanne ein verschlossen distanzierter Ernst auferlegt. Vor den Betrachtern, auf die er musternd herabblickt, hat er sich hinter die Stuhllehne und die betonte Schräge aus Armen und Händen zurückgezogen. Auch der temperamentvolle Farbauftrag und eine auf Kontraste abhebende Farbfleckenstruktur haben nichts gemein mit der detailgenau gestrichelten Vorlage Renoirs.

Was Cézanne als Porträtist ohne weiteres in der Lage war zu charakterisieren, suchte er als Briefschreiber Jahre später in seinem etwas gedrechselten Stil Chocquet gegenüber zu erläutern: »... da Delacroix schließlich als Vermittler zwischen Ihnen und mir gedient hat[6], werde ich mir erlauben, folgendes zu sagen: daß ich gewünscht hätte, dieses geistige Gleichgewicht zu besitzen, das Sie auszeichnet und das Ihnen erlaubt, das gesetzte Ziel sicher zu erreichen. Ihr guter Brief... beweist ein großes Gleichgewicht der Lebensfähigkeiten. Und da ich von dieser Notwendigkeit beeindruckt bin, rede ich mit Ihnen darüber. Der Zufall hat mich nicht mit einem ähnlichen Gleichgewicht ausgestattet, und das ist das einzige, was ich unter den Dingen dieser Welt bedaure.«[7]

Der in Lille geborene Victor Chocquet starb 1891. Nach dem Tod seiner Witwe, 1899, wurde der Nachlaß des kinderlosen Ehepaares am 1. Juli in den Räumen der Galerie Georges Petit versteigert. Über 30 Gemälde Cézannes, 23 Delacroix', fünf Manets, jeweils zehn Monets und Renoirs sowie Möbel des 18. Jahrhunderts, Porzellan, Schmuck, Uhren, Silber und Bronzen kamen zu jener denkwürdigen Auktion, auf die Pissarro seinen Sohn am 1. Juni 1899 hingewiesen hatte: »Ein großes künstlerisches Ereignis steht bevor: nachdem père Chocquet sowie seine Witwe verstorben sind, soll seine Sammlung versteigert werden. Dazu gehören zweiunddreißig Cézannes ersten Ranges, Monets, Renoirs und ein einziges Bild von mir. Die Cézannes werden sehr hohe Preise bringen und sind bereits mit vier- bis fünftausend Franken angesetzt.«[8] Mit dem Verkauf waren erstmals marktgerechte Preise für Bilder Cézannes erzielt worden, die freilich immer noch weit unter denen für Werke Manets, Monets oder Renoirs lagen.

1 Venturi Nr. 692.
2 John Rewald, *Chocquet and Cézanne*, in: Gazette des Beaux Arts, LXXIV, 111, 1969, S. 39. Wahrscheinlich handelte es sich um das kleine Bild *Trois baigneuses* Venturi Nr. 266.
3 Unter anderen die Gemälde Venturi Nrn. 133, 149, 156, 158, 168 (Kat.-Nr. 19), 171, 173, 181, 182, 196, 197, 207, 216, 243 (Kat.-Nr. 16), 250, 266, 273, 320, 323, 396, 400, 442, 443, 445, 447, 464, 552, 583, 584, 617.
4 Venturi Nr. 283; vgl. auch die später nach einem Foto gemalten Chocquet-Porträts Venturi Nrn. 532, 562 sowie die Porträtzeichnungen Chappuis Nrn. 394, 395, 398.
5 Rewald 1986, S. 112 f.
6 Die gemeinsame Verehrung für Delacroix dokumentierte Cézanne in seiner *Apotheose Delacroix'* (Kat.-Nr. 63), in die er als einzigen Nicht-Künstler Chocquet aufnahm.
7 Cézanne 1962, S. 211 f.
8 Pissarro 1953, S. 387.

PROVENIENZ: Victor Chocquet, Paris; Auktion Chocquet, Galerie Georges Petit, Paris 5. 7. 1899, Nr. 490; Durand-Ruel, Paris–New York; L. P. Bliss, New York; Museum of Modern Art, New York; Paul Rosenberg, New York; Marius de Zayas, Stamford; Paul Rosenberg, New York.
BIBLIOGRAPHIE: Vollard 1914, S. 45, Abb. 15, Abb. 44; Meier-Graefe 1918, S. 108 Abb.; Vollard 1919, S. 60; Meier-Graefe 1922, S. 128 Abb.; Rivière 1923, S. 204; Pfister 1927, Abb. 32; Jules Joets, *Les Impressionnistes et Chocquet*, in: L'Amour de l'Art, 16, 4, April 1935, S. 120 Abb.; Paris 1936, S. 77; Venturi S. 58, S. 146 Nr. 373, Abb.; Barnes, Mazia 1939, S. 26, S. 63, S. 193 Abb., S. 407; Dorival 1949, Abb. XI, S. 179; Cooper 1954, S. 347; Badt 1956, S. 117, S. 144; Gowing 1956, S. 188; Ratcliffe 1960, S. 12; Vollard 1960, S. 26; Loran 1963, S. 85, S. 91; Andersen 1967, S. 139; Rewald 1969, S. 52 Abb. 11, S. 53, S. 59, S. 75, S. 87; Andersen 1970, S. 20 Abb. 16; Murphy 1971, S. 70 f. Abb., S. 99; Schapiro 1974, S. 27, S. 50 f. Abb.; Wadley 1975, S. 41 Abb. 35; Wechsler 1975, Abb. 5; New York 1977, S. 46 Abb.; Kirsch 1987, S. 23; Erpel 1988, Abb.; Geist 1988, S. 59 f. Abb. 51; Rewald 1989, S. 83, S. 128, S. 152.
AUSSTELLUNGEN: Berlin 1900, Nr. 8; Paris 1904, Nr. 23; *A Selection from the Pictures by Boudin, Cézanne...*, Grafton Gallery, London 1905, Nr. 42; Paris 1920, Nr. 7; Paris 1924; New York 1929, Nr. 9, Abb.; *The Collection of the Late Miss L. P. Bliss*, The Museum of Modern Art, New York 1931 – Addison Gallery of American Art, Andover – John Herron Art Institute, Indianapolis 1932, Nr. 6; London 1954, Nr. 18, Abb. 10; Aix-en-Provence 1956, Nr. 17, Abb.; Den Haag 1956, Nr. 21a; Zürich 1956, Nr. 41, Abb. 16; München 1956, Nr. 29, Abb.; Köln 1956, Nr. 11, Abb.; Aix-en-Provence 1961, Nr. 6, Abb. 4; Wien 1961, Nr. 15, Abb. 10; *One Hundred Years of Impressionism. A Tribute To Durand-Ruel*, Wildenstein Galleries, New York 1970, Nr. 58, Abb.; Washington 1971, Nr. 6, Abb.; Tokyo 1974, Nr. 16, Abb.; *Paris Cafes. Their Role in the Birth of Modern Art*, Wildenstein Galleries, New York 1985, S. 60, Abb.

Abb. 1
Paul Cézanne, *Porträt Victor Chocquet*, 1877. Virginia Museum of Fine Arts, Richmond

Abb. 2
Pierre Auguste Renoir, *Porträt Victor Chocquet*, 1875. Fogg Art Museum, Harvard University, Cambridge, Massachusetts

16   Flußlandschaft mit Fischern   um 1875
      Pêcheurs au bord d'une rivière

Venturi Nr. 243 (1873–1875)
Ölfarben auf Leinwand, 66 x 81,3 cm
Rechts unten signiert: Cezanne
Privatbesitz, als Leihgabe im
Metropolitan Museum of Art, New York

Um sich auf dem eingeschlagenen Weg der Naturbeobachtung zu vervollkommnen, entschloß sich Cézanne, in die Schule dessen zu gehen, der die größte Erfahrung als Landschaftsmaler aufzuweisen hatte: zu Camille Pissarro, dem Wortführer jener heterogenen Künstlergruppe, deren Mitglieder seit der ersten gemeinsamen Ausstellung 1874 als Impressionisten diffamiert wurden. Daß er sich von einem Impressionisten Klarheit für das eigene Denken versprach, mag damit zusammenhängen, daß Pissarro seit langem schon dem jüngeren Kollegen die geduldige Wahrnehmung der Natur nahegelegt hatte. Als er nach dem Krieg 1871 aus London zurückgekehrt war und sich in Pontoise, nordwestlich von Paris im Tal der Oise, ansiedelte, folgte Cézanne seinem Rat und zog im Herbst 1872 mit Hortense Fiquet und dem am 4. Januar des Jahres geborenen Sohn Paul ebenfalls dorthin. Ende 1872 wechselte die junge Familie in das nahegelegene Auvers-sur-Oise, wo sie bis zum Frühjahr 1874 blieb.

Cézanne hoffte, daß Pissarro ihm nützen könne, das bisher Geschaffene technisch zu verbessern und das Bekenntnishafte der Inhalte abzuschwächen. Wenn sie gemeinsam in der Gegend arbeiteten, konnte er sich in einer unbefangenen Beobachterrolle üben, der bislang der Wunsch nach Interpretation im Wege stand. Unter Anleitung des verständnisvollen Mentors gewann er bleibende Einblicke in das Wesen natürlicher Gesetzmäßigkeiten. Nicht zuletzt war es Pissarros Verdienst, Cézanne eine helle, auf den drei Grundfarben Rot, Blau und Gelb basierende Palette und einen dünnen Farbauftrag nahegebracht zu haben. Folgerichtig wurde im Laufe der siebziger Jahre die Massivität der Farbmaterie durch eine immer heller werdende Farbigkeit »à l'impressionniste« ersetzt. Auch die Praxis, Modellierungen durch reich differenzierte Farbfolgen vorzunehmen, die Bildeinheit vom formgebenden und körperbildenden Farbauftrag her, das heißt ohne Zuhilfenahme betonter Konturlinien im Auge zu behalten und stets aus der Vorstellung des Ganzen zu verfahren, geht auf Pissarro zurück. Die vorbehaltlose Befolgung der Ratschläge dessen, den Cézanne als alleinigen Lehrmeister anerkannte, dürfte auch Rückwirkung einer Identitätskrise gewesen sein, die nach Orientierung und freundschaftlicher Anteilnahme verlangte. All das vermochte der »bescheidene und riesengroße Pissarro« zu geben.[1] Dank seines Einflusses wurde eine leidenschaftlich gesteigerte Akzentuierung der Inhalte, Formen und Farben von einem kaum weniger leidenschaftlichen, jedoch nun um die Natur bemühten Vorgehen modifiziert.

Sosehr Cézanne eine Zusammenarbeit beeindruckte, die ihn darin bestärkte, seine Darstellungsmethode direkt am Naturmotiv auszurichten, sowenig wurde er doch zum Impressionisten reiner Prägung. Selbst dann nicht, als er 1874 bei der ersten und 1877 anläßlich der dritten Gruppenausstellung in Paris mit diesen ausstellte und sich mit deren verpönten Zielen identifizierte. Verdeutlichen läßt sich Cézannes Distanz zu einem Impressionismus, wie er von Pissarro, Monet, Sisley und Renoir vertreten wurde, gerade anhand eines seiner »impressionistischsten« Bildsujets, der *Flußlandschaft mit Fischern*. Auf den ersten Blick meint man, ein typisch impressionistisches Erzeugnis vor sich zu haben, das eine Vorstellung gibt von dem in Pontoise oder Auvers erlebten geselligen Beieinander mit den Freunden. Ein sonnendurchfluteter, weißblau bewölkter Sommertag lockt verschiedene Personengruppen

an die Gestade eines Flußlaufes. Ein Segelboot mit Fischern, die mit ihren Netzen hantieren, hat am Ufer festgemacht. Herumtollende Kinder sowie zwei Damen im Habitus en vogue, die einem Modejournal konvenieren würden[2], winken augenscheinlich ihren Partnern zu, die es sich auf einer gegenüberliegenden Landzunge unter Bäumen wohl sein lassen.[3] Im schwarzen Frack und Zylinder verläßt ein am Geschehen Unbeteiligter jene Bühne, die eine impressionistische Welt bedeuten mag.

Trotz der offensichtlichen Stilanklänge und einer von modisch gekleideter Staffage bevölkerten Landschaft[4] fallen die erheblichen Abweichungen von impressionistischen Gepflogenheiten ins Auge. So stellen wir fest, daß die Ausgangspunkte des Malers in der vorimpressionistischen Tradition der Formbewahrung verwurzelt blieben. Entgegen der formauflösenden Neigung der Impressionisten hatte Delacroix, der »die Dinge fest zu machen« empfahl, in der Formgebundenheit der meist kleinteilig rhythmisierten Strichlagen sinnfällig seine Wirkung hinterlassen. Des weiteren bleibt der Betrachter im unklaren über die Inhalte des Bildes, das auch unter den Titeln *Phantastische Szene, Sonntagnachmittag* oder *Julitag* geführt wird. Anscheinend wollte Cézanne eine Jahre zuvor gemalte Szene (Abb. 1), die – ausgehend von Manets *Frühstück im Grünen* (1863, Musée d'Orsay, Paris) – das brüskierende Miteinander von weiblichen Akten und bekleideten männlichen Antipoden im Gegeneinander der Geschlechter thematisiert hatte, in impressionistischer Manier aktualisieren. Doch fehlt seiner Promenade Wesentliches von dem, was die Impressionisten jener zeitgemäßen Form der Idylle oder Pastorale an Natürlichkeit und Daseinsfreude zu geben wußten. Eher mit der Feierlichkeit der ein Jahrzehnt später von Seurat pointillierten *Grande Jatte* (1884–1886, The Art Institute, Chicago) vergleichbar, wurde dem heiter Unbeschwerten solcher von den Impressionisten mit Vorliebe aufgegriffenen Anlässe keine Beachtung geschenkt. Die deutlich in ihren sozialen Stellungen definierten Figurengruppen – hier die in ihre Tätigkeit vertieften Handwerker, dort das sonntäglich herausgeputzte Bürgertum – nehmen sich gegenseitig nicht zur Kenntnis. Wie Marionetten scheinen sie von der Hand des Künstlers bewegt. Ein auffallender Bezug besteht lediglich zwischen der durch das Rot der Kleidung akzentuierten Gestalt im Boot rechts und der links entschwindenden Rückenfigur. Mit seltsam hellen Fonds ist diesen Protagonisten zudem eine aus dem Kontext des übrigen herausgelöste Bedeutungsebene zugewiesen. Einiges spricht dafür, daß die seriöse Gestalt den Künstler selbst meint, wie er sich als Augenzeuge am Rande von einem dem modernen Leben und seinen Schauplätzen verpflichteten Intermezzo entfernt.[5] Wer sein merkwürdiger Gegenspieler auf dem Schiff sein könnte, bleibt fraglich.

Die *Flußlandschaft mit Fischern* entstand wahrscheinlich zwischen der ersten gemeinsamen Ausstellung der Impressionisten 1874, an der Cézanne mit drei Arbeiten beteiligt war, und der dritten Gruppenausstellung 1877. Sie befand sich in der berühmten Sammlung Victor Chocquets (vgl. Kat.-Nr. 15). Zusammen mit 16 weiteren Cézanne-Arbeiten bei der Ausstellung 1877 gezeigt, wurde das Bild nach dem Tode der Witwe des Sammlers am 1. Juli 1899 zum Preis von 2 350 Francs versteigert[6] und kam über die Pariser Galeristen Hessel und Bernheim-Jeune in den Besitz des Berliner Kunsthändlers Paul Cassirer. Im Januar 1908 erstand Hugo von Tschudi das Gemälde für die Berliner Nationalgalerie (vgl. Kat.-Nrn. 25, 55), mußte es jedoch nach Einspruch des Kaisers wieder zurückgeben. Anfang 1909 erwarb es schließlich Max Liebermann, der als Impressionist in Deutschland zu den ersten Sammlern der französischen Malerkollegen gehörte. Am 27. Januar 1909 schrieb er an Gustav Pauli, den Direktor der Bremer Kunsthalle, über seinen Ankauf: »... habe ich den Cézanne mit dem weißen Segel – das Bild war ein Jahr bei Tschudi bis zu seinem Urlaub – gekauft. Sie sehen: ich suche meinen Geschmack zu bessern, wobei ich das bißchen schwer verdiente Geld vergeude. Das Bild ist vielleicht zu sehr Dekoration und etwas zu wenig Natur, fast venezianisch, aber es ist charmant und schlägt Alles andere tot.«[7]

1   Cézanne 1962, S. 295.
2   Vgl. die Gemälde nach Vorlagen aus Zeitschriften wie ›L'Illustrations des Dames‹ oder ›La Mode illustrée‹ Venturi Nrn. 24, 119, 120.
3   Vgl. die Bleistiftstudien Chappuis Nrn. 320, 321.
4   Vgl. die Landschaften mit zeitgenössischer Figurenstaffage Venturi Nrn. 104, 107, 115, 116, 230-232, 234, 242, 249, 251, 377, 1517.
5   Auf der *Apotheose Delacroix'* (Kat.-Nr. 63), taucht Cézanne ähnlich als Halbfigur im Bilde auf. Der Künstler als Beobachter figuriert auch in der Skizze für eine amouröse Szene Chappuis Nr. 323.
6   Rivière 1923, S. 233 Nr. 22.
7   *Max Liebermann in seiner Zeit,* Nationalgalerie Berlin 1979 – Haus der Kunst, München 1980, S. 68 f. Liebermann besaß noch ein weiteres Gemälde Cézannes: *Prairie et ferme de Jas de Bouffan* Venturi Nr. 466.

PROVENIENZ: Victor Chocquet, Paris; Auktion Chocquet, Galerie Georges Petit, Paris 1.-4. 7. 1899, Nr. 22; Josse Hessel, Paris; Bernheim-Jeune, Paris; Paul Cassirer, Berlin; Nationalgalerie, Berlin; Paul Cassirer, Berlin; Max Liebermann, Berlin; Mrs. Kurt Rietzler, New York.
BIBLIOGRAPHIE: Meier-Graefe 1904, S. 65 Abb.; Meier-Graefe 1910, S. 17 Abb.; Bernheim-Jeune 1914, Abb. 10; Vollard 1914, S. 34, Abb. 8; Meier-Graefe 1918, S. 74, Abb.; Coquiot 1919, S. 68; Meier-Graefe 1922, S. 74, S. 115 Abb.; Rivière 1923, S. 199, S. 233; Pfister 1927, Abb. 24; Javorskaia 1935, Abb. 7; Venturi S. 37 f., S. 119 Nr. 243, S. 298, Abb.; Guerry 1950, S. 27; Reff 1959 (enigma), S. 29 Abb. 11; Ratcliffe 1960, S. 12; Chappuis 1962, S. 15, S. 61 Abb.; Reff 1962 (stroke), S. 220 f., S. 225; Loran 1963, S. 57; Andersen 1967, S. 137; Rewald 1969, S. 47 Abb. 9, S. 49, S. 75, S. 83; Andersen 1970, S. 138; Chappuis S. 117 (bei Nrn. 320, 321), S. 122 (bei Nr. 353); Rewald 1975, S. 158 f. Abb.; Adriani 1978, S. 339; Rewald S. 102 (bei Nr. 68); Rewald 1986, S. 111 Abb.; Kirsch 1987, S. 25; Basel 1989, S. 288, S. 294 Abb.; Lewis 1989, S. 204 f., Abb. XVII; Rewald 1989, S. 6.
AUSSTELLUNGEN: *3e Exposition de peinture,* 6 rue le Pelletier, Paris 1877; Galerie Paul Cassirer, Berlin 1904; *XV. Ausstellung der Berliner Sezession,* Berlin 1908, Nr. 38; Berlin 1909, Nr. 27; Berlin 1921, Nr. 3, Abb.; Basel 1936, Nr. 12, Abb.; New York 1947, Nr. 7, Abb.; Chicago 1952, Nr. 33, Abb.; New York 1959, Nr. 10, Abb.; Tokyo 1974, Nr. 9, Abb.

Abb. 1
Paul Cézanne, *Idylle
(Pastorale),* um 1870.
Musée d'Orsay, Paris

17 Bäume im Park des Jas de Bouffan 1875-1876
Arbres au Jas de Bouffan

Venturi Nr. 161 (1875-1876)
Ölfarben auf Leinwand, 55,5 x 73,5 cm
Mr. und Mrs. Thomas Kramer, Miami Beach, Florida

Das etwa zwei Kilometer westlich von Aix gelegene Anwesen Jas de Bouffan – das Haus der Winde – war vier Jahrzehnte lang der Hauptwohnsitz Cézannes (vgl. Kat.-Nrn. 20, 48, 49). 1859 hatte sein Vater, der als Hutmacher und Teilhaber einer Bank zu Geld gekommen war, das 37 Morgen große Grundstück mit dem barocken Herrenhaus, einem kleinen Bauerngehöft sowie einem Park mit altem Baumbestand als Landsitz vor den Toren der Stadt gekauft. Für den Künstler war es das ideale Domizil, wo er zurückgezogen und abgeschieden vom Trubel der Städte leben und arbeiten konnte. Ungestört von den neugierigen Blicken der Passanten betätigte er sich dort in aller Stille vor dem Motiv. Zahlreich sind deshalb die Gemälde, Aquarelle und Zeichnungen, die mit dem Wohnhaus und dem Gehöft mit der niedrigen Umfassungsmauer, mit der mächtigen Kastanienallee, dem steingefaßten Bassin oder dem Gewächshaus in Verbindung gebracht werden können.

Die intensive Farbigkeit der Parklandschaft, die vielfältigen Grüntöne, die vereinzelten Akzente in Rotbraun oder das blühende Gelb der Sträucher unter einem wolkenlosen Himmel lassen auf die Wiedergabe eines strahlenden Frühsommertages schließen. Im Schatten eines Baumes, dessen Astwerk von rechts ins Bild ragt, hatte der Maler seine Staffelei aufgestellt, um nichts weiter als einen windschiefen, horizontal durch das Bild geführten Lattenzaun, eine Holzhütte dahinter, die Büsche und Bäume sowie einen Hügel in der Ferne auf der Leinwand festzuhalten. Man merkt der malerischen Intensität des eigentlich belanglosen Landschaftsausschnittes an, daß Pissarros Schulung ihre Spuren hinterlassen hat (vgl. Kat.-Nr. 16). Entscheidend hatte er dazu beigetragen, daß Cézanne durch die exakte Anschauung des Sichtbaren ein nach außen gekehrtes inneres Erleben unter Kontrolle brachte, die Vielfalt der Erscheinungen zur Kenntnis nahm und aus der Vertrautheit mit dem Gegenstand die farbige Form artikulierte.

PROVENIENZ: Paul Cassirer, Berlin; Marianne von Friedländer-Fuld, Berlin – Paris; Morris Gutman, New York; John L. Loeb, New York; Knoedler, New York; M. Lespagnol, Paris; Auktion Sotheby's, London 2. 12. 1986, Nr. 27; Wildenstein, Paris – London – New York; Auktion Sotheby's, London 26. 6. 1990, Nr. 5.
BIBLIOGRAPHIE: Meier-Graefe 1918, S. 101 Abb.; Meier-Graefe 1922, S. 119 Abb.; Rivière 1923, S. 200 Abb.; Venturi S. 102 Nr. 161 Abb.
AUSSTELLUNGEN: *Summer Loan Exhibitions*, Metropolitan Museum of Art, New York 1963, 1966, 1968, Nrn. 10, 27, 31; Tokyo 1974, Nr. 10, Abb.; *Nature as Scene. French Landscape Painting from Poussin to Bonnard*, Wildenstein Galleries, New York 1975, Nr. 13.

18   Waldstück   1875–1876
Sous-bois

Venturi Nr. 1525 (1875–1876)
Ölfarben auf Leinwand, 54 x 65 cm
Galerie Yoshii, Tokyo

Derartige, von wenigen Sonnenstrahlen nur spärlich durchlichtete Waldeinsichten
mit Blick auf das Unterholz waren in der Spätzeit häufig aufgesuchte Motive, als
sich Cézanne mit Vorliebe in die Einsamkeit der Umgebung von Aix-en-Provence
begab. Obschon aus den siebziger Jahren nichts Vergleichbares existiert, spricht
der stilistische Befund für eine Datierung in die Mitte dieses Jahrzehnts. Damals
verwandte der Maler vielfach ein mit Gelbdurchmischungen zum Leuchten
gebrachtes Dunkelgrün, und er begann damit, seine Pinselführung in kurzen, parallel
gelagerten Strichen zu systematisieren und einem einheitlichen Rhythmus zu
unterstellen.

PROVENIENZ: Ambroise Vollard, Paris.
BIBLIOGRAPHIE: Venturi S. 333 Nr. 1525, Abb.
AUSSTELLUNGEN: Tokyo 1986, Nr. 15, Abb.

19   Das Meer bei L'Estaque   1876
La mer à L'Estaque

Venturi Nr. 168 (1876)
Ölfarben auf Leinwand, 42 x 59 cm
Rechts unten signiert: P. Cezanne
Fondation Rau pour le Tiers-Monde, Zürich

Den Blick von den Hängen L'Estaques auf die Bucht von Marseille malte Cézanne für
den Sammler Victor Chocquet (vgl. Kat.-Nr. 15) im Sommer 1876, als er bis Ende August
im Süden war.[1] Diese genaue Datierungsmöglichkeit geht aus einem Brief an Pissarro
vom 2. Juli 1876 hervor: »Ich muß hinzufügen, daß Ihr Brief mich in L'Estaque
überrascht hat, am Ufer des Meeres. Ich bin seit einem Monat nicht mehr in Aix. Ich
habe für Monsieur Chocquet, der mir davon gesprochen hatte, zwei kleine Motive mit
dem Meer begonnen. – Es ist hier wie eine Spielkarte. Rote Dächer vor dem blauen
Meer. Wenn das Wetter günstig wird, könnte ich sie vielleicht ganz durchführen. So
wie die Sachen jetzt liegen, habe ich noch nichts gemacht. – Doch gibt es Motive, die
eine drei- bis viermonatige Arbeit verlangen würden, was sich wohl machen ließe, da
die Vegetation sich nicht verändert. Es sind Olivenbäume und Pinien, die immer ihr
Laubwerk behalten. Die Sonne ist hier so fürchterlich, daß mir scheint, als ob alle
Gegenstände sich als Silhouetten abhöben, und zwar nicht nur in Schwarz oder Weiß,
sondern in Blau, in Rot, in Braun, in Violett. Ich kann mich täuschen, doch scheint mir,
als sei dies das Gegenteil der Modellierung. Wie glücklich wären unsere sanften
Landschaftsmaler aus Auvers hier … Sowie ich es kann, werde ich zumindest einen
Monat an diesem Ort verbringen, denn man müßte Bilder von mindestens zwei
Metern malen …«[2]

Ungeachtet dessen, daß das zuletzt genannte Vorhaben nicht realisiert wurde, ist die Briefstelle in doppelter Hinsicht aufschlußreich. Einmal gibt sie Auskunft darüber, daß Cézanne erkannt hatte, wie sehr das Licht seiner Heimat die Dinge zur Fläche hin stabilisiert und daß die Formmodellierung mittels dunkler Schattierungen gegenüber einer reichen Skala am Gegenstand beobachteter Farbfolgen zurückstehen müsse. Zum anderen sagte ihm die südliche Vegetation zu, da sie seiner langwierigen Arbeit am Motiv keinen Strich durch die Rechnung machte. In der Annahme, daß sich die Landschaftsmaler des Nordens hier wohlgefühlt hätten, dürfte er jedoch fehlgegangen sein. Der Sinn für die Härte der südlichen Landstriche ging den impressionistischen Malerkollegen ab. Die Versuche, ihr gerecht zu werden, blieben selbst bei Renoir unzulänglich, der 1882 und 1889 in L'Estaque und Aix-en-Provence malte. Cézanne selbst arbeitete zwischen 1870 und 1885 häufig in L'Estaque, jener Ortschaft, wo eine Generation danach der den Spuren Cézannes folgende Braque die ersten kubistischen Landschaften schuf.

Victor Chocquet stellte sein L'Estaque-Bild, das unter dem Titel *La méditerranée* 1899 bei der Versteigerung seines Nachlasses gerade 1500 Francs erbrachte[3], 1877 für die dritte Impressionistenausstellung als Leihgabe zur Verfügung. Damals war Cézanne mit 17 Werken zum zweiten und letzten Mal an der Gruppenausstellung der Freunde beteiligt.

Welch eine Entwicklung von der ersten L'Estaque-Ansicht (Kat.-Nr. 8) bis zu dem sechs Jahre später geschaffenen Gemälde, dem eine ganze Reihe großräumiger Fernsichten folgen sollte (Kat.-Nrn. 23, 29, 72). Dazwischen lagen die Zusammenarbeit mit Pissarro und die intensive Auseinandersetzung mit den impressionistischen Anliegen (vgl. Kat.-Nr. 16). Statt der düster verhangenen Winterlandschaft nun ein sehr viel klarer strukturiertes, vom transparenten Licht des Südens durchflutetes Panorama. Wirkungsvoll beziehen sich die ziegelroten Dächer auf das Baumgrün, indes das Ocker der Erde und der Häuser seinen Widerpart im Blau der Meeresbucht sowie in einem von der tiefstehenden Sonne durchlichteten Himmelsblau erhält. Cézanne, der seine Landschaften grundsätzlich horizontal gewichtete, nutzte die im Frühbarock eingeführte Raumvermittlung durch großzügige diagonale Überschneidungen vor allem für einige L'Estaque-Ausblicke beziehungsweise nach 1900 für die Wiedergabe des *Château Noir* (vgl. Kat.-Nrn. 8, 23, 72, 95, 96).

Die landschaftliche Schönheit der Gegend wurde von Zola, der L'Estaque des öfteren zusammen mit Cézanne aufgesucht hatte, in einer seiner Novellen charakterisiert: »Ein Dorf etwas außerhalb von Marseille, das in der Mitte einer felsengesäumten Meeresbucht liegt. Die Gegend ist herrlich. Wie Arme umfassen die Felsen den Golf, während in der Ferne die Kette der Inseln den Horizont zu versperren scheint. Wie ein großer Teich liegt das Meer da, wie ein See, der bei schönem Wetter tiefblau schimmert. Am Fuß der Berge zieht sich das Häusermeer von Marseille stufenweise über flache Hügel hin. Wenn die Sicht klar ist, kann man von L'Estaque aus die graue Mole von La Joliette und die Masten der Schiffe im Hafen erkennen. Dahinter ist auch die auf einem hohen Hügel zwischen Bäumen gelegene weiße Kapelle von Notre-Dame de la Garde sichtbar. In leichten Rundungen zieht sich die Küste von Marseille aus dahin, vor L'Estaque werden die Einbuchtungen tiefer und weiter. Fabriken, die manchmal hohe Rauchfahnen ausstoßen, reihen sich an der Küste. Wenn die Sonne hoch am Himmel steht, scheint das Meer, fast schwarz, zwischen den beiden Gebirgsausläufern eingebettet zu schlafen. Das leuchtende Weiß der felsigen Berge wird durch Gelb- und Brauntöne gedämpft, und die Kiefern heben sich als grüne Punkte von der roten Erde ab. Dieses gewaltige Panorama liegt wie eine Vorahnung des Orients im flirrenden Licht des Tages.«[4]

---

1   Eine ähnliche Aquarelldarstellung, Rewald Nr. 117, ist in Verbindung mit dem Gemälde Venturi Nr. 408 und den Zeichnungen Chappuis Nrn. 705, 783 bei einem späteren L'Estaque-Aufenthalt skizziert worden.

2 Cézanne 1962, S. 141 f. Schon 1874 hatte der Künstler seine Eltern gebeten, den Monatswechsel zu
  erhöhen, um regelmäßig im Süden arbeiten zu können: »Ich bitte Papa, mir zweihundert Franken
  monatlich zu geben; das würde mir einen längeren Aufenthalt in Aix gestatten, und ich werde sehr viel
  Freude daran haben, im Süden zu arbeiten, dessen Aspekte meiner Malerei so viele Möglichkeiten
  bieten ... Ich werde mich dann, denke ich, im Süden den Studien widmen können, die ich fortzusetzen
  wünsche«, ibid., S. 135.
3 Rivière 1923, S. 232 Nr. 2.
4 Rewald 1986, S. 93.

PROVENIENZ: Victor Chocquet, Paris; Auktion Chocquet, Galerie Georges Petit, Paris 1.–4. 7. 1899, Nr. 2;
Bernheim-Jeune, Paris; Gaston Bernheim de Villers, Paris; Sam Salz, New York; Mrs. Richard J. Bernhard,
New York; Wildenstein, Paris–London–New York; Auktion Sotheby's, London 30. 6. 1981, Nr. 8.
BIBLIOGRAPHIE: Bernheim-Jeune 1914, Abb. 39; Rivière 1923, S. 232; Venturi S. 53, S. 103 Nr. 168, Abb.;
Novotny 1938, S. 193; Dorival 1949, S. 61, Abb. 35, S. 153; Cooper 1954, S. 346; Gowing 1956, S. 187;
Ratcliffe 1960, S. 12; Reff 1962 (stroke), S. 215, S. 220, S. 222; Andersen 1967, S. 139; Rewald 1969, S. 45 Abb.
8, S. 50, S. 82; Elgar 1974, S. 71; Adriani 1981, S. 265.
AUSSTELLUNGEN: *3e Exposition de peinture*, 6 rue le Pelletier, Paris 1877; Paris 1926, Nr. 57; Paris 1936,
Nr. 35 Abb.; *Paintings from private Collections*, Metropolitan Museum of Art, New York 1960, Nr. 8; *The
New Painting. Impressionism 1874–1886*, National Gallery of Art, Washington 1986 – de Young Memorial
Museum, San Francisco 1986, Nr. 17.

20   Das Bassin im Park des Jas de Bouffan   1876–1878
Le bassin du Jas de Bouffan

Venturi Nr. 417 (1882–1885)
Ölfarben auf Leinwand, 73,5 x 60,5 cm
Albright-Knox Art Gallery, Fellows for Life Fund, 1927
(Inv. Nr. 27:17), Buffalo, New York

Im Park des Jas de Bouffan (vgl. Kat.-Nrn. 17, 48, 49) befand sich ein mit Skulpturen
geschmücktes Wasserbecken. Aus unterschiedlichen Blickwinkeln, das heißt in immer
anderen Ausschnitten, wurde der steingefaßte Teich über nahezu drei Jahrzehnte
hinweg zum Motiv.[1] In diesem Fall korrespondiert das angeschnittene Dreieck des
Beckens, in dem sich das Laub der umstehenden Kastanienbäume spiegelt, mit den
stark vereinfachten Winkelformen der Rasenflächen vorne und im Hintergrund.
Venturis Datierung des Bildes in die erste Hälfte der achtziger Jahre ist aus stilistischen
Gründen zu revidieren.[2] Die farbgesättigte Pinselführung in schrägen Parallellagen für
den Baumschlag und in waagerechten Strichen für die Wasseroberfläche, das
Mauerwerk und das übrige Terrain legen eine Datierung in die zweite Hälfte der
siebziger Jahre nahe. Dabei bedeuten die belaubten Kastanien am Beckenrand eine
Eingrenzung auf die Jahre 1876 oder 1878, als der Maler während der entsprechenden
Jahreszeiten in Aix arbeitete.

1 Vgl. die Gemälde, Aquarelle und Zeichnungen Venturi Nrn. 40, 160, 164, 166, 167, 484, 648, Rewald
  Nrn. 20, 155, 256, 396, Chappuis Nrn. 763, 885, 891.
2 Möglicherweise liegt hinsichtlich der Datierung in Venturis Werkverzeichnis eine Verwechslung
  zwischen den Nrn. 417 und 484 vor.

PROVENIENZ: Paul Cézanne *fils*, Paris; Josse Hessel, Paris; Bernheim-Jeune, Paris; Percy Moore Turner,
London; Ehrich Galleries, New York.
BIBLIOGRAPHIE: Venturi S. 155 Nr. 417, Abb.; Novotny 1938, S. 193; Andrew C. Ritchie, *Paintings and
Sculpture*, Albright-Knox Art Gallery, Buffalo 1949, S. 66, Abb.
AUSSTELLUNGEN: Paris 1907, Nr. 26; Art Gallery, Toronto 1927; New York 1928, Nr. 12; Fine Arts
Academy, Buffalo 1928, Nr. 4, Abb.; Philadelphia 1934, Nr. 12; San Francisco 1937, Nr. 14, Abb.; New York
1947, Nr. 24, Abb.; *The Art of Cézanne*, Institute of Arts, Minneapolis 1950; New York 1959, Nr. 24, Abb.;
Aix-en-Provence 1961, Nr. 49; Wien 1961, Nr. 111; Washington 1971, Nr. 7, Abb.

21 Dächer in Paris 1877
Les toits

Venturi Nr. 1515 (um 1877)
Ölfarben auf Leinwand, 50 x 60 cm
Privatbesitz

Das impressionistische Motiv einer großstädtischen Dachlandschaft findet sich bei
Cézanne nur zweimal, wobei die eine vom Ausblick her zu lokalisieren ist und damit
zeitlich genau eingeordnet werden kann (Abb. 1). Denn sie zeigt den Turm der Kirche
Notre-Dame-des-Champs links im Bild und den daran anschließenden Stadtprospekt
vom Atelier aus im siebten Stock des Hauses Nr. 32 in der Rue de L'Ouest. Dort
wohnte Cézanne während seiner Parisaufenthalte von März 1880 bis April 1881 und
erneut von März bis Oktober des folgenden Jahres. Auch die strenge orthogonale
Gliederung spricht für eine Datierung in die frühen achtziger Jahre und nicht, wie
Venturi meint, zwischen 1874 und 1877.

Leider fehlen derart hilfreiche Kriterien bei der zweiten Stadtansicht. Im
Vergleich zu der Wiedergabe der frühen achtziger Jahre ist die Bildauffassung jedoch
impressionistischer. Nicht allein die helle Palette und der skizzenhaft flüssige Pinselduktus, sondern die ganze heitere Stimmungslage eines buntfarbenen, von Baumwipfeln durchsetzten Häuserkonglomerats unter einem bewölkten Himmel, dessen
Tönungen sich als blaugraue Schatten durch das Bild verfolgen lassen, sprechen für
eine Entstehungszeit, als der Maler auch die impressionistischen Errungenschaften für
sich nutzbar machte. Geht man davon aus, daß es sich um einen Pariser Prospekt
handelt, und die Architekturen legen dies nahe, dann böte sich das Jahr 1877 an, das
Cézanne vorwiegend in Paris verbrachte; in den Jahren zuvor und danach war er
meist in Aix und L'Estaque.

PROVENIENZ: Bernheim-Jeune, Paris; Arthur Hahnloser, Winterthur.
BIBLIOGRAPHIE: Ors 1930, Abb.; Venturi S. 331 Nr. 1515, Abb.; Geist 1988, S. 131 Abb. 114; du 1989,
S. 63 Abb.
AUSSTELLUNGEN: Basel 1936, Nr. 147; *Hauptwerke der Sammlung Hahnloser,* Museum, Luzern 1940,
Nr. 15, Abb.; Den Haag 1956, Nr. 16, Abb.; Zürich 1956, Nr. 31, Abb. 9; München 1956, Nr. 22, Abb.;
Köln 1956, Nr. 9, Abb.

Abb. 1
Paul Cézanne, *Dächer in Paris,* 1882.
Privatbesitz

22 Felslandschaft bei L'Estaque 1878–1879
Rochers à L'Estaque

Venturi Nr. 404 (1882–1885)
Ölfarben auf Leinwand, 73 x 91 cm
Museu de Arte de São Paulo

Von einem Aufenthalt zu Beginn der siebziger Jahre abgesehen (vgl. Kat.-Nr. 8), arbeitete Cézanne 1876 (vgl. Kat.-Nr. 19), 1878 und Anfang 1879 (vgl. Kat.-Nr. 23) sowie 1883 (vgl. Kat.-Nr. 29) jeweils längere Zeit in der südwestlich von Aix am Golf von Marseille gelegenen Ortschaft L'Estaque. Auch Zola reiste gelegentlich dorthin, um das pittoresk zerklüftete Hinterland folgendermaßen zu schildern: »Doch L'Estaque bietet nicht nur den Zugang zum Meer. Durch das Dorf, ans Gebirge gelehnt, führen Wege, die sich im Gewirr der zerklüfteten Felsen verlieren ... Nichts ist mit der wilden Majestät dieser Felsschluchten, die sich in die Berge graben, vergleichbar: Zwischen ausgedörrten Abhängen mit Kiefern und rostroten und blutfarbenen Mauern winden sich enge Pfade in der Tiefe des Abgrunds ... Dann wieder Wege voller Brombeer-büsche, undurchdringliche Dickichte, aufgehäufte Steine, ausgetrocknete Flußbetten – alle Überraschungen eines Fußmarsches durch die Wüste. Hoch oben über dem schwarzen Saum von Kiefern spannt sich der blaue seidene Himmel wie ein endloses Band ... Wenn dies ausgetrocknete Land einmal vom Regen getränkt wird, entfalten sich Farben unglaublicher Intensität: Die rote Erde blutet, die Kiefern schimmern smaragden, und die Felsen glänzen in dem Weiß frisch gewaschenen Linnens.«[1] Dagegen hörte sich Cézannes Kommentar zur Schönheit der L'Estaque-Landschaft sehr viel nüchterner an, als er Zola am 19. Dezember 1878 antwortete: »Wie Du sagst, es gibt hier einige sehr schöne Ansichten. Es kommt nur darauf an, sie wiederzugeben, was kaum mein Fall ist. Ich habe etwas spät begonnen, die Natur zu sehen, was mich jedoch nicht hindert, sie sehr interessant zu finden.«[2]

Was der Schriftsteller enthusiastisch beschrieb, bewies der Maler kongenial auf der Leinwand. Wie von Gigantenkraft emporgetürmt, scheint die schwere Wucht der Gesteinsformationen den nach links geneigten Meeresspiegel aus dem Gleichgewicht zu bringen. Sein blaues Massiv mit der vorgelagerten Insel des Château d'If und den Bergen dahinter überwölbt unter dem Dunst des Himmels ein elementares Terrain, gegen das sich als Zivilisationsrelikt lediglich ein Haus am Bergkamm zu behaupten sucht.[3] Die rote Erde, das strahlende Weiß der Felsblöcke, die brüsk aufragenden Klippen, die wie Finger einer geballten Faust gegen die bewaldeten Abhänge vordringen, das alles manifestiert ein Temperament, das sich noch immer Courbets Landschaftspathos verbunden fühlte. Selbst in einer Zeit strenger Selbstdisziplinierung, die eine stark strukturierende Pinselführung mit sich brachte, war dies der Fall.

---

1   Rewald 1986, S. 93.
2   Cézanne 1962, S. 165.
3   Zwei wahrscheinlich später gezeichnete Bleistiftskizzen, Chappuis Nrn. 809, 810, zeigen die Küstenlandschaft von einem etwas anderen Blickwinkel aus.

PROVENIENZ: Georges Dumesnil, Aix-en-Provence; Bernheim-Jeune, Paris; Harry Graf Kessler, Paris – Weimar; Durand-Ruel, Paris – New York; Paul Cassirer, Berlin; Prinz Matsukata, Tokyo; Wildenstein, Paris – London – New York.
BIBLIOGRAPHIE: Gasquet 1921, S. 92 Abb.; Meier-Graefe 1922, S. 150 Abb.; Faure 1923, Abb. 40; Venturi S. 53, S. 153 Nr. 404, Abb.; Guerry 1950, S. 84 f.; Cooper 1954, S. 378; Gowing 1956, S. 189 f.; Reff 1958, S. 47; Reff 1959, S. 172; Brion 1973, S. 38, S. 43; Chappuis S. 204 (bei Nr. 809), S. 205 (bei Nr. 810), S. 263 (bei Nr. 1155); Newcastle 1973, S. 10; Elgar 1974, S. 98 f. Abb. 55; Cézanne 1988, S. 54, S. 128 Abb.
AUSSTELLUNGEN: Tokyo 1986, Nr. 20, Abb.; Ettore Camesasca, *Trésors du Musée de São Paulo,* Fondation Pierre Gianadda, Martigny 1988, S. 92 ff. Abb.

23 Das Meer bei L'Estaque   1878–1879
La mer à L'Estaque

Venturi Nr. 425 (1883–1886)
Ölfarben auf Leinwand, 73 x 92 cm
Musée Picasso, Donation Picasso
(Inv. Nr. RF 1973–59), Paris

Von Juli 1878 bis März 1879 arbeitete Cézanne vorwiegend in der kleinen Industriestadt L'Estaque am Golf von Marseille (vgl. Kat.-Nrn. 8, 19, 22, 29, 72). Diesem Zeitraum
wird auch die nach klassischen Prinzipien aufgebaute Landschaftskomposition
zuzurechnen sein, die seit den vierziger Jahren im Besitz Picassos war (vgl. Kat.-Nr. 96).[1]
Von der Vordergrundbühne eines quer durchs Bild gezogenen Weges ist der Blick in
die Tiefe auf Bäume, einen von Sonnenlicht beschienenen Felsabhang und kubisch
vereinfachte Architekturen gerichtet. Die gegen den Abhang gewichtete Vertikale
eines Schornsteins ragt in die blaue Wand des Meeresspiegels, gegen den sich weit
oben der Himmel horizontal abhebt. Wie Cézanne in einer von den barocken
Landschaftsmalern entwickelten Manier Bäume und Äste als verbindendes Repoussoir
verwandte, spricht noch für eine gewisse Unsicherheit im Umgang mit der Weite des
Motivs und damit gegen die von Venturi vorgeschlagene Datierung in die Mitte der
achtziger Jahre. Ein etwas tieferer Blickwinkel war Ausgangspunkt für zwei weitere
Fassungen der Landschaft im kleinen Format mit und ohne rahmendes Beiwerk.[2]

1 In dessen Sammlung befanden sich auch die Gemälde Venturi Nrn. 385, 795 (Kat.-Nr. 96) und das
   Aquarell Rewald Nr. 580.
2 Venturi Nrn. 427, 426.

PROVENIENZ: Paul Cézanne *fils*, Paris; Pablo Picasso, Paris.
BIBLIOGRAPHIE: Rivière 1923, S. 210; Venturi S. 156 Nr. 425, Abb.; Novotny 1938, S. 22, S. 193; Dorival
1949, S. 61f., S. 66, S. 84, Abb. 79, S. 161; *Donation Picasso. La collection personnelle de Picasso*, Paris 1978,
Nr. 5, Abb.; Geist 1988, S. 125 f. Abb. 108.
AUSSTELLUNGEN: Paris 1929, Nr. 3; *Exhibition of Modern French Painting*, Galerie Bignou, New York
1935; Lyon 1939, Nr. 29, Abb. 11; Edinburgh 1990, Nr. 36, Abb.

Paul Cézanne, *Gebäude in L'Estaque*,
1882–1883, Zeichnung. Privatbesitz

24 Das verlassene Haus bei Le Tholonet 1878–1879
La maison abandonnée au Tholonet

Venturi Nr. 659 (1892–1894)
Ölfarben auf Leinwand, 50,2 x 60,3 cm
Stephen Hahn Collection, New York

Die Wiedergabe dieses stillen Gehöftes, das einmal mit Leben erfüllt war, um nun sich selbst und damit dem Verfall überlassen zu bleiben, ist voller Spannung. Konfrontiert mit der Landschaft, bewirkt das aufdringlich nah gestellte, kahle Gebäude mit den verschlossenen Öffnungen und einer Umfassungsmauer auf labilem Grund eine geheimnisvolle Beunruhigung. Die Fremdheit der Architektur gewinnt eine fast magische Bedeutung. Nicht umsonst schrieb der Surrealist André Breton vom Ort eines möglichen Verbrechens.[1] Gezählt scheinen die Tage des auf abschüssigem Boden errichteten Hauses. Es gibt letzterdings keinen Halt, der die abweisenden Mauern gegen den Abhang sichern könnte. Der hart gebildeten Materie des Mauerwerks antwortet mit aller Kraft eine aus dem Unermeßlichen schöpfende Natur. Deren ewiges Wachstum setzt sich leicht gegen die fremdartigen Produkte der Menschen durch.

Die Intensität der Farbtöne und die leichte Malweise des ahnungsvollen Bildes vom Vergehen in der Natur sprechen für eine Datierung in die späten siebziger Jahre, als sich Cézanne in Aix aufhielt und in der Umgebung gewiß auch den Weiler Le Tholonet aufsuchte. Daß *La maison abandonnée* stets zu seinen Hauptwerken gezählt wurde, ist daran zu ermessen, daß es in den beiden wichtigsten Ausstellungen, die noch zu Lebzeiten des Künstlers in Paris stattfanden, zu sehen war. 1895 war es in der ersten Cézanne-Retrospektive in der Galerie Ambroise Vollard ausgestellt, und 1904 figurierte es unter 30 Gemälden, die im Rahmen des Salon d'Automne eine eigens eingerichtete Salle Paul Cézanne füllten.

1 André Breton, *L'Amour fou*, Paris 1937, S. 155 ff.

PROVENIENZ: Eugène Blot, Paris; 1. Auktion Blot, Hôtel Drouot, Paris 9.–10. 5. 1900, Nr. 19; 2. Auktion Blot, Hôtel Drouot, Paris 10. 5. 1906, Nr. 17; Auguste Pellerin, Paris; Ambroise Vollard, Paris; Ralph M. Coe, Cleveland; Auktion Sotheby's, London 23. 11. 1960, Nr. 41; Auktion Christie's, New York 19. 5. 1981, Nr. 307; Auktion Sotheby's, New York 14. 5. 1985, Nr. 30 A.
BIBLIOGRAPHIE: Meier-Graefe 1910, S. 59 Abb.; Burger 1913, S. 108, Abb. 97; Vollard 1914, S. 58, Abb. 20, Abb. 44; Meier-Graefe 1918, S. 145 Abb.; Vollard 1919, S. 78; Meier-Graefe 1922, S. 176 Abb.; Klingsor 1923, Abb. 15; Rivière 1923, S. 215, S. 234; Ors 1930, Abb. 11; Novotny 1932, S. 295 f.; Mack 1935, S. 341; Venturi S. 206 Nr. 659 Abb.; Novotny 1937, Abb. 68; Mack 1938, S. 290; Novotny 1938, S. 52, S. 87; Cogniat 1939, Abb. 80; Ratcliffe 1960, S. 17; Vollard 1960, S. 34; Brion 1973, S. 65 Abb.; New York 1977, S. 25 Abb.; Rewald 1989, S. 50.
AUSSTELLUNGEN: Paris 1895; Paris 1904, Nr. 17; New York 1928, Nr. 17; *The Twentieth Anniversary Exhibition*, Museum of Art, Cleveland 1936, Nr. 253; *Cézanne and Gauguin*, Museum of Art, Toledo (Ohio) 1936, Nr. 25; New York 1947, Nr. 54; New York 1959, Nr. 40, Abb.; *Impressionisten*, Galerie Beyeler, Basel 1967, Nr. 4.

25 Die Mühle an der Couleuvre bei Pontoise 1881
Moulin sur la Couleuvre, à Pontoise

Venturi Nr. 324 (1879–1882)
Ölfarben auf Leinwand, 73 x 92 cm
Staatliche Museen zu Berlin,
Nationalgalerie (Inv. Nr. A I 606), Berlin

Nur einmal, Anfang des Jahres 1890, bot sich Cézanne die Chance, im Ausland
auszustellen. Octave Maus, der Sekretär der avantgardistischen belgischen Künstler-
vereinigung *Les Vingt,* hatte ihn zusammen mit Renoir, Sisley, Toulouse-Lautrec, van
Gogh und anderen gebeten, in Brüssel einige Arbeiten zu zeigen. Cézanne, der
zunächst zögerte, dann jedoch in Anbetracht der »guten Gesellschaft ... mit Vergnügen
der Einladung Folge leistete«[1], entschied sich für drei Gemälde. Zuerst für *Die Mühle
bei Pontoise,* die er Jahre zuvor dem Pariser Farbenhändler Julien Tanguy, bei dem er
hoch verschuldet war[2], in Zahlung gegeben hatte, und die dieser über den Maler
Jacques-Emile Blanche an den Journalisten Robert de Bonnières veräußern konnte.
Hinzu kamen ein frühes Hauptwerk aus der Sammlung Victor Chocquets (vgl.
Kat.-Nr. 15), *Hütte in Auvers-sur-Oise*[3] sowie eine Studie mit *Badenden.* Diesbezüglich
teilte der Künstler Octave Maus am 21. Dezember 1889 mit: »Ich habe mich an Tanguy
gewandt, um zu erfahren, welche meiner Studien er an Monsieur de Bonnières
verkauft hatte. Er konnte mir nichts Genaueres angeben. Ich bitte Sie deshalb, dieses
Bild als *Landschaftsstudie* im Katalog anzuführen. Da ich ganz unvorbereitet bin, habe
ich mich andererseits an Monsieur Chocquet gewandt, der sich augenblicklich außerhalb Paris befindet und mir sofort das Bild *Eine Hütte in Auvers-sur-Oise* zur Verfügung
gestellt hat. Doch hat diese Leinwand keinen Rahmen, da der von Monsieur Chocquet
bestellte (holzgeschnitzte) noch nicht fertig ist. Wenn Sie irgendeinen alten Rahmen
dafür hätten, so würden Sie mir damit einen großen Gefallen tun. Es ist eine Fünf-
zehner-Leinwand mit den üblichen Maßen [ca. 55 x 66 cm]. Schließlich sende ich
Ihnen ein Bild: Studie von *Badenden,* dessen Rahmen ich Monsieur Petit übergeben
lassen werde.«[4]

Vielleicht wollte Cézanne – anläßlich der ersten Ausstellungsgelegenheit seit
1877 sowie im Hinblick darauf, daß er sich mit jüngeren Kollegen messen lassen
mußte – mit der dezidierten Wahl der beiden wichtigen Landschaftsbilder von
1872/73 und von 1881 zugleich seine Freundschaft und Verehrung für Camille Pissarro
dokumentieren. Bekanntlich hatte die Zusammenarbeit mit diesem, von 1872 bis zum
Frühjahr 1874 in Pontoise und in Auvers-sur-Oise, Cézannes Stil in der Aufhellung der
Palette und der Aneignung einer regelmäßigen Pinselschrift grundlegend verändert.
Es hatte der dezenten Unterweisungen des um fast zehn Jahre älteren Mentors bedurft,
um jene Erfahrung zu erreichen, in der sich subjektives Empfinden und nüchternes
Wirklichkeitsverständnis durchdringen und zu maßgebenden Bildergebnissen führen
konnten (vgl. Kat.-Nr. 16).

Von Anfang Mai bis Ende Oktober 1881 hielt sich Cézanne noch einmal
zusammen mit Pissarro in Pontoise auf (vgl. Kat.-Nrn. 26, 27), wo er 31, Quai du Pothuis
logierte. »Seit unserer Ankunft erfreuen wir uns an allen atmosphärischen Veränderungen, die der Himmel uns freundlichst beschert«, teilte er Chocquet am 16. Mai mit,
und vier Tage später schrieb er an Zola: »Mein Aufenthalt in Pontoise wird mich, wie
Du sagst, gewiß nicht hindern, Dich zu besuchen; ich habe mir ganz im Gegenteil
vorgenommen, auf dem Landwege und auf Kosten meiner Beine nach Médan zu
kommen. Ich denke, daß ich diesem Vorhaben gewachsen sein dürfte [von Pontoise bis
zu Zolas Landhaus in Médan sind es ca. 15 Kilometer]. Ich sehe Pissarro recht häufig ...
Ich habe mehrere Studien bei grauem Wetter und bei Sonnenschein in Angriff
genommen. – Ich wünsche Dir, bald Deinen Normalzustand in der Arbeit zu finden,

denn diese ist, denke ich, trotz aller Alternative, die einzige Zuflucht, in der man wirkliche Befriedigung findet.«[5]

Unter den 1881 geschaffenen Pontoise- und Auvers-Ansichten ist die der Mühle am Ufer der Couleuvre gewiß die bedeutendste. Sie zeigt, in welchem Maße sich seit 1874 das Verhältnis zwischen Pissarro als Gebendem und Cézanne als Nehmendem verändert hat. Denn Pissarros Landschaftssicht stand nun ihrerseits zunehmend unter dem Einfluß dessen, dem er die geeigneten Mittel an die Hand geben konnte, der aber nun in der prägnanten tektonischen Strukturierung der Landschaftsformen einen Grad der Reife erreicht hatte, dem von Pissarro nichts mehr hinzuzufügen war. Diese Tatsache ist auch einem Rechtfertigungsschreiben zu entnehmen, das Pissarro 1895, gelegentlich der ersten Cézanne-Retrospektive in der Galerie Vollard, an seinen Sohn richtete: »Von Mauclair ist ein Artikel (über Cézanne) erschienen, den ich Dir schicke. Du wirst sehen, wie schlecht er informiert ist – so wie viele dieser Kritiker, die von nichts etwas verstehen. Er ahnt nicht, daß Cézanne Einflüssen unterworfen gewesen ist wie wir alle und daß diese Tatsache seinem Künstlertum keinerlei Abbruch tut. Sie wissen nicht, daß er anfangs von Delacroix, von Courbet, von Manet, sogar von Legros beeinflußt war – wie wir alle. In Pontoise hat er unter meinem Einfluß gestanden, wie ich unter dem seinen. Du erinnerst Dich der Ausfälle Zolas und Béliards über dieses Thema. Sie glaubten, man erfinde die Malerei in allen Stücken selber und keiner sei original, der einem anderen ähnele. Merkwürdig erscheint in dieser Ausstellung Cézannes bei Vollard die Verwandtschaft gewisser Landschaften von Auvers und Pontoise mit den meinen. Ja, zum Kuckuck, wir waren doch immer zusammen. Eines aber ist sicher: jeder hielt fest an dem einzigen, das zählt, seiner Empfindung. Und das ist leicht zu beweisen.«[6]

Nota bene war die Landschaft mit der *Mühle bei Pontoise* das erste Gemälde Cézannes, das durch Ankauf in Museumsbesitz gelangte. 1897 konnte es der weitblickende Hugo von Tschudi von Robert de Bonnières für die Berliner National-galerie erwerben (vgl. Kat.-Nrn. 16, 55) – und das trotz der Restriktionen Wilhelms II., die im gleichen Jahr dazu geführt hatten, daß zwei Cézanne-Bilder aus der Sammlung verbannt worden waren, und die schließlich 1908 die Beurlaubung Tschudis »aus Gesundheitsrücksichten« zur Folge hatten. Sofort nach seinem Amtsantritt war Tschudi 1896 mit Max Liebermann nach Paris gereist, um dort, vor allem in den Galerien Durand-Ruel und Vollard[7], mit Werken der Impressionisten vertraut zu werden und erste Ankäufe zu tätigen. Gegen den Willen der Landeskunstkommission, die strikt darauf achtete, daß nur Werke deutscher Künstler aus Staatsmitteln angekauft wurden, setzte sich der neue Direktor tatkräftig für eine Internationalisierung der Sammlung ein, so daß in kürzester Zeit die Grundlagen für ein Museum von europäischem Rang gelegt werden konnten. Doch die Gegner einer radikalen Öffnung formierten sich ebenso rasch. Bedingt durch ihre Aktivitäten, legte ein kaiserlicher Erlaß 1899 fest, daß grundsätzlich alle Neuerwerbungen der Genehmigung des Monarchen bedurften! Als Hugo von Tschudi demissionierte, stellte er nicht ohne Ironie fest: »Berlin ist wohl kein fetter Boden für künstlerisches Wachstum. Die norddeutsche Sinnesart, die angesichts der weiten Heide mit ihrem Erikablau, der stillen Seen und dünngesäumten Meeresufer melancholisch erklingt und ihre Blüten humoristischer Dichtung treibt, wird im Großstadtgetriebe nüchtern, kalt, skeptisch, geistreich, witzelnd. Es ist eine unkünstlerische Art, aber sie hat in Menzel ihren Künstler geschaffen.«[8]

1   Cézanne 1962, S. 215.
2   Siehe Cézannes Schuldschein vom 4. März 1878 sowie Tanguys Mahnung vom 31. August 1885, ibid., S. 147, S. 208 f.
3   Die Landschaft Venturi Nr. 133 erhielt später den Titel *La maison du pendu, à Auvers*.
4   Cézanne 1962, S. 216 f.; vgl. auch S. 218.
5   Ibid., S. 185 f.
6   Pissarro 1953, S. 324.

7 Cézannes Händler Ambroise Vollard schreibt in seinen Erinnerungen, daß Tschudi ihn 1896 aufsuchte: »Ja, soeben hatte der Direktor der Berliner Nationalgalerie, Herr von Tschudi, den Wunsch geäußert, das Bild *Jas de Bouffan* zu erwerben [wahrscheinlich handelte es sich um das Gemälde *Prairie et ferme du Jas de Bouffan* Venturi Nr. 466, das schließlich Max Liebermann erstand]. Ich teilte es Cézanne mit und klagte bei dieser Gelegenheit über die Vorurteile des deutschen Kaisers gegenüber den Impressionisten. ›Er hat recht‹, antwortete Cézanne, ›mit den Impressionisten ist man angeschmiert; man müßte Poussin nach der Natur malen. Da liegt alles drin.‹ Und er neigte sich vertraulich zu mir: ›Wilhelm ist sehr stark!‹ Bald aber hatte ich Gelegenheit festzustellen, daß das Einverständnis zwischen dem deutschen Kaiser und Cézanne nicht vollkommen war. Als ich den Namen Kaulbach erwähnte, von dem, wie es hieß, Wilhelm zu sagen pflegte: ›Auch wir haben einen Delaroche‹, donnerte Cézanne los: ›Die Malerei eines Eunuchen gilt für mich überhaupt nicht!‹«, Vollard 1960, S. 43.

8 Frank 1986, S. 200.

PROVENIENZ: Julien Tanguy, Paris; Jacques-Emile Blanche, Paris; Robert de Bonnières, Paris.
BIBLIOGRAPHIE: Meier-Graefe 1910, S. 60 Abb.; Burger 1913, Abb. 38; Bernheim-Jeune 1914, Abb. 34; Vollard 1914, S. 51; Meier-Graefe 1918, S. 131 Abb.; Gasquet 1921, S. 103; Meier-Graefe 1922, S. 160 Abb.; Rivière 1923, Abb., S. 207; Pfister 1927, Abb. 52; Gasquet 1930, S. 77; Javorskaia 1935, Abb. 12; Rewald 1936, Abb. 39, Abb. 40; Venturi S. 52, S. 135 Nr. 324, Abb.; Novotny 1937, S. 19, Abb. 31; Novotny 1938, S. 83, S. 110, S. 123, S. 129, S. 207; Dorival 1949, S. 55, Abb. 56, S. 157; Gowing 1956, S. 189; Ratcliffe 1960, S. 19; Vollard 1960, S. 29; Feist 1963, Abb. 29; Chappuis S. 215 (bei Nr. 888); Elgar 1974, S. 86 f. Abb. 46, S. 93; Rewald 1975, S. 159; Rewald 1986, S. 97 Abb.; Basel 1989, S. 294; Rewald 1989, S. 156 f. Abb. 81.
AUSSTELLUNGEN: *Les XX, VII. exposition annuelle*, Brüssel 1890, Nr. 1; *Impressionisten-Ausstellung der Wiener Sezession*, Wien 1903; Paris 1936, Nr. 50; Basel 1936, Nr. 30; *Kunstwerke aus Museen der Deutschen Demokratischen Republik*, Staatliche Eremitage, Leningrad 1958, S. 33, Abb.; *Schätze der Weltkultur von der Sowjetunion gerettet*, Staatliche Museen zu Berlin, Nationalgalerie, Berlin 1958, Abb.; Aix-en-Provence 1961, Nr. 7, Abb. 6; Wien 1961, Nr. 19, Abb. 13; *Francia Festök Delacroix-Tól Picassóig*, Szépmüvészeti Múzeum, Budapest 1965, S. 10, Abb.; *Francouzské Malirstvi od Delacroix k Picassovi*, Národní Galerie v Praze, Prag 1965, Nr. 48, Abb.

Abb. 1
Die Mühle
an der Couleuvre
bei Pontoise,
Postkarte um 1900

26 Landschaft bei Auvers-sur-Oise   um 1881
    Paysage à Auvers-sur-Oise

Venturi Nr. 317 (1879–1882)
Ölfarben auf Leinwand, 73 x 92 cm
Nationalmuseum (Inv. Nr. NM 1999), Stockholm

Die typische Landschaft der Ile-de-France (vgl. Kat.-Nrn. 25, 27) mit ihren schlanken Pappelreihen und einem vom Lichtgrün der Wiesen durchzogenen Talgrund, dem einige Häuser architektonisches Gewicht verleihen, mag für die Methodik stehen, die sich der zur Formkonzentration entschlossene Künstler um 1880 erarbeitet hatte. Damals richtete sich sein Interesse sowohl auf eine orthogonale Anordnung der Kompositionselemente als auch auf die plane Anpassung der Raumschichten an die Bildfläche. Aus dem Wissen, »zu weit vom allgemein Verständlichen« und »zu weit von dem zu erreichenden Ziel, das heißt von der Wiedergabe der Natur, entfernt« zu sein[1], war er bestrebt, einerseits sein Naturempfinden mit einer ausgeklügelten Bildarchitektur im Gleichgewicht zu halten, um andererseits durch Farbe die konstruktive Ordnung mit Leben zu erfüllen. Mit großer Sicherheit begann sich der Maler auf dem schmalen Grat zu bewegen, der das eine mit dem anderen in Übereinstimmung brachte. Denn seine ursprüngliche Fremdheit gegenüber den Dingen hatte sich zur Einsicht in das Prinzip untrennbarer natürlicher Einheiten gewandelt.

Anstelle vereinnehmender Fluchtpunkte entfalten sich im flächenparallelen Nacheinander sogenannter »plans« Raumschichten, die die ganze Bildbreite bis zu jener Horizontlinie durchmessen, die fast genau in der Mitte die Erde vom Himmel trennt. Dem Einblick in die mit großer Entdeckerfreude beschriebene Landschaft bei Auvers-sur-Oise sind auf einer erhöhten Vordergrundsbühne links und rechts Bäume vorangestellt. Ihre mit dem Bildrand übereinstimmende vertikale Betonung klingt mehrfach in der Raumtiefe nach, wohingegen das ausgebreitete Blattwerk in der oberen Bildhälfte Cézannes Scheu vor Raumleere und Himmelsweite bekundet.[2] Die von senkrechten und waagerechten Dominanten festgelegte Gesamtgliederung ergibt zusammen mit den in Größe und Neigung gleichmäßig geführten Farbstrichen ein intensiv verzahntes Gefüge, das den Bezug von Fläche und farbiger Gegenstandsbildung definiert. Statt der schnellen Improvisation der Pinselführung, wie sie im Jahrzehnt zuvor den Ton angab, überwiegt nun im Einklang mit dem Wahrgenommenen ein bedachter Duktus in schmalen, meist von rechts oben nach links unten gezogenen Strichlagen. Solche regelmäßig die Bildfläche bedeckenden Elementarstrukturen tragen auf den ersten Blick impressionistische Züge, sie sind jedoch faktisch von entgegengesetzter Natur, denn sie bestätigen das Ganze als Formzusammenhang.

1 Cézanne 1962, S. 152 f.
2 Vgl. die Aquarellstudie Rewald Nr. 80.

PROVENIENZ: Bernheim-Jeune, Paris; Paul Cassirer, Berlin; Fritz Gurlitt, Berlin; Paul Cassirer, Berlin.
BIBLIOGRAPHIE: Meier-Graefe 1918, S. 75, S. 130 Abb.; Meier-Graefe 1922, S. 75, S. 157 Abb.; Javorskaia 1935, Abb. 17; Venturi S. 133 Nr. 317, Abb.; S. Strömbom, *Nationalmusei Mästerverk*, Stockholm 1949, S. 27, S. 218 ff. Abb.; Rewald S. 105 (bei Nr. 80).
AUSSTELLUNGEN: *Cézanne till Picasso. Fransk Konst i svensk ägo*, Liljevalchs Konsthall, Stockholm 1954, Nr. 66, Abb.; Madrid 1984, Nr. 24, Abb.

27 Die Straßenbiegung   um 1881

La route tournante

Venturi Nr. 329 (1879–1882)
Ölfarben auf Leinwand, 60,5 x 73,5 cm
Museum of Fine Arts, Bequest of John T. Spaulding
(Inv. Nr. 48.525), Boston

Cézanne war von 1879 bis 1882 vorwiegend in Paris und in der ländlichen Umgebung der Stadt tätig. Von April 1879 bis März 1880 lebte er in Melun, und die Monate von Mai bis Oktober 1881 verbrachte er mit Pissarro in Pontoise. Oft reiste er auch in das knapp 40 Kilometer von Paris entfernte Médan, wo Zola seit 1878 ein Landhaus mit Garten besaß, zu dem ihm der Erfolg des Romans *L'Assomoire* verholfen hatte.

Das Bild der von einer Gartenmauer flankierten Straßenbiegung, an die sich im abschüssigen Halbrund eine Reihe verwinkelter Gehöfte anschmiegt, könnte während des Pontoise-Aufenthalts in den Sommermonaten des Jahres 1881 gemalt worden sein (vgl. Kat.-Nrn. 25, 26). Noch im September 1879 hatte Cézanne aus Melun an Zola von den Anstrengungen geschrieben, seinen Weg als Maler zu finden, und daß ihm dabei die Natur die größten Schwierigkeiten bereite.[1] Vermutlich sekundierte Pissarro in Pontoise noch einmal hilfreich bei der Bewältigung dieser Schwierigkeiten, von denen die beziehungsreich durchgestaltete Komposition freilich nichts mehr ahnen läßt.

Was in ihr besonders auffallend zum Ausdruck kommt, ist die Indifferenz des Künstlers den exakten perspektivischen Erfordernissen gegenüber. Der Maler fühlte sich in der Anschauung durch dieses Ordnungsschema beeinträchtigt, das die Impressionisten zwar eingeschränkt hatten, aber als Aufbauprinzip beibehielten und das Degas, Toulouse-Lautrec, van Gogh oder Munch sogar zu immer neuen, auf den Raum als Schauplatz zielenden Sensationen geriet. Er vermied es, sich durch derart erdachte Hilfskonstruktionen auf eine Ansicht der Dinge begrenzen zu lassen. Das linearperspektivische Kontinuum sollte vielmehr zugunsten umsichtiger An-schauungen zurechtgerückt werden. Jeder Gegenstandsbildung mußte unter einem ihr gerecht werdenden Blickwinkel gleichsam eine Lokalperspektive eingeräumt werden. Ohne vom Naturbild wesentlich abzuweichen, wurden mit wenigen Eingriffen dahin-gehende Richtig-Stellungen vorgenommen. So wurde beispielsweise der Tiefensog der Straße im Mittelgrund abrupt abgebrochen. Auch im Gewirr der Häuser läßt sich aufgrund der starken Blickwinkelverschiebungen kein perspektivischer Zusammen-hang mehr erkennen. Statt dessen wurde das Raummuster weitgehend von sich überkreuzenden senkrechten und waagerechten Achsenpositionen erschlossen.

Das Gemälde gehörte dem Kunstkritiker und Zola-Freund Théodore Duret und wurde am 19. März 1894 bei der Versteigerung von dessen Sammlung für 800 Francs veräußert. Später gelangte es in den Besitz Claude Monets, der insgesamt 13 Gemälde Cézannes besaß (vgl. Kat.-Nr. 95).[2]

---

1   Cézanne 1962, S. 172.
2   Venturi Nrn. 100, 102, 295, 336, 492, 581, 599, 680, 733, 735, 765, 794 (Kat.-Nr. 95).

PROVENIENZ: Théodore Duret, Paris; Auktion Duret, Galerie Georges Petit, Paris 19. 3. 1894, Nr. 3; Paul-César Helleu, Paris; Claude Monet, Giverny; Michel Monet, Giverny; Paul Rosenberg, Paris–New York; Wildenstein, Paris–London–New York; John T. Spaulding, Boston.
BIBLIOGRAPHIE: Rivière 1923, S. 232; Venturi S. 52, S. 136 Nr. 329, Abb.; Novotny 1937, S. 19, Abb. 33; Cogniat 1939, Abb. 36; Guerry 1950, S. 52; Cooper 1954, S. 347, S. 378 f.; Raynal 1954, S. 55 Abb.; Gowing 1956, S. 189; Andersen 1967, S. 139; Merete Bodelsen, *Early Impressionist Sales 1874–94 in the Light of some unpublished ›procès-verbaux‹*, in: The Burlington Magazine, June 1968, S. 345; Brion 1973, S. 39 Abb.; Venturi 1978, S. 82 Abb.; Cézanne 1988, S. 126 Abb.; Basel 1989, S. 302.
AUSSTELLUNGEN: New York 1928, Nr. 14; *French Painting of the Nineteenth and Twentieth Centuries*, Fogg Art Museum, Cambridge (Mass.) 1929, Nr. 5, Abb.; Chicago 1952, Nr. 42, Abb.; London 1954, Nr. 26, Abb. 3; New York 1959, Nr. 19, Abb.; Tokyo 1974, Nr. 29, Abb.

28   Der Aquädukt des Verdonkanals im Norden von
      Aix-en-Provence   um 1883
      L'Aqueduc du canal de Verdon au nord d'Aix-en-Provence
      Venturi Nr. 296 (1878–1883)
      Ölfarben auf Leinwand, 59 x 73 cm
      Privatbesitz, Schweiz

Anklingend an eine seit dem Barock übliche Kompositionsweise ist einem klar definierten Landschaftsgerüst aus Horizontalen und wenigen Vertikalen ein abschüssiger
Hang mit dem diagonal in den Raum geführten Blattwerk der Bäume vorangestellt. In
raumvermittelnden Schichten entwickelt sich die Tiefe schrittweise aus der vordergründigen Schräge zur Horizontalen eines Hintergrundes, der durch die Bogen-
architektur des langgezogenen, vom Chemin Noir aus wahrgenommenen Aqueduc des
Platanes eine vergleichbare Akzentuierung erfährt wie drei oder vier Jahre später die
Ansichten der Montagne Sainte-Victoire durch den Viadukt des Arctales.[1] Ein zu
starkes Eigengewicht der teilweise durch die Baumwipfel verstellten Himmelsweite
wird zusätzlich dadurch entkräftet, daß die Beige- und Brauntöne des Vordergrunds in
modifizierter Form auch in der Bewölkung vorkommen. Der Farbauftrag läßt wiederholt den Leinwandgrund offen und erhält damit Leichtigkeit und Transparenz.

Auch für die südlichen Landschaftsmotive bevorzugte Cézanne, der von 1883
bis 1884 vorwiegend in Aix und Umgebung malte, nun eine vor den Landstrichen
des Nordens kultivierte Pinselführung in kurzen, von rechts oben nach links unten
gesetzten Strichlagen (vgl. Kat.-Nrn. 25, 26). Im Nebeneinander der Pinselstriche hatte
er ein geradezu ideales Element der Strukturierung ausgemacht. Die in Form und
Richtung präzise miteinander abgestimmten Strichführungen traten zwischen 1875
und 1877 erstmals auf (vgl. Kat.-Nrn. 16–20), um nach 1880 vollends systematisiert zu
werden.

Cézanne berücksichtigte den Bildraum hauptsächlich im Dienst der aus den
Farben gestalteten Objekte. Der von den Impressionisten unvergleichlich nach-
empfundene zwischengegenständliche Bereich aus Atmosphäre und Licht hatte
zurückzustehen. Eine allzu starke Kontrastierung von greifbaren Details und kaum
mehr wahrnehmbaren Gegenstandsschemen hätte die Absicht, den gesamten
Bildaufbau gleich intensiv zu behandeln, zunichte gemacht. Darum wählte der Maler
eine Sicht, die sich in der Mitte bewegt und eine um ihre Eigenschaften gebrachte
Nähe mit nahgerückten Fernen korrespondieren läßt. Nur dort erschienen ihm Formen
und Farben unvermindert in ihrer Aussagekraft. Die Verteilung von Farben unter
flächenrhythmischen Gesichtspunkten war entscheidender als eine getreue Annäherung an luftperspektivische Phänomene, die bei abnehmender Lichtintensität
zunehmend Form- und Farbsubstanzen reduziert hätten.

1   Vgl. die Ansichten Venturi Nrn. 452–455, 477.

PROVENIENZ: Ambroise Vollard, Paris; Emile Hahnloser, Paris.
BIBLIOGRAPHIE: Rivière 1923, S. 219; Venturi S. 130 Nr. 296, Abb.; du 1989, S. 64 Abb.
AUSSTELLUNGEN: Basel 1936, Nr. 29; *La peinture française du XIXe siècle en Suisse*, Galerie Wildenstein,
Paris 1938, Nr. 4, Abb.; Lyon 1939, Nr. 20; London 1939, Nr. 27; *Europäische Kunst aus Berner Privatbesitz*,
Kunstmuseum, Bern 1953, Nr. 15; Aix-en-Provence 1961, Nr. 8, Abb. 5; Wien 1961, Nr. 18.

29 Die Eisenbahnbrücke bei L'Estaque   1883
    Le viaduc à L'Estaque

Venturi Nr. 402 (1882–1885)
Ölfarben auf Leinwand, 54 x 66 cm
Art Museum Ateneum, Collection Antell (Inv. Nr. AII 906),
Helsinki

Dem Südländer war nicht verborgen geblieben, daß die im Norden gewonnenen
Erkenntnisse eines luft- und lichterfüllten Augenscheins ständig an der mit atmosphärischen und jahreszeitlichen Bedingungen weniger befaßten südlichen Formen-
klarheit relativiert werden mußten. Die um 1880 fast programmatisch auf Elementar-
kontraste abhebende Bildgestaltung blieb in ihrer konstruktiven Tendenz auch in den
folgenden Jahren bestehen. Doch wandelte sie sich vom Anhaltspunkt formaler
Entschiedenheit zum Ausgangspunkt immer freierer Stilisierungen.

Nicht die technischen Errungenschaften des Eisenbahnverkehrs, sondern die
formalen Qualitäten des Architekturmotivs und seiner Einbindung in das sommerliche
Grün der Landschaft reizten Cézanne zur Gestaltung.[1] Trotz des etwas schematisierten
Bildaufbaus läßt eine genau abgewogene Balance zwischen der geneigten Schienen-
führung und den entsprechend ansteigenden Firstlinien den Eindruck objektiver Notwendigkeit aufkommen. Nähe und Weite, Oben und Unten sind farbig angeglichen
und räumlich einander nahegebracht. In folgerichtigen Brechungen markieren Grün
und Rot sowie Ockergelb und Blau die komplementären Spannweiten. Natur- und
Architekturformen sind im Wechsel von leichter Bewegung und Ruhe zur Bildeinheit
zusammengeführt.

Die Eisenbahnbrücke war wahrscheinlich nicht allzuweit entfernt von jenem
Haus des Malers in L'Estaque, von dem er am 24. Mai 1883 an Zola schrieb: »Ich werde
erst nächstes Jahr nach Paris zurückkehren; ich habe in L'Estaque ein kleines Haus mit
Garten genau oberhalb des Bahnhofs gemietet, am Fuß des Hügels, wo hinter mir die
Felsen mit den Pinien beginnen. Ich beschäftige mich immer noch mit Malerei. – Ich
habe hier sehr schöne Aussichten, doch bilden sie nicht eigentlich Motive. – Nichts-
destoweniger hat man, wenn man bei Sonnenuntergang auf die Höhen steigt, das
schöne Panorama der Bucht von Marseille und der Inseln vor sich, das gegen Abend
von einer sehr dekorativen Wirkung ist [vgl. Kat.-Nrn. 19, 22, 23].«[2]

1 Vgl. die Vorzeichnung Chappuis Nr. 790 sowie die Gebirgslandschaft mit Eisenbahnbrücke Venturi Nr. 401.
2 Cézanne 1962, S. 196.

PROVENIENZ: Ambroise Vollard, Paris; Harry Graf Kessler, Paris-Weimar; Ambroise Vollard, Paris.
BIBLIOGRAPHIE: Vollard 1914, Abb. 1; Rivière 1923, S. 209; Bernard 1925, S. 101 Abb.; Venturi S. 152
Nr. 402, Abb.; Novotny 1937, Abb. 38; Cooper 1954, S. 378 f., Abb. 16; Gowing 1956, S. 187, S. 189; Reff 1958,
S. 47; Reff 1959, S. 172; Feist 1963, Abb. 23; Chappuis S. 202 (bei Nr. 790); Wadley 1975, Frontispiz.
AUSSTELLUNGEN: Paris 1907; *Manet and the Post-Impressionists,* Grafton Galleries, London 1910–1911,
Nr. 63; Berlin 1921, Nr. 9; London 1954, Nr. 31, Abb. 4; Aix-en-Provence 1956, Nr. 24; Den Haag 1956,
Nr. 25; Zürich 1956, Nr. 44, Abb. 19; München 1956, Nr. 32, Abb.; Köln 1956, Nr. 17, Abb.; Wien 1961, Nr. 21,
Abb. 14; Lüttich 1982, Nr. 13, Abb.; Madrid 1984, Nr. 28, Abb.; Edinburgh 1990, Nr. 37, Abb.

30 Straßenbiegung in La Roche-Guyon 1885
Route tournante à La Roche-Guyon

Venturi Nr. 441 (1885)
Ölfarben auf Leinwand, 64,2 x 80 cm
Smith College Museum of Art, Purchased 1932, Northampton, Massachusetts

Vom 15. Juni bis zum 11. Juli 1885 besuchte Cézanne mit seiner Familie Renoir in dem pittoresken Ort La Roche-Guyon an der Seine bei Paris. Wie mit Pissarro, malte er auch mit Renoir mehrfach vor dem Landschaftsmotiv, so Anfang 1882 in L'Estaque und im Sommer 1889 in Aix, wo Renoir von Cézannes Schwager das Gehöft Bellevue gemietet hatte. Im Gegensatz zu Cézanne, der sich später wenig schmeichelhaft über den Kollegen äußerte, dessen Landschaften ihm nicht zusagten, da dem ehemaligen Porzellanmaler etwas »Perlmutthaftes« geblieben und seine Sicht »wattig« sei[1], bewunderte Renoir das Werk Cézannes um so mehr. Er besaß vier Gemälde von ihm, darunter die *Straßenbiegung in La Roche-Guyon*.[2] Wahrscheinlich hatte ihr Urheber das in wesentlichen Partien unvollendet gebliebene Bild, das auf der offenen Leinwand einige flüchtige Vorzeichnungen erkennen läßt, als Dank für die Gastfreundschaft bei Renoir zurückgelassen.[3] Mit raschem Pinsel ist verdünnte Farbe nur leichthin skizziert, doch es genügte für Renoir, der einmal betonte, daß Cézanne nur zwei Farbflecken auf die Leinwand zu setzen brauche, um Vollendetes zu schaffen.[4]

1   Gasquet 1930, S. 114.
2   Venturi Nrn. 135, 308, 380.
3   Paul Cézanne *fils* schrieb am 28. Dezember 1931 folgendes Zertifikat: »Tableau peint par mon père et donné à Renoir.«
4   Gasquet 1930, S. 75.

PROVENIENZ: Pierre Auguste Renoir, Cagnes; Maurice Renou, Paris; Stephan Bourgeois, New York.
BIBLIOGRAPHIE: Rewald 1936, Abb. 52; Venturi S. 160 Nr. 441, Abb.; Novotny 1938, S. 21, S. 33, S. 52, S. 208, Abb. 22; Rewald 1939, Abb. 54; Gowing 1956, S. 190; Ratcliffe 1960, S. 16; Loran 1963, S. 25, S. 27, S. 31, S. 46 Abb., S. 88, S. 105, S. 131; Venturi 1978, S. 83 Abb.; C. Lloyd, *Reflections on La Roche-Guyon and the Impressionists,* in: Gazette des Beaux-Arts, Januar 1985, Abb. 9; Charles Chetham u. a., *A Guide to the Collections, Smith College Museum of Art,* Northampton (Mass.) 1986, Nr. 85, Abb.; Rewald 1986, S. 157; Basel 1989, S. 283.
AUSSTELLUNGEN: *A Century of Progress,* Art Institute, Chicago 1933, Nr. 316, Abb.; Philadelphia 1934, Nr. 29, Abb.; *Cézanne and Gauguin,* Museum of Art, Toledo (Ohio) 1936, Nr. 24, Abb.; San Francisco 1937, Nr. 17, Abb.; New York 1942, Nr. 6, Abb.; New York 1947, Nr. 30; New York 1959, Nr. 26, Abb.; *Highlights from the Smith College Museum of Art,* IBM Gallery of Science and Art, New York 1990.

Abb. 1
La Roche-Guyon, Fotografie

31 Gardanne 1885-1886

Venturi Nr. 431 (1885-1886)
Ölfarben auf Leinwand, 92 x 74,5 cm
The Brooklyn Museum, Ella C. Woodward and A.T. White
Memorial Funds (Inv. Nr. 23.105), Brooklyn, New York

Unter den Gemälden Cézannes finden sich nur zwei Architekturmotive, die im
Hochformat ausgeführt wurden: die beiden Ansichten des Bergstädtchens Gardanne
von 1885/86[1] und Jahre später, 1898, der Blick auf die Häuser und die Kirche von
Montigny-sur-Loing[2].

In das 17 Kilometer südöstlich von Aix gelegene Gardanne hatte sich der Maler
im August 1885 zurückgezogen, um dort bis Mai 1886 zu bleiben. Zunächst nahm er
täglich den langen Weg von Aix nach Gardanne und zurück in Kauf[3], um dann doch
für den Rest der Zeit mit seiner Familie in die kleine Ortschaft überzusiedeln. Zwei
wichtige Ereignisse fallen in die Zeit in Gardanne. Einmal wurde dort am 4. April 1886
jener letzte Brief an Zola geschrieben, der nach mehr als drei Jahrzehnten den Bruch
mit dem Jugendfreund und engsten Vertrauten vollzog. Cézanne bedankte sich darin
äußerst förmlich für die Übersendung von Zolas neuestem, autobiographischem Roman
L'Œuvre, in dessen Hauptfigur, einem an sich selbst gescheiterten Künstler, er Züge des
eigenen Ichs entdecken mußte: »Mein lieber Emile! Ich erhielt soeben *L'Œuvre*, das Du
mir freundlicherweise gesandt hast. Ich danke dem Autor der *Rougon-Macquart* für
diesen gütigen Beweis seines Gedenkens und bitte ihn, mir zu gestatten, ihm in
Erinnerung an die vergangenen Jahre die Hand zu drücken. Ganz der Deine unter
dem Impuls der verflossenen Zeiten.«[4] Zum anderen konnte, nachdem der Widerstand
des achtundachtzigjährigen Vaters endlich gebrochen war, am 28. April 1886 die
Hochzeit mit Hortense Fiquet, der Mutter des 1872 geborenen Sohnes Paul, stattfinden.

Von alldem hat sich nichts in der kristallinen Klarheit der Landschaften
niedergeschlagen, die Cézanne in Gardanne und in dessen Umgebung in Angriff
genommen hatte.[5] In der bis zur hochgelegenen Kirche der Ortschaft aufgipfelnden
Komposition bewährt sich wieder einmal der bevorzugte Farbakkord aus dem zum
Purpur neigenden Rot und einem aus Blau und Gelb entwickelten Kobaltgrün, dem
ein helles Ocker vermittelnd zur Seite steht. Das nicht zu Ende gemalte Bild, das
gerade dadurch einen besonderen Reiz erhält, zeigt das bedachtsame Vorgehen des
Malers, wie er es die beiden Jahrzehnte bis zu seinem Tode beibehalten sollte.
Während das kubische Gewirk der Architekturen, die sich als ein Schutzwall um die
von der Kirche bekrönte Bergkuppe legen, schon relativ weit fortgeschritten ist,
bleiben der baumbestandene Vordergrund oder der schmale Himmelsstreifen nahezu
unbearbeitet (vgl. Kat.-Nr. 30). An diesen Stellen tritt die seit der Mitte der achtziger
Jahre übliche Skizzierung eines im Fortgang des Malprozesses verschwindenden
Bildgerüsts noch offen zutage. Mit Stiften beziehungsweise mit durch Terpentin
verdünnten Farben aufgetragen, bestand seine Aufgabe darin, die Gesamtstruktur
beziehungsreich anzudeuten und jene Schattenkontingente festzulegen, aus denen die
Gegenstandsformen farbig hervorzutreten hatten. Im Endstadium der Realisation
hätten gewiß die organischen Formationen der Bäume und der Hügellandschaft die
anorganischen, stereometrisch vereinfachten Gebäudekomplexe überboten. Die für
das Blattwerk stehenden, abgerundeten Pinselschwünge hätten gegenüber dem
flächigen Rot und Ocker der Bauten den Ton angegeben. So wie das Bild stehenblieb,
verdeutlicht es in der Flächengliederung durch senkrechte und waagerechte
Kompositionselemente eher den Vorbildcharakter, den Braque und Picasso für ihre
kubistischen Landschaftsinterpretationen nutzten.

Gemessen an den topographischen Gegebenheiten ließ Cézanne niemals den
Eindruck aufkommen, als dominiere Künstliches über Natürliches oder geometrisch

Starres über organisch Gewachsenes. Dem Sammler Victor Chocquet (vgl. Kat.-Nr. 15) gegenüber beklagte er sich am 11. Mai 1886 aus Gardanne, daß er wegen der »Serien schlechten Wetters recht wenig beschäftigt« sei. Doch dann fügte er hinzu: »Der Himmel und die unvergänglichen Dinge der Natur ziehen mich immer an und bieten mir Gelegenheit, mit Freude zu sehen … Denn Grün ist eine der heitersten und den Augen angenehmsten Farben. Zum Schlusse sage ich Ihnen, daß ich mich immer noch mit der Malerei beschäftige und daß es aus dieser Gegend, die noch keinen Darsteller gefunden hat, der den von ihr entfalteten Reichtümern gewachsen wäre, wahre Schätze heimzutragen gäbe.«[6]

1 Venturi Nr. 432; vgl. auch die Querformate Venturi Nr. 430, Rewald Nr. 248 und Chappuis Nr. 902.
2 Venturi Nr. 1531.
3 Vgl. die Briefe vom 20. und 25. August 1885 an Zola, Cézanne 1962, S. 207 f.
4 Ibid., S. 210.
5 Venturi Nrn. 430-437.
6 Cézanne 1962, S. 211 f.

PROVENIENZ: Durand-Ruel, Paris–New York; Hans Wendland, Paris; Auktion Hôtel Drouot, Paris 24. 2. 1922, Nr. 209.
BIBLIOGRAPHIE: Klingsor 1923, Abb. 28; Mack 1935, Abb. 27; Rewald 1936, Abb. 54; Venturi S. 158 Nr. 431, Abb.; Novotny 1937, S. 19, Abb.42; Novotny 1938, S. 34, S. 43, S. 46, S. 205; Dorival 1949, S. 66, Abb. XV, S. 180; Cooper 1954, S. 379; Ratcliffe 1960, S. 17; Cézanne 1962, Abb.; Leonhard 1966, S. 133; Murphy 1971, S. 126, S. 148 f. Abb.; Elgar 1974, S. 104, S. 106 Abb. 59; Schapiro 1974, Frontispiz; Rewald S. 145 (bei Nr. 248), S. 168 (bei Nr. 343).
AUSSTELLUNGEN: Philadelphia 1934, Nr. 15, Abb.; New York 1947, Nr. 31; Aix-en-Provence 1961, Nr. 10; Wien 1961, Nr. 24.

32 Das Gebirgsmassiv Sainte-Victoire von Gardanne aus gesehen 1885–1886
La montagne Sainte-Victoire vue de Gardanne

Venturi Nr. 434 (1885–1886)
Ölfarben auf Leinwand, 73,3 x 92,5 cm
Museum of Art (Inv. Nr. 87–OF–002), Yokohama

Das Thema der einsamen Landschaft, die ganz ohne die ansonsten üblichen Architekturdetails besteht, ist die Farbe als gestaltende Kraft. Die diagonal hintereinander geschichteten Farbfelder aus Orangeocker und Rosé, aus Violett und Türkisblau werden von grünen Tonlagen gestaffelt und zusammengehalten. Ihre Distanzwerte öffnen den Bildraum bis zu jenem flachen Bergrücken, der von Gardanne (vgl. Kat.-Nr. 31) oder dem Weiler Meyreuil aus gesehen kaum als das mächtige Massiv der Montagne Sainte-Victoire auszumachen ist. Ihre charakteristische Silhouette tritt von der Westseite voll in Erscheinung (vgl. Kat.-Nrn. 89–92), nicht jedoch von der hier gezeigten Südseite.

PROVENIENZ: Ambroise Vollard, Paris; Heinrich Thannhauser, München–Berlin (?); Eberhard von Bodenhausen, Berlin; Hugo Perls, Berlin; Georg Hirschland, Essen–New York; Sam Salz, New York; Auktion Sotheby Parke Bernet, New York 5. 11. 1981, Nr. 208; Ernst Beyeler, Basel.
BIBLIOGRAPHIE: Venturi S. 159 Nr. 434, Abb.; Rewald S. 168 (bei Nr. 341).
AUSSTELLUNGEN: Köln 1912, Nr. 140; New York 1947, Nr. 33; New York 1952, Nr. 6, Abb.; Aix-en-Provence 1956, Nr. 49, Abb.; Basel 1983, Nr. 21, Abb.

33 Fünf männliche Badende   um 1880
Cinq baigneurs

Venturi Nr. 389 (1879–1882)
Ölfarben auf Leinwand, 34,6 x 38,1 cm
The Detroit Institute of Arts,
Bequest of Robert H. Tannahill (Inv. Nr. 70.162), Detroit

Mit dem bislang nur im Zusammenhang der Frühzeit angesprochenen Thema der *Badenden* (vgl. Kat.-Nr. 10), das sich um die Mitte der siebziger Jahre als Sujet heraus-zukristallisieren begann, wollte Cézanne das Figurenbild als höchste Zielsetzung realisieren. Die Traditionen Giorgiones, Tizians oder Rubens' aufgreifend, beabsichtigte er, der Historie im klassischen Sinn des kunstgerechten Menschenbildes erneut eine bedeutsame Position zu errichten. Bis an sein Lebensende rang der Künstler um die Vervollkommnung einer den Menschen und die Natur vereinenden Darstellungsweise, die auch jenes Selbstverständnis menschlichen Beieinanders zu berücksichtigen in der Lage war, unter dessen Mangel er selbst so sehr gelitten hatte (vgl. Kat.-Nrn. 34, 79–83). Ohne romantische Sehnsucht nach dem Vergangenen, das die Klassizisten vergebens zu übertreffen und die Historisten weitschweifig nachzuahmen suchten, wollte Cézanne in den überlieferten Zusammenhang zurückfinden.

Die Anfänge dieser speziellen, ganz aus der Phantasie gestalteten Bildgattung, die den Pleinairmaler wieder ins Atelier führte, gehen zurück auf die Badefreuden mit den Freunden von einst an den Ufern des Arc. Seit die »Unzertrennlichen« 1858 getrennt worden waren, wurde das Erinnern an das Glückserleben der Kindheit in Aix-en-Provence zum häufig angesprochenen Thema, unter anderem im Briefwechsel zwischen Cézanne und Zola.[1] Und als um 1875 erste Fassungen badender Knaben an einem Gewässer verwirklicht wurden, waren diese durch die charakteristische Silhouette der Montagne Sainte-Victoire ausgezeichnet.[2] Mit dem Hinweis auf die Landschaft, in der sich das Badegeschehen abgespielt hatte, war einerseits der zur Darstellung führende Erlebnisbezug angesprochen; andererseits jedoch tat Cézanne alles, um ihn nur noch als fernes Ideal einer insgeheim erinnerten verlorenen Zeit im Auge zu behalten. Denn mit den *Badenden* wollte er von Anbeginn an mehr erreichen als die episodenhafte Schilderung des Erlebten. Auch der Eindruck, er habe sich durch extreme Formalismen und die gewissenhafte Unterscheidung zwischen Kompositionen mit badenden jungen Männern sowie solchen mit weiblichen Akten von erotischen Phantasien distanzieren wollen, mag täuschen. Über die Wirklichkeit hinausgreifend und doch jedem verständlich, sollte mit den *Badenden* femininer oder maskuliner Provenienz vielmehr ein säkulares Korrelat entstehen zu den mythologischen und religiösen Meisterwerken, die Cézanne in den Sammlungen des Louvre so sehr bewunderte.

Da jeder Naturalismus eine solche Zielsetzung zunichte gemacht hätte, entschloß sich der Maler, auf »Kunstfiguren« zurückzugreifen, von deren Zusammen-stellung er annahm, daß sie das Natürliche als sinnvolle Ordnung repräsentieren könnte. Und was hätte näher gelegen, als sich dazu jener zahlreichen Nach-zeichnungen zu bedienen, die seit Jahren in Paris entweder in der Académie Suisse vor dem Modell, im Louvre vor ausgewählten Originalen oder im Musée de Sculpture comparée du Trocadéro vor Nachbildungen zustande gekommen waren? Sie hatten eine normative Vertrautheit mit der Kunst der Antike, der Renaissance sowie des Barock bewirkt.[3] Der Natur bereits entfremdet, boten sie sich im einzelnen an, wirklichkeitsfernen Inhalten »einverleibt« zu werden. Dabei waren Cézanne die Vorbilder nicht Anlaß, um literarisch oder dokumentarisch rekonstruierend darauf einzugehen. Vielmehr sah er im Zitieren bestimmter Prototypen die Möglichkeit, eine tragfähige Brücke zu schlagen zwischen den bedeutungsvollen Vorstellungen der

Vergangenheit und den eigenen Ideen von Natürlichem und Idealem. Nicht zuletzt konnten die Studien darüber hinweghelfen, daß es weder in Paris, geschweige denn in Aix jemals möglich war, Modelle im Freien posieren zu lassen. »Ich habe mich immer dieser Zeichnungen bedient, sie genügen ja kaum, aber ich muß wohl in meinem Alter«, bekannte Cézanne noch 1904.[4]

Welche Mühen es allerdings kostete, aus Figuren unterschiedlichster Herkunft mit festgelegten Gesten und Positionen überzeugende Bildschöpfungen zusammen-zufügen, zeigt die zur ersten Generation der *Badenden* gehörende Komposition mit fünf männlichen Figuren. Die bis in die Spätzeit variierte Zusammenstellung (vgl. Kat.-Nrn. 79, 80)[5] läßt sich auf eine kleine, um 1875 konzipierte Bildstudie zurück-führen.[6] Die Hauptdarsteller des Bildes sind die beiden stehenden Gestalten, die recht stereotyp in allen entsprechenden Kompositionen als vertikale Hauptachsen fungieren. Der von hinten Gesehene greift, in den Proportionen etwas abgeändert und seiten-verkehrt, die Rückansicht einer antiken Marmorstatue auf, die als sogenannter *Römischer Redner* im Louvre steht.[7] Dagegen nimmt der andere mit hinter dem Kopf erhobenen Armen eine typische Modellpose ein.[8] Ihre aus dem Studium des antiken Kontraposts resultierende Statuarik prädestinierte die beiden zu kompositorischen Schwerpunktbildungen, und sie verdeutlicht zugleich, wie sehr es Cézanne um die strukturelle Darlegung des menschlichen Körpers ging und wie wenig er sich im Unterschied etwa zu Degas oder Toulouse-Lautrec um die Bewegungsabläufe und deren Analyse kümmerte. Als dritter Typus wäre ein aufrecht sitzender Akt zu nennen, der sich mit seiner Rechten aufstützt.[9] Er schließt meist die Kompositionen am linken Bildrand ab, indes weitere Gestalten, im Wasser oder an der Uferböschung hockend, das Bildganze zur Mitte hin füllen. Das zwischen Stehenden und Sitzenden alternierende, friesartige Grundmuster wurde durch zusätzliche, im Spätwerk auch bewegtere Figuren angereichert, niemals aber in seiner charakteristischen Substanz abgewandelt.

1   1858 übermittelte Cézanne dem Freund nach Paris einige diesbezügliche Verse: »Lebwohl, du schönes Baden/An lachenden Gestaden/Des Flusses ungestüm,/Der über Steine rauschte/Und den ich gern belauschte/In meinen Träumen kühn«; oder an anderer Stelle: »Zola voll Mut/Spaltet die Flut,/Schwimmt schnell daher,/Ohne Beschwer,/Mit sicherer Hand/Erreicht er den Strand«, Cézanne 1962, S. 16, S. 24; vgl. auch S. 14, S. 68.
2   *Les baigneurs au repos* Venturi Nrn. 273, 274, 276.
3   Allein nach Bildwerken der Antike existieren 63, nach Plastiken Pugets 35, nach Gemälden von Rubens 29 Zeichnungen Cézannes.
4   Bernard 1982, S. 80.
5   Vgl. die Kompositionen Venturi Nrn. 388, 390, 541, 580-582, 585, 587-591, 724, 727, 729, Rewald Nrn. 125, 130, 132, 494, 495, Chappuis Nrn. 418, 423.
6   *Les cinq baigneurs* Venturi Nr. 268.
7   Vgl. die Figurenstudien Venturi Nrn. 393, 394, Rewald Nrn. 127, 128, Chappuis Nrn. 418-430, 432, 684.
8   Vgl. die Figurenstudien Venturi Nrn. 263, 392, 395, Rewald Nrn. 119, 120, 131, 133, Chappuis Nrn. 419, 436, 437, 439-443, 1217.
9   Vgl. die Figurenstudien Venturi Nr. 260, Rewald Nr. 123, Chappuis Nrn. 418, 420-422, 425, 431-433, 684, 995.

PROVENIENZ: Ambroise Vollard, Paris; Egisto Fabbri, Florenz; Paul Guillaume, Paris; Robert H. Tannahill, Detroit.
BIBLIOGRAPHIE: Raynal 1936, S. 128 Abb.; Venturi S. 149 Nr. 389, S. 151, Abb.; Dorival 1949, S. 78, Abb. 69, S. 159; Berthold 1958, S. 39, S. 59, Abb. 44; Reff 1958, S. 46, S. 111; Chappuis 1962, S. 115; Schapiro 1968, S. 52; Cherpin 1972, S. 67; Adriani 1978, S. 342 f.; Krumrine 1980, S. 122; Adriani 1981, S. 286 f.; Shiff 1984, S. 16 f. Abb. 35, S. 191; Rewald 1986, S. 141 Abb.; Geist 1988, S. 234 f. Abb. 194; Rewald 1989, S. 25, S. 30, S. 51 Abb. 26; Krumrine 1992, S. 591 f. Abb. 15, S. 594 f.
AUSSTELLUNGEN: Venedig 1920, Nr. 12; Basel 1989, S. 168, S. 179 Abb. 146, S. 313 Nr. 31.

34 Weibliche Badende vor einem Zelt 1883–1885
Baigneuses devant la tente

Venturi Nr. 543 (1883–1885)
Ölfarben auf Leinwand, 63,5 x 81 cm
Staatsgalerie (Inv. Nr. 2550), Stuttgart

Die Porträts und Stilleben Cézannes, vor allem jedoch seine Landschaften, die den Hauptteil des Werkes ausmachen, sind meist in langwierigen Sitzungen direkt vor dem Motiv verwirklicht worden. Ganz aus der Einbildung gewonnen wurden dagegen sowohl die Figurenszenen der Frühzeit als auch die Figur und Landschaft vereinenden *Badenden* danach, die zusammen nur knapp 20 Prozent des Œuvres umfassen. Ein vorhandenes Figurenrepertoire nutzend, sind die *Badenden* einzig und allein nach den autonomen Gesetzen der Farbe, der Form und der Fläche gestaltete Kunsterfindungen (vgl. Kat.-Nrn. 33, 79–83).

In den streng nach Geschlecht geschiedenen *Badenden* konkretisierte Cézanne seine Absage an eine das Frühwerk beherrschende, verworrene Sinnlichkeit (vgl. Kat.-Nrn. 1, 2, 10–12). Den entscheidenden Schritt der Geschlechtertrennung einzig auf bürgerliche Rücksichtnahmen des Künstlers einschränken zu wollen, wäre unzutreffend; zumal die ersten von einem beziehungsreichen Gegenüber freigestellten *Badenden* zu einem Zeitpunkt in der Mitte der siebziger Jahre konzipiert wurden, als er sich diesbezüglich keinerlei Zurückhaltung auferlegte. Vielmehr ging es bei der Erschaffung dieser speziellen Bildgattung darum, konfliktbeladene, außer-ordentliche Situationen in abgeschirmte Sinnbilder einer verinnerlichten, fraglosen Sinnlichkeit zu überführen, für die Giorgione, Tizian, Poussin und Rubens seit langem die Maßstäbe gesetzt hatten. Courbet, Daumier und Manet sowie Baudelaire, Flaubert und Zola hatten dem jungen Cézanne nahegelegt, Menschen als Produkte ihrer Gegenwart in Abhängigkeit von Zivilisationsprozessen zu sehen. Dagegen suchte der für den Mythos zu spät gekommene Maler später im geistgeborenen Selbstverständnis seiner *Badenden* all das an Übereinstimmung von Idee, Dekor und Sinngehalt, von Realitäts-erfahrung und Bildvorstellung zurückzuerlangen, was den Rang hochmögender Figurenkompositionen bis zum Zeitalter Goyas ausgemacht hatte. Was Courbet in seinem die freie Malerei verkörpernden Urbild der *Badenden* (1853, Musée Fabre, Montpellier) an idealen Inhalten trivialisiert hatte und Daumier zum verspotteten

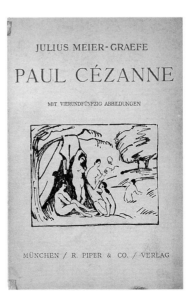

Abb. 1
Paul Cézanne,
Weibliche Badende,
1874–1875.
Metropolitan Museum
of Art, New York

Abb. 2
Einband der ersten Cézanne-
Monographie, München 1910

129

Massenbetrieb städtischer Badeanstalten werden ließ, suchte Cézanne mit der unumstößlichen Existenz seiner *Badenden* zu rehabilitieren. Hieraus bezog wiederum der phantasievollste Exponent einer neuen Künstlergeneration, nämlich Picasso, von den *Demoiselles d'Avignon* (1907, The Museum of Modern Art, New York) bis zu einem amüsant zusammengezimmerten Ensemble von Badefiguren (1956, Staatsgalerie, Stuttgart) den Rückhalt für eigene Ideen.

Innerhalb der Gattung der *Badenden,* die Cézanne zuerst in Bildreihen entwickelt und über drei Jahrzehnte fortgeführt hat, blieb die Komposition der Akte vor einem zeltartigen Aufbau singulär. Lediglich die früheste Konzeption mit weiblichen *Badenden* (Abb. 1) klingt von ferne nach; und der zu einer pyramidalen Zeltform ausgebreitete Behang ließe sich in Verbindung bringen mit der Verherrlichung des Ewigweiblichen (Kat.-Nr. 12), wo er als ironisches Hoheitszeichen für den Liebeszauber des Aktes dient (vgl. Kat.-Nr. 35).[1] Dessen sinnlicher Reiz ist den sechs, der festeren Tektonik männlicher Körper angeglichenen Akten freilich weitgehend abhanden gekommen. Ihr Bedeutungsgehalt ist unbestimmt, die Schönheit der von formalem Bemühen gezeichneten Gestaltmuster ist von fremder Natur. Zu einem Kompendium von Modellposen erstarrt, erscheinen die Körper in ihrem Naturzustand unnatürlich. Vermutlich waren es jedoch gerade die exemplarischen Stilisierungen, die Franz Marc veranlaßten, den Umschlag der ersten Cézanne gewidmeten Monographie, die, von Julius Meier-Graefe verfaßt, 1910 in München erschien, mit der Zeichnung nach einer Reproduktion des Bildes zu schmücken (Abb. 2).

Die faszinierende Künstlichkeit des bereits 1895 in der ersten Cézanne-Ausstellung bei Vollard gezeigten Ensembles beruht auf der Gesetzmäßigkeit, mit der die verschiedenen Kontexten entstammenden Einzelfiguren dem Landschaftsraum eingeordnet sind. Auch wenn Cézanne mehrfach Adressen von Modellen notiert hatte, wird der schüchterne Künstler kaum allzuoft Gelegenheit gehabt haben, nach dem Modell zu arbeiten (vgl. Kat.-Nr. 76). Hortense Fiquet, die er als Modell kennenlernte, stand ihm mitunter auch später als Modell, ebenso der heranwachsende Sohn Paul. Doch während ihrer langen Trennungszeiten entfiel diese Möglichkeit, und der Maler mußte sich, auch der kleinstädtischen Konventionen wegen, entweder an Nachzeichnungen halten oder auf Aktstudien zurückgreifen, die Jahre zuvor in der Aixer Zeichenschule und der Académie Suisse gezeichnet worden waren (vgl. Kat.-Nr. 33). Obwohl unzureichend, gaben sie zumindest Anhaltspunkte für ein artifizielles Menschenbild, das nicht zuletzt aus der Kunstgeschichte seine Anregungen bezog.[2]

1 Vgl. auch das Gemälde *Une moderne Olympia* Venturi Nr. 106.
2 Beispielsweise ist die Pose des vor dem Zelt stehenden Aktes nahezu identisch mit der des Aktes auf dem Gemälde *La toilette* Venturi Nr. 254, das auf eine Vorlage Delacroix' zurückzuführen ist. Die frühen Modellstudien Chappuis Nrn. 201-203 könnten als Anregung für die Sitzende links gedient haben.

PROVENIENZ: Ambroise Vollard, Paris; Auguste Pellerin, Paris; Paul Rosenberg, Paris; Klas Fahreus, Lidingön; Walther Halvorsen, Oslo; Ragnar Moltzau, Oslo.
BIBLIOGRAPHIE: Meier-Graefe 1904, S. 493 Abb.; Meier-Graefe 1910, S. 29 Abb.; Vollard 1914, S. 59, Abb. 30, Abb. 45, Abb. 47; Meier-Graefe 1918, S. 75, S. 113 Abb.; Meier-Graefe 1922, S. 75, S. 134 Abb.; Faure 1923, Abb. 54; Rivière 1923, S. 207; Salmon 1923, S. 32 ff. Abb. 5; Venturi 1181 Nr. 543, Abb.; Mack 1938, S. 290; Dorival 1949, S. 98, Abb. 164, S. 175; Guerry 1950, S. 112; Berthold 1958, S. 38, Abb. 37; Reff 1958, S. 111; Reff 1959 (enigma), S. 68; Vollard 1960, S. 34; Feist 1963, Abb. 26; Peter Beye, Kurt Löcher, *Katalog der Staatsgalerie Stuttgart, Neue Meister,* Stuttgart 1968, S. 40 f., Abb. 32; Elgar 1974, S. 241; Krumrine 1980, S. 118, S. 120 Abb.; Lewis 1989, S. 21 Abb.
AUSSTELLUNGEN: Paris 1895; Paris 1904; London 1925, Nr. 12, Abb.; *Exposition des grands maîtres du XIXe siècle,* Galerie Paul Rosenberg, Paris 1931, Nr. 5; Zürich 1956, Nr. 50, Abb. 25; München 1956, Nr. 37, Abb.; Basel 1989, S. 128 Abb. 92, S. 132, S. 241, S. 296, S. 314 Nr. 45.

35 Liegender weiblicher Akt   1886–1890
Femme nue couchée

Venturi Nr. 551 (1886–1890)
Ölfarben auf Leinwand (auf Karton aufgezogen), 44 x 62 cm
Von der Heydt-Museum (Inv. Nr. G 1143), Wuppertal

Das unvollendet gebliebene Gemälde zeigt zwei divergierende Bildentwürfe. Auf die Leinwandgröße ausgerichtet, fällt zunächst der auf einem blauen Diwan ausgestreckte Akt ins Auge, dessen Körperformen in aufreizender Blöße unter einer skizzenhaft angedeuteten Vorhangdraperie ins Bild gesetzt sind (vgl. Kat.-Nrn. 12, 34). Der Kopf der blondgelockten jungen Frau ist nach links geneigt und folgt ihrem erhobenen rechten Arm. In dieser Richtung erkennen wir zwei Birnen auf einem weißen Tuch. Die Position der Früchte wird deutlicher, wenn man das Bild um 180 Grad dreht.

Verfolgt man die Genese des Aktes, dann stößt man in Cézannes Frühwerk auf die Bildskizze eines Aktes mit Spiegel, die den Gesamtaufbau sowie die Körperhaltung vorgibt.[1] Auch auf einer Zeichnung der späten siebziger Jahre ist die Wiedergabe des diesmal mit einem Champagnerglas in der Rechten ausgestatteten Aktes nahezu identisch mit der Position auf dem Wuppertaler Bild. Ein weiteres Studienblatt zeigt schließlich die nackte Frau konfrontiert mit dem Kopf eines Schwans.[2] Die beiden wohl nach einer unbekannten Vorlage angefertigten Zeichnungen dienten als Studien für ein Gemälde mit Leda, der Geliebten des Zeus, der in Gestalt eines Schwans recht zupackend seinen Wünschen Ausdruck verleiht (Abb. 1). Man geht kaum fehl in der Annahme, daß auch die im Bildausschnitt etwas erweiterte Wuppertaler Fassung anfangs, das heißt vor der teilweisen Übermalung der Szene durch das Stilleben-rudiment, die Begegnung des Göttervaters mit seiner Geliebten schilderte. So könnte man die Biegung des Schwanenhalses im Faltenwurf des Tuches vermuten, wobei dessen roter Streifen, der auch das Tischtuch auf anderen Stilleben auszeichnet (Kat.-Nrn. 53, 58), den Schwung der Flügel aufgenommen hätte.[3]

Die beiden Bildteile haben kaum etwas miteinander zu tun.[4] Wie bereits an einem anderen Beispiel erläutert (Kat.-Nr. 3), handelt es sich um zwei unvereinbare Vorhaben, wobei der Aufbau beziehungsweise die Fortführung des in den Anfängen steckengebliebenen Stillebens und unklar ist. Die kaum kaschierten Schnittstellen der Leinwand legen die Vermutung nahe, daß die Bildecke mit dem Stilleben einmal herausgeschnitten wurde, um später dem ursprünglichen Kontext wieder hinzugeführt zu werden (vgl. Kat.-Nr. 60).

Abb. 1
Paul Cézanne, *Leda und der Schwan*, 1886.
The Barnes Foundation, Merion

1 *Femme au miroir* Venturi Nr. 111.
2 Chappuis Nrn. 483, 484.
3 In den nur bedingt verläßlichen Cézanne-Erinnerungen des Pariser Kunsthändlers Ambroise Vollard ist die Rede davon, daß bereits 1868 »nach einer Gravur« eine *Leda mit dem Schwan* entstand. »Die Idee zu dieser Komposition kam ihm durch das berühmte Bild Courbets *La femme au perroquet (Die Frau mit dem Papagei)*. Als Cézanne dieses Bild sah, rief er aus: ›Und ich werde eine *Frau mit dem Schwan* machen!‹ Eine andere nackte Frau, in derselben Stellung, aber ohne den Vogel und weniger archaisch in der Form, malte er zehn Jahre später für eine Illustration von *Nana*«, Vollard 1960, S. 20.
4 Die Früchte mit der erotischen Gestalt als »geplantes Ganzes« in Verbindung zu bringen, wie es Schapiro 1982, S. 24, tut, überzeugt nicht.

PROVENIENZ: Ambroise Vollard, Paris; Heinrich Thannhauser, München–Berlin–Luzern; Eduard von der Heydt, Ascona.
BIBLIOGRAPHIE: Vollard 1914, S. 31, Abb. 5; Ors 1936, Abb. 48; Venturi S. 183 Nr. 551, Abb.; Reff 1958, S. 115; Loran 1963, S. 58; Theodore Reff, *Cézanne and Hercules,* in: The Art Bulletin, XLVIII, 1, März 1966, S. 35; Schapiro 1968, S. 39 f., S. 45 Abb. 14, S. 51; Andersen 1970, S. 161; Chappuis S. 147 (bei Nr. 483); Sutton 1974, S. 103 Abb.; Geist 1975, S. 16; Adriani 1978, S. 340; Krumrine 1980, S. 177; Arrouye 1982, S. 63 Abb.
AUSSTELLUNGEN: *Les maîtres du siècle passé,* Galerie Paul Rosenberg, Paris 1922, Nr. 8; Berlin 1927, Nr. 19, Abb.; *Vom Abbild zum Sinnbild,* Städelsches Kunstinstitut, Frankfurt/Main 1931, Nr. 22; *Frauenbildnisse und Frauenbilder des XIX. und XX. Jahrhunderts,* Kunstmuseum, Luzern 1937, Nr. 16; Tokyo 1974, Nr. 37, Abb.; *Von Marées bis Picasso. Meisterwerke aus dem Von der Heydt-Museum Wuppertal,* Monte Verità, Ascona 1986 – Kunstmuseum, Bern 1986, S. 46 f. Abb.

36 Selbstbildnis vor türkis-grünem Hintergrund   um 1885
Portrait de l'artiste au fond turquoise-vert

Venturi Nr. 1519 (1883–1887)
Ölfarben auf Leinwand, 55,1 x 46,4 cm
The Carnegie Museum of Art, Acquired through the Generosity
of the Sarah Mellon Scaife Family, 1968 (Inv. Nr. 68.11), Pittsburgh

Die Identität des hinter der Lehne eines Polstersessels(?) stehenden Mannes war lange nicht geklärt. Venturi sprach deshalb, ohne sich festzulegen, von einem *Portrait d'homme*. Erst später konnte nachgewiesen werden, daß es sich um ein Selbstbildnis Cézannes handelt, das er um 1885 nach einer Fotografie von 1872 konzipiert hatte.[1] Unter den in Venturis Werkkatalog aufgeführten 24 Selbstporträts[2] findet sich keines, das ihn in dieser Haltung halbfigurig und frontal gesehen wiedergibt. Mit einer Ausnahme, die den Maler mit der Palette in der Hand vor der Staffelei posieren läßt[3], sind es ausschließlich Brustbildnisse, die den Kopf in unterschiedlichen Drehungen dem Betrachter zugewandt zeigen (vgl. Kat.-Nrn. 13, 67).

Der Rückgriff auf die Porträtaufnahme mag eine gewisse Diskrepanz erklären, die zwischen der Größe des Kopfes und dem eher schmächtigen Körper besteht. Dennoch ist die Gestalt in ihrer Axialität von monumentaler Wirkung. Der starkfarbene, nur von wenigen Tonwerten angereicherte Fond läßt in seiner Neutralität die zurückgenommene Haltung

Abb. 1
Paul Cézanne,
Fotografie 1872

voll zur Wirkung kommen, erlaubt jedoch keine weiteren Rückschlüsse auf den Dargestellten, dessen tiefliegendes Augenpaar den Betrachter fixiert. Allein die Hände sind noch nicht über das mit schwarzem Stift skizzierte und dann mit deckendem Weiß übermalte Anfangsstadium hinausgediehen.

1   Novotny 1938, S. 101 Abb. 48, Abb. 49. Schon Anfang der sechziger Jahre malte Cézanne sein erstes Selbstbildnis, Venturi Nr. 18, nach einer Fotovorlage; vermutlich brachte er nicht die Geduld auf, allzulange vor dem Spiegel zu posieren.
2   Venturi Nrn. 18, 21, 23, 81, 280, 284, 286 (Kat.-Nr. 13)-290, 365-368, 371, 372, 514-518, 578, 579 (Kat.-Nr. 67), 693.
3   Venturi Nr. 516.

PROVENIENZ: Bernheim-Jeune, Paris; Gottfried Tanner, Zürich; Rudolf Staechelin, Basel; Wildenstein, Paris-London-New York.
BIBLIOGRAPHIE: Raynal 1936, Abb. 73; Venturi S. 331 Nr. 1519, Abb.; Novotny 1938, S. 101, Abb. 48; Brion 1973, S. 78 Abb.; *Catalogue of Paintings Collection, Museum of Art, Carnegie Institute*, Pittsburgh 1973, S. 36 f., Abb. 46; Rewald 1989, S. 290, S. 298 f. Abb. 150.
AUSSTELLUNGEN: New York 1916; *Französische Meister des XIX. Jahrhunderts und van Gogh*, Kunsthalle, Bern 1934, Nr. 5; *Sammlung Rudolf Staechelin*, Kunstmuseum, Basel 1956, Nr. 22, Abb.; *Impressionisten*, Galerie Beyeler, Basel 1967, Nr. 3, Abb.; Lüttich 1982, Nr. 17, Abb.

37   Hortense Fiquet in gestreiftem Kleid   1883-1885
Hortense Fiquet en robe rayée

Venturi Nr. 229 (1872-1877)
Ölfarben auf Leinwand, 56,8 x 47 cm
Museum of Art (Inv. Nr. 87-OF-001), Yokohama

Die jugendlich anmutenden Gesichtszüge der Frau des Künstlers könnten Venturi recht geben, der das Porträt in die siebziger Jahre datiert (vgl. Kat.-Nr. 14). Sowohl die feine Differenzierung des Farbauftrages als auch die klare Formbestimmung des im Dreiviertelprofil nach links gewandten Brustbildnisses sprechen jedoch gegen eine solche frühe Entstehungszeit und legen ein Datum nahe, das etwa zehn Jahre später sein dürfte (vgl. Kat.-Nrn. 38-44). Den Tönen des Inkarnats vor einem türkisgrauen Hintergrund gibt der klassische Zusammenklang aus Schwarz, Weiß und Purpurrot jene Prägnanz, die am ehesten von spanischen Barockporträts vorgegeben war.[1]

1   Das kleine Porträt, Venturi Nr. 228, zeigt Hortense Fiquet ebenfalls in dunkel gestreiftem Kleid vor einer roten Sessellehne.

PROVENIENZ: Ambroise Vollard, Paris; John Quinn, New York; Cornelius J. Sullivan, New York; Auktion Sullivan, Parke-Bernet, New York 6.-7. 12. 1939, Nr. 181; Walter P. Chrysler, Provincetown; Auktion Sotheby's, London 1. 7. 1959, Nr. 14; Ernst Beyeler, Basel; G. David Thompson, Pittsburgh; Wildenstein, Paris-London-New York; Algur H. Meadows, Dallas; Auktion Sotheby's, London 2. 12. 1986, Nr. 34.
BIBLIOGRAPHIE: Vollard 1914, S. 59, Abb. 39; Faure 1923, Abb. 12; Rivière 1923, S. 123 Abb.; Bernard 1925, S. 124 Abb.; Faure 1926, Abb. 12; Pfister 1927, Abb. 35; Venturi S. 116 Nr. 229, Abb.; Vollard 1960, S. 34; Feist 1963, Abb. 13; Brion 1973, S. 27 ff. Abb.; Chappuis S. 154 (bei Nr. 520), S. 195 (bei Nr. 736), S. 200 (bei Nr. 774); Philadelphia 1983, S. 32; Rewald 1989, S. 130, S. 133, S. 165, S. 173, S. 192, S. 198, S. 212, Abb. XI, S. 263, S. 306, S. 317, S. 327.
AUSSTELLUNGEN: Paris 1895; *Salon d'Automne*, Paris 1905, Nr. 323; *Armory Show*, New York-Chicago-Boston 1913, Nr. 580; *Impressionist and Post-Impressionist Paintings*, Metropolitan Museum of Art, New York 1921, Nr. 7, Abb.; New York 1928, Nr. 24; New York 1929, Nr. 5, Abb.; *La femme*, Galerie Beyeler, Basel 1960, Nr. 2, Abb.; *Faces from the World of Impressionism*, Wildenstein Galleries, New York 1972, Nr. 17, Abb.; Tokyo 1974, Nr. 33, Abb.; *Dallas collects. Impressionist and Early Modern Masters*, Museum of Fine Arts, Dallas 1978, Nr. 19, Abb.

38　Madame Cézanne in blauer Jacke　um 1886
Madame Cézanne en bleu

Venturi Nr. 529 (1885–1887)
Ölfarben auf Leinwand, 73,6 x 61 cm
The Museum of Fine Arts, The Robert Lee Blaffer
Memorial Collection, Houston

Die meisten Porträts Cézannes, insbesondere diejenigen seiner Frau Hortense (vgl.
Kat.-Nrn. 14, 37, 39–44), sind in gewissem Sinne Selbstbildnisse, da in sie manches von
der eigenen Gestimmtheit eingeflossen ist. Gleichgültig, ob es nahe Verwandte,
Freunde oder Personen sind, die ihm als gerade greifbare Modelle gedient haben,
tragen nahezu alle seine Bildnisse etwas von der Verschlossenheit, dem Verlangen
nach Distanz, dem Ernst und der Einsamkeit des Künstlers in sich. Als zusätzliche
Reflektoren des eigenen Menschentums bleiben die Dargestellten Fremde, denen man
nicht zu nahe treten sollte. Aus der persönlichen Situation heraus geprägt, scheinen sie
exemplarisch ebenso die Lage des allein auf sich verwiesenen Individuums in Betracht
zu ziehen. Weder in Blicken noch in Gesten ausladend, sind Cézannes Bildnisse –
bis zum Blicklosen – nach innen gerichtet. Gerade dieser Konzentration entspricht
die Festigkeit des Bildaufbaus und die Monumentalität der Formbehandlung. Um
nicht mißverstanden zu werden, seine Porträts sind nicht aufgrund ihres Formats
monumental, sie sind es aufgrund einer geistigen Haltung, der mittels der aus der
Farbe gestalteten Formen Ausdruck verliehen wird. Ohne auf irgendwelche Reprä-
sentationsformeln zurückzugreifen, gelang es dem Porträtisten, den in regloser
Zuständlichkeit verharrenden Porträtierten Würde zu verleihen.
　　Spannung und Bewegung werden weder auf der physiognomischen noch auf
der psychologischen Ebene ausgetragen, sondern auf einer farbigen und formalen. So
wird die vermeintlich starre Frontalität der vor einer halbgeöffneten Tür (?) sitzenden
Hortense lediglich durch die leichte Linksneigung der senkrecht von oben durch
die Mitte des Gesichts und über die Jackenblende hinwegreichenden Bildachse
spannungsvoll konterkariert. Oder es wird der orthogonalen Zeichnung der Türfüllung
ganz bewußt der Formenreichtum links im Hintergrund entgegengehalten, der auf das
Ornament der Tapete sowie auf das geschwungene Seitenteil jenes Buffets zurückzuführen ist, das bereits Mitte der siebziger Jahre als Ablage für ein Stilleben benötigt
worden war.[1] Zwischen diese Gegensätze ist der Kopf plaziert. Sein Inkarnat steht
vermittelnd zwischen der kühlen Helligkeit eines auffallend strahlenden Blau und
dem warmen Dunkel der Tapete sowie des Meublements. Die statuarische Strenge des
schwer gebauten Körpers enthielt sich der Hände, um Organisches mit Stereo-
metrischem auf einfachste Weise zu verbinden.

1　*Le buffet* Venturi Nr. 208.

PROVENIENZ: Ambroise Vollard, Paris; Walther Halvorsen, Oslo; Heinrich Thannhauser, München-
Berlin-Luzern; Etienne Bignou, Paris; Knoedler, New York.
BIBLIOGRAPHIE: Ors 1936, Abb. 4; Venturi S. 58, S. 178 Nr. 529, Abb.; Philadelphia 1983, S. 20 Abb.;
Kirsch 1987, S. 24; Cézanne 1988, S. 77 Abb.
AUSSTELLUNGEN: Leicester Gallery, London 1925; Berlin 1927, Nr. 23, Abb.; Knoedler Galleries, New
York 1930, Nr. 2, Abb.; Knoedler Galleries, New York 1931; Fine Arts Society, Wilmington 1931; Institute of
Arts, Detroit 1931, Nr. 16; Lyon 1939, Nr. 31, Abb.; Paris 1939, Nr. 14; Chicago 1952, Nr. 67, Abb.; Washington
1971, Nr. 11, Abb.; Lüttich 1982, Nr. 18, Abb.

39   Madame Cézanne   um 1886

Venturi Nr. 528 (1885–1887)
Ölfarben auf Leinwand, 100,1 x 81,3 cm
The Detroit Institute of Arts,
Bequest of Robert H. Tannahill (Inv. Nr. 70.160), Detroit

Die prägnanten farbigen und formalen Gegensätze im vorigen Porträt (Kat.-Nr. 38) sind in diesem zurückgenommen. Über den Oberkörper hinaus ist der Bildausschnitt nun größer gewählt, so daß die gefalteten Hände sowie der Beinansatz mit ins Bild kommen. Ähnlich dagegen sind der einfache Habitus, die etwas geneigte Haltung sowie das Alter der 1850 geborenen Frau des Künstlers. Vergleichbar ist zudem die Räumlichkeit mit der von Tropfenformen gemusterten, olivfarbenen Tapete und dem kleinen Rotakzent an der Bodenleiste. Statt mit dem Buffet schließt das Bild links mit einer Vorhangdraperie ab, vor die das Modell diesmal gesetzt wurde.

Obwohl die farbige Gestaltung in den feinen Nuancierungen eine grundsätzlich andere ist und eine enge Verzahnung von Figur und Fläche durch die von einem temperamentvollen Pinselstrich geführten Farbbezüge erreicht wurde, sprechen doch die genannten Berührungspunkte für ein etwa gleichzeitiges Entstehen beider Bildnisse. Das Faktum, daß auf einem um 1891 gemalten Bild eines Rauchers (Eremitage, Sankt Petersburg) die nur nachlässig an die Mauer gepinnte Leinwand in angeschnittener Form als Hintergrundstaffage verwandt wurde, reicht als Argument für eine spätere Datierung des Porträts nicht aus. Wahrscheinlich war die immer wieder hinausgezögerte Eheschließung mit Hortense Fiquet am 28. April 1886 in Aix-en-Provence ein Grund dafür, daß die langjährige Lebensgefährtin in der zweiten Hälfte der achtziger Jahre wieder vermehrt in ihrem eigentlichen Metier als Modell zur Verfügung stand und der Maler auch regen Gebrauch davon machte (vgl. Kat.-Nrn. 38, 40–44).

In seinen 1926 notierten *Cézanne-Gedanken* kam Robert Walser auf die Tatsache zu sprechen, daß dem Künstler die formalen Fragestellungen und Entscheidungen weit wichtiger waren als die inhaltlichen: »Man wolle die Sonderbarkeit im Auge behalten, daß er seine Frau so ansah, als wäre sie eine Frucht auf dem Tischtuch gewesen. Für ihn waren die Umrisse, die Konturen seiner Frau genau dasselbe höchst Einfache, mithin wieder Komplizierte, was sie ihm bei den Blumen, Gläsern, Tellern, Messern, Gabeln, Tischtüchern, Früchten und Kaffeetassen und -kannen gewesen sein werden. Ein Stück Butter war für ihn ebenso bedeutungsvoll wie das zarte Sichabheben, das er am Gewand seiner Frau wahrnahm. Ich bin mir hier unvollständiger Ausdrucksart bewußt, möchte aber der Meinung sein, man verstehe mich trotzdem oder vielleicht, um solcher Unausgearbeitetheit willen, worin Lichteffekte schimmern, sogar noch besser, tiefer, obwohl ich selbstverständlich prinzipiell Flüchtigkeiten beanstande ... Man wird die Behauptung aufzustellen das Recht haben, daß er den ausgedehntesten, an Unermüdlichkeit grenzenden Gebrauch von der Gelenkigkeit und Willfährigkeit seiner Hände machte.«[1]

1 *Das Tor zur Moderne. Paul Cézanne in Schweizer Sammlungen*, in: du, 9, September 1989, S. 56.

PROVENIENZ: Ambroise Vollard, Paris; Auguste Pellerin, Paris; Barnes Foundation, Merion; Etienne Bignou, Paris; Knoedler, New York; Robert H. Tannahill, Detroit.
BIBLIOGRAPHIE: Vollard 1914, Abb. 45; Rivière 1923, S. 229; Javorskaia 1935, Abb. 25; Venturi S. 58, S. 178 Nr. 528, S. 213, Abb.; Barnes, Mazia 1939, S. 79 ff., S. 414; New York 1977, S. 18 f. Abb.; Philadelphia 1983, S. X; Shiff 1984, S. 191, S. 193 Abb. 41, S. 212 Abb. 51; *100 Masterworks from the Detroit Institute of Arts*, New York 1985, S. 122 f. Abb.; Kirsch 1987, S. 24; Cézanne 1988, S. 93 Abb.; Rewald 1989, S. 263.
AUSSTELLUNGEN: Paris 1904, Nr. 3; *A Nineteenth Century Selection of French Paintings*, Galerie Bignou, New York 1935, Nr. 2, Abb.; *Chefs-d'œuvre des Musées des Etats-Unis de Giorgione à Picasso*, Musée Marmottan, Paris 1976, Abb. 27.

40 Madame Cézanne 1886–1887

Venturi Nr. 521 (um 1885)
Ölfarben auf Leinwand, 46,8 x 38,9 cm
Philadelphia Museum of Art: The Samuel S. White, 3rd, and Vera White
Collection (Inv. Nr. 67–30–17), Philadelphia

Henri Matisse war unter den Künstlern des 20. Jahrhunderts gewiß der größte Bewunderer Cézannes. Er besaß fünf seiner Gemälde und acht Landschaftsaquarelle[1], wobei das bei Ambroise Vollard erstandene Porträt am ehesten für die malerische Freizügigkeit und die dekorative Formvereinfachung stehen mag, die Matisse an Cézannes Werk so sehr respektierte. Dem Willen, das Motiv ganz dem Geist des Bildes anzumessen, entsprachen sowohl Cézanne als auch Matisse durch die niemals vom Gegenstand abgelöste Konstruktion aus der reinen Farbe. Beide suchten sie den Einklang des Daseins mit der vollkommenen Klarheit des Bewußtseins.

Gegenüber den zuvor gemalten Bildnissen (vgl. Kat.-Nrn. 14, 37–39) haben sich die Gesichtszüge der Dargestellten verhärtet, sie sind kantiger gezeichnet.[2] Um dem ins Dreiviertelprofil gewandten Kopf eine größere Plastizität zu verleihen, wurde der zunächst in regelmäßigen Pinselstrichen angelegte Hintergrund überlagert von intensiven Blau- und Türkishöhungen. Über dem reich differenzierten Schwarz des in sich durch Kreissegmente gemusterten Gewandes ist links wahrscheinlich das Ende einer Stuhllehne zu erkennen, das der abfallenden Schulter Halt verleiht.

1 Venturi Nrn. 381, 530, 613, 786, Rewald Nrn. 256, 316, 323, 334, 340, 415, 416, 541.
2 Vgl. das frontal gesehene Bildnis Venturi Nr. 520.

PROVENIENZ: Ambroise Vollard, Paris; Henri Matisse, Nizza; Paul Rosenberg, Paris; Reid & Lefevre, London; Samuel S. White, Ardmore.
BIBLIOGRAPHIE: Gasquet 1930, Abb.; Rewald 1936, Abb. 58; Venturi S. 58, S. 176 Nr. 521, Abb.; Novotny 1937, Abb. 57; Rewald 1939, Abb. 60; Dorival 1949, S. 70, Abb. 109, S. 166; Guerry 1950, S. 95; Raynal 1954, S. 72 Abb.; Ratcliffe 1960, S. 17; Vollard 1960, Abb. 6; Leonhard 1966, S. 120 Abb.; Murphy 1971, S. 98; Chappuis S. 207 (bei Nr. 827); Elgar 1974, S. 105; New York 1977, S. 58; Adriani 1978, S. 324; Venturi 1978, S. 105 Abb.; Cézanne 1988, S. 168 Abb.; Basel 1989, S. 303.
AUSSTELLUNGEN: *Les maîtres du siècle passé*, Galerie Paul Rosenberg, Paris 1922, Nr. 12; *Loan Exhibition of Masterpieces of French Art of the 19th Century*, Thomas Agnew Galleries, Manchester 1923, Nr. 13; New York 1928, Nr. 23; Philadelphia 1934, Nr. 44; New York 1942, Nr. 13, Abb.; New York 1947, Nr. 37, Abb.; *Masterpieces of Philadelphia private Collections*, Museum of Art, Philadelphia 1947, Nr. 23; Chicago 1952, Nr. 44, Abb.; Philadelphia 1983, S. XIV, S. 26, S. 28 f. Nr. 13, Abb.

41　Madame Cézanne in rotem Kleid　1888–1890
Madame Cézanne en rouge

Venturi Nr. 570 (1890–1894)
Ölfarben auf Leinwand, 116,5 x 89,5 cm
The Metropolitan Museum of Art, The Mr. and Mrs. Henry Ittleson Jr.
Purchase Fund, 1962 (Inv. Nr. 62.45), New York

Einen prachtvollen Höhepunkt im Schaffen Cézannes ergeben die in der Tübinger
Ausstellung erstmals zusammen gezeigten drei Porträts der Frau des Künstlers in
rotem Kleid (Kat.-Nrn. 42, 43). Die Bildnisse, von denen jedes für sich genommen von
hohem Aussagewert ist, sind ungeachtet der verschiedenen Blickwinkel aus einem
Geiste innerhalb der relativ kurzen Zeitspanne zwischen 1888 und dem Frühjahr 1890
entstanden. Eine moderne Sicht ist geneigt, die Reihenfolge von der aufwendigen
Inszenierung des New Yorker Porträts zur weitgehend reduzierten Fassung in São
Paulo (Kat.-Nr. 43) festzulegen, wobei die Halbfigur in Chicago einem Zwischenstadium
gleichkäme (Kat.-Nr. 42). Jedoch könnte Cézanne auch umgekehrt vorgegangen sein:
von der monumentalen Erprobung allein der Figur bis zu deren Einbindung in ein auf
sie zugeschnittenes Ambiente. Auch wenn das Nacheinander beziehungsweise
Nebeneinander der Entstehung im einzelnen nicht erhellt werden kann, erlauben
äußere Umstände zumindest eine ziemlich genaue zeitliche Eingrenzung. 1888 bezog
Cézanne mit seiner Familie in Paris eine gutbürgerliche Wohnung im vierten Stock
des Hauses 15, Quai d'Anjou auf der Ile Saint-Louis. Offensichtlich konnte sich der
Künstler, der nach dem Tode des Vaters im Oktober 1886 ein beachtliches Vermögen
geerbt hatte, nun einen etwas aufwendigeren Lebensstil leisten. Kennzeichnend für
dieses Appartement, das bis zur Übersiedlung in die Avenue d'Orléans im Frühjahr
1890 bewohnt wurde, waren sowohl ein großer Spiegel über dem Kamin, der dessen
Gesims etwas überragte, als auch eine blaugetönte Wand, die ein dunkler Streifen
Bordeauxrot von einer hellen Sockelzone abhob.

Vor dieser spezifischen Wand (vgl. Kat.-Nrn. 42, 45) posierte Madame Cézanne
also zwischen 1888 und 1890 für das durch seine Größe, seine Ausstattung, das Dekor
und die Farbwahl repräsentativste Porträt, das der Künstler je konzipiert hatte.
Kaminfassung, Feuerzangen und Spiegelecke am linken Bildrand erhalten rechts ihr
Pendant durch einen üppig dekorierten Vorhang, den Cézanne seit 1888 auch für
einige andere besonders wirkungsvoll gestaltete Porträts sowie in der Spätzeit für
mehrere Stilleben als pompöse Staffage einsetzte (vgl. Kat.-Nr. 88).[1] Die rahmenden
Vertikalen bilden die stabilen Gegengewichte zu den schiefen Ebenen, denen die
Dargestellte ausgesetzt erscheint. Ihrer nach rechts geneigten Haltung folgen die
hohe Stuhllehne, vor allem jedoch der Wandsockel mit der abschließenden Leiste und
dem breiten weinroten Streifen. Wie sich die bildkonformen Senkrechten und
Waagerechten des Spiegels und des Kamins tatsächlich zur schräg in den Raum
geführten Wand verhalten, bleibt ungeklärt.

Aber derartige von perspektivischen Sehgewohnheiten bestimmte Fragen stellen
sich eigentlich nicht angesichts einer von Goldgelb hinterfangenen purpurroten
Gestalt, die auf hinreißende Weise mit Blau ins Spiel gebracht wird. Sie erübrigen sich
auch im Hinblick darauf, daß das Vertraute kaum jemals derart unvertraut zur
Darstellung gekommen ist. Denn je geläufiger Cézanne ein Modell war, um so weniger
suchte er es zu charakterisieren. In den zahlreichen Bildnissen der Hortense (vgl.
Kat.-Nrn. 14, 37–40, 42–44) wird seine Scheu, ein Gesicht durch physiognomische
Details auszuprägen, eklatant. Stets das Bildganze im Blick, schien es ihm unlogisch,
ihren Augen- und Mundpartien mehr Interesse entgegenzubringen als einem Arm
oder einem Stuhl, der von ähnlicher Aussagekraft sein konnte wie der darauf ruhende
Körper. Die Geltung der Porträtierten teilte sich dem Maler übereinstimmend in der

lethargischen Verhaltenheit der Haltung, in den Proportionen, in der Kleidung oder der in die Hand gedrückten Rose mit. Jede psychologische Regung hätte der Physiognomie ein Zuviel an Bewegung mitgegeben, hätte enthüllt statt verhüllt und das Oval des Kopfes zu Unrecht weniger hermetisch erscheinen lassen als andere Gegenstandsformen. Darum beschränkte Cézanne die Individualität des von ihm enorm geforderten Modells, dem die Geduld zum oft mühsamen Erdulden einmal eingenommener Positionen wurde.

In der Tat gibt es bei aller Offenheit der Gestaltungen keine verschlosseneren Bildnisse, bei aller Blicklosigkeit keine bedachtsameren Geschöpfe als diejenigen, die Cézanne für seine Bildideen in Anspruch nahm. Jede Aktivität im Sinne eines neugierigen Schauens ist ihnen von der Einsicht in die Relativität derartigen Tuns genommen. Einziger Beweggrund der auf sich verwiesenen, unnahbaren Individuen ist ein in sich gekehrtes Dasein. Rilke, der das vorliegende Porträt 1907 in der Pariser Gedächtnisausstellung für den im Jahr zuvor verstorbenen Cézanne gewiß wahrgenommen hatte, nannte es die »unbegrenzte, alle Einmischungen in eine fremde Einheit ablehnende Sachlichkeit, die den Leuten die Porträts Cézannes so anstößig und komisch macht«. Und in einem früheren Brief hatte er diesbezüglich seiner Frau berichtet: »Du mußt nur, einen Sonntag etwa, die Leute durch die beiden Säle gehen sehen, belustigt, ironisch, gereizt, geärgert, empört. Und wenn es zu abschließenden Worten kommt, dann stehen sie da, diese Monsieurs, mitten in dieser Welt, mit einer pathetischen Verzweiflung, und man hört sie feststellen: il n'y a absolument rien, rien, rien. Und wie schön die Damen sich dünken im Vorübergehen; es fällt ihnen ein, daß sie sich eben noch beim Eintreten in den Glastüren gesehen haben, mit völliger Befriedigung, und im Bewußtsein ihres Spiegelbildes stellen sie sich, ohne hinzusehen, einen Moment neben eines von den rührend versuchten Bildnissen der Madame Cézanne, um die Abscheulichkeit dieser Malerei zu einem für sie selber so äußerst günstigen (wie sie meinen) Vergleich auszunutzen. Und dem Alten in Aix erzählte einer, er wäre ›berühmt‹. Der aber wußte es besser in sich und ließ reden.«[2]

1   Vgl. die Porträts und Stilleben Venturi Nrn. 552, 679, 682, 697, 703, 731-734, 736, 738, 741 (Kat.-Nr. 88), 742, 745, 747.
2   Rilke 1977, S. 33, S. 30.

PROVENIENZ: Ambroise Vollard, Paris; Bernheim-Jeune, Paris; Auguste Pellerin, Paris; Jean-Victor Pellerin, Paris; Henry Ittleson, New York.
BIBLIOGRAPHIE: Meier-Graefe 1918, S. 167 Abb.; Coquiot 1919, S. 238, Abb.; Meier-Graefe 1922, S. 201 Abb.; Rivière 1923, S. 216; Fry 1927, S. 65 f. Abb. 34; Rivière 1933, S. 111 Abb., S. 139; Mack 1935, Abb. 17; Huyghe 1936, S. 44, Abb. 28; Raynal 1936, S. 102, S. 146, Abb. 70; Venturi S. 188 Nr. 570, Abb.; Novotny 1937, S. 8, Abb. 63; Novotny 1938, S. 87; Barnes, Mazia 1939, S. 217 Abb., S. 373; Cogniat 1939, Abb. 87; Guerry 1950, S. 35, S. 67, S. 76, Abb. 20, S. 97, S. 103, S. 106, S. 110 f., S. 116, S. 171 ff.; Badt 1956, S. 117; Ratcliffe 1960, S. 18; Loran 1963, S. 85, S. 91; Charles Sterling, Margaretta M. Salinger, *French Paintings. A Catalogue of the Collection of the Metropolitan Museum of Art*, New York 1966, S. 109 ff. Abb.; Andersen 1970, S. 43; Rewald 1975, S. 164, S. 166; New York 1977, S. 77 Abb.; Paris 1978, S. 19 Abb., S. 22; Rewald S. 26, S. 157 (bei Nr. 296), S. 174 (bei Nr. 375); Rewald 1986, S. 269; Kirsch 1987, S. 24; Cézanne 1988, S. 171 Abb.; London 1988, S. 65.
AUSSTELLUNGEN: Paris 1907, Nr. 18; Berlin 1909, Nr. 10; Paris 1936, Nr. 76.

42   Madame Cézanne auf gelbem Lehnstuhl   1888–1890
Madame Cézanne au fauteuil jaune

Venturi Nr. 572 (1890–1894)
Ölfarben auf Leinwand, 81 x 64,9 cm
The Art Institute of Chicago, Wilson L. Mead Fund (Inv. Nr. 48.54), Chicago

Vor der eher türkisfarbenen als blauen Wand ist der gelbgemusterte Lehnstuhl etwas
nach rechts gedreht, so daß sich die Sicht auf die Dargestellte verändert (vgl. Kat.-Nrn.
41, 43). Ihr in einem maskenhaften Antlitz ruhender Blick ist am Betrachter vorbei starr
in die Ferne gerichtet. Das elementare Zusammenwirken der flachen Raumebenen mit
den ovalen Komplexen, die sich aus der Stellung der Arme und der gefalteten Hände
sowie aus der Kopfform ergeben, verleiht dem Porträt eine Aura unerschütterlicher
Festigkeit und Dichte. Der allein der kühlen Präzision der Farbformen ausgesetzte
Mensch steht gleichsam für einen natürlichen und geistigen Organismus. Die
kompakte Körperlichkeit der Gestalt ist, auf die Fläche gebannt, ganz der puristischen
Strenge der Bildgestalt anheimgestellt. Eine durch die Haltung verursachte leichte
Schräge der Bildachse wird dadurch zurechtgerückt, daß das Gesims und der dunkle
Wandstreifen links um etliches höher angesetzt sind als rechts (vgl. Kat.-Nrn. 41, 45).

In einer Malweise, die die Kontraste härter gegeneinandersetzt, realisierte
Cézanne einige Zeit danach eine Replik des Porträts in gleichem Format (Abb. 1).
Warum er dies tat, ist unbekannt und blieb ein Vorgang, der sich in seinem Schaffen
nicht wiederholte.

PROVENIENZ: Ambroise Vollard, Paris; Bernheim-Jeune, Paris; Paul Rosenberg, Paris; Alphonse Kann,
Saint-Germain-en-Laye; Heinrich Thannhauser, München–Berlin–Luzern.
BIBLIOGRAPHIE: Vollard 1914, Abb. 46; Meier-Graefe 1918, S. 166 Abb.; Meier-Graefe 1922, S. 200 Abb.;
Salmon 1923, Abb. 10; Pfister 1927, Abb. 74; Javorskaia 1935, Abb. 16; Ors 1936, Abb. 5; Venturi S. 189 Nr.
572, Abb.; Novotny 1938, S. 78; Barnes, Mazia 1939, S. 262 Abb., S. 373; Cogniat 1939, Abb. 73; Dorival
1949, Abb. 113, S. 166; Théodore Rousseau, *Cézanne as an Old Master*, in: Art News, 51, 2, April 1952, S. 31
Abb.; *Paintings in the Art Institute of Chicago*, Chicago 1961, S. 73, S. 326 Abb.; Loran 1963, S. 85, S. 91;
Andersen 1970, S. 43; Elderfield 1971, S. 52 f. Abb.; Murphy 1971, S. 55, S. 105 Abb.; Elgar 1974, S. 128, S. 148,
S. 153, S. 158; Hülsewig 1981, S. 54, S. 61, Abb. 16; Rewald S. 174 (bei Nr. 375); Rewald 1986, S. 269;
Kirsch 1987, S. 23; Cézanne 1988, S. 170 Abb.
AUSSTELLUNGEN: New York 1928, Nr. 19; *Exposition des grands maîtres du XIXe siècle*, Galerie Paul
Rosenberg, Paris 1931, Nr. 7; Paris 1936, Nr. 75; Paris 1939 (Rosenberg), Nr. 26, Abb.; Chicago 1952, Nr. 70,
Abb.; Washington 1971, Nr. 23, Abb.

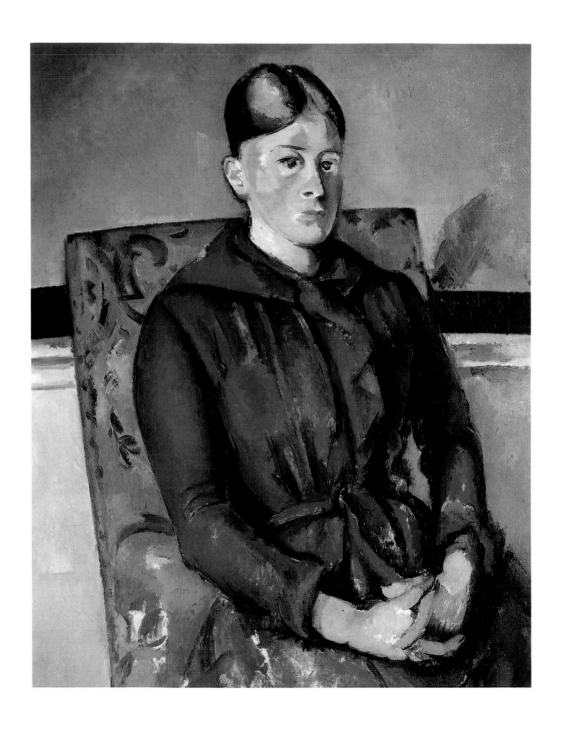

Abb. 1
Paul Cézanne, *Madame Cézanne auf gelbem Lehnstuhl*, 1893–1895. Privatbesitz,
New York, © Photo Christie's, New York

43 Madame Cézanne in rotem Kleid   1888–1890
Madame Cézanne en rouge
Venturi Nr. 573 (1890–1894)
Ölfarben auf Leinwand, 89 x 70 cm
Museu de Arte de São Paulo

Die Frau des Künstlers ist vor einen homogenen Grund gesetzt, als ob sie auf eine Leinwand projiziert wäre. Alles Anekdotische ist ihr genommen. In der leichten Neigung des Körpers und der kantig strengen Bezeichnung des Faltenwurfs kommt eine fast archaische Gelassenheit zum Ausdruck, die durch die Lage der apathisch herabhängenden Arme und den ovalen Zuschnitt des Hauptes noch hervorgehoben wird. Die durchaus vorhandene Poesie des Bildes, die sich in der Andeutung der Blüten erfüllen mag, ist das Ergebnis eines einsamen Zwiegesprächs, das weniger zwischen Mann und Frau stattfand als vielmehr zwischen dem Maler und seinem Gegenstand.

Obwohl die Wand des Hintergrundes nicht näher spezifiziert ist, kann man davon ausgehen, daß auch dieses Porträt der *Madame Cézanne in rotem Kleid* in unmittelbarem Zusammenhang mit den bereits genannten Fassungen (Kat.-Nrn. 41, 42) in der Pariser Wohnung, 15, Quai d'Anjou, zwischen 1888 und 1890 ausgeführt worden ist. Der völlig autonome Charakter der Wiedergabe und die Sorgfalt der Ausarbeitung führen die Annahme ad absurdum, es handele sich lediglich um eine Studie für das große New Yorker Bild.

PROVENIENZ: Ambroise Vollard, Paris; Bernheim-Jeune, Paris; Paul Cassirer, Berlin; Alfred Flechtheim, Berlin; Etienne Bignou, Paris; Paul Guillaume, Paris; Mrs. W. A. Clark, New York.
BIBLIOGRAPHIE: Venturi S. 189 Nr. 573, Abb.; Barnes, Mazia 1939, S. 251 Abb., S. 381; Andersen 1970, S. 38 Abb. 34, S. 43; Brion 1973, S. 50 Abb.; Elgar 1974, S. 157 Abb. 92; Krumrine 1980, S. 121.
AUSSTELLUNGEN: Köln 1912, Nr. 145; Berlin 1921, Nr. 22, Abb.; *Impressionisten*, Galerie Paul Cassirer, Berlin 1925, Nr. 10; *A Century of French Painting*, Knoedler Galleries, New York 1928, Nr. 27; Paris 1936, Nr. 84; New York 1947, Nr. 50; Tokyo 1986, Nr. 31, Abb.; Ettore Camesasca, *Trésors du Musée de São Paulo*, Fondation Pierre Gianadda, Martigny 1988, S. 96 ff. Abb.

44   Madame Cézanne mit offenem Haar   1890–1892
      Madame Cézanne aux cheveux dénoués

Venturi Nr. 527 (1883–1887)
Ölfarben auf Leinwand, 61,9 x 50,8 cm
Philadelphia Museum of Art, The Henry P. McIlhenny Collection
in Memory of Frances P. McIlhenny
(Inv. Nr. 1986-026-001), Philadelphia

Anfang der neunziger Jahre endete das Interesse, das Cézanne seit 1869 seiner
Lebensgefährtin als Modell entgegengebracht hatte (vgl. Kat.-Nrn. 14, 37–43). Mit dem
Brustbildnis kam die Reihe der kunstvoll angelegten Porträts der Hortense Fiquet zu
einem schlichten Abschluß, der jedoch zugleich die Richtung wies für die kraftvolle
Genügsamkeit der späten Bildnisformen. Noch einmal verlieh der Maler ihr das
an die gelassenen Gesichter Piero della Francescas gemahnende Maß von Würde
und Ergebenheit in das Unabdingbare, das sämtliche Hinweise auf besondere
Eigenschaften oder bestimmte Wesensmerkmale unberücksichtigt ließ. Ein solch hoher
Abstraktionsgrad gab keinen Raum für psychologische Indiskretionen, geschweige
denn für Interpretationen, wie sie die herausragende Persönlichkeit, die zur selben Zeit
und in letzter Konsequenz von Toulouse-Lautrec im Star entdeckt wurde, beansprucht
hätte. Die Nüchternheit der Cézanneschen Bildorganisation knüpfte direkt an eine von
den Clouets bis zu Ingres reichende französische Porträtistentradition an und nahm
das an einfachster Wiedergabe plastischer Formelemente vorweg, was schließlich
Modigliani oder Brancusi äußerst geschmackvoll dogmatisierten.[1]
       Das von dunkelblonden Locken umfangene Oval des Gesichts ist auf der
kahlen Wand an die Schattenform einer Mauerecke angelehnt, die von oben das
Haupt tangiert, aber nach unten wohlweislich keine Fortsetzung bis zur Schulter findet.
Denn die weichen Kurvenschwünge der an dieser Stelle etwas übermalten Haare
beziehungsweise der Gesichtszüge durften in keiner Weise beeinträchtigt werden.
Die grauen Streifen des Kleides (vgl. Kat.-Nr. 37) laufen auf ein zur Seite geneigtes
Antlitz zu, dessen melancholischer Ausdruck und von keinem Lidschlag animierter
Blick durch kräftige Rothöhungen belebt wird. Auch neben dem Anspruch ihrer
Vorgängerinnen (vgl. Kat.-Nrn. 41–43) hat diese Darstellung gerade durch ihre
Gemessenheit und die farbige Zurückhaltung Bestand.

---

1   Von Chaim Soutine ist eine etwas mißverständliche Äußerung Modiglianis überliefert, der sich seit 1907
     nachhaltig mit Cézannes Bildnissen befaßte: »Die Gesichter Cézannes haben, wie die schönen Statuen
     der Antike, keinen Blick. Die meinen dagegen blicken. Sie blicken selbst dann, wenn ich meinte, keine
     Pupillen malen zu sollen; aber wie die Gesichter Cézannes drücken sie nichts als eine stumme Überein-
     stimmung mit dem Leben aus«, *Amedeo Modigliani,* Kunstsammlung Nordrhein-Westfalen, Düsseldorf
     1991 – Kunsthaus Zürich 1991, S. 27.

     PROVENIENZ: Ambroise Vollard, Paris; Walther Halvorsen, Oslo; Gottlieb Friedrich Reber,
     Barmen–Lausanne; Paul Rosenberg, Paris; Samuel Courtauld, London; Paul Rosenberg, New York; Henry
     P. McIlhenny, Philadelphia.
     BIBLIOGRAPHIE: Vollard 1914, Abb. 46; Meier-Graefe 1918, Abb.; Meier-Graefe 1922, S. 129 Abb.; Rivière
     1923, S. 201; Pfister 1927, Abb. 72; Venturi S. 178 Nr. 527, Abb.; Novotny 1937, Abb. 48; Barnes, Mazia 1939,
     S. 412; Cogniat 1939, Abb. 67; Dorival 1949, Abb. 111, S. 166; Guerry 1950, S. 95 f., S. 102 f.; Andersen 1970,
     S. 92; Brion 1973, S. 46; Schapiro 1974, S. 58 f. Abb.; New York 1977, S. 76 Abb.; Paris 1978, S. 18 Abb.;
     Hülsewig 1981, S. 61, Abb. 21; Kirsch 1987, S. 23; Joseph J. Rishel, *The Henry P. McIlhenny Collection,*
     Philadelphia 1987, S. 42 Abb.; Cézanne 1988, S. 169 Abb.; London 1988, S. 30 f.; Basel 1989, S. 258;
     Kosinski 1991, S. 521.
     AUSSTELLUNGEN: Paris 1904, Nr. 3; *Modern French Art,* School of Design, Rhode Island 1930; *Quelques
     œuvres importantes de Manet à van Gogh,* Galerie Durand-Ruel, Paris 1932, Nr. 5; Philadelphia 1934, Nr.
     13; Paris 1936, Nr. 58; *Masterpieces of Philadelphia private Collections,* Museum of Art, Philadelphia 1947,
     Nr. 21; *The Henry McIlhenny Collection,* The California Palace of the Legion of Honor, San Francisco 1962,
     Nr. 1, Abb.; Philadelphia 1983, S. XVI, S. 26, S. 32 Nr. 15, Abb.; Madrid 1984, Nr. 48, Abb.

45   Der Knabe mit der roten Weste   1888–1890
Le garçon au gilet rouge

Venturi Nr. 681 (1890–1895)
Ölfarben auf Leinwand, 80 x 64,5 cm
Stiftung Sammlung E. G. Bührle, Zürich

Mit dem berühmten Bild *Der Knabe mit der roten Weste*, dessen Popularität seiner
Bedeutung und vollendeten Anmut nichts anzuhaben vermag, leistete Cézanne den
wohl schönsten Beitrag zur europäischen Porträtkunst. Schon wenige Jahre nach der
Fertigstellung wurde es 1895 in der ersten Cézanne-Ausstellung in der Pariser Galerie
des Kunsthändlers Vollard gezeigt und von dem tonangebenden Kritiker Gustave
Geffroy in der Zeitschrift ›La Vie Artistique‹ als ein Werk gewürdigt, das »dem Vergleich
mit den schönsten Figurenbildern in der Malerei standhalten könne«. Hinsichtlich
der Datierung kommt erneut der Blick auf ein Ambiente zugute, das einen Ausschnitt
jener Wand zeigt, die mit der hell getäfelten Sockelszene, dem Gesims, der bordeaux-
roten Einfassung und dem blauen Anstrich darüber in Verbindung gebracht werden
kann mit dem von 1888 bis zum Frühjahr 1890 bewohnten Pariser Domizil, 15, Quai
d'Anjou (vgl. Kat.-Nrn. 41, 42). Es war jene Wohnung, wo der Porträtist in einer äußerst
produktiven Arbeitsphase eine ganze Reihe herausragender Werke schuf.

Als Modell für das an die zarte Besonnenheit italienischer Frührenaissance-
Porträts anklingende Bild saß ein junger Italiener namens Michelangelo di Rosa im
Habit eines Bauern der römischen Campagna; ein dunkler Wandbehang sowie ein
oben nur angeschnitten erkennbares Landschaftsbild dienten als dekoratives Beiwerk.
Auf insgesamt vier Gemälden und zwei Aquarellen wurde der Jüngling mit seinem
schulterlangen Haar und der rot-gelben Weste in verschiedenen Posen verewigt.[1]
Bislang hatte Cézanne nur Familienmitglieder oder Freunde porträtiert. Da sich seine
finanzielle Situation nach dem Tod des Vaters 1886 erheblich verbessert hatte, konnte
er es sich nun leisten, über einen längeren Zeitraum hinweg ein Berufsmodell zu
mieten. Dabei fällt auf, daß der Maler für die in den neunziger Jahren mehrfach
variierte melancholische Pose einer nachdenklich in sich versunkenen Gestalt, die
nach dem damals populären Muster von Dürers *Melencolia* den Kopf mit der Hand
aufstützt, stets Modelle herangezogen hat (vgl. Kat.-Nr. 77, Abb. 1).[2]

Daß es Cézanne weder um die Charakterisierung eines hübschen
Knabengesichts noch um die Schilderung seiner folkloristischen Kleidung ging,
sondern ausschließlich um das phänomenale Vorkommen der Farben, die mit jeder
Pinselsetzung in ihre Form einzuwilligen scheinen, stellte schon Max Liebermann fest.
Als jemand den zu lang geratenen Arm monierte, gab der Berliner Maler lakonisch zu
bedenken, daß ein so schön gemalter Arm gar nicht lang genug sein könne! Die
Entscheidung für seine schwer auf dem Leder der Überziehhose lagernde Länge,
deren spontanes Weiß von Frans Hals nicht treffender hätte gemalt werden können,
war notwendig, um der dem Rund des Rückens folgenden Haltung Stabilität zu
verleihen. Wie durch die Linse einer Kamera betrachtet, sind die scheinbar verzerrten
Maßverhältnisse und abrupten Größenunterschiede jedoch objektiv richtig gesehen.
Ein durchdacht geordnetes Gefüge sich überschneidender Diagonalen ist Ergebnis
einer ungemein scharfen Beobachtungsgabe. Die Passivität des verträumten Jungen
widerlegt ein präzis abgestimmtes Kolorit von vitaler Spannkraft. Bei verhaltener
Stimmungslage wird die Farbe um das Karminrot des Bildkerns mit hellem Ultramarin,
mit Ocker oder einem tiefen Moosgrün glanzvoll zum Leuchten gebracht. Die Pinselschrift setzt fein Gezeichnetes unbekümmert neben breitflächige Farbformen und
gerät dennoch niemals aus einem behutsam erkundeten Gleichgewicht. Eine
Harmonie aus Ratio und Intuition bestimmt die in sich ausgewogene Komposition.

154

1 Es handelt sich um die in der Wohnung gemalten Bildnisse Venturi Nrn. 680, 682, 683 sowie um die möglicherweise im Freien vor grünem Blattwerk entstandenen Aquarelle Rewald Nrn. 375, 376.
2 Vgl. auch die Bildnisse *Fumeur accoudé* Venturi Nrn. 684, 686.

PROVENIENZ: Marczell de Nemes, Budapest; Auktion de Nemes, Galerie Manzi-Joyant, Paris 18. 7. 1913, Nr. 90; Gottlieb Friedrich Reber, Barmen–Lausanne.
BIBLIOGRAPHIE: Meier-Graefe 1904, Abb. 496; Meier-Graefe 1918, S. 75 Abb.; Meier-Graefe 1922, S. 75, S. 215 Abb.; Faure 1923, Abb. 9; Rivière 1923, S. 216, S. 236; Pfister 1927, Abb.; Ors 1930, S. 72, S. 75, Abb. 14; Rivière 1933, S. 79 Abb.; Venturi S. 61 f., S. 211 Nr. 681, S. 276, Abb.; Novotny 1938, S. 77, S. 87, S. 98, S. 126, Abb. 47; Cogniat 1939, Abb. 83; Dorival 1949, S. 71 f., S. 84, Abb. 115, S. 167; Guerry 1950, S. 138, S. 201; Schmidt 1952, S. 28; Cooper 1954, S. 380; Raynal 1954, S. 94 Abb.; Badt 1956, S. 246; Neumeyer 1958, S. 48; Reff 1958, S. 26; *Sammlung Emil G. Bührle*, Zürich 1958, S. 132, S. 231 Abb.; Ratcliffe 1960, S. 22; Reff 1962, S. 117; Feist 1963, Abb. 60; Lichtenstein 1964, S. 60; Murphy 1971, S. 99 f.; Brion 1973, S. 54 Abb.; Chappuis S. 212 (bei Nr. 871); Elgar 1974, S. 134 Abb. 79; Wadley 1975, S. 53, Abb. 46; New York 1977, S. 15, S. 17; Venturi 1978, S. 120 Abb., S. 123 Abb.; Adriani 1981, S. 282; Hülsewig 1981, S. 55 f., Abb. 17; Rewald S. 174 (bei Nr. 375); Rewald 1986, S. 269; *Stiftung Sammlung E. G. Bührle*, Zürich 1986, S. 148 f. Abb.; Cézanne 1988, S. 183 Abb.; du 1989, S. 44 Abb.; Kosinski 1991, S. 521.
AUSSTELLUNGEN: Paris 1895; Berlin 1909, Nr. 38 (?); *Collection Marczell de Nemes*, Musée des Beaux-Arts, Budapest 1911 – Städtische Kunsthalle, Düsseldorf 1912, Nr. 117, Abb.; Berlin 1921, Nr. 31, Abb.; Berlin 1927, Nr. 22, Abb.; Paris 1929, Nr. 34, Abb.; Paris 1939 (Rosenberg), Nr. 30, Abb.; Chicago 1952, Nr. 75, Abb.; Aix-en-Provence 1956, Nr. 51, Abb.; Den Haag 1956, Nr. 38, Abb.; Zürich 1956, Nr. 70, Abb. 32; *Chefs-d'œuvre des collections suisses de Monet à Picasso*, Musée de l'Orangerie, Paris 1967, Nr. 92; *Meisterwerke der Sammlung Emil G. Bührle, Zürich*, National Gallery of Art, Washington 1990 – Museum of Fine Arts, Montreal – Museum of Art, Yokohama – Royal Academy of Arts, London 1991, Nr. 41, Abb.

46 Berge in der Provence 1886–1890
Montagnes en Provence

Venturi Nr. 491 (1886–1890)
Ölfarben auf Leinwand, 63,5 x 79,4 cm
The Trustees of the National Gallery (Inv. Nr. 4136), London

Das Verständnis für die geologischen Besonderheiten seiner Heimat war Cézanne von Antoine Fortuné Marion nahegebracht worden (vgl. Kat.-Nr. 4). Zusammen mit dem angehenden Naturwissenschaftler und dilettierenden Malerfreund erkundete er zwischen 1865 und 1868 die Gegenden um Aix-en-Provence. Gewiß hat das Einfühlungsvermögen des Künstlers in die Natur und deren geologische Voraussetzungen mit derartigen Jugenderfahrungen zu tun. Er hätte sonst kaum die steile Felsformation am Wegrand mit dem Ausblick auf einen sonnengebleichten Landstrich der Provence derart überzeugend realisieren können.

Das früheste jener Steinbruchmotive, die erst in der Spätzeit zum eigentlichen Thema werden sollten, gibt nichts als eine von einigen Bäumen und Büschen bewachsene Felsenböschung wieder. Der Weg, die Parallelogramme der Felder, die Berge und die dunstige Leere des Himmels sind lediglich kompositionell bedingtes Beiwerk, um die aus der Landschaft gemeißelten Gesteinslagen zur Geltung zu bringen. Die Vielfalt der in Umbra, Rotbraun oder Grauviolett geformten, von Licht und Schatten dramatisch zerklüfteten Steinblöcke steht in auffallendem Gegensatz zu einer wenig differenzierten Wegführung im Vordergrund und zum weichen Rund der Bergrücken dahinter. Eine dem Menschen nutzbar gemachte, sanfte Natur ist abgehoben von einem nach eigenen Gesetzen strukturierten Urgrund aus kristallin gebrochenen Felskomplexen.

Es fehlt jeder menschliche Maßstab, der auf die tatsächlichen Höhen und Weiten schließen ließe. Auf all die Stimmungswerte, die eine in die Tiefe sich erstreckende Raumflucht mit sich gebracht hätte, wurde zugunsten einer von den Gesetzen der Perspektive meist nur geringfügig tangierten Flächenstruktur verzichtet. Bis in die äußerste Ferne dieser Landschaft tritt keine Abnahme der Deutlichkeit, keine Verringerung der plastischen Konsistenz auf. Ja, ein identisches Dunkelgrau bildet geradezu eine Klammer zwischen unten und oben, zwischen vorne und hinten. Das augenfällige Zusammenrücken von nah und fern könnte auf die starren Perspektiven zurückzuführen sein, welche die Landschaftsfotografie den bildenden Künstlern eröffnet hatte. Cézanne übernahm vereinzelt die dem Auge entgegengesetzte Optik, korrigierte sie aber, indem er das Naheliegende in größere Distanz zu seinem Standort brachte und teilweise in einem unwirklichen, oft auch unfertigen Schwebezustand beließ. Dazu korrespondierte eine Verringerung der Größenunterschiede, so daß Objekte des Vordergrunds im Verhältnis zu denen des Mittel- und Hintergrunds kleiner erscheinen und solche in der Ferne, wie das Gebäude, in bezug auf die Distanz zu groß anmuten.

PROVENIENZ: Leicester Galleries, London; Courtauld Fund, London.
BIBLIOGRAPHIE: Fry 1927, S. 60, Abb. 28; Venturi S. 53, S. 170 Nr. 491, Abb.; Novotny 1938, S. 105; Cooper 1954, S. 379; Raynal 1954, S. 82 Abb., S. 108; Cooper 1956, S. 449; Gowing 1956, S. 190; Martin Davies, *National Gallery Catalogues. French School, early 19th Century, Impressionists, Post-Impressionists,* London 1970, S. 18 f.; Schapiro 1974, S. 14, S. 78 f. Abb.; Wadley 1975, S. 47 Abb. 39; New York 1977, S. 23; Cézanne 1988, S. 55, S. 147 Abb.; Erpel 1988, Abb.
AUSSTELLUNGEN: Leicester Gallery, London 1925, Nr. 11; *19th Century French Paintings,* National Gallery, London 1942–1943, Nr. 36; *Samuel Courtauld Memorial Exhibition,* Tate Gallery, London 1948, Nr. 9; London 1954, Nr. 38, Abb. 5; *Impressionnistes de la collection Courtauld de Londres,* Musée de l'Orangerie, Paris 1955, Nr. 38.

47 Ebene in der Provence   1886–1890
    Plaine provençale

Venturi Nr. 302 (1878–1883)
Ölfarben auf Leinwand, 58,5 x 81 cm
Privatbesitz

Die meist von hoher Warte wahrgenommenen Landschaftsräume Cézannes sind tabu
für den Menschen, nichts geht in ihnen vor. Sie sind Blicken geöffnet, die keine
Identifikation mehr mit solchen Figurenstaffagen erhalten, wie sie vom Barock bis zum
Impressionismus jenen den Sinnen und Gefühlen dienstbar gemachten Landschafts-
ausschnitten lebensnah zur Seite standen. Selbst die eingebrachten Architekturen
geben in ihrer Funktion als bildstabilisierende Faktoren nur selten Identifizierungs-
möglichkeiten. Der solchermaßen zur Passivität gezwungene Betrachter erfährt die von
allem Geselligen entleerten Landschaften aus seinem Wissen, nicht aus dem Erleben.
Obwohl ein Helldunkel existiert, bleiben dessen Wirkungen allgemein. Es sind keine
Lichtquellen und als Beleuchtung wirksame Lichtbahnen auszumachen. Die Tages-
und Jahreszeiten sind unbestimmt, und die Ferne ist ohne Anflug romantischer
Verlockung. Lichtdurchflutet, aber ohne die von einer gleißenden Sonne herrührenden
Glanzlichter und harten Schlagschatten liegt die zwischen Hügelketten hingestreckte
Ebene in mittäglich lautloser Verlassenheit.
    Zur Belebung einer von der Sonne erwärmten Farbigkeit tragen sowohl das
Grün der windschiefen Kiefer als auch die rote Geometrie einiger Dachformen bei.
Von den zurückhaltenden Landschaftsfarben vorwiegend mittlerer Helligkeitswerte
sticht die Farbintensität des Baumes recht unvermittelt ab. Seine Reichweite hält das
Gleichgewicht zu den fernen Weiten der bebauten Ebene. Das Kolorit des einen ist
jeweils mit dem des anderen durchsetzt. Unter Verzicht auf Fluchtlinienkonvergenzen
überschneiden sich die in parallel verlaufenden »Plänen« geordneten Bildgegenstände
zur Tiefe hin.
    Venturis Datierung von 1878 bis 1883 hält einer genaueren Überprüfung nicht
stand. Denn Motiv, Farbwahl, Pinselführung und Kompositionsweise rücken die
Ebene in der Provence in unmittelbare Nachbarschaft zu der vorangegangenen
Berglandschaft (Kat.-Nr. 46), die der zweiten Hälfte der achtziger Jahre entstammen
dürfte. Ja, man könnte in der Annahme soweit gehen, die Landschaft als direkte
Fortführung der vorigen zu sehen, wobei der nahezu identische dunkle Bergrücken im
Hintergrund das Bindeglied darstellen würde.

PROVENIENZ: Ambroise Vollard, Paris; Arthur Hahnloser, Winterthur.
BIBLIOGRAPHIE: Venturi S. 131 Nr. 302, Abb.; Reff 1958, S. 79; Reff 1959, S. 172; Chappuis S. 199
(bei Nr. 765).
AUSSTELLUNGEN: *Französische Malerei*, Museum, Winterthur 1916; *La peinture française du XIXème
siècle en Suisse*, Musée des Beaux Arts, Paris 1938, Nr. 5; *Hauptwerke der Sammlung Hahnloser*, Museum,
Luzern 1940, Nr. 31; Zürich 1956, Nr. 33; München 1956, Nr. 24, Abb.; Madrid 1984, Nr. 21, Abb.

48   Haus mit rotem Dach. Das Anwesen Jas de Bouffan   um 1887
      Maison au toit rouge. Le Jas de Bouffan

Venturi Nr. 468 (1885–1887)
Ölfarben auf Leinwand, 73,5 x 92,5 cm
Privatbesitz

Zu den großartigen Landschaftskompositionen des zur Reife gelangten Werks zählt
gewiß die Ansicht des Hauptgebäudes und der Zufahrt im Park des Jas de Bouffan
(vgl. Kat.-Nrn. 17, 20, 49). Cézanne, dessen Arbeit in den letzten beiden Jahrzehnten
seines Lebens allein durch das »zähe Wissen um sein Genie«[1] motiviert war, konnte
1887, als er den Großteil des Jahres in Aix-en-Provence verbrachte, ganz aus der
Souveränität und Freiheit seines Könnens schöpfen. Sein differenzierter Sinn für den
Einsatz der malerischen Mittel sowie die bedachte Anwendung subtiler Farbmodulationen kommen in der Wiedergabe des barocken Herrenhauses, in dem einst der
Gouverneur der Provence residierte, voll zur Geltung. Wie durch das von links
einfallende Sonnenlicht Schattenbahnen gegen strahlende Lichtstreifen zur Tiefe
abgestuft sind, wie schwerere Formkomplexe gegen leichte und Volumina gegen die
Fläche gesetzt sind, das läßt sich kaum überzeugender austarieren. Nur selten sind
starre und lebendige Bildelemente, sind architektonischer Zusammenhalt und üppiges
Wachstum derart in Einklang gebracht worden. Und alles gewinnt seine Fülle aus
einem Kolorit, dessen herausragendes Ziegelrot eingebettet ist in das Grün des
Baumschlags und dessen Himmelsblau absticht von einem lichten Ocker, zu dem sich
die Erde mit dem Gebäude vereint hat. Ohne nur im geringsten die Großzügigkeit der
Formzusammenhänge aus dem Auge zu verlieren, kam eine um feinabgestufte
Zwischentöne bereicherte Farbskala zum Einsatz.
    Obwohl jede Formbeschreibung Cézannes einen Schritt hin zur farbigen
Einbindung in harmonikale Zusammenhänge bedeutete und er die perspektivischen
Gegebenheiten mitunter rigoros einer zweidimensionalen Ausgewogenheit anglich,
sind seine Ansichten stets von großer Abbildtreue (Abb. 1). Das erstaunlich
bewegungsreiche Spannungsverhältnis der Farbpartien sowie der Massen- und

Abb. 1
Jas de Bouffan,
Fotografie um 1940

161

Raumverflechtungen bannte die Gefahr einer schematisierenden Verselbständigung der in der ersten Hälfte der achtziger Jahre entwickelten, orthogonalen Achsensysteme. Der Festigkeit klar umrissener Formkombinationen wurde eine Flexibilität hinzugewonnen, die ganz aus einer naturgemäßen Notwendigkeit heraus in kräftiger Pinselschrift Bildfläche und Raumtiefe beziehungsweise Licht- und Schattenzonen ungezwungen einander nahebrachte und dabei selbst die Schieflage der Architektur in Kauf nahm (vgl. Kat.-Nr. 49).

Das heute völlig zugebaute Anwesen Jas de Bouffan, das Cézannes Vater 1859 als Landsitz vor den Toren von Aix erworben hatte und das nach dem Tode der Mutter im November 1899 verkauft werden mußte, um das Erbe zwischen den Geschwistern aufteilen zu können, war vier Jahrzehnte lang das eigentliche Zuhause des Künstlers. Mit diesem Bild setzte er ihm sein schönstes Denkmal.

1 Zola charakterisierte so die mit den Zügen Cézannes versehene Hauptfigur seines Romans *L'Œuvre*, Emile Zola, *Das Werk*, München 1976, S. 376.

PROVENIENZ: Ambroise Vollard, Paris; Paul Cassirer, Berlin; Margarete Oppenheim, Berlin; Paul Cassirer, Berlin; Georg Hirschland, Essen-New York.
BIBLIOGRAPHIE: Meier-Graefe 1918, S. 128 Abb.; Meier-Graefe 1922, S. 156 Abb.; Venturi S. 166 Nr. 468, Abb.; Loran 1963, S. 28, S. 51 Abb., S. 105; Rewald 1986, S. 173 Abb.
AUSSTELLUNGEN: Berlin 1909, Nr. 15; *XIII. Jahrgang, VIII. Ausstellung,* Galerie Paul Cassirer, Berlin 1910-1911, Nr. 2; *XVI. Jahrgang, II. Ausstellung,* Galerie Paul Cassirer, Berlin 1913, Nr. 31; Berlin 1921, Nr. 14 Abb.; *Impressionisten,* Galerie Paul Cassirer, Berlin 1925, Nr. 6; Chicago 1952, Nr. 57, Abb.; New York 1959, Nr. 32, Abb.

49   Haupt- und Wirtschaftsgebäude des Jas de Bouffan   1889–1890
      Maison et ferme du Jas de Bouffan

Venturi Nr. 460 (1885–1887)
Ölfarben auf Leinwand, 60,5 x 73,5 cm
Národní Galerie v Praze (Inv. Nr. NG 03203), Prag

Aufgrund des besonders ergiebigen Architekturmotivs mußte die Komposition immer
wieder als Beweis herhalten für die »Vaterrolle«, die Cézanne den Kubisten gegenüber
gespielt haben soll. Auf den ersten Blick mögen solche Beziehungen zwischen den
kubisch zugeschnittenen Architekturelementen bei Cézanne und ersten Stadtansichten
der Kubisten durchaus bestehen. Jedoch wird eine derart oberflächliche Betrachtungsweise weder den Intentionen des »Vaters« noch denen der »Söhne« gerecht. Während
letztere sich im Hinblick auf die Bildautonomie von den Vorgaben auf radikale Weise
lossagten, bemühte sich Cézanne gerade darum, sie ohne wesentliche Abstriche dem
autonomen Bildzweck einzuverleiben. Dabei reduzierte er die Gegenstandsformen
und deren Farbigkeit nicht, sondern er versuchte im Gegenteil, ihnen unter verschiedensten Aspekten im Bilde zu entsprechen. Es sei nochmals darauf hingewiesen, daß
seine in diesem Zusammenhang oft zitierte Empfehlung, »man behandle die Natur
gemäß Zylinder, Kugel und Kegel«[1], keine Orientierung an kubischen Formelementen
beabsichtigt.
      Vorgegeben war als heterogenes Motiv links die Schauseite des Jas de Bouffan
mit den hohen Fenstern, den Läden und einem Mezzaningeschoß sowie rechts die
Wirtschaftsgebäude und eine in weiter Kurve ins Bild geschobene Gartenmauer,
die das Anwesen zur Straße hin abgrenzte (vgl. Kat.-Nrn. 17, 20, 48). Das alles galt es
auf der Bildfläche den einzelnen Raumplänen zuzuordnen und im zwingenden
Zusammenhalt eines matt gebrochenen, staubigen Kolorits zu realisieren.[2] Indem
der Künstler die bildkonformen Kompositionselemente der Bodenwellen oder der
Gartenmauer mit solchen kombinierte, die etwas aus der Bildachse verrückt wurden,
wie das Wohngebäude, die kleinteilig verschachtelten Bauten des Gehöfts oder der
Bergrücken darüber, erreichte er ein ungemein irritierendes Spannungsmoment. Daß
dennoch der Eindruck eines ausgewogenen Ganzen entsteht, ist der komplementären
Gewichtung der relativ großflächigen Farbkomplexe zu verdanken. Nicht zuletzt
spricht das für eine Entstehungszeit dieser umfassendsten Ansicht des Jas de Bouffan
um 1890.

1   Cézanne 1962, S. 281.
2   Vgl. die Ansichten Venturi Nrn. 461–467, 476, Chappuis Nrn. 737, 880, 916.

PROVENIENZ: Ambroise Vollard, Paris; Gottlieb Friedrich Reber, Barmen-Lausanne; Paul Rosenberg,
Paris; Ambroise Vollard, Paris.
BIBLIOGRAPHIE: Meier-Graefe 1918, S. 157 Abb.; Meier-Graefe 1922, S. 189 Abb.; Gasquet 1930, Abb.;
Venturi S. 54, S. 164 Nr. 460, Abb.; Novotny 1938, S. 7, S. 17, S. 21, S. 36, S. 41, S. 52, S. 73, S. 87, S. 105, S. 198,
Abb. 26; Dorival 1949, S. 81, Abb. 84, S. 162; Feist 1963, Abb. 33; Loran 1963, S. 17 f., S. 27, S. 52 ff. Abb.,
S. 105, S. 131; Leonhard 1966, S. 16 ff. Abb., S. 23, S. 29 f.; Murphy 1971, S. 150 f. Abb.; Brion 1973, S. 41; Elgar
1974, S. 104, S. 107 Abb. 60, S. 231; Barskaya 1975, S. 171 Abb.; Wadley 1975, S. 11 Abb. 6; Arrouye 1982, S. 41
Abb.; Cézanne 1988, S. 209 Abb.; Erpel 1988, Nr. 13 Abb.; Kosinski 1991, S. 521.
AUSSTELLUNGEN: Berlin 1909, Nr. 34 (?); Französische Kunst des 19. und 20. Jahrhunderts,
Gemeindehaus, Prag 1923, Nr. 143; Paris 1936, Nr. 60; Aix-en-Provence 1956, Nr. 37, Abb.; Den Haag 1956,
Nr. 31; Zürich 1956, Nr. 58, Abb. 27; München 1956, Nr. 41, Abb.; Wien 1961, Nr. 25, Abb. 17; Von Delacroix
bis Picasso, Nationalgalerie, Berlin 1965, Nr. 6; Da Monet a Picasso, Palazzo Pitti, Florenz 1981, Nr. 6;
Masterpieces of European Painting from the National Gallery in Prague, Museum of Art, Sogo 1987, Nr. 59;
Impressionismo, Simbolismo, Cubismo, Palazzo dei Conservatori, Rom 1988, Nr. 30.

50 Landschaft mit Pappeln   um 1888
Paysage aux peupliers

Venturi Nr. 633 (um 1888)
Ölfarben auf Leinwand, 71 x 58 cm
The Trustees of the National Gallery (Inv. Nr. 6457), London

Cézanne hielt sich 1888 meist in Paris und in der Umgebung der Stadt auf. Im
Sommer malte er in dem nördlich an der Oise gelegenen Chantilly, dann in Créteil
sowie in Alfort am Marneufer (vgl. Kat.-Nrn. 51, 52). Seiner damaligen Tätigkeit im
Freien dürfte die Landschaftsimpression mit Blick auf das sommerliche Grün einer
Wiese, auf Bäume und Gehöfte entstammen. An ihr läßt sich verdeutlichen, daß
der Maler wie die Impressionisten allein auf die Manifestationen der Farben baute.
Im Gegensatz zu ihnen vermied er jedoch eine auf den Augenblick bezogene
Spontaneität und Offenheit. Über das Erlebnismoment hinaus suchte er nach strengen
Maßstäben, um aus der Farbe das Bildganze zu strukturieren und gleichzeitig die Form
im Detail zu bilden.

Mit seinen eigensten Mitteln, nämlich kraft der Farbe, wollte Cézanne den
Impressionismus überwinden. Dessen Augenblicksverständnis begegnete er mit
festen Ordnungssystemen, die allein durch die Farbwahl und die umsichtige Setzung
der Pinselstriche in senkrechten oder schrägen Parallellagen die Bild- und Gegenstandsformen konstituieren. Während der Vordergrund und der Himmel relativ
undifferenziert in der Farbe und gleichmäßig in der Pinselführung belassen sind,
wurde der mit Rotakzenten durchsetzte Mittelgrund zu einem stark rhythmisierten
Gefüge aus Bäumen, Häusern, Mauern und einer Anhöhe.

PROVENIENZ: Ambroise Vollard, Paris; Emil Heilbut, Berlin; Bruno und Paul Cassirer, Berlin; Bruno
Cassirer, Berlin.
BIBLIOGRAPHIE: Venturi S. 202 Nr. 633, Abb.; Cooper 1954, S. 379; Gowing 1956, S. 190; Cézanne 1988,
S. 295 Abb.
AUSSTELLUNGEN: Berlin 1900, Nr. 11; Berlin 1921, Nr. 19; Basel 1936, Nr. 45; London 1954, Nr. 42.

51 Allee im Park des Schlosses von Chantilly 1888
Allée au parc du Château de Chantilly

Venturi Nr. 628 (1888)
Ölfarben auf Leinwand, 82 x 66 cm
Berggruen Collection, National Gallery, London

Cézannes Sohn entsann sich, daß sein Vater fünf Monate des Jahres 1888 im Hotel Delacourt in Chantilly verbracht hatte (vgl. Kat.-Nrn. 50, 52). Außer diesem Bild erinnern noch zwei vergleichbare Ansichten sowie drei Aquarellstudien an den Chantilly-Aufenthalt.[1]

Auf der Leinwand tritt die Allee aus einem nahezu abstrakten Muster von Grüntönen hervor. Im allmählichen Fortschreiten erwuchsen aus der vorgegenständlichen, von Blau, Gelb und Ocker durchdrungenen Farbtextur Raumintervalle beziehungsweise die Volumina von Baumstämmen und Ästen. Sie säumen den in die Tiefe führenden Weg, dessen Ende eine etwas aus der Bildachse genommene Lichtung markiert. Durch die Einbeziehung horizontaler Schichten und Flächenüberschneidungen in die durchaus vorhandene Raumerstreckung konnte der starke Tiefensog abgeschwächt werden. Der Maler hatte es sich zur Aufgabe gemacht, ausschließlich aus dem exakt gefügten Mosaik der Farbformen das Gleichgewicht zwischen den Erfordernissen der Bildfläche und denen des Bildraums zu halten. Mit jedem der nervösen Pinselstriche und jeder Schraffur wurde das Beziehungsgeflecht der Farbflecken untereinander immer enger verwoben. Ohne ausdrückliche Wiedergabe ist ein vom Laub der Bäume gebrochenes, flirrendes Licht allerorten spürbar.

1 Venturi Nrn. 626, 627, Rewald Nrn. 308–310; vgl. auch *L'allée des marronniers au Jas de Bouffan* Venturi Nr. 649.

PROVENIENZ: Ambroise Vollard, Paris; Paul Cassirer, Berlin; Leonie Katzenellenbogen, Berlin; Max Meirowsky, Berlin; Myriam von Rothschild, Wien; André Weil, Paris; Neison Harris, Chicago; Eugene V. Thaw, New York.
BIBLIOGRAPHIE: Vollard 1914, S. 58, Abb. 22; Meier-Graefe 1922, S. 75; Wedderkop 1922, Abb.; Pfister 1927, Abb. 94; Venturi S. 63, S. 200 f. Nr. 628, S. 255, Abb.; Mack 1938, S. 290; Novotny 1938, S. 21; Ratcliffe 1960, S. 18, S. 21; Vollard 1960, S. 34; Elderfield 1971, S. 54 Abb., S. 57; New York 1977, S. 46 f. Abb.; Adriani 1981, S. 269; Rewald S. 160 (bei Nr. 308); Rewald 1986, S. 193 Abb.; du 1989, S. 66 Abb.; Richard Kendall, *Van Gogh to Picasso. The Berggruen Collection at the National Gallery,* London 1991, S. 74 Nr. 18 Abb.
AUSSTELLUNGEN: Paris 1895; *Französische Malerei des XIX. Jahrhunderts,* Kunsthaus, Zürich 1933, Nr. 89; Washington 1971, Nr. 16, Abb.

52 Belaubte Bäume am Wasser 1888
Eaux et feuillages

Venturi Nr. 638 (1888–1890)
Ölfarben auf Leinwand, 75 x 63 cm
Privatbesitz, Courtesy Thomas Ammann Fine Art, Zürich

Fast allen Landschaften Cézannes sind Architekturen beigegeben, und sei es nur als
Aperçu am Rande. Selbst als sich das Interesse des Künstlers für die Landschaft in der
ersten Hälfte der siebziger Jahre unter der Anleitung Pissarros zu festigen begann,
waren es ausschließlich mit Landschaft verbrämte Architekturmotive, die Beachtung
fanden. Ohne jede architektonische Staffage ließen sich lediglich einige Wald- und
Felslandschaften ausmachen (vgl. Kat.-Nrn. 7, 9, 18, 32, 51, 74, 75) sowie diese Wiedergabe eines Uferbereichs am Wasser. Letztere ist einer Reihe von Flußlandschaften
zuzurechnen, die Cézanne 1888 malte, als er in der Gegend von Paris, an der Seine,
der Oise oder an den Ufern der Marne seine Leinwände aufstellte.[1] Ihnen allen ist ein
dünner, wenig spezifizierter Farbauftrag und ein leichter Pinselduktus eigen. Doch
weder die reduzierte Palette noch die relativ offene Pinselführung vermögen
der Qualität des sehr frei gemalten Hochformats etwas anzuhaben. Der Südländer
blieb auch vor den Landstrichen des Nordens der Maler der Provence, der weniger
auf die jahreszeitlichen oder atmosphärischen Veränderungen als vielmehr auf die
eindringlichen Farbformkomplexe achtete, die sich im Wechsel aus dominierendem
Grün und einem eher diffusen Blaugrau ergaben.

1   Vgl. die Flußlandschaften Venturi Nrn. 629-632, 634, 635, 637, 639-641.

PROVENIENZ: Julius Schmits, Elberfeld; Bachofen-Burckhardt, Basel.
BIBLIOGRAPHIE: Venturi S. 63, S. 203 Nr. 638, Abb.; Badt 1956, S. 130; Brion 1973, S. 79 Abb.

53 Stilleben mit Kommode 1883–1887
Nature morte à la commode

Venturi Nr. 496 (1883–1887)
Ölfarben auf Leinwand, 73,3 x 92,2 cm
Bayerische Staatsgemäldesammlungen,
Neue Pinakothek (Inv. Nr. 8647), München

Das Stilleben, das Hugo von Tschudi 1912 für die Neue Staatsgalerie in München erwerben konnte (vgl. Kat.-Nrn. 25, 55), steht am Anfang einer Gruppe großformatiger Kompositionen mit jenem »klassischen« Inventar, das Cézanne in seiner mittleren und späten Schaffensphase immer wieder verwandte.[1] Dazu gehören der einfache Holztisch mit Schublade, das steife Linnen eines Tischtuchs, das die Gegenstände in einem minuziös vorgenommenen Arrangement umfängt, dazu gehören die Früchte und die Schale sowie die verschiedenen noch heute im Aixer Atelier bewahrten Tongefäße, von denen die Zuckerdose, der Ingwertopf und der irdene, oben mit grüner Glasur versehene Krug über Jahrzehnte hinweg zur »Standardausrüstung« der Cézanneschen Stilleben zählten (vgl. Kat.-Nrn. 54, 55, 58, 59). Das alles könnte nicht dürftiger sein, wäre da nicht das Genie des Malers, der daraus die lapidarsten und prachtvollsten Aufbauten zugleich schuf. Wie keiner seiner Zeit wies er seinen Stilleben jenen hohen Rang zu, von dem Matisse und die Kubisten profitieren sollten. In ihrer formalen Vielschichtigkeit stehen sie gleichrangig neben den Landschaften, den Porträts und figürlichen Kompositionen.

Der Maler Louis Le Baile, der auf Anraten Pissarros 1898 Cézanne besucht hatte, erinnerte sich, wie dieser auf einem Tischtuch mit Pfirsichen und einem Rotweinglas ein Stilleben zusammenstellte: »Mit sicherem Gespür breitete er das Tuch ganz leicht gerafft auf dem Tisch aus. Dann ordnete Cézanne die Früchte so an, daß Farbkontraste entstanden und die Komplementärfarben vibrierten, grüne Töne gegen rote, Gelb gegen Blau. Er drehte die Früchte, lehnte sie aneinander und benutzte Ein- oder Zweisousstücke, um sie genau in die Position zu bringen, die er sich vorstellte. Mit Bedacht und größter Sorgfalt arbeitete er daran. Man spürte, daß dies ein Fest für seine Augen war.«[2] Wir entnehmen diesem Bericht, wie Cézanne seine Stilleben im Atelier arrangierte, wie er Gestalt und Gehalt der behandelten Objekte aufspürte, um schließlich die Anpassung der Farbformen vornehmen zu können. Indem er die Dinge dem diffusen Atelierlicht aussetzte, das die Volumina kräftiger hervortreten läßt als pralles Tageslicht, indem er sie in die gewünschte Lage brachte, sie aufschichtete und gegeneinander abstützte, entrückte er sie ihren eigentlichen Aufgaben. Gewiß, es sind die alltäglich benutzten oder genossenen, die künstlichen oder natürlichen Gegenstände präsentiert; doch ihr Vorhandensein dient keinem bestimmten Vorhaben und existiert sozusagen außerhalb der Bedürfnisse, es ist zweckvollen Reichweiten des Tastsinns, des Geruchs oder Geschmacks entzogen. Cézannes Gegenstandserfahrung ist absolut gesetzt, das heißt, sie ist ohne Bezug zu Gebrauch und Nutzen. Seiner Funktion entfremdet, gewinnt auch das Nächstliegende Distanz. Obgleich das Vertrautsein mit den Dingen des alltäglichen Umgangs genommen ist, fühlte sich der Künstler doch dem Vorgegebenen auf eine Weise verpflichtet, die nichts ausführt, was nicht aus der Natur der Sache begründbar ist.

Wie ein gewaltiges Gletschermassiv, dessen kaltes Weiß in Blau- und Grüntönen schimmert, umformt das Tuch das zentrale Orangerot der Äpfel. An ihnen richten sich die in dichten Schichten aufgetragenen Farbbezogenheiten des Bildes aus, vom Braun der Kommode über die Farbe des Tisches und dem Beige und Rosé der Tapete links bis zum komplementären Glanz des grün glasierten Kruges. Das Zusammenbestehen der Dinge wirkt einfach und klar, ausgeprägt bis ins Detail und von einer unerschütterlich festen Struktur. Versucht man aber, von der Bildform einmal abzusehen und die tatsächliche Raumsituation zu rekapitulieren, dann gerät manches ins Unbestimmte. Nach perspektivischen Gesetzmäßigkeiten würde nämlich die Kommode schräg zur Wand stehen, und der Tisch davor könnte auf dem hochgezogenen Boden keinerlei Halt finden. Eine solche von eingefahrenen Sehgewohnheiten ausgehende Betrachtungsweise führt freilich kaum weiter. Die bildimmanente Logik der Komposition zwingt geradezu, davon Abstand zu nehmen. Denn Cézanne suchte eine möglichst authentische Wiedergabe, und zu diesem Zweck entschied er sich, die Blickpunkte zu vervielfachen. Im Wechsel der Blickwinkel von unten zu starken Draufsichten oder von einer Seite zur anderen wollte er die Gegenstände förmlich umfassen und begreifen. So erscheint die Kommode, deren Seitenteil im stumpfen Winkel zur Wand führt und deren Schubfächer leicht ansteigen, in Augenhöhe, wohingegen die Tischplatte von oben gesehen ist. Ein zusätzliches Spannungsmoment entsteht dadurch, daß sich die rechtwinkligen Ausrichtungen nicht am Bildrechteck orientieren, sondern einer geringen Neigung nach links folgen. Um der Ausgewogenheit willen wurde selbst die vordere Tischkante scheinbar willkürlich unterbrochen und, einer geologischen Verwerfung vergleichbar, links tiefer angesetzt als rechts. Die Einbeziehung der Blickbewegung in den Gestaltungsvorgang garantierte dem Maler bis zu einem gewissen Grad die Vollständigkeit des Dargestellten. Indem er die verborgene Kausalität der nach eigenem Gutdünken gehandhabten Objekte zu ergründen suchte, bestand er darauf, »das, was man vor sich hat, zu durchdringen und beharrlich fortzufahren, sich so logisch wie nur möglich auszudrücken«.[3] Die Kubisten sezierten diesen Kunst-Griff des gleichsam simultan Wahrgenommenen, ließen jedoch außer acht, daß Cézanne nicht kubisch starre Formeinheiten meinte, sondern sphärisch abgerundete, als er davon schrieb, »die Natur gemäß Zylinder, Kugel und Kegel zu behandeln«.[4]

1 Vgl. die im Bildausschnitt etwas engere Fassung des Stillebens Venturi Nr. 497.
2 Rewald 1986, S. 228.
3 Cézanne 1962, S. 283.
4 Ibid, S. 281.

PROVENIENZ: Denis Cochin, Paris; Durand-Ruel, Paris–New York; Bernheim-Jeune, Paris.
BIBLIOGRAPHIE: Bernheim-Jeune 1914, Abb. 26; Vollard 1914, Abb. 1; Meier-Graefe 1918, S. 152 Abb.; Meier-Graefe 1922, S. 184 Abb.; Faure 1923, Abb. 30; Klingsor 1923, Abb. 16; Rivière 1923, S. 211; Pfister 1927, Abb.; Rivière 1933, S. 134; Venturi S. 57, S. 172 Nr. 496, Abb.; Novotny 1938, S. 33, Abb. 23; Dorival 1949, S. 68; L. Dittmann, *Zur Kunst Cézannes*, in: Festschrift Kurt Badt, Berlin 1961, S. 204, Abb. 2; Kurt Martin, *Die Tschudi-Spende*, München 1962, S. 16, S. 26, Abb. 14; Feist 1963, Abb. 41; Loran 1963, S. 77, S. 89; Schapiro 1968, S. 52; Chappuis S. 157 (bei Nr. 539), S. 158 (bei Nr. 546); Elgar 1974, S. 99, S. 101 Abb. 56; Adriani 1981, S. 280; Cézanne 1988, S. 12, S. 103 Abb.; Gisela Hopp, Christoph Heilmann, Christian Lenz u. a., *Impressionisten, Post-Impressionisten und Symbolisten, ausländische Künstler*, Katalog der Bayerischen Staatsgemäldesammlungen, Neue Pinakothek, München 1990, S. 66 ff. Abb.
AUSSTELLUNGEN: *Große Kunstausstellung*, Stuttgart 1913, Nr. 308; *Moderne französische Malerei*, Haus der Kunst, München 1947, Nr. 30b; *Impressionnistes et Romantiques français dans les musées allemands*, Musée de l'Orangerie, Paris 1951, Nr. 5, Abb.; Aix-en-Provence 1956, Nr. 38, Abb.; Den Haag 1956, Nr. 27, Abb.; Zürich 1956, Nr. 51, Abb. 21; München 1956, Nr. 38, Abb.; Köln 1956, Nr. 20, Abb.; *Französische Malerei des 19. Jahrhunderts von David bis Cézanne*, Haus der Kunst, München 1964–1965, Nr. 24, Abb.

54 Stilleben mit Kirschen und Pfirsichen   1885–1887
   Nature morte, plat de cerises et pêches

Venturi Nr. 498 (1883–1887)
Ölfarben auf Leinwand, 58,1 x 68,9 cm
Los Angeles County Museum of Art, Gift of the Adele R. Levy Fund
and Mr. and Mrs. Armand S. Deutsch (Inv. Nr. M 61.1), Los Angeles

Ein typisch provenzalischer Olivenkrug (vgl. Kat.-Nrn. 53, 58, 59) steht gleichsam für
das Rückgrat des Bildes. Sein dunkelgrün glasierter oberer Teil stellt die Verbindung
her zu dem in schattenvollem Blaugrün gefalteten Vorhang dahinter, während das
untere Drittel in der Farbigkeit recht bodenständig auf die roh gezimmerte Tischplatte
verweist, wo die Stilleben-Utensilien in starker Draufsicht plaziert sind. Der Bildmittel-
punkt befindet sich genau an der Nahtstelle zwischen grüner Glasur und braunem
Unterteil des Gefäßes. Um diese Mitte sind in fein durchdachten Zuordnungen die
gegenständlichen und farbigen Gewichtungen angeordnet.[1] Links auf dem
aufgebauschten, harten Weiß einer Serviette, der blaue Schattenlagen Geltung
verleihen, Kirschen, die Mühe hätten, auf dem schräg aufgerichteten Präsentierteller
Halt zu finden. Und gegenüber, weniger herausgestellt, in einer Schale einige Pfirsiche,
von denen sich einer aus kompositorischen Gründen nach vorne verselbständigen
mußte. Die Farbe ihres liebevoll behandelten »Inkarnats« wird oben in den Quasten
und im Muster des Vorhangs weitergeführt. Dessen kostbare Stofflichkeit steht in
eigenartigem Kontrast zur nüchternen Sprache des Stillebens, das nichts als die
einfache Verbundenheit mit dem Gegebenen bezeichnet.

1 Auf einer Zeichnung, Chappuis Nr. 632, ist die Raumsituation zwischen dem Krug und den beiden
   Früchtetellern im Detail skizziert.

PROVENIENZ: Ambroise Vollard, Paris; Charles A. Loeser, Florenz; M. Loeser-Calnan, Florenz; David
M. Levy, New York; The Adele Rosenwald Levy Fund, New York.
BIBLIOGRAPHIE: Venturi S. 172 Nr. 498, Abb.; Cogniat 1939, Abb. 62; Reff 1958, S. 47; Schapiro 1968,
S. 52; Murphy 1971, S. 135 Abb.; Brion 1973, S. 78 Abb.; Chappuis S. 176 (bei Nr. 632); Cézanne 1988, S. 102
Abb.; Rewald 1989, S. 52 f. Abb. 28, S. 82.
AUSSTELLUNGEN: Venedig 1920, Nr. 28; *Art in our Time*, Museum of Modern Art, New York 1939, Nr. 57,
Abb.; New York 1959, Nr. 27, Abb.; *Mrs. Adele R. Levy Collection*, The Museum of Modern Art, New York
1961, S. 19, Abb.; Washington 1971, Nr. 13, Abb.; Tokyo 1974, Nr. 36, Abb.; *A Decade of Collecting 1965–1975*,
County Museum of Art, Los Angeles 1975, Nr. 89; *Chefs-d'œuvre des Musées des Etats-Unis de Giorgione à
Picasso*, Musée Marmottan, Paris 1976, Nr. 31.

55 Stilleben mit Blumen und Früchten   1888–1890
   Nature morte, fleurs et fruits

Venturi Nr. 610 (1888–1890)
Ölfarben auf Leinwand, 66 x 81,5 cm
Staatliche Museen zu Berlin,
Nationalgalerie (Inv. Nr. A I 965), Berlin

Im Gegensatz zu den vorangegangenen, sehr konzentrierten Stilleben (Kat.-Nrn. 53,
54) kam hier in fast barocker Fülle zu dem Holztisch, dem Tuch, den Früchten und
einem in der Form etwas schmaleren Ingwertopf ein ausladend bunter Feldblu-

menstrauß aus Margeriten, Nelken und Mohn hinzu. Das Berliner Bild ist das einzige unter den großen, repräsentativen Stilleben, das die bereits bekannten Requisiten mit einem Blütengebinde kombiniert.[1] Cézanne malte wiederholt Blumen in einer Vase, die vereinzelt auch mit wenigen Früchten korrespondieren. Ein solcher Sinn für den Reichtum und das Dekor der Gegenstände findet sich bei seinen Blumenstücken ansonsten jedoch nicht.

Man meint den Maler bei der Arbeit zu beobachten, wie er die Dinge prüfend arrangiert, wie er das Tuch drapiert, um die Birnen darin einzubetten, wie er als stabilisierendes Moment die hölzerne Lehne eines Stuhls heranrückt und die Blumen so ausrichtet, daß sie seiner Vorstellung von Ausgewogenheit nachkommen. Nichts wird dem Zufall überlassen. Zur Opulenz der rechten Bildhälfte schafft der leergelassene dunkle Fond, gegen den die kalte Pracht des Tuches emporsteht, einen überlegten Ausgleich. Den geschlossen reglosen Formen der Früchte gegenüber öffnet und entfaltet sich der Strauß allseitig, um aus ungleichen Eigenschaften eine unvergleichliche Harmonie im Ganzen zu erzielen.

Zusammen mit der Pontoise-Landschaft (Kat.-Nr. 25) gehört das Stilleben zum alten Bestand der Berliner Nationalgalerie. 1897 beziehungsweise 1904 von Hugo von Tschudi für die Sammlungen erworben, waren die beiden Bilder die ersten Cézannes, die von einem Museum angekauft wurden (vgl. Kat.-Nr. 16). In seinem in der Zeitschrift ›L'Occident‹ im September 1907 erschienenen Cézanne-Artikel kommt der Maler Maurice Denis, der Cézanne 1906 noch besucht hatte, auch auf die Berliner Bilder zu sprechen: »Die Wirkung, die Cézanne im Museum von Berlin zum Beispiel erzeugt, ist sehr bedeutsam. Welchen Geschmack man auch an der *Serre* von Manet, an den *Enfants Bérard* von Renoir oder an den bewundernswerten Landschaften von Monet und Sisley findet, bewirkt die Anwesenheit der Cézannes, daß man die Manets, Monets, Renoirs und Sisleys, ungerechterweise zwar, aber durch den Kontrast dazu gezwungen, dem Ganzen der modernen Produktion angleicht und daß die Bilder von Cézanne dagegen Werke aus einer anderen Epoche zu sein scheinen, ebenso raffiniert, aber kräftiger als die stärksten Erzeugnisse der impressionistischen Schule.«[2]

1 Vgl. das Stilleben *Pot de géraniums et fruits* Venturi Nr. 599.
2 Denis 1982, S. 205.

PROVENIENZ: Bernheim-Jeune, Paris; Paul Cassirer, Berlin.
BIBLIOGRAPHIE: Bernheim-Jeune 1914, Abb. 18; Vollard 1914, Abb. 1; Rivière 1923, S. 207; Bernard 1925, S. 148, Abb.; Gasquet 1930, S. 77; Venturi S. 57, S. 196 f. Nr. 610, Abb.; Novotny 1937, S. 14, Abb. 75; Novotny 1938, S. 72; Cogniat 1939, Abb. 86; Dorival 1949, S. 67; Guerry 1950, S. 70, S. 96; Feist 1963, Abb. 57; Basel 1989, S. 294.
AUSSTELLUNGEN: *L'Impressionnisme*, Palais des Beaux-Arts, Brüssel 1935, Nr. 1; *Kunstwerke aus Museen der Deutschen Demokratischen Republik*, Staatliche Eremitage, Leningrad 1958, S. 33, Abb.; *Schätze der Weltkultur von der Sowjetunion gerettet*, Staatliche Museen zu Berlin, Nationalgalerie, Berlin 1958, Abb.; *Francia Festök Delacroix-Tól Picassóig*, Szépművészeti Múzeum, Budapest 1965, S. 10, Abb.; *Francouzské Malirstvi od Delacroix k Picassovi*, Národní Galerie v Praze, Prag 1965, Nr. 50, Abb.; *50 Obras Maestras de Pintura de los Museos de Dresden y Berlin de la Republica Democratica Alemana*, Museo de San Carlos, Ciudad de México 1980, Nr. 11, Farbabb. S. 33 (seitenverkehrt); Madrid 1984, Nr. 36, Abb.; Tokyo 1986, Nr. 24, Abb.

56 Stilleben mit Milchkrug und Früchten auf einem Tisch um 1890
Nature morte, pot au lait et fruits sur une table

Venturi Nr. 593 (1888–1890)
Ölfarben auf Leinwand, 59,5 x 72,5 cm
Nasjonalgalleriet (Inv. Nr. NG 942), Oslo

Von den großen Stillebenkompositionen Cézannes ist diese die schlichteste und gerade deshalb eine der schönsten. Dem kargen Ensemble verleiht allein die Leuchtkraft der Farbe seine Dignität. Wirkungsvoll stehen die warmen, nahen Gelb-, Orange- und Rottöne im Kontrast zu den kälteren Fernen von Blau, Violett oder Grün. Als umsichtiger Stratege hat der Maler die willfährigen Dinge formiert und ihnen die für sie günstigste Position verschafft. Turmhoch erhebt sich der bemalte Porzellankrug über die Mitte eines Holztisches in die Bläue der Wand, die durchaus dem nuancierten Kolorit der Cézanneschen Himmel zu entsprechen vermag.[1] Ein violetter Veilchenstrauß nimmt die Mitte ein zwischen dem tiefen Indigo der Bodenleiste und den lichtesten Stellen der türkisblauen Wand. Schon Rilke sprach von Cézannes sehr eigenem Blau, das vom 18. Jahrhundert herstamme und das »Chardin seiner Prätention entkleidet hat und das nun bei Cézanne keine Nebenbedeutung mehr mitbringt«. Rilke vermutete Chardin auch als Vermittler in bezug auf die nüchterne Gegenstandsbehandlung: »Schon seine Früchte denken nicht mehr an die Tafel, liegen auf Küchentischen herum und geben nichts darauf, schön gegessen zu sein. Bei Cézanne hört ihre Eßbarkeit überhaupt auf, so sehr dinghaft wirklich werden sie, so einfach unvertilgbar in ihrer eigensinnigen Vorhandenheit«.[2]

Der Mittelpunkt des Bildes ist dort zu lokalisieren, wo der etwas beiläufig exponierte Henkel des Kruges auf die Tischplatte stößt und der Sockelstreifen beginnt, sich von dieser schräg nach oben abzusetzen. In verzerrten Perspektiven sind sowohl die steile Ausrichtung des Bodens als auch die Position des Tisches ganz der Bildfläche angepaßt. Das Spannungsmoment zwischen den vielteiligen Rundformen der Objekte und den geradlinig begrenzten, relativ homogenen Flächen des Bodens, des Tisches und der Wand erhält eine zusätzliche Geltung durch die Betonung der Sockelschräge, deren markantes Blauschwarz gegenüber dem blaubeschatteten Weiß des Tellers gleichzeitig die größte Farb- und die weiteste Raumdistanz definiert. Eine reicher angelegte Zweitversion des Stillebens im Moskauer Puschkin-Museum zeigt die Raumsituation in erweitertem Ausschnitt.[3]

1 Der Krug ist auch zentraler Gegenstand in den späteren Stilleben Venturi Nrn. 735, 736, 750, Rewald Nrn. 571, 572; vgl. auch die Bleistiftskizze Chappuis Nr. 540.
2 Rilke 1977, S. 20.
3 Venturi Nr. 619.

PROVENIENZ: Auguste Pellerin, Paris; Bernheim-Jeune, Paris.
BIBLIOGRAPHIE: Bernheim-Jeune 1914, Abb. 22; Vollard 1914, Abb. 1; Rivière 1923, S. 61 Abb., S. 214; Venturi S. 57, S. 193 Nr. 593, Abb.; Novotny 1937, Abb. 55; Novotny 1938, S. 71; Raynal 1954, S. 84 Abb.; Gowing 1956, S. 191; Loran 1963, S. 93; Chappuis S. 157 (bei Nr. 540); *Katalog over Utenlandsk Malerkunst,* Nasjonalgalleriet, Oslo 1973, S. 197 f. Nr. 472, Abb.; Barskaya 1975, S. 181 Abb.; New York 1977, S. 30 Abb.; Arrouye 1982, S. 64 f. Abb.; Rewald S. 232 (bei Nr. 571); Erpel 1988, Nr. 25 Abb.
AUSSTELLUNGEN: *L'Impressionnisme,* Palais des Beaux-Arts, Brüssel 1935, Nr. 2; Paris 1936, Nr. 67; Chicago 1952, Nr. 81, Abb.; Madrid 1984, Nr. 27, Abb.; Tokyo 1986, Nr. 25, Abb.

57   Stilleben mit Teller und Früchten   um 1890
      Nature morte, assiette et fruits
      Venturi Nr. 206 (1873–1877)
      Ölfarben auf Leinwand, 28 x 40,5 cm
      Thomas Gibson Fine Art Ltd., London

Der Anlaß für die Studie mit den nach vorne gelegten Griffen zweier Obstmesser, mit Früchten, die einigermaßen labil aufeinandergesetzt sind, und dem blaubemalten Teller, der offensichtlich von unten gestützt wird, dürfte ausschließlich der gewesen sein, das Wissen um die Formgestaltung durch Farbmodulationen an einfachen Gegenständen zu erproben und vor helldunklem Hintergrund unter Beweis zu stellen. Venturis frühe Datierung ist aus stilistischen Gründen nicht haltbar.

PROVENIENZ: Ambroise Vollard, Paris; Harry Graf Kessler, Weimar; Alfred Flechtheim, Berlin; Royan Middelton, Aberdeen; Paul Rosenberg, New York; Acquavella Galleries, New York; Heinz Berggruen, Paris.
BIBLIOGRAPHIE: Ors 1936, Abb. 31; Venturi S. 111 Nr. 206, Abb.; Schapiro 1968, S. 52.
AUSSTELLUNGEN: Berlin 1921, Nr. 39; *Renoir and the Post-Impressionists*, Reid & Lefèvre Gallery, London 1930; London 1954, Nr. 41, Abb. 41; Tokyo 1974, Nr. 43, Abb.; *XIX & XX Century Master Paintings*, Acquavella Galleries, New York 1982, S. 14 f., Abb.

58　Stilleben mit Ingwertopf, Zuckerdose und Äpfeln　1893–1894
Nature morte, pot de gingembre, sucrier et pommes

Venturi Nr. 598 (1890–1894)
Ölfarben auf Leinwand, 65,5 x 81,5 cm
Privatbesitz, als Leihgabe im Kunsthaus Zürich

Am 4. November 1907 schrieb Rainer Maria Rilke im Zug von Prag nach Breslau von
einer Ausstellung impressionistischer und nachimpressionistischer Malerei aus
Frankreich, die er in Prag im Pavillon Manès, dem Ausstellungsgebäude der jungen
tschechischen Künstlerschaft, gesehen hatte. Außer zwei frühen Cézannes[1] erwähnte
er insbesondere das nach Budapest in die Sammlung Hatvány gelangte *Stilleben mit
blauer Decke:* »Zwischen ihrem bürgerlichen Baumwollblau und der Wand, die mit
leicht wolkiger Bläulichkeit überzogen ist, ein köstlicher grau glasierter großer
Ingwertopf, der sich nach rechts und links auseinandersetzt. Eine erdiggrüne Flasche
von gelbem Curaçao und weiterhin eine Tonvase, zu zwei Dritteln von oben nach
unten grün glasiert. Auf der anderen Seite in der blauen Decke aus einer vom Blau
bestimmten Porzellanschale teilweise herausgerollte Äpfel. Daß ihr Rot in das Blau
hineinrollt, erscheint als eine Aktion, die so sehr aus den farbigen Vorgängen des
Bildes zu stammen scheint wie die Verbindung zweier Rodinscher Akte aus ihrer
plastischen Affinität.«[2]
　　Rilkes Beobachtung, daß sich der Ingwertopf nach rechts und links auseinan-
dersetze, hat mit Cézannes unverbildetem Sehen zu tun, das er völlig den optischen
Eindrücken überließ. Wenn zum Beispiel je nach Lichteinfall die eine Seite eines
Gefäßes von anderer Beschaffenheit erschien als die Gegenseite, zögerte er nicht,
die eine weiter als die andere auszuführen. Bezogen auf eine Symmetrieachse
bedeutet das, daß die eine Seite anschwillt, während sich die andere verringert. Der
tiefschürfende Realist nutzte also nicht seine Kenntnis von der Symmetrie eines
Gegenstandes, sondern gab diejenige visuelle Erfahrung wieder, die sich ihm darbot.
Die objektive Seite wurde so mit der subjektiven Anschauung zur Einheit gebracht
und mit allen Verzeichnungen berücksichtigt. Unterzieht man sich der Mühe, diese
Unrichtigkeiten richtigzustellen, so bemerkt man, daß die Formen gerade in ihrer
leichten Deformierung und die Linien in ihrer Brechung sinnvolle, sich gegenseitig
bedingende und damit erhaltende Bezüge erkennen lassen. Es bleibt dem mit der
Wirklichkeitssicht nur bedingt übereinstimmenden Wissen des Betrachters um das
Rund eines Tellers, die Senkrechte eines Flaschenhalses, um die Ausbuchtungen
der Gefäße und Früchte oder die um ihre korrekte Fortsetzung gebrachte Gerade
einer Tischkante überlassen, die Verzerrungen und Ver-rücktheiten zu entzerren
und zurechtzurücken. Das von Cézanne auf das logische Zusammenwirken des
Bildkontextes Bezogene ist deswegen glaubhaft, ja durch und durch glaubwürdig, weil
es gerade in den exakt gesehenen Abwandlungen der Gegenstandsformen deren
unwandelbaren Wesenskern sinnfällig macht.
　　Wir begegnen mit dem Ingwertopf, der kleinen Zuckerdose, einem glasierten
Tongefäß und dem Früchteteller auf weißem Tischtuch mit rotem Streifen bereits
bekannten Utensilien, die noch heute als Relikte im Aixer Atelier aufbewahrt werden
(vgl. Kat.-Nr. 53). Und doch ist auf der phantastischen Gestalt der blau gemusterten
Decke alles sehr fremdartig und neu ins rechte Licht gesetzt (vgl. Kat.-Nr. 59). Mit
einer späten Ausnahme (Kat.-Nr. 88) ist es Cézannes einziges Stilleben, in dem eine
diagonale Anordnung die ansonsten durchweg horizontale Gewichtung überwiegt.
Zusammen mit einigen weiteren Kompositionen, auf denen die blaue Decke zum
Charakteristikum wurde (vgl. Kat.-Nrn. 59, 60)[3], ist das Stilleben wahrscheinlich im
Atelier des Jas de Bouffan ausgeführt worden. Dafür sprechen sowohl die offenbar
ausschließlich in Aix benutzten Requisiten als auch die blaugetönte Wandgestaltung.

Meist mit einem rotbraunen Streifen über der Sockelzone versehen, wurde letztere
zum Hintergrund auf verschiedenen Porträts (Kat.-Nrn. 64, 68) und Stilleben, die alle
in den neunziger Jahren in Aix, das heißt im 1899 veräußerten Landsitz Jas de Bouffan,
geschaffen wurden.[4]

1   *Portrait de Valabrègue* Venturi Nr. 126 und *Nature morte: Le pain et les œufs* Venturi Nr. 59.
2   Rilke 1977, S. 45, S. 99.
3   Venturi Nrn. 499, 601, 611, 612, 622, 624, 625, 706, 707.
4   Vgl. den Wandverlauf auf den Stilleben und Porträts Venturi Nrn. 502, 565, 625, 675, 704, 706, 730; vgl.
    auch das bei Venturi nicht aufgeführte Stilleben *Fleurs dans un vase*, Rewald 1986, S. 165 Abb. sowie das
    Aquarell Rewald Nr. 289.

PROVENIENZ: Franz von Hatvany, Budapest-Paris; Paul Cassirer, Berlin; Hugo Cassirer, Berlin.
BIBLIOGRAPHIE: Vollard 1919, S. 92, Abb.; Venturi S. 57, S. 194 Nr. 598, Abb.; Loran 1963, S. 76, S. 89;
Chappuis S. 31; Rilke 1977, S. 45, Abb. 9; Adriani 1981, S. 280; Rewald S. 134 (bei Nr. 204), S. 230 (bei
Nr. 563); Rewald 1986, S. 210 Abb.; du 1989, S. 24 Abb.
AUSSTELLUNGEN: Köln 1912, Nr. 129, Abb. 19; Berlin 1921, Nr. 32.

59   Stilleben mit Ingwertopf, Kürbis und Auberginen   1893-1894
Nature morte, pot de gingembre, courge et aubergines

Venturi Nr. 597 (1890-1894)
Ölfarben auf Leinwand, 72,4 x 91,4 cm
The Metropolitan Museum of Art,
Bequest of Stephen C. Clark, 1960 (Inv. Nr. 61.101.4), New York

Noch reicher und schlüssiger als auf dem vorangegangenen Stilleben (Kat.-Nr. 58) sind
die nahezu identischen, nun durch einen Kürbis und Auberginen ergänzten Gefäße
und Früchte hier arrangiert. Es ist phänomenal zu beobachten, daß aus den immer
gleichen Ansatzpunkten immer neue Bildideen erwuchsen. Wie Architekturen auf
steilen Felsformationen sind die Gegenstände auf die blau ornamentierte Topographie
der Decke gebaut. Diese entwickelt mit dem spitzen Arrangement des Tischtuchs,
dessen Weiß weitgehend aus Türkis und Grün besteht, ein geheimnisvolles Eigenleben,
das der Banalität der Objekte zu festlicher Prachtentfaltung verhilft. Herzstück der im
Verhältnis zur Tischhöhe im Hintergrund wohl auf einem niedrigen Podest plazierten
Zusammenstellung ist der Ingwertopf, um dessen Rundung die übrigen Utensilien
farbübergreifend von Orange zu Grün geschart sind (vgl. Kat.-Nrn. 53, 55, 58)[1], wobei
die schmale Vertikale der Rumflasche die Mittelachse markiert. Die Stabilität der
Bildkonstruktion geht so weit, daß sie die Labilität der Position einzelner Bildelemente,
wie die des Tellers und der darauf abgelegten Früchte, die kaum eine Chance hätten,
in der Schräglage Halt zu finden, geradezu erfordert. Je kleiner die umschlossenen
Formen, um so größer ist die Leuchtkraft einer Farbigkeit, die die Dichte einer
Glasur, das Gewicht einer Flasche oder die Sinnlichkeit der Früchte als stoffliche
Eigenschaften nicht nur von den Oberflächen her fühlbar, sondern in unsagbarer
Opulenz geradezu greifbar werden läßt.
      Die kunstlosen Alltagsgegenstände geben in ihrem kunstvollen Zusammen-
treffen alles andere als eine alltägliche Situation wieder. Diese großartige Malerei
mutet barock nicht im Sinne eines verborgenen Bedeutungsgehaltes an, sondern
aufgrund des Erfindungsreichtums, der Gegenstandsfülle und eines ausgeprägten

186

Farbdekors. Die Bedeutung des Bildes liegt im Wagnis, dem Aufbau nichtssagender Gegenstände von mehr oder weniger Standhaftigkeit eine monumentale Wirkung zu verschaffen, die Schwere der Formkomplexe durch den steten Wechsel der Pinselführung leicht erscheinen zu lassen und den Widerstreit der spitzkantig gebrochenen Kniffe im Faltenwurf mit den darauf gesetzten runden Gebilden farbig in Einklang zu bringen.

1 Vgl. die Stilleben mit Ingwertopf Venturi Nrn. 497, 594–596, 616, 733, 737, 738, Rewald Nrn. 289, 290.

PROVENIENZ: Durand-Ruel, Paris–New York; H. O. Havemeyer, New York; Horace Havemeyer, New York; Knoedler, New York; Stephen C. Clark, New York.
BIBLIOGRAPHIE: Venturi S. 57, S. 194 Nr. 597, Abb.; Charles Sterling, Margaretta M. Salinger, *French Paintings. A Catalogue of the Collection of the Metropolitan Museum of Art*, New York 1966, S. 111 f. Abb.; Adriani 1981, S. 280; Rewald S. 134 (bei Nr. 204), S. 230 (bei Nr. 563); Rewald 1986, S. 210 Abb.; Cézanne 1988, S. 188 Abb.; Geist 1988, S. 23 ff. Abb. 25, Abb. 26; Rewald 1989, S. 128.
AUSSTELLUNGEN: *French Masterpieces of the late XIX Century*, Durand-Ruel Galleries, New York 1928, Nr. 4; *A Collector's Taste. Selections from the Collection of Mr. and Mrs. Stephen C. Clark*, Knoedler Galleries, New York 1954, Nr. 13; *Great French Paintings*, Art Institute, Chicago 1955, Nr. 4; *Paintings from private Collections*, Museum of Modern Art, New York 1955; *Paintings from private Collections*, Metropolitan Museum of Art, New York 1958, Nr. 18.

60   Stilleben mit Granatapfel, Birnen und Zitrone   1893–1894
Nature morte, grenade, poires et citron

Nicht bei Venturi
Ölfarben auf Leinwand, 26,7 x 35,6 cm
Stephen Hahn Collection, New York

Die farbige Schönheit verbindet sich ganz natürlich mit dem Eigensinn der Gegenstände dieses Stillebens, das im bloßen Ausschnitt nur weniges in eine intime Ordnung bringt.[1] Dem Maler genügten einige Früchte auf einem Teller, in dessen Glanz sich das Blau einer beigelegten Decke wiederfindet (vgl. Kat.-Nrn. 58, 59), um seine Wirklichkeitsvorstellung zu qualifizieren und um die feierliche Präzision der Formen, aber auch jene Gestaltfähigkeit der Farben zu erweisen, von denen Rainer Maria Rilke in einem seiner Briefe 1907 bemerkte: »Obwohl es zu seinen Eigentümlichkeiten gehört, Chromgelb und brennende rote Lacke an seinen Zitronen und Äpfeln ganz sicher schier zu gebrauchen, weiß er doch ihre Lautheit innerhalb des Bildes zu halten: völlig, wie in ein Ohr, tönt sie in ein horchendes Blau hinein und bekommt stumme Antwort von ihm, so daß niemand draußen sich angeredet oder angerufen fühlen muß.«[2]

Der etwas unmotiviert angeschnittene Krug könnte mit der gemusterten Decke darauf hindeuten, daß das kleine Stilleben ursprünglich Teil eines größeren Ganzen gewesen ist. So erinnert sich Cézannes Kunsthändler Ambroise Vollard an Bilder, »auf denen Cézanne kleine Skizzen verschiedener Themen gemalt hatte. Er überließ es Tanguy [dem Farbenhändler, der jahrelang Arbeiten des Künstlers in Zahlung genommen hatte], sie auseinanderzuschneiden. Sie waren für jene Liebhaber bestimmt, die weder vierzig noch hundert Francs zahlen konnten [je nach Format waren das Anfang der neunziger Jahre die Standardpreise für Gemälde]. So konnte man Tanguy sehen, wie er mit der Schere kleine ›Motive‹ verkaufte, während

188

irgendein Mäzen ihm einen Louis hinstreckte und sich mit ›drei Äpfeln‹ von Cézanne davonmachte.«[3] Nach dem Tode Tanguys 1893 wird Vollard ähnlich mit der Schere vorgegangen sein (vgl. Kat.-Nr. 35), zumal er nach der ersten Cézanne-Ausstellung im Herbst 1895 die Preise stark anheben konnte. Vollard verkaufte das Stilleben im März 1896 für 200 Francs an den Theater-Enthusiasten und Degas-Freund Ludovic Halévy, dem die Nachwelt die Libretti für die meisten Offenbach-Operetten sowie für Bizets *Carmen* verdankt. Übrigens hat auch Degas zu diesem Zeitpunkt ein winziges *Stilleben mit Birne und Zitrone* bei Vollard gekauft.[4]

1   Vgl. die Stilleben Venturi Nrn. 611, 612.
2   Rilke 1977, S. 42.
3   Vollard 1960, S. 30.
4   Nicht bei Venturi; siehe Vente Collection Edgar Degas, Galerie Georges Petit, Paris 26.-27. 3. 1918, Nr. 13. Degas besaß auch das kleine Stilleben *Pommes* Venturi Nr. 190 sowie die Gemälde Venturi Nrn. 124, 339, 367, 375, 522, 544.

PROVENIENZ: Ambroise Vollard, Paris; Ludovic Halévy, Paris; Daniel Halévy, Paris; Leon Halévy, Paris; Dominique Halévy, Paris.
BIBLIOGRAPHIE: Rewald 1986, S. 165 Abb.

61   Stilleben mit Wasserkrug   um 1893
Nature morte à la cruche

Venturi Nr. 749 (1895–1900)
Ölfarben auf Leinwand, 53 x 71,1 cm
The Trustees of the Tate Gallery,
Bequeathed by C. Frank Stoop
1933 (Inv. Nr. 4725), London

Es gibt sechs vergleichbare Stilleben mit einem Wasserkrug auf dem bildparallel gestellten, simplen Holztisch, kombiniert mit Tellern, Porzellanschalen und Früchten.[1] Entgegen der Meinung Venturis, der sie recht unterschiedlich zwischen 1885 und 1900 datiert, sind wir aus stilistischen Gründen der Auffassung, daß sie alle etwa gleichzeitig zwischen 1893 und 1895 im Aixer Atelier gemalt wurden. Deutlich läßt sich die Arbeitsweise Cézannes in der skizzenhaften Anlage des Querformates nachvollziehen (vgl. Kat.-Nrn. 30, 31, 62, 69, 91). Demnach wurde zunächst die Bildstruktur mit stark verdünnter blaugrauer Farbe skizziert. Sobald die Positionen des Tisches, des steif gefalteten Tuches, des Tellers, eines Messers, der Früchte und des Kruges vor dem Faltenwurf eines Vorhangs (?) festgelegt waren, kam es darauf an, aus dem Anfangs-stadium der Farbsetzungen die Formen herzuleiten und deren Rundungen aus den Schattenlagen herauszuarbeiten. Abweichend von einer Praxis, die Nähe mit Dunkelheit und Dichte gleichsetzt und mit der Abnahme dieser Qualitäten Ferne meint, entfaltete Cézanne die am Gegenstand gebrochenen Farben vom Dunklen zum Hellen, vom Fernen zum Nahen, von hinten nach vorne, von außen nach innen, vom Kalten zum Warmen. In chromatisch gereihten Schichten, die dem Spektrum ähnlich von den fernen, kalten Farben Violett, Blau und Grün zu den nahen, warmen Tönen Gelb, Orange und Rot reichen, baute er die Rundformen des Kruges und der Früchte vom Grund her sukzessiv auf, und zwar so, daß die farbig und räumlich tiefsten Lagen

190

von gleicher Präsenz sind wie die nach vorn tendierenden hell herausgehobenen Höhen. Die teilweise mit den Objekträndern übereinstimmenden Schattenkonzentrationen kommen meist aus tiefblauen Lineamenten zustande, um über feinste Grünabstufungen hinweg bis zu immer lichter werdenden Partien fortzuschreiten. Im Zwischenbereich von lichtabgewandten Schattenseiten und den lichtbeschienenen Stellen ist die jeweilige Gegenstandsfarbe lokalisiert.

Schon Delacroix und Pissarro hatten darauf aufmerksam gemacht, daß Gegenstände nicht von ihren zu Linien reduzierten Umrissen her zu verstehen seien, sondern als farbig aus dem Dunkel ins Licht herausgewölbte Massen. Ausschlaggebend für die Formgebung waren demnach die dem Auge naheliegenden »Kulminationspunkte« und nicht die vom Betrachter eigentlich am weitesten entfernten Konturen. Diese lassen, als Umrißzeichnung scharf und nahestehend erkennbar, die tatsächliche Erscheinungsweise von Körpern unberücksichtigt. Sein dahingehendes Verständnis formulierte Cézanne 1904: »Um Fortschritte zu machen, gibt es nur eins: die Natur; im Kontakt mit ihr wird das Auge erzogen. Es wird konzentrisch infolge des vielen Schauens und Arbeitens. Ich will damit sagen, daß es in einer Orange, einem Apfel, einer Kugel, einem Kopf einen kulminierenden Punkt gibt, und dieser Punkt ist – trotz der gewaltigen Wirkung von Licht, Schatten und Farbeindrücken – stets unserem Auge am nächsten. Die Ränder der Gegenstände fliehen in der Richtung eines Punktes, der auf unserem Horizont liegt.«[2] In anderen Worten heißt das, daß bei jeder intensiv betrachteten Form, sei sie rund, gebogen oder flach, jener Punkt dem Auge am klarsten entgegentritt, auf den sich die Anschauung konzentriert. In solchen Höhepunkten kulminiert das Licht, und von ihnen aus wölbt sich die Oberfläche in den Raum zurück. Der Beziehungsreichtum jener chromatischen Anordnungen, die zu einer Kongruenz von Farbe und Form führen, so daß die Form ihre größte Fülle dann gewinnt, wenn die Farbe den höchsten Reichtum zeigt[3], gehört zu den großen schöpferischen Leistungen des Koloristen Cézanne.

1   Venturi Nrn. 499, 500, 601, 609, 612, 622; vgl. auch die Bleistiftskizzen Chappuis Nrn. 1079, 1080.
2   Cézanne 1962, S. 285.
3   Bernard 1982, S. 55.

PROVENIENZ: Ambroise Vollard, Paris; C. Frank Stoop, London.
BIBLIOGRAPHIE: Venturi S. 226 Nr. 749, Abb.; Cooper 1954, S. 380; Cooper 1956, S. 449; Gowing 1956, S. 191; Chappuis S. 248 (bei Nr. 1079); New York 1977, S. 37 Abb., S. 340 Abb. 151; Adriani 1981, S. 281; *Catalogue of the Tate Gallery. Collections of Modern Art,* London 1981, S. 104 f. Abb.; Hülsewig 1981, S. 41, S. 72, S. 78, Abb. 23; Cézanne 1988, S. 228 Abb.
AUSSTELLUNGEN: London 1954; Basel 1983, Nr. 20, Abb.; Madrid 1984, Nr. 44, Abb.

62 **Die Vorbereitung des Festmahls** **1890–1895**
La préparation du banquet

Venturi Nr. 586 (um 1890)
Ölfarben auf Leinwand, 45,7 x 55,3 cm
Acquavella Modern Art, New York

Eine der merkwürdigsten Bilderfindungen Cézannes stellt diese Szenerie dar, die weder Stilleben noch Historienbild oder Genreszene ist und die stilistisch dem Spätwerk zugerechnet wird, während sie thematisch Verbindungen zum Frühwerk hält (Abb. 1). Damals hatte der Künstler, angeregt von Szenen aus Flauberts *Versuchung des Heiligen Antonius* beziehungsweise aus *Salammbô*, ein Liebesmahl von ausschweifender Exotik geschildert, bei dem an einer weißgedeckten Tafel Wein in hohen Amphoren kredenzt wird. Abgehoben von den Schauplätzen wollüstiger Lebensgier, doch genauso kühn im temperamentvollen Zusammenwirken der Farbkontraste und ebenso unbestimmt in der Raumordnung erscheint nun etwa ein Vierteljahrhundert später noch einmal ein reichgedeckter Tisch, der von zwei dunkelhäutigen, nackten Gestalten gerade bestückt wird. Prunkgefäß in der Mitte ist eine überdimensionierte goldene Kanne (vgl. Kat.-Nr. 11), die vorne ihr Ebenbild in Blau erhält. Früchte und Porzellantöpfe verschiedenster Art sind auf dem von einem weißen Tuch verhangenen Rund des Tisches pompös in Szene gesetzt. In der Tiefe des Raumes schaffen grüne Schatten den Ausgleich zwischen dem nach außen wirkenden Gegenüber von Rot und Blau.

Die in buntem Kolorit entwickelte Bildstudie, die große Teile der grundierten Leinwand unbedeckt läßt, definiert Details nur insoweit, als sie für das Verständnis des Gesamtkontextes notwendig sind. So bleibt offen, ob der zurückgezogene Vorhang auf der anderen Seite eine Entsprechung findet oder ob dort ein ähnlicher Ausblick gegeben ist wie auf zwei gleichzeitigen Stilleben sinnverwandten Inhalts.[1] Schwer zu entziffern ist zudem die von einem fiktiven Standort aus gesehene Raumabfolge. Sie wird vorne durch eine Treppe erschlossen, um dann tiefer liegend bis zu einer hellen Vogelgestalt (?) und einem Gesims darüber fortgeführt zu werden. Vor einer nahezu rokokohaften Kulissendekoration präsentiert sich die Figur links mit einem Balanceakt, während ihr rechtes Pendant im Begriff ist abzutreten. Dazwischen ist in wenigen Konturen ein vom unteren Bildrand angeschnittener, dritter Akt angedeutet, der sich vor einem imaginären Publikum zu verbeugen scheint.

Abb. 1
Paul Cézanne, *Die Orgie*, 1866–1868, Gouache. Privatbesitz

1   Venturi Nr. 200, Rewald Nr. 294.

PROVENIENZ: Ambroise Vollard, Paris; Galerie Pierre, Paris; Douglas Cooper, London; Paul Rosenberg, New York; Irene Mayer Selznick, New York; Auktion Sotheby's, London 24. 6. 1986, Nr. 20.
BIBLIOGRAPHIE: Venturi S.110, S.192 Nr.586, Abb.; Neumeyer 1958, S. 51; Reff 1963, S. 152; New York 1977, S. 34 f. Abb.; Krumrine 1980, S. 116 f. Abb.; Rewald S.156 (bei Nr. 294); London 1988, S. 33 Abb., S. 39; Basel 1989, S. 47 f. Abb. 24, S. 50, S. 144, S. 190, S. 214, S. 256, S. 262; Lewis 1989, S. 175 f. Abb.
AUSSTELLUNGEN: *Aquarelles et Baignades de Cézanne*, Galerie Renou & Colle, Paris 1935; New York 1959, Nr. 36, Abb.; *XIX & XX Century Master Paintings*, Acquavella Galleries, New York 1983, Nr. 8, S. 19 Abb.; Tokyo 1986, Nr. 29, Abb.

63 Die Apotheose Delacroix' um 1894
Apothéose de Delacroix

Venturi Nr. 245 (1873–1877)
Ölfarben auf Leinwand, 27 x 35 cm
Musée d'Orsay (Inv. Nr. RF 1982–38), dépôt de l'Etat 1984,
Musée Granet (Inv. Nr. 84-7-1-7), Aix-en-Provence

Eugène Delacroix, dessen Vater Talleyrand die politischen Geschicke Frankreichs im
ersten Viertel des 19. Jahrhunderts entscheidend mitbestimmte, hatte als Künstler mit
Sicherheit den größten Einfluß auf die französische Avantgarde in der zweiten Jahr-
hunderthälfte. Von Daumier und Corot über Manet, Monet, Renoir und Degas bis zu
Redon und van Gogh, der Delacroix als Bahnbrecher rühmte, war ihm mehr als eine
Künstlergeneration verpflichtet. Er öffnete den Jüngeren die Augen für das eigentliche
Problem des Malers, ein Bild ausschließlich von der Farbe her zu gestalten. Seine
gekonnte Dramaturgie, seine freizügig mit der Natur harmonierende Farbwahl sowie
ein Vorgehen, das Spuren von Improvisation beibehielt, stimmten mit deren Ideen von
Originalität und äußerster malerischer Kühnheit überein. Am meisten jedoch stand
Cézanne im Banne des »großen Meisters« und dessen Bekenntnis zum Primat der
Einheit und Beziehungsreichtum stiftenden Farbe. In Delacroix sah er ein Vorbild, dem
es gelungen war, Farbe gleichermaßen für die Inhalte wie für die Formbildung einzusetzen. Cézanne war stolzer Besitzer zweier Gemälde, eines Aquarells und zweier
Lithographien Delacroix'. Sechs Reproduktionen seiner Werke schmückten die Wände
des Ateliers in Aix. Vornehmlich aus den sechziger und siebziger Jahren existieren
über 25 gezeichnete und gemalte Wiederholungen nach Delacroix, mit dem Cézanne
in seiner Verehrung für die großen Venezianer, für Rubens und den Plastiker Puget
übereinstimmte.

Obwohl die eigentliche Auseinandersetzung mit Delacroix' Errungenschaften
schon in den frühen Pariser Jahren erfolgt war, als 1862 in der Galerie Georges Petit
dessen Arbeiten auf Papier und 1864 eine große Retrospektive gezeigt wurden, war es

Abb. 1
Paul Cézanne in seinem Pariser Atelier
bei der Arbeit an der *Apotheose Delacroix*,
Fotografie 1894

immer wieder Delacroix, auf den sich Cézanne bis ins Alter berief.[1] Noch vier Wochen vor dem Tod las er wieder einmal »die Würdigungen, die Baudelaire über das Werk von Delacroix geschrieben hat«.[2]

Cézannes enge Affinität zu Delacroix sollte schließlich in einer über Jahrzehnte hinweg geplanten, jedoch nicht endgültig realisierten *Apotheose Delacroix'* ihre Vollendung finden. Am 12. Mai 1904 schrieb der alte Maler an Emile Bernard: »Ich weiß nicht, ob meine schwankende Gesundheit mir je erlauben wird, meinen Traum, eine *Apotheose von Delacroix* zu malen, zu verwirklichen.«[3] Zehn Jahre zuvor, 1894, hatte er sich, mit Pinseln in der Hand, im Pariser Atelier Passage Dulac fotografieren lassen (Abb. 1). Auf der Staffelei erkennt man die kleine Bildstudie der *Apotheose,* die, offensichtlich noch unfertig, gerade bearbeitet wurde. Obwohl das Motiv auf eine möglicherweise später aquarellierte und ergänzte Feder- und Bleistiftzeichnung aus der zweiten Hälfte der siebziger Jahre zurückzuführen ist[4], sprechen sowohl stilistische Gründe als auch das Foto, das den Künstler bei der Arbeit zeigt, für eine Entstehungszeit des Gemäldes um 1894. Anlaß für das erneute Interesse an dem alten Thema könnte die Veröffentlichung von Delacroix' *Journal* 1893 gewesen sein, beziehungsweise der Tod des Sammlers Chocquet 1891, mit dem Cézanne nicht zuletzt die Bewunderung für Delacroix verbunden hatte (vgl. Kat.-Nr. 15).

In der Kompositionsweise und der Anordnung der »Adoranten« setzte Cézanne der in barocke Himmelsphären entschwindenden Künstlerpersönlichkeit ein ähnliches Denkmal wie einstmals in sarkastischer Überhöhung der triumphalen Weibermacht (vgl. Kat.-Nr. 12). Während dort, wo die namenlosen Repräsentanten von Gott und der Welt dem schönen Geschlecht ihren Tribut zollen, dem Künstler nur eine Außenseiterposition zugewiesen ist, wurde die Delacroix-Huldigung zum Versammlungsort der mit Kunst befaßten Freunde Cézannes. Er selbst erscheint abermals von hinten gesehen, in zentraler Position am unteren Bildrand. Umkreist von Pissarro, Monet und Victor Chocquet befindet er sich mit der Maltasche auf dem Rücken auf dem Weg zum Motiv. Von Emile Bernard, der den Künstler 1904 in Aix-en-Provence aufsuchte, wissen wir, wer im einzelnen dargestellt ist: »Er plante, eine *Apothéose de Delacroix* zu malen, und zeigte mir die Skizze dazu. Der Meister der Romantik war dargestellt, wie er von Engeln, von denen der eine seine Pinsel, der andere seine Palette hielt, tot emporgetragen wird. Darunter dehnte sich eine Landschaft aus, in welcher Pissarro an seiner Staffelei vor dem Motiv stand. Zur Rechten war Claude Monet und im Vordergrund Cézanne, von hinten gesehen, mit einem großen Barbizonhut auf dem Kopf, einen Spieß in der Hand und einer Jagdtasche an der Seite. Zur Linken befand sich Herr Chocquet, der den Engeln applaudierte. Endlich repräsentierte ein bellender Hund (das Symbol des Neides, nach Cézanne) in einem Winkel die Kritik.«[5]

1   Vgl. die Briefstellen Cézanne 1962, S. 100, S. 103, S. 211, S. 261.
2   Ibid., S. 310.
3   Ibid., S. 282.
4   Rewald Nr. 68; vgl. die Einzelstudien Rewald Nr. 69, Chappuis Nrn. 174, 175 sowie die Zeichnungen nach
    Rubens' *Apotheose Heinrichs IV.* Chappuis Nr. 102 oder nach Delacroix' *Grablegung Christi* Chappuis
    Nr. 167.
5   Bernard 1982, S. 92.

PROVENIENZ: Ambroise Vollard, Paris; Auguste Pellerin, Paris; Jean-Victor Pellerin, Paris.
BIBLIOGRAPHIE: Rivière 1923, S. 204; Bernard 1925, S. 69; Huyghe 1936, S. 33; Venturi S. 119 Nr. 245,
S. 250, Abb.; Novotny 1937, S. 14, S. 20, Abb. 67; Badt 1956, S. 85, S. 215 f., Abb. 41; Berthold 1958, S. 35;
Ratcliffe 1960, S. 21; Cézanne 1962, Abb.; Chappuis 1962, S. 49 f. Abb.; Lichtenstein 1964, S. 55, S. 57, S. 60,
Abb. 1; Andersen 1967, S. 137 f., Abb. 3; Schapiro 1968, S. 48 f., S. 51 Abb. 17; Rewald 1969, S. 70 f. Abb.,
S. 89; Andersen 1970, S. 44; Murphy 1971, S. 83 Abb.; Chappuis S. 85 (bei Nr. 174), S. 86 (bei Nr. 175); Geist
1975, S. 16; Lichtenstein 1975, S. 126; Adriani 1978, S. 80, S. 309; Adriani 1981, S. 28; Bernard 1982, S. 92;
Rewald S. 102 f. (bei Nrn. 68, 69); Coutagne 1984, S. 222 ff. Abb.; S. Gache-Patin, *Douze œuvres de Cézanne
de l'ancienne collection Pellerin,* in: La Revue du Louvre, 2, April 1984, S. 137; London 1988, S. 26, S. 31,
S. 53; Aix-en-Provence 1990, S. 112 Abb. 60.
AUSSTELLUNGEN: Lyon 1939, Nr. 12; Madrid 1984, Nr. 12, Abb.

64   Der Bauer   um 1891
      Le paysan

Venturi Nr. 567 (1890-1892)
Ölfarben auf Leinwand, 56 x 46 cm
Privatbesitz

Da sich seine Frau und der inzwischen achtzehnjährige Sohn Paul seit den frühen
neunziger Jahren kaum mehr bereit fanden, dem Maler Modell zu sitzen, war dieser
gezwungen, sich nach Alternativen umzusehen. Er fand sie seit Herbst 1890 in einigen
Aixer Landarbeitern und Bauern, die seine Mutter beziehungsweise seine Schwester
auf dem Familiensitz Jas de Bouffan beschäftigten. Über Jahre hinweg blieben sie ihm
willkommene Sujets, die er mit der gleichen malerischen Aufmerksamkeit bedachte
wie eine Baumgruppe oder den Krug eines Stillebens.

Obwohl der Bruch mit Zola seit 1886 vollzogen war, ließ sich dieser im Februar
1891 von Paul Alexis (vgl. Kat.-Nrn. 5, 6) aus Aix detailliert über das Ergehen des
langjährigen Freundes berichten: »Gücklicherweise bringt Cézanne, den ich seit
einiger Zeit wiedergefunden habe, ein wenig Atem und Leben in meinen Verkehr. Er
wenigstens vibriert, ist expansiv und lebendig. Er ist wütend auf die ›Kugel‹ [Spitzname
seiner Frau], die ihm im Anschluß an einen einjährigen Aufenthalt in Paris im
vergangenen Sommer fünf Monate Schweiz und table d'hôte auferlegt hat ... wo er
nur bei einem Preußen einer gewissen Sympathie begegnet ist ... Auf seine Mutter
und seine Schwester gestützt ... fühlt er sich jetzt stark genug, Widerstand zu leisten.
Während des Tages malt er im Jas de Bouffan, wo ihm ein Arbeiter als Modell dient
und wo ich ihn dieser Tage besuchen werde, um zu sehen, was er macht. – Schließlich,
um seine Psychologie zu vervollständigen: Er ist bekehrt, glaubt und geht zur Messe.«[1]

Das angesprochene Modell war vielleicht jener junge Mann, dessen weniger
im Ausdruck als vielmehr in der Gestaltung gewichtiges Bildnis Cézanne einem
traumhaft blauen Ambiente aussetzte. Die Schilderung des tief in ein einfaches
Vorhandensein gebannten Menschen hat nichts mit dem sozialen Pathos Courbets
gemein. Nichts läßt auf bestimmte Eigenschaften oder Tätigkeiten des passiv
Verharrenden schließen. Die wie auch immer geartete soziale Stellung des Bauern,
die von Millet heroisch oder von Daumier kritisch durchleuchtet worden wäre,
blieb irrelevant.

Da modisches Beiwerk den Eigenwert der Person beliebigen Veränderungen
ausgesetzt hätte, verzichtete der Porträtist weitgehend darauf. In weißem Hemd und
blauer Jacke vor einer gleichfalls blauen Wand strahlt dieses Bild der Versunkenheit
eine Würde aus, die ohne die üblichen Repräsentationsmerkmale Bestand hat. Nach
Venturi war der Landarbeiter auch Modell für den rechten der beiden Akteure auf den
zwischen 1892 und 1895 konzipierten Bildern der *Zwei Kartenspieler* (Kat.-Nrn. 65, 66);
1890–1892 dürfte er zudem für die verschiedenen Versionen des *Fumeur accoudé*
gesessen haben.[2]

Anläßlich einer Ausstellung mit Bildnissen Cézannes in der Pariser Galerie
Vollard schrieb kein Geringerer als der damals als Kunstkritiker tätige Apollinaire am
27. September 1910 in der Zeitschrift ›L'Intransigeant‹, daß der Besuch der Ausstellung
»dazu beitragen wird, etwas von dem Einfluß des Meisters von Aix auf die heutigen
jungen Maler ermessen zu können ... Bei Cézanne ist die große Einfachheit mit
Bewußtsein erreicht. Vor der Natur malend brachte er sein ganzes Genie auf, um aus
dem Impressionismus eine Kunst des Verstandes und der Kultur zu machen. All das
erscheint deutlich in den ausdrucksstarken Gesichtern, die M. Vollard uns jetzt zeigt.
Eine indiskrete Hand hat die Bilder auf verwegene Weise gefirnißt, was – wie wir
hoffen nur vorübergehend – die allgemeine Harmonie stört. Aber was für eine
exquisite und machtvolle Verfeinerung steckt in diesen einfachen, herben Porträts!

Als ... provinziellem Künstler mangelt es Cézanne manchmal an Charme.
Aber selbst die ländlichsten dieser Gesichter besitzen Adel. Man kann sicher sein,
daß er immer die Menschlichkeit seiner Modelle in höhere Sphären übersetzte.«[3]

1   Cézanne 1962, S. 218 f.
2   Venturi Nrn. 684, 686, 688.
3   Apollinaire 1989, S. 106.

PROVENIENZ: Ambroise Vollard, Paris; Arthur Hahnloser, Winterthur.
BIBLIOGRAPHIE: Venturi S. 187 Nr. 567, Abb.; Novotny 1937, S. 8, Abb. 60; Cogniat 1939, Abb. 97;
Dorival 1949, S. 71, S. 73, Abb. 122, S. 168; Guerry 1950, S. 104; Feist 1963, Abb. 51; Andersen 1970, S. 43;
Elgar 1974, S. 136, S. 139 Abb. 83, S. 218; Cézanne 1988, S. 180 Abb.
AUSSTELLUNGEN: Zürich 1956, Nr. 66, Abb. 43; München 1956, Nr. 48, Abb.; Köln 1956, Nr. 24, Abb.

65   Zwei Kartenspieler   1892–1895

Deux joueurs de cartes

Venturi Nr. 557 (1890–1892)
Ölfarben auf Leinwand, 60 x 73 cm
Courtauld Institute Galleries, Courtauld Gift 1932, London

Nach zwei mehrfigurigen Fassungen der *Kartenspieler,* die 1890-1892 das alte Thema
des Gruppenporträts aufgriffen[1], zog Cézanne die Quintessenz aus dem Motiv, indem
er die ursprünglich fünf beziehungsweise vier um einen Tisch versammelten Bild-
akteure auf zwei reduzierte und den Bildausschnitt auf die sich gegenüber-
sitzenden Spieler konzentrierte (vgl. die frühen Freundschaftsbilder Kat.-Nrn. 5, 6).
Der Entwicklungsprozeß von den beiden ausführlicheren, detailbetonten Varianten zu
den konzentrierten Fassungen erstreckte sich mit wechselnden Modellen über einen
längeren Zeitraum. Von den drei späteren Versionen (vgl. Kat.-Nr. 66) ist die des
Courtauld Institutes die freieste. Obwohl kleiner als das eine ihrer Gegenstücke
(Kat.-Nr. 66, Abb. 1), wirkt sie monumental. Sie ist klassisch im Sinne der vielschichtigen
Übereinstimmungen von Formidealität, Anschauungsdichte sowie äußerster Vergegen-
wärtigung und könnte somit als der End- und Höhepunkt der wohl im Herbst 1890
begonnenen Bildfolge der *Kartenspieler* gelten.
      Anhaltspunkte dafür, warum Cézanne in den frühen neunziger Jahren das
Thema für sich entdeckte, warum er ihm diese Bedeutung beimaß und gerade daraus
fünf vollendet durchdachte Meisterwerke schuf, gibt es nicht. Die immer wieder
angeführten Kartenspielermotive des niederländischen oder französischen 17. Jahrhunderts dürften als Inspirationsquellen kaum in Frage gekommen sein.[2] Denn
tatsächlich ist bei Cézanne nichts von all dem geblieben, worauf es vom 17. bis zum 19.
Jahrhundert bei derartigen Spielszenen angekommen war. Weder die in minuziöse
Stofflichkeit gehüllte Schilderung alltäglichen Daseins noch die laute Geselligkeit oder
der Hinweis auf menschliche Schwächen spielen eine Rolle. Jene Aixer Bauern am
Kartentisch haben auch nichts zu tun mit Millets Heroismus des sozialen Aufbruchs
oder mit der sarkastischen Anklage gegen die gesellschaftlichen Zustände bei
Daumier. Ihre in Formenstrenge übertragene Gelassenheit macht das genrehafte Tun
vergessen. Bestimmt ließ sich der Maler von einer realen Situation inspirieren, als er
die Männer beim Spiel beobachtete, aber er hat kaum eine solche Situation
dargestellt. Vielmehr ließ er die Modelle ins Atelier kommen, um Porträtstudien von

ihnen anzufertigen. Sobald die in sich ruhende Einzelgestalt als Träger der inhaltlichen und formalen Ordnung näher bestimmt war[3], ging der Künstler daran, in fortwährenden Sitzungen seine Bildidee zu konkretisieren.

Mit dieser Bildschöpfung sagte sich Cézanne endgültig von der Erzählfreude des Genres los. Denn nicht auf ihr Handeln, sondern allein auf die Haltung der beiden Dargestellten sowie auf ihre farbige Einbindung in den Raum kam es ihm an. Ohne jede Störung des Illustrativen wurde in klarer Parallelität die Bildkonstruktion erstellt. Jede noch so kleine Andeutung, etwa die Neigung der Köpfe, die gesenkten Blicke, das Aufstützen der Arme oder das Spiel der Finger, ist sinnvoll – nicht bedeutungsvoll – auf die Komplexität des Bildes bezogen. Das verhalten abwartende Gegenüber der in sich gekehrten Männer, die ganz eingenommen von ihrem Spiel die Welt um sich zu vergessen scheinen, evoziert eine ernste Farbigkeit. Als dominierende Farbformen sind der rotbraune Tisch, das Inkarnat und das lichte Grün der Jacke am sorgsamsten ausgemalt. Im Hintergrund klingt ein wenig Karminrot und das den Ausblick in einen undefinierbaren Landschaftsraum andeutende Zinnober nach. Effektvoll steht das höchste Weiß der Karten vor dem tiefsten Blauschwarz der Wand.

Die intensiven farbigen Bezugnahmen finden ihre Entsprechung ebenso in formalen Einzelheiten. Was sich beispielsweise auf dem Tisch als zentralem Bildgegenstand abspielt, ist genau aufeinander abgestimmt. Durch die Flasche am hinteren Ende axial markiert, wird er durch die rechtwinklig angelegten Schrägen der Unterarme sowie der gegenseitigen Blicke zum diagonalen Schnittpunkt des Bildes. Seine Neigung wird durch den schweren Druck der aufgestützten Arme abgefangen, während unter ihm des Gleichgewichts wegen die Oberschenkel der linken Figur unverhältnismäßig weit nach vorne verlängert werden mußten. Das aufrechte, reglose Sitzen des linken Mannes in Kombination mit der starren Geraden der Stuhllehne und der steifen Hutform schafft einen Gegenpol zu der eher weichen, lichten Attitüde seines Mitspielers. Durch die Farbwahl strahlt die kräftigere Gestalt des einen Wärme und einnehmende Nähe aus, die des anderen dagegen kühle Zurückhaltung und Reserviertheit. Selbst Details wie die an dieser Stelle zur Notwendigkeit gewordenen Ansätze der Jackentaschen scheinen teilzuhaben an diesen Gegensätzen. Cézanne ist es gelungen, die konträren Temperamente und Konstitutionen bis in die Hutkrempen, ja bis in die gegenteiligen Stuhllehnen hinein zu charakterisieren und daraus ein unprätentiöses Bild sinnenden Einvernehmens zu entwerfen. Es sind speziell diese leisen Töne, die ein banales Geschehen in ein großes Kunstwerk verwandeln.

1   Venturi Nrn. 559, 560.
2   Auch der Hinweis auf eine belanglose Kartenspielerszene Jan Horemans, die 1860 vom Musée Granet in Aix erworben worden war, oder auf die Nachzeichnung des jungen Cézanne nach einer diesbezüglichen Genreszene, Chappuis Nr. 36, hilft nicht weiter.
3   Für die linke Figur, die allgemein als Père Alexandre, der Gärtner des Jas de Bouffan, identifiziert wird, vgl. die Porträtstudien Venturi Nr. 566, Rewald Nr. 378 und als Verso-Seite Chappuis Nr. 1095. Der rechte Spieler ist auf dem Aquarell Rewald Nr. 380 sowie auf der Zeichnung Chappuis Nr. 1094 skizziert.

PROVENIENZ: Ambroise Vollard, Paris; Julius Elias, Berlin; J. B. Stang, Oslo; Alfred Gold, Berlin; Samuel Courtauld, London.
BIBLIOGRAPHIE: Meier-Graefe 1918, S. 75, S. 194 Abb.; Meier-Graefe 1922, S. 75, S. 236 Abb.; Rivière 1923, S. 218; Mack 1935, S. 317 f., S. 373; Raynal 1936, Abb. 26; Venturi S. 59, S. 185 Nr. 557, S. 275, Abb.; Dorival 1949, S. 73 ff. Abb. 126, S. 169; Guerry 1950, S. 196; Schmidt 1952, S. 27; Cooper 1954, S. 380; Douglas Cooper, *The Courtauld Collection*, London 1954, S. 88, Abb. 10; Badt 1956, S. 65 f., S. 93, Abb. 11; Reff 1958, S. 93; Loran 1963, S. 93; Andersen 1970, S. 37, S. 39, S. 43; Murphy 1971, S. 199 f.; Chappuis S. 250 (bei Nr. 1094); Newcastle 1973, S. 164; Elgar 1974, S. 136, S. 141 Abb. 85; New York 1977, S. 17, S. 20; Adriani 1978, S. 89, S. 325; Theodore Reff, *Cézanne's ›Cardplayers‹ and their Sources*, in: Arts Magazine, 55, 3, November 1980, S. 104 ff.; Adriani 1981, S. 282; Rewald S. 175 (bei Nr. 377), S. 176 (bei Nr. 378), S. 177 (bei Nr. 380); Basel 1989, S. 260; Krumrine 1992, S. 592.
AUSSTELLUNGEN: Berlin 1909, Nr. 31; Prag 1929, Nr. 8; *French Art*, Royal Academy, London 1932, Nr. 392, Abb.; London 1954, Nr. 52; *Impressionist & Post-Impressionist Masterpieces. The Courtauld Collection*, The Museum of Art, Cleveland 1987 - The Metropolitan Museum of Art, New York - The Kimbell Art Museum, Fort Worth - The Art Institute, Chicago - The Nelson Atkins Museum of Art, Kansas City 1988, Nr. 26, Abb.

66 Zwei Kartenspieler 1892–1895
Deux joueurs de cartes

Venturi Nr. 558 (1890–1892)
Ölfarben auf Leinwand, 47,5 x 57 cm
Musée d'Orsay (Inv. Nr. R.F. 1969), Paris

Die *Kartenspieler*-Version des Musée d'Orsay ist kleiner als die des Courtauld Institutes
(Kat.-Nr. 65); sie ist im Bildausschnitt etwas enger gefaßt, und auch in der aufrechteren
Haltung der Spieler, die bis zur höheren Hutform der linken Figur zum Tragen kommt,
unterscheidet sie sich. Übereinstimmend sind im großen und ganzen die Farbigkeit
und eine Raumsituation, die möglicherweise eine Veranda mit Holzbrüstung und
Ausblick wiedergibt. Was die Beleuchtung betrifft, können wir, im Gegensatz zur
dritten Variante, die die Spieler bei fahlem Kunstlicht und den Ausblick in tiefem
Dunkel zeigt (Abb. 1), von Tageslicht ausgehen, bei dem sich das Dunkelgrün der
Landschaft bis in die Schattenformen der Kleidung niederschlägt.

Ohne daß direkte Bezüge bestanden, führte die gedankliche Lage zu sinnverwandten Lösungen für Cézannes Doppelporträts in Innenräumen. Obwohl er sich
nur dreimal damit befaßte, wies er diesen Bildern der Freundschaft stets einen
exzeptionellen Stellenwert zu. Da waren einmal die beiden frühen Bildnisse der
Freunde Zola und Alexis (Kat.-Nrn. 5, 6), da gab es 1888 das prominente, ganzfigurige
Porträt des Sohnes Paul mit Louis Guillaume als Harlekin und Pierrot[1], und schließlich
waren es die *Kartenspieler*, die die enge Verbundenheit des Künstlers mit den
Menschen seiner Heimat zum Ausdruck brachten. In diesem Sinne ist auch die
Äußerung zu verstehen, die Jules Borély 1902 überliefert hat: »Heute ändert sich alles
in der Wirklichkeit, aber nicht für mich, ich wohne in der Stadt meiner Kindheit, und
es ist im Blick der Leute meines Alters, in dem ich die Vergangenheit sehe. Ich liebe
über alles den Anblick der Leute, die alt geworden sind, ohne den Gebräuchen Gewalt
anzutun durch die Annahme der Gesetze der Zeit. Ich hasse die Auswirkungen dieser
Gesetze. Sehen Sie diesen Cafébesitzer, der vor seiner Tür … sitzt, was für ein Stil!«[2]

---

1   Venturi Nr. 552.
2   Borély 1982, S. 38.

PROVENIENZ: Ambroise Vollard, Paris; Denis Cochin, Paris;
Durand-Ruel, Paris–New York; Isaac de Camondo, Paris.
BIBLIOGRAPHIE: Vollard 1914, Abb. 1; Meier-Graefe 1922, S. 75;
Rivière 1923, S. 218; Fry 1927, S. 69 f., Abb. 37; Ors 1936, S. 29 Abb.;
Venturi S. 59, S. 185 Nr. 558, S. 275, Abb.; Novotny 1937, S. 8, S. 13 f.,
S. 20, Abb. 58; Cogniat 1939, Abb. 76; Dorival 1949, S. 73 ff., Abb.
127, S. 169; Guerry 1950, S. 196; Schmidt 1952, S. 27; Cooper 1954,
S. 380; Badt 1956, S. 65 f. Abb. 12; Gowing 1956, S. 191; Reff 1958,
S. 93; Feist 1963, Abb. 64; Loran 1963, S. 93; Andersen 1970, S. 37,
S. 39, S. 43; Murphy 1971, S. 119 f., S. 168; Brion 1973, S. 52 f. Abb.;
Chappuis S. 250 (bei Nr. 1094); Newcastle 1973, S. 164; Elgar 1974,
S. 136, S. 142 Abb. 86; Schapiro 1974, S. 17, S. 88 f. Abb.; Barskaya
1975, S. 35 Abb.; Wadley 1975, S. 56 Abb. 49; Wechsler 1975, Abb.
15; New York 1977, S. 17 Abb., S. 20; Rilke 1977, Abb. 8; Adriani
1978, S. 70 Abb., S. 89, S. 325; Theodore Reff, *Cézanne's ›Card-
players‹ and their Sources,* in: Arts Magazine, 55, 3, November
1980, S. 104 ff.; Adriani 1981, S. 282; Rewald S. 175 (bei Nr. 377),
S. 176 (bei Nr. 378), S. 177 (bei Nr. 380); Cézanne 1988, S. 178 Abb.;
Erpel 1988, Nr. 20 Abb.; Basel 1989, S. 260.
AUSSTELLUNGEN: *Chefs-d'œuvre de la peinture,* Musée du
Louvre, Paris 1945, Nr. 2; Aix-en-Provence 1953, Nr. 18, Abb.; Paris
1954, Nr. 55, Abb. 24; Den Haag 1956, Nr. 35, Abb.; Aix-en-
Provence 1961, Nr. 12, Abb. 8; Wien 1961, Nr. 33, Abb. 21; *Un siècle
de peinture française 1850–1950,* Fondation Gulbenkian,
Lissabon 1965, Nr. 22, Abb.; Paris 1974, Nr. 44, Abb.; Madrid 1984,
Nr. 43, Abb.

Abb. 1
Paul Cézanne, *Zwei Kartenspieler*, 1892–1895. Privatbesitz

67   Selbstbildnis mit Filzhut   um 1894
      Portrait de l'artiste, coiffé d'un chapeau mou

Venturi Nr. 579 (1890–1894)
Ölfarben auf Leinwand, 60,2 x 50,1 cm
Bridgestone Museum of Art, Ishibashi Foundation, Tokyo

Von den bis 1895 geschaffenen 23 Selbstbildnissen (vgl. Kat.-Nrn. 13, 36) hatte Cézanne
für seine erste Einzelausstellung in der Pariser Galerie Vollard lediglich dieses sowie
ein Beispiel aus der Zeit um 1880 ausgewählt.[1] Das Brustbildnis im Profil nach rechts
war ihm offenbar wichtig genug, um sich damit der Pariser Öffentlichkeit, die den
einstigen Freund Zolas längst aus dem Gedächtnis verloren hatte, zu präsentieren.[2]
Nach dem Alter und den grauen Haaren zu schließen, dürfte sich der Maler als etwa
Mittfünfzigjähriger porträtiert haben (vgl. Kat.-Nr. 63, Abb. 1). Das heißt, das ganz auf
vielfältig gebrochenen Rot-, Braun- und Grauwerten basierende Bildnis wäre zwischen
dem großen Selbstbildnis mit Palette, das ihn um 1890 noch dunkelhaarig zeigt, und
einem nahe verwandten Brustbildnis von 1895 anzusiedeln.[3]
      Im November 1894 hatte die amerikanische Malerin Mary Cassatt Cézanne bei
Monet in Giverny kennengelernt. Unmittelbar danach charakterisierte sie ihn in
einem Brief an eine Freundin gewiß nicht unzutreffend: »Monsieur Cézanne stammt
aus der Provence und ähnelt den Männern aus dem Süden, die Daudet beschreibt. Als
ich ihn zuerst sah, schien mir, er sähe wie ein Halsabschneider aus, mit großen, roten
Augäpfeln, die in sehr furchterregender Weise aus seinem Kopf hervorstechen, mit
einem recht grimmigen, ziemlich grauen Spitzbart und einer erregten Art zu reden,
daß die Teller buchstäblich davon klappern. Ich entdeckte jedoch später, daß er – weit
davon entfernt, grimmig oder ein Halsabschneider zu sein – das erdenklichst sanfteste
Wesen hat; ›wie ein Kind‹, sagt er selbst. Seine Manieren haben mich zunächst etwas
überrascht: Er kratzt seinen Suppenteller aus und hebt ihn dann hoch, um die letzten
übriggebliebenen Tropfen in seinen Löffel fließen zu lassen; er nimmt sogar sein
Kotelett in die Finger und zerrt das Fleisch vom Knochen. Er ißt mit dem Messer und
begleitet jede Geste, jede Bewegung der Hand mit diesem Instrument, das er zu
Beginn der Mahlzeit energisch ergreift und nicht niederlegt, bevor er den Tisch
verläßt. Doch trotz dieser vollkommenen Mißachtung guter Manieren zeigt er uns
gegenüber eine Höflichkeit, die uns kein anderer Mann hier erwiesen hätte … Beim
Mittagessen und beim Abendbrot dreht sich das Gespräch meist um Kunst und
Kochen. Cézanne ist einer der tolerantesten Künstler, denen ich begegnet bin. Er setzt
jeder Bemerkung die Worte: ›für mich ist es so und so‹, voran, gibt aber zu, daß
jedermann seiner Überzeugung entsprechend ebenso aufrichtig und der Natur ebenso
getreu sein kann. Er glaubt nicht, daß alle Welt auf die gleiche Art sehen sollte.«[4]

1   Venturi Nr. 368.
2   Als Leihgabe Vollards wurde das *Selbstbildnis* auch 1913 in der für die Entwicklung der modernen Kunst
    so entscheidenden Armory Show in New York und Chicago gezeigt.
3   *Cézanne à la palette* Venturi Nr. 516 und *Portrait de Paul Cézanne* Venturi Nr. 578; vgl. auch das
    aquarellierte Selbstbildnis Rewald Nr. 486.
4   Cézanne 1962, S. 221.

PROVENIENZ: Ambroise Vollard, Paris.
BIBLIOGRAPHIE: Vollard 1914, S. 58, Abb. 26; Meier-Graefe 1918, S. 188 Abb.; Meier-Graefe 1922, S. 75,
S. 228 Abb.; Venturi S. 190 Nr. 579, Abb.; Mack 1938, S. 290; Ratcliffe 1960, S. 21; Vollard 1960, S. 34; Feist
1963, Abb. 50; *Bridgestone Gallery*, Tokyo 1965, Nr. 37, Abb.; Andersen 1970, S. 39; Elgar 1974, S. 163 Abb.
94; Rewald 1989, S. 202 Abb. 103; *Masterworks, Paintings from the Bridgestone Museum of Art*, Tokyo 1990,
S. 38 f. Abb.
AUSSTELLUNGEN: Paris 1895; Berlin 1909, Nr. 26; *Armory Show*, New York–Chicago–Boston 1913,
Nr. 215; *Cézanne, Renoir*, Museum of Modern Art, Kamakura 1951, Nr. 5; *La Collection Ishibashi*, Musée
National d'Art Moderne, Paris 1962, Nr. 8; Tokyo 1974, Nr. 61, Abb.; Tokyo 1986, Nr. 34, Abb.; Basel 1989,
S. 166, Abb. 132, S. 314 Nr. 52.

68 Joachim Gasquet 1896

Venturi Nr. 694 (1896–1897)
Ölfarben auf Leinwand, 65,5 x 54,5 cm
Národní Galerie v Praze (Inv. Nr. NG 03202), Prag

Der Schriftsteller Joachim Gasquet (1873-1921) war der Sohn von Cézannes Schul-
kameraden Henri Gasquet, der in Aix eine Bäckerei besaß. In einem etwas
hochtrabenden Stil vertrat der junge Dichter einen prononciert provenzalischen
Regionalismus. Politisch rechts stehend, was Cézanne sehr zustatten kam, hatten sich
die beiden im Frühjahr 1896 kennengelernt. Die Begeisterung Gasquets schien dem
Künstler geschmeichelt zu haben, der von April 1896 bis Juli 1904 zahlreiche Briefe
an den Bewunderer richtete.[1] Dessen 1912/13 notierte Erinnerungen an den Maler, die
1921 als Biographie veröffentlicht wurden, können allerdings wegen ihrer lokalpatrio-
tischen Mischung aus Authentischem und Spekulativem nicht uneingeschränkt als
Quelle herangezogen werden.

Authentisch ist jedoch zumindest die Beschreibung des Aixer Ateliers im Jas de
Bouffan, die Gasquet in Zusammenhang mit dem Entstehen des Porträts seines Vaters
(Abb. 1) gegeben hat: »Cézanne war dabei, das Porträt meines Vaters zu vollenden. Ich
wohnte den Sitzungen bei. Das Atelier war leer. Als einziges Möbel die Staffelei, das
kleine Tischchen mit den Farben, der Stuhl, auf dem mein Vater saß, und der Ofen.
Cézanne arbeitete stehend ... In einem Winkel, gegen den Sockel der Wand, ein
Haufen von Leinwänden. Ein gleichmäßiges mildes Licht, blau von dem Widerschein
der Wände. Auf einem hellen Holzgestell zwei oder drei Gipsabgüsse und Bücher ...
Den größten Teil der Zeit beobachtete Cézanne, obgleich er seine Pinsel und Palette in
der Hand hielt, nur das Gesicht meines Vaters, er prüfte es genau. Er malte nicht. Von
Zeit zu Zeit ein zitterndes Aufsetzen des Pinsels, ein dünn aufgetragener Strich, ein
lebendiges Blau, das einen Ausdruck umriß, einen flüchtigen Zug des Charakters
enthüllte und bestätigte ... Am nächsten Tage fand ich die Arbeit der eindringenden
Beobachtung vom vergangenen Tage auf der Leinwand wieder. An diesem Tage,
einem Nachmittag am Ende des Winters, spürte man Frühlingsluft rings um den Jas.«[2]

Das Bildnis Henri Gasquets wurde im Frühjahr 1896 unmittelbar vor dem seines
Sohnes Joachim gefertigt. Die Frau des letzteren erinnerte sich später: »Als das Porträt
Henri Gasquet beendet war, wurde es mit dem Gesicht zur Wand in eine Ecke gestellt,
und Cézanne wünschte eines von meinem Mann zu machen.«[3] Von Joachim Gasquet
selbst erfahren wir dann, daß er Cézanne nur fünf- oder sechsmal gesessen habe: »Ich
glaubte, daß er das Bild aufgegeben hätte. Später erfuhr ich, daß er ungefähr 60
Sitzungen darauf verwandt hatte, daß er immer an sein Werk dachte, wenn er mich
bei unseren Unterhaltungen mit prüfenden Blicken betrachtete, und daß er daran
arbeitete, wenn ich weggegangen war. Er wollte das Leben selbst in den Zügen, den
Pulsschlag in der Sprache bloßlegen, und ohne daß ich es ahnte, brachte er mich
dahin, ihm mein Inneres zu enthüllen ... Es war übrigens seine gewohnte Art, an
einem Porträt zu malen, nachdem das Modell weggegangen war ... Während
zahlreicher Sitzungen machte Cézanne scheinbar kaum einige Pinselstriche, aber
unausgesetzt verbohrte er sich mit den Augen in sein Modell ... Ich betone das, da
man oft behauptet hat, Cézanne hätte nur unmittelbar vor dem Modell malen können
und hätte nie anders gearbeitet. Er hatte ein Gedächtnis für Farben und Linien, wie
vielleicht kein anderer. Mit einer Bescheidenheit, wie sie ähnlich Flaubert besaß,
zwang er sich eigensinnig zur Beobachtung der geringsten Dinge der Wirklichkeit,
bändigte er seinen Schwung in einer unmittelbaren Wiedergabe der Natur ... Daher,
glaube ich, stammt die scheinbare Herbheit, unter der sich die menschliche Zartheit
seiner schönsten Bilder verbirgt.«[4]

Im Hinblick auf das Porträt, das die konventionelle Form des Brustbildnisses in eine denkbar unkonventionelle Schieflage bringt, könnte auch folgende Bemerkung in einem Brief Cézannes an Joachim Gasquet vom 21. Mai 1896 gedacht gewesen sein: »Da ich gezwungen bin, mich heute abend zeitig in die Stadt zu begeben, werde ich nicht im Jas sein können ... Also bis auf morgen, Freitag, falls Ihnen dies paßt, zur gewohnten Stunde.«[5] Damit war gewiß eine der immer zur selben Zeit stattfindenden Porträtsitzungen im Atelier des Jas de Bouffan gemeint. Diese mußten jedoch abgebrochen werden, als Cézanne Anfang Juni zu einer Kur nach Vichy reiste, den Sommer in Talloires am Lac d'Annecy verbrachte (vgl. Kat.-Nr. 69)[6] und sich im Herbst und Winter in Paris aufhielt. Da die Sitzungen offenbar nicht wieder aufgenommen wurden, blieb das Bild unvollendet im Atelier zurück. Vor allem an verschiedenen Stellen des Kopfes, als der am weitesten herausgewölbten Körperform, sowie im angrenzenden Vorhang ist die Farbe gar nicht beziehungsweise nur sehr dünn aufgetragen, so daß die Vorzeichnung durchschimmert. Das vom Widerschein der Wände blaue Licht, das der Dargestellte im Atelier beobachtet hatte, gibt den Ton an und stellt eines der faszinierendsten Bildnisse der Spätzeit in eine Reihe mit jener Vielzahl »blauer« Gemälde, die dem Atelier des Jas de Bouffan entstammten (vgl. Kat.-Nrn. 55, 58, 59, 64).

1 Beispielsweise vermerkte er am 30. April 1896: »Während meines ganzen Lebens habe ich gearbeitet, um es so weit zu bringen, mir mein Leben zu verdienen; aber ich dachte, daß man gute Malerei machen könne, ohne die Aufmerksamkeit auf sein Privatleben zu lenken. Sicherlich wünscht ein Künstler, sich intellektuell so hoch wie nur möglich zu erheben, doch soll der Mensch im Dunkeln bleiben. Das Vergnügen soll im Studium bestehen ... Übrigens bin ich wie tot. Sie sind jung, und ich verstehe, daß Sie erfolgreich sein wollen. Doch mir, was bleibt mir in meiner Lage noch zu tun, als klein beizugeben, und wenn es nicht so gewesen wäre, daß ich die Landschaft meiner Heimat so ungeheuerlich liebe, wäre ich nicht hier«, Cézanne 1962, S. 228.
2 Gasquet 1930, S. 145.
3 New York 1977, S. 387.
4 Gasquet 1930, S. 68.
5 Cézanne 1962, S. 229 f.
6 Von dort schrieb der Maler am 21. Juli 1896 an Gasquet, fast im emphatischen Stil des Adressaten: »... dennoch empfehle ich mich Ihnen und Ihrem freundlichen Gedenken an, damit die Bande, welche mich mit der so vibrierenden, so herben Erde meiner Heimat verbinden, die das Licht zurückwirft, daß man davon blinzeln muß, und die damit unsere Augenlider bezaubert, in denen sich alle Eindrücke sammeln, nicht zerreißen und mich sozusagen von dem Boden loslösen, wo ich, sogar ohne es zu wissen, so viel empfunden habe«, Cézanne 1962, S. 233.

PROVENIENZ: Ambroise Vollard, Paris.
BIBLIOGRAPHIE: Gasquet 1921, S. 91, Abb.; Meier-Graefe 1922, S. 249 Abb.; Rivière 1923, S. 221; Gasquet 1930, S. 68; Mack 1935, Abb. 40; Venturi S. 214 Nr. 694, Abb.; Novotny 1937, Abb. 79, Abb. 80; Mack 1938, Abb.; Dorival 1949, S. 96, Abb. 155, S. 173; Cooper 1954, S. 380; John Rewald, *Cézanne, Geffroy et Gasquet suivi de souvenirs sur Cézanne de Louis Aurenche*, Paris 1959, Abb. 3; Ratcliffe 1960, S. 22; Cézanne 1962, Abb., S. 230; Feist 1963, Abb. 61; Leonhard 1966, S. 50 ff. Abb.; Andersen 1970, S. 39; Brion 1973, S. 14 Abb.; Elgar 1974, S. 171 Abb. 97, S. 180, S. 218; New York 1977, S. 14, S. 29, S. 210 Abb. 2, S. 387; Venturi 1978, S. 41 Abb.; Hülsewig 1981, S. 41, S. 56 f., S. 72, Abb. 18; Cézanne 1988, S. 301 Abb.; Gasquet 1991, Frontispiz.
AUSSTELLUNGEN: Paris 1920, Nr. 13, Abb.; *Französische Kunst des 19. und 20. Jahrhunderts*, Gemeindehaus, Prag 1923, Nr. 142; Paris 1936, Nr. 104; Aix-en-Provence 1956, Nr. 53, Abb.; Den Haag 1956, Nr. 44; Zürich 1956, Nr. 75, Abb. 37; München 1956, Nr. 58, Abb.; Wien 1961, Nr. 36; *Le portrait en Provence de Puget à Cézanne*, Musée Cantini, Marseille 1961, Nr. 4; Paris 1978, S. 67 ff. Nr. 2, Abb., S. 240; *European Art from the Collection of the National Gallery in Prague II*, Tahashimaya Nihonbashi, Tokyo 1982, Nr. 14; *Modern Treasures from the National Gallery in Prague*, The Solomon R. Guggenheim Museum, New York 1988, Nr. 3, Abb.; *Impressionismo in Europa*, Casa di Rispamio, Bologna 1990, Nr. 23.

Abb. 1
Paul Cézanne, *Porträt Henri Gasquet*, 1896.
The MacNay Art Institute, San Antonio, Texas

69   Kind mit Strohhut   1896
      L'enfant au chapeau de paille
      Venturi Nr. 698 (1896)
      Ölfarben auf Leinwand, 81 x 65 cm
      Galerie Yoshii, Tokyo

Venturi vermerkt, daß das Bildnis des Jungen mit Strohhut während Cézannes
Aufenthalt in Talloires am See von Annecy im Juli und August 1896 gemalt worden sei.
Diese Annahme wird dadurch bestätigt, daß auf der Rückseite einer Aquarellstudie für
das Kinderporträt eine Ansicht des Sees von Annecy wiedergegeben ist.[1]
      Nach seinem einzigen Auslandsaufenthalt, im Sommer 1890 in der fran-
zösischen Schweiz, scheint auch die zweite und letzte Sommerreise sechs Jahre später
Cézanne nicht sonderlich behagt zu haben: »Hier bin ich also für einige Zeit von
unserer Provence entfernt«, berichtete er Joachim Gasquet (vgl. Kat.-Nr. 68) am 21. Juli
1896 aus Talloires nach Aix. »Nach allerhand Hin und Her hat meine Familie, in deren
Händen ich mich zur Zeit befinde, mich dazu bewogen, mich vorübergehend an dem
Ort niederzulassen, wo ich jetzt weile. Es ist eine wohltemperierte Gegend. Die Höhe
der umliegenden Berge ist recht erheblich. Der See, der an dieser Stelle von zwei
Landzungen eingeengt wird, scheint sich sehr für die zeichnerischen Übungen junger
Engländerinnen zu eignen. Es ist zwar immer die Natur, sicherlich, aber doch ein
wenig so, wie wir gewohnt sind, sie in den Reisealben junger Damen zu sehen...«
Ähnlich distanziert beschrieb er zwei Tage später seine Situation dem Aixer Bildhauer
Philippe Solari: »Als ich in Aix war, schien es mir, daß ich mich andernorts besser
fühlen würde, und nun, da ich hier bin, sehne ich mich nach Aix. Das Leben beginnt
für mich von einer tödlichen Monotonie zu sein... Um mich nicht zu langweilen, male
ich, das ist nicht sehr drollig, doch ist der See mit den großen Hügeln rundherum sehr
schön; man sagte mir, daß sie zweitausend Meter hoch seien; das wiegt unsere
Gegend nicht auf, obwohl es, ohne Übertreibung, schön ist. – Doch wenn man dort
unten geboren ist, dann ist man erledigt, nichts gefällt einem mehr.«[2]
      Da Cézanne die Gebirgslandschaft mit dem See offenbar nur wenig zusagte –
dennoch entstand eine berühmte Ansicht des *Lac d'Annecy*[3] – und weder seine Frau

Abb. 1
Paul Cézanne, *Kind mit Strohhut*, 1896.
Los Angeles County Museum of Art

noch der Sohn Paul Lust verspürten, sich den Urlaubsaufenthalt durch Porträtsitzungen beeinträchtigen zu lassen, mußte er mit einem kleinen Jungen als Modell vorlieb nehmen (Abb. 1). Daß die Geduld des in einer Ärmelschürze auf der grünen Wiese plazierten Kindes jedoch auch nur von begrenzter Dauer sein konnte, ist möglicherweise der Grund dafür, daß das Gemälde im Anfangsstadium verblieb und nur mit ersten dünnflüssigen Farbschichten versehen wurde. Vermutlich hatte Cézanne die Leinwand von Talloires nach Paris mitgenommen, wo sie dann vergebens ihrer Vollendung harrte. Schließlich nahm der von Cézannes Sohn unterstützte Kunsthändler Ambroise Vollard, zu dem der Maler seit seiner Ausstellung im Jahr zuvor volles Vertrauen hatte, das Porträt, das zu den wenigen im Freien gemalten Bildnissen des Künstlers zählt, in seine Obhut.

1   Rewald Nrn. 482 (recto), 468 (verso); vgl. auch die Porträtstudien Rewald Nrn. 480, 481, 483,
    Chappuis Nr. 1085.
2   Cézanne 1962, S. 233 f.
3   Venturi Nr. 762.

    PROVENIENZ: Ambroise Vollard, Paris.
    BIBLIOGRAPHIE: Venturi S. 215 Nr. 698, S. 277, S. 326, Abb.; Ratcliffe 1960, S. 23; Andersen 1970, S. 43,
    S. 236; Newcastle 1973, S. 168.
    AUSSTELLUNGEN: Basel 1983, Nr. 25, Abb.

70 Die Flußebene des Arc   1892–1895
La plaine de L'Arc

Venturi Nr. 472 (1885–1887)
Ölfarben auf Leinwand, 82 x 66 cm
The Carnegie Museum of Art, Acquired through the Generosity of the
Sarah Mellon Scaife Family, 1966 (Inv. Nr. 66.4), Pittsburgh

Ungeachtet der dank des väterlichen Erbes gesicherten Vermögensverhältnisse, die
einen aufwendigeren Lebensstil mit ausgiebigen Studienreisen erlaubt hätten, blieb
Cézanne seinem bedürfnislosen Arbeitsrhythmus sowie den bislang bevorzugten
Motiven seiner Heimat verpflichtet. Das in Reichweite Liegende, die Wege, die Wälder,
der Fluß, die Hügel und Bergketten in der Bannmeile um Aix waren ihm sehenswert
genug. Seine Neigung, weite Landschaftsräume durch Bäume zu verstellen, um Nahes
mit Fernem zu verbinden, konzentrierte sich auf zwei besonders attraktive Ausblicke,
nämlich auf L'Estaque mit der Meeresbucht von Marseille (vgl. Kat.-Nr. 72) und auf die
ausgedehnte Ebene des Arctals (vgl. Kat.-Nr. 71). Mit Ausnahme der beiden genannten
Beispiele, die die letzten ihrer Art sind, wurden die meisten der baumverstellten Ausblicke um die Mitte der achtziger Jahre gemalt.[1] Während sie mit der Einbindung des
Meeresspiegels beziehungsweise der Bergkulisse der Montagne Sainte-Victoire bewußt
auf motivisch einprägsame Wirkungen abzielten, ist der Bildaufbau dieses in der Ausführung sehr freien Hochformats unpathetischer und gewiß auch später zu datieren,
als Venturi es tat. Über der sonnengebräunten Erde ist das Grün der Kiefernnadeln
derart von einer ätherischen Himmelsbläue unterfangen, daß man die flirrende
Atmosphäre einer provenzalischen Sommerlandschaft unmittelbar zu spüren glaubt.

1   Venturi Nrn. 406, 425 (Kat.-Nr. 23), 427, 452–455, 459, 477.

PROVENIENZ: Dikran Khan Kelekian, Paris–New York; Auktion Kelekian, American Art Association,
New York 30.–31. 1. 1922, Nr. 148; John Quinn, New York; Paul Cassirer, Berlin; Max Silberberg, Breslau;
Auktion S… (Simon) et S… (Silberberg), Galerie Georges Petit, Paris 9. 6. 1932, Nr. 12; Etienne Bignou,
Paris; C. Suydam Cutting, Mine Mount; Brady Foundation, New York; Wildenstein, Paris–London–New
York.
BIBLIOGRAPHIE: Venturi S. 166 f. Nr. 472, Abb.; Novotny 1937, Abb. 46; Brion 1973, S. 78 Abb.; *Catalogue
of Paintings Collection, Museum of Art, Carnegie Institute,* Pittsburgh 1973, S. 37, Abb. 45; Rewald 1989,
S. 320 f. Abb. 166, S. 327, S. 330, S. 341.
AUSSTELLUNGEN: *Französische Kunst des XIX. und XX. Jahrhunderts,* Kunsthaus, Zürich 1917, Nr. 28;
Paintings by Modern French Masters, Brooklyn Museum, New York 1921, Nr. 25; New York 1935; New York
1947, Nr. 29; *From the Collection of Mrs. C. Suydam Cutting, Paintings, Drawing, Prints,* Museum, Newark
1954, Nr. 6; *Masterpieces of Impressionist and Post-Impressionist Painting,* National Gallery of Art,
Washington 1959, Nr. 29.

71 Große Kiefer und rote Erde   um 1895
Grand pin et terres rouges
Venturi Nr. 458 (1885-1887)
Ölfarben auf Leinwand, 72 x 91 cm
Staatliche Eremitage (Inv. Nr. 8963.01), Sankt Petersburg

Das zum Monument heroisierte Baummotiv, das einen starken Stamm mit einem
ausladenden Netz zarten Geästs in Verbindung bringt, wurde zum Thema zweier
Gemälde, die Venturi 1885-1887 datierte. Damit hat er gewiß in jenem Falle recht,
wo die dünnen Farbsetzungen und die kleinteiligen Pinselstriche durchaus der Stil-
entwicklung in der Mitte der achtziger Jahre entsprechen (Abb. 1). Das aus der
berühmten Moskauer Sammlung Morosow stammende Pendant zeigt dagegen am
identischen Bildgegenstand einen fortgeschrittenen stilistischen Befund. Erneut hatte
der Maler seine Staffelei vor jener großen Kiefer aufgebaut, die nahe dem über dem
Arctal gelegenen Gehöft Bellevue stand, das seine Schwester Rose Anfang Dezember
1886 erworben hatte. Gegenüber der Erstfassung ist der Standort allerdings etwas
nach rechts verschoben, so daß der Baum nun links von der Bildmitte zu stehen
kommt, wobei der Verlauf des filigran über die Bildfläche gelegten Geästs nahezu
gleichlautend geblieben ist. Stamm und Astwerk sind etwas fülliger geworden und
dürften ungefähr zehn Jahresringe zugelegt haben. Auch das Unterholz ist von
dichterem Bewuchs, so daß vom Tal nur noch wenig zu sehen ist. Obwohl die Farbe
– nun großzügig in breitem Aufstrich verwandt – in überraschenden Stilisierungen
konform geht mit dem Konstruktionsprinzip insgesamt, sollte man dennoch nicht
verkennen, mit welcher Souveränität der Künstler auch realistische Einzelheiten wie
die komplizierte Struktur der Baumkrone, die Überschneidungen der Äste oder die
Auswüchse am Stamm im Auge behalten hat.[1]

1   In der Tat dürften drei Aquarelle, Rewald Nrn. 285-287, ausschließlich dazu gedient haben, sich Klarheit
    über den Verlauf der Äste zu verschaffen.

PROVENIENZ: Ambroise Vollard, Paris; Ivan Morosow, Moskau; Museum für moderne westliche Kunst,
Moskau.
BIBLIOGRAPHIE: Venturi S. 55, S. 163 Nr. 458, Abb.; Novotny 1937, Abb. 44; Feist 1963, Abb. 69;
Newcastle 1973, S. 164; Elgar 1974, S. 186 Abb. 108; Barskaya 1975, S. 36 ff., Abb. 17, S. 182 Abb.; New York
1977, S. 23 f. Abb.; Adriani 1981, S. 270; Rewald S. 153 f. (bei Nrn. 285-287), S. 169 (bei Nr. 349);
Frank 1986, Abb.
AUSSTELLUNGEN: *Masterpieces of Modern
Painting from the Soviet Union,* Museum of
Modern Art, Tokyo 1966 - Museum of Modern Art,
Kyoto 1967, Nr. 58; *Capolavori impressionisti e
postimpressionisti dai musei sovietici,* Collection
Thyssen-Bornemisza, Lugano 1983, Nr. 30, Abb.;
*Da Cézanne a Picasso. 42 capolavori dai musei
sovietici,* Musei Capitolini, Rom 1985 - Museo
Correr, Venedig 1985, Nr. 36, Abb.

Abb. 1
Paul Cézanne, *Große Kiefer und rote Erde,* 1885.
Privatbesitz

72   Das Meer bei L'Estaque   1895–1898
La mer à L'Estaque

Venturi Nr. 770 (1898–1900)
Ölfarben auf Leinwand, 100 x 81 cm
Staatliche Kunsthalle (Inv. Nr. 2450), Karlsruhe

In einem Schreiben Cézannes an den Jugendfreund Henri Gasquet ist am 3. Juni 1899 von den Empfindungen die Rede, »die von der guten Sonne der Provence, von unseren alten Jugenderinnerungen, von jenen Horizonten, jenen Landschaften, jenen unglaublichen Linien, die in uns so viele tiefe Eindrücke hinterlassen haben, zurückgestrahlt werden«.[1] Ihnen verhalf der Künstler in der klangvollen Melodik dieser späten Baum- und Felslandschaft zu jenem gültigen Ausdruck, der das vor dem Motiv Gesehene aus dem Empfinden der farbigen Formen repräsentiert.

Vergleicht man die erste der rund 20 von Venturi verzeichneten Ansichten der Meeresbucht vor L'Estaque (Kat.-Nr. 19) mit dieser letzten, so fällt auf, daß gewisse Grundprinzipien des Bildaufbaus über zwei Jahrzehnte hinweg beibehalten wurden. Ungeachtet dessen, ob es sich um ein Quer- oder Hochformat handelt, führt stets eine aufsteigende Diagonale in den Bildraum und schafft zugleich einen abrupten Übergang zu den dahinterliegenden Landschaftsteilen. Die letzteren wurden im Laufe der Entwicklung immer steiler nach oben gezogen, so daß über dem Band des Meeresspiegels dem Himmel nur noch ein verhältnismäßig schmaler Streifen blieb. Die faszinierenden Durchblicke auf das Ziegelrot der Dächer, auf raumsuggerierende, tiefgrüne Schattenzonen und ein oberstes Blau aus Wasser und Himmel hielten sich streng an die Distanzwerte der Farbe. Den Zypressen van Goghs nicht unähnlich, erhält die Bewegungsvielfalt der von den Gewalten des Mistral in ihrer Achse gekrümmten Kiefernstämme einen eigenen, das Übergewicht der Vertikalen relativierenden Aussagewert.

Daß Cézanne offenbar nicht mehr nach L'Estaque zurückfand und es bei dieser letzten Ansicht beließ, mag mit der Verschandelung der Landschaft durch die Industrie zusammenhängen. Diesbezüglich äußerte er sich in einem Brief, der am 1. September 1902 an seine Nichte gerichtet war: »Ich entsinne mich sehr wohl an die ehemals so malerischen Ufer der Bucht von L'Estaque. Leider ist das, was man den Fortschritt nennt, nichts als eine Invasion der Zweifüßler, die nicht ruhen, bis sie alles in scheußliche Quais mit Gaslampen und – was noch schlimmer ist – mit elektrischer Beleuchtung verwandelt haben. In welchen Zeiten leben wir?«[2]

1   Cézanne 1962, S. 254.
2   Ibid., S. 273.

PROVENIENZ: Ambroise Vollard, Paris; Paul Cassirer, Berlin; Alexander Lewin, Guben-New York; Alix Kurz, New York; Feilchenfeldt, Zürich.
BIBLIOGRAPHIE: Faure 1923, Abb. 47; Venturi S. 230 f. Nr. 770, Abb.; Guerry 1950, S. 130; Badt 1956, S. 35, S. 242, Abb. 44; Feist 1963, Abb. 68; Badt 1971, S. 14 f. Abb.; Jan Lauts, Werner Zimmermann, *Staatliche Kunsthalle Karlsruhe. Katalog Neuere Meister*, Karlsruhe 1971, S. 40 f., Abb.
AUSSTELLUNGEN: *Centennale de l'art française 1812–1912*, Eremitage, St. Petersburg 1912, Nr. 588e; Paris 1920, Nr. 11, Abb.; *Schilderijen van Delacroix tot Cézanne en Vincent van Gogh*, Museum Boymans, Rotterdam 1933, Nr. 3, Abb.; Wien 1961, Nr. 37, Abb. 23.

73   Dorf hinter Bäumen   1898
Village derrière les arbres

Venturi Nr. 438 (um 1885)
Ölfarben auf Leinwand, 66 x 82 cm
Kunsthalle (Inv. Nr. 373.1918/1), Bremen

Der Cézanne-Biograph Georges Rivière erwähnt in seiner 1923 erschienenen
Monographie eine Landschaft mit einem Dorf hinter Bäumen, die 1898 in Marines
gemalt worden sei[1]; sein Schwiegersohn Paul Cézanne *fils* wird ihm diese Information
gegeben haben. Das Bremer Bild ist die einzige Landschaft der Spätzeit, auf die die
Beschreibung zuträfe. Lediglich aus den siebziger Jahren gibt es vergleichbare
Ansichten der Gegend um Auvers-sur-Oise und Pontoise.[2] 1898 weilte Cézanne das
letzte Mal in der Nähe jener beiden Ortschaften, wo er einst so häufig mit Pissarro
zusammengetroffen war (vgl. Kat.-Nrn. 25–27). Im Sommer des Jahres arbeitete er in
Montgeroult und Marines nördlich von Pontoise sowie in Marlotte am Rand des
Waldes von Fontainebleau und im nahegelegenen Montigny-sur-Loing.

Auch stilistische Gründe sprechen gegen die Annahme Venturis, es handle sich
um eine provenzalische Landschaft aus der Zeit um 1885. Die an das Frühwerk
gemahnenden kraftvollen Gegenüberstellungen von farbgesättigtem Orangeocker und
Blaugrün sprechen ebenso für die Spätzeit wie die Komplexität der Raumauffassung
und der Flächenbezüge. Hinter einem waagerecht geführten Weg und einer
baumbestandenen Böschung ist ein Dorf zu sehen, das sich in eine Talmulde schmiegt.
Bis zu dem von den Baumwipfeln verborgenen Horizont erstrecken sich einige Felder.
Die ausgebreiteten Lagen der Ocker- und Orangetöne, die sich – vereinzelt auch
vertikal in den Stämmen verstrebt – flächenparallel von den Andeutungen des Weges
bis in die Tiefe hinziehen, bilden das Gegengewicht zu den aufstrebend vom Himmel
abgehobenen Farbensembles aus Preußischblau, Violett, Smaragd- und Lindgrün,
Zinnober und Oliv.

Die Aufgeschlossenheit des Bremer Galerievereins und des damaligen Direktors
Emil Waldmann führte dazu, daß die zum Kulturgut des »Erbfeindes« gehörende
Landschaft, allen chauvinistischen Regungen zum Trotz, noch im Kriegsjahr 1918 zu
dem enormen Preis von 95000 Goldmark erworben werden konnte.

1   Rivière 1923, S. 222.
2   Vgl. die Landschaften *Auvers à travers les arbres* Venturi Nr. 151 und *Le mur d'enceinte* Venturi Nr. 158.

PROVENIENZ: Bernheim-Jeune, Paris; Herbert Kullmann, Manchester; Auktion Kullmann, Hôtel Drouot,
Paris 16. 5. 1914, Nr. 2; Bernheim-Jeune, Paris; Paul Cassirer, Berlin; Sally Falk, Mannheim; Paul Cassirer,
Berlin.
BIBLIOGRAPHIE: Meier-Graefe 1918, S. 187 Abb.; Emil Waldmann, *Die Bremer Kunsthalle*, Berlin 1919,
S. 48 f. Abb.; Meier-Graefe 1922, S. 226 Abb.; Rivière 1923, S. 222; Venturi S. 159 Nr. 438, Abb.; Brion 1973,
S. 44 Abb.; Gerhard Gerkens, Ursula Heiderich, *Katalog der Gemälde des 19. und 20. Jahrhunderts in der
Kunsthalle Bremen*, Bremen 1973, S. 54, Abb. 606; Rewald S. 199 (bei Nr. 460).
AUSSTELLUNGEN: *XVIII. Jahrgang, II. Ausstellung*, Galerie Paul Cassirer, Berlin 1915, Nr. 53; Philadelphia
1934, Nr. 19; Den Haag 1956, Nr. 22; Zürich 1956, Nr. 49, Abb. 22; Köln 1956, Nr. 26, Abb.; *Französische
Malerei des 19. Jahrhunderts von David bis Cézanne*, Haus der Kunst, München 1965, Nr. 27, Abb.; New
York 1977, S. 205, S. 280 Abb. 77, S. 391 f. Nr. 20, S. 409; Paris 1978, S. 164 f. Nr. 62, Abb., S. 242; Tokyo 1986,
Nr. 35, Abb.

74   Der Weg vom Gehöft Mas Jolie zum Château Noir   1898–1900
Chemin du Mas Jolie au Château Noir
Venturi Nr. 1527 (1895–1900)
Ölfarben auf Leinwand, 79,5 x 64,5 cm
Sammlung Beyeler, Basel

Nach einem längeren Paris-Aufenthalt kehrte Cézanne im Herbst 1899 nach Aix-en-Provence zurück, wo er die letzten sieben Jahre seines Lebens größtenteils verbrachte. Da das jahrzehntelang bewohnte Anwesen Jas de Bouffan wegen Erbauseinandersetzungen im November des Jahres verkauft werden mußte, bemühte sich der Maler – allerdings vergebens –, den auf halbem Weg zwischen Aix und Le Tholonet gelegenen Besitz Château Noir zu kaufen. Damals arbeitete er häufig in der Gegend um den neogotischen Gebäudekomplex (vgl. Kat.-Nrn. 95, 96) an der Route du Tholonet, die von Aix aus in östlicher Richtung direkt auf die Montagne Sainte-Victoire zuführt und die er seit seiner Jugendzeit oft gegangen war, um vor das Motiv zu gelangen.

Das Motiv war in diesem Falle jedoch nicht das pathetisch aufragende Gebirgsmassiv oder das kaum weniger pittoreske Château Noir, sondern ein im Vorbeigehen wahrgenommener Waldweg. Die Entscheidung für diesen einsamen, vor neugierigen Blicken geschützten und fern von den Verkehrsadern gelegenen Ort war auch Bekenntnis zu einer seit der Kindheit vertrauten Umgebung, an der sich die Vorstellungskraft in subtilen malerischen Umsetzungsprozessen klären ließ. Die nichtssagende Topographie des in die Bildtiefe führenden Weges war Voraussetzung für eine völlig eigenständige Vision der reinen Malerei. Eine gleichmäßig dichte Textur von Pinselstrichen, die das Grundweiß der Leinwand bewußt mit in die farbigen Entscheidungsprozesse einbezieht, läßt die gegenständlich bezeichneten Anhaltspunkte nur noch am Rande wirksam werden. Von dunklem Schiefergrau ins Licht gesteigerte Farbigkeiten stehen gleichzeitig für nah und fern sowie für unten und oben, wo ein leuchtendes Blau sowohl als Untermalung für weitere Baumkronen als auch für das Durchschimmern des Himmels zu stehen hat.

Der Vergleich mit der etwa zehn Jahre früher wiedergegebenen Allee in Chantilly (Kat.-Nr. 51) zeigt den Weg, den der Künstler in den neunziger Jahren zurückgelegt hat, um die Bildkonzeption noch ausschließlicher den Farbrhythmen anzuvertrauen und den Raum in dicht verzahnten Farbmustern noch enger an die Fläche zu binden.

PROVENIENZ: Ambroise Vollard, Paris; G. David Thompson, Pittsburgh; Auktion Sotheby's, London 26. 4. 1967, Nr. 26.
BIBLIOGRAPHIE: Venturi S. 333 Nr. 1527, Abb.; Wadley 1975, S. 80 Abb. 74; Rilke 1977, Abb. 12; du 1989, S. 73 Abb.
AUSSTELLUNGEN: *Thompson Collection*, Kunsthaus, Zürich 1960 – The Solomon R. Guggenheim Museum, New York 1960, Nr. 19, Abb.; New York 1977, S. 46, S. 72, S. 205, S. 275, Abb. 72, S. 389, Nr. 9; Paris 1978, S. 160 ff. Nr. 60, Abb., S. 242; Basel 1983, Nr. 23, Abb.; *Coleccion Beyeler* (Text und Katalogbearbeitung Reinhold Hohl), Centro de Arte Reina Sofia, Madrid 1989, S. 35 ff. Abb.; Aix-en-Provence 1990, Nr. 35, S. 317 Abb. 246.

75 Wasserlauf in einem Waldstück   1898–1900
    Eau courante en sous-bois

Venturi Nr. 783 (1898–1900)
Ölfarben auf Leinwand, 59,1 x 81 cm
The Cleveland Museum of Art,
Bequest of Leonard C. Hanna Jr. (Inv. Nr. 58.20), Cleveland

Der auf den ersten Blick recht zufällig wirkende Landschaftsausschnitt mit dem von
Sonnenflecken durchlichteten Laubwerk, einer angeschnittenen Weide und dem
breiten Blau eines Baches, der sich durch das Unterholz schlängelt und jene Landzunge umspült, auf der die Staffelei aufgebaut war, zeigt, daß der Impressionismus
auch noch im Spätwerk Cézannes nachwirkte. Doch wäre der Maler seinen Intentionen untreu geworden, hätte er nicht das atmosphärische Farbgespinst aus Erde,
Blattwerk und Himmel sowie die Spiegelung all dessen im Wasser durch feine
diagonale Korrelationen zwischen dunklen Farbmassen unten links und lichten
Durchblicken rechts oben zu stabilisieren vermocht und die Vegetation zu einem
festen Gewölbe aus Ästen und Blättern ausgebreitet.

PROVENIENZ: Ambroise Vollard, Paris; Galerie Heinemann, München; Thomas Metcalf, Boston.
BIBLIOGRAPHIE: Venturi S. 233 Nr. 783, Abb.; Badt 1956, S. 242; New York 1977, S. 26, S. 273 Abb. 70.
AUSSTELLUNGEN: New York 1952, Nr. 9, Abb.; Tokyo 1974, Nr. 49, Abb.

76 Stehender weiblicher Akt 1898–1899
Femme nue debout

Venturi Nr. 710 (um 1895)
Ölfarben auf Leinwand, 92,8 x 71,1 cm
Privatbesitz

Im Werk Cézannes ist die ganzfigurige Darstellung des stehenden weiblichen Akts im großen Format einzig in ihrer Art.[1] Als männliches Pendant zu dieser vereinzelten Gestalt, die auch in den Figurenkompositionen der *Badenden* keine weitere Verwendung fand, käme allein der nach einem Modellfoto gemalte *Grand baigneur* in Frage (Abb. 1), der in Schrittstellung vor einer offenen Landschaft posiert. Deren kühle blaue Atmosphäre wurde in der späteren Darstellung der im Bildraum isolierten Frau durch die warmen rotbraunen Tönungen eines Interieurs ersetzt. Die senkrecht die Bildachse einnehmende Figur ist waagerecht von einer weitgehend homogenen, nur am Rande durch ein angeschnittenes Bild unterbrochenen Wandgliederung hinterfangen. Auf die Dunkelpartien des Wandanstrichs abgestimmt ist das vollblütige Kolorit des Inkarnats. Giacometti hätte die bodenständige Tragfähigkeit der Füße nicht anders gebildet, so wie sie einem schweren, durch die erhobenen Arme straff gestreckten und durch Stand- und Spielbein ausponderierten Körper als Basis dienen. Reglos in sich verhalten, fehlt der aus der Schräge nach vorne gedrehten Modellpose jene natürliche Unbefangenheit, die Degas seinen etwa gleichzeitig erdachten Akten bei der Toilette zu geben vermochte. Sie ist weit vom klassischen Ideal entfernt und steht ihm doch auch eigenartig nahe. Der nicht mehr jungen Frau ist die Melancholie dieser Distanz in einer kaum anmutigen Schönheit anzumerken. Auf ihre rüde Statuarik und Farbigkeit konnten sich dann im Jahrzehnt danach die fauvistischen Akte von Matisse und die frühkubistischen Picassos berufen.

In der 1923 veröffentlichten Cézanne-Biographie Georges Rivières ist eine Aktstudie der Pariser Sammlung Pellerin aufgeführt, für die dem Maler 1898 eine gewisse Marie-Louise Modell gestanden habe.[2] Dem widersprach Venturi, der das Aktbild um 1895 datiert und vermutet, daß die Frau des Künstlers wiedergegeben sei. Abgesehen davon, daß Hortense nach 1892 kaum mehr als Modell in Frage gekommen wäre (vgl. Kat.-Nr. 44), dürften die Angaben Rivières von dessen Schwiegersohn Paul Cézanne *fils* stammen. Ihre Richtigkeit wird noch dadurch unterstrichen, daß die braunfarbene Wandgestaltung identisch ist mit der auf dem Porträt von Cézannes Händler Ambroise Vollard, das 1899 im Pariser Atelier, 15, Rue Hégésippe-Moreau, angefertigt wurde (Kat.-Nr. 78, Abb. 1). Der Maler hatte das Atelier auf dem Montmartre vom Sommer 1898 bis zum Herbst 1899 gemietet. In Vollards mitunter phantasievollen Erinnerungen ist dann auch die Rede davon, daß ihm Cézanne zu seiner großen Überraschung eines Tages angekündigt habe, er werde – gleichzeitig mit seinem Porträt – eine nackte Frau malen: »›Wie, Monsieur Cézanne‹, rief ich, ›eine nackte Frau?‹ ›Oh, Monsieur Vollard, ich nehme eine ganz alte Schachtel!‹ Er fand auch eine nach Wunsch und machte nach ihr ein Aktbild und zwei Porträts. Cézanne gestand mir, daß er mit diesem ›Kamel‹ viel weniger zufrieden sei als mit mir. ›Die Arbeit mit dem weiblichen Modell ist sehr schwierig‹, erklärte er mir. ›Dabei kommt mich eine Sitzung teuer zu stehen; sie kostet gegen vier Francs, zwanzig Centimes mehr als in den Jahren vor 1870‹.«[3]

1 Vgl. die Aquarellstudie Rewald Nr. 387.
2 Rivière 1923, S. 222.
3 Vollard 1960, S. 52. Nach Vollard war »das Atelier an der Rue Hégésippe-Moreau noch einfacher ausgestattet als dasjenige in Aix. Ein paar aus Zeitungen ausgeschnittene Forain-Reproduktionen bildeten den Grundstock der Pariser Sammlung des Meisters ... Zu meinem Vorschlag, er soll ein paar seiner

eigenen Werke an die Wände hängen, kann ich mich nicht beglückwünschen. Er hängte ungefähr zehn Aquarelle auf; aber eines Tages, als er mit einem Stilleben nicht fertig wurde, riß er mit Fluchen und Verwünschungen die Aquarelle herunter und warf sie in den Ofen. Ich sah, wie die Flammen aufloderten; der Maler kehrte beschwichtigt zu seiner Palette zurück«, ibid. S. 49 f. Das Bild-im-Bild-Motiv rechts hinter dem Akt ist freilich weder als Forain-Reproduktion noch als Cézanne-Aquarell zu identifizieren.

PROVENIENZ: Ambroise Vollard, Paris; Auguste Pellerin, Paris; Jean-Victor Pellerin, Paris.
BIBLIOGRAPHIE: Rivière 1923, S. 222; Larguier 1925, S. 80 Abb.; Fry 1927, S. 80 Abb. 48; Ors 1936, Abb. 12; Venturi S. 218 Nr. 710, S. 276, Abb.; Barnes, Mazia 1939, S. 387, S. 417; Berthold 1958, S. 38, Abb. 38; Reff 1958, S. 111; Reff 1959 (enigma), S. 29; Ratcliffe 1960, S. 26; Waldfogel 1962, S. 203; Andersen 1970, S. 92; Brion 1973, S. 79 Abb.; Paris 1974, S. 151; New York 1977, S. 39, S. 372 Abb. 190; Theodore Reff, *Cézanne's Late Bather Paintings,* in: Arts Magazine, LII, 2, Oktober 1977, S. 117 f. Abb.; Rewald S. 179 f. (bei Nr. 387); Geist 1988, S. 117 f. Abb. 98; Basel 1989, S. 266; Krumrine 1992, S. 594.
AUSSTELLUNGEN: New York 1947, Nr. 58, Abb.; *Six Masters of Post-Impressionism,* Wildenstein Galleries, New York 1948, Nr. 8; *Les Fauves,* Museum of Modern Art, New York 1952–1953, Nr. 2; *Figures nues d'école française depuis les maîtres de Fontainebleau,* Galerie Charpentier, Paris 1953, Nr. 33, Abb.; *Nude in Painting,* Wildenstein Galleries, New York 1956, Nr. 35, Abb.; New York 1959, Nr. 47, Abb.; Tokyo 1974, Nr. 44, Abb.; Paris 1978, S. 221 ff. Nr. 97, Abb., S. 242.

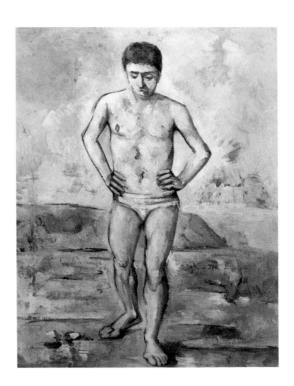

Abb. 1
Paul Cézanne, *Der große Badende,* 1885–1887.
Museum of Modern Art, New York

77   Dame in Blau   1900–1902
Dame en bleu

Venturi Nr. 705 (1900–1904)
Ölfarben auf Leinwand, 88,5 x 72 cm
Staatliche Eremitage (Inv. Nr. 8990.01), Sankt Petersburg

Da Cézanne nach Fertigstellung des außerhalb von Aix gelegenen, großräumigen
Atelierbaus am Chemin des Lauves im Spätsommer 1902 dort nur noch seinen
Gärtner Vallier oder einige Landarbeiter für Porträsitzungen in Anspruch nahm
(vgl. Kat.-Nr. 78), dürfte die Wiedergabe der gedankenverlorenen Dame in modischem
Kleid und Hut wohl das letzte seiner Bildnisse eines weiblichen Modells gewesen sein.
Stilistisch dem Porträt einer jungen Italienerin nahe verwandt (Abb. 1), wird es in jenen
Zeitraum zu datieren sein, als sich der Künstler zwischen 1900 und 1902 in seinem
Haus in der Aixer Innenstadt, 23, Rue Boulegon, mit einem kleinen Dachgeschoß-
atelier begnügen mußte. Bis zu seinem Tode führte ihm dort Madame Brémond den
Haushalt. Es ist durchaus möglich, daß sie es war, die hier in einem der Räume in der
Rue Boulegon verewigt wurde. Ob es sich auf einem zweiten Konterfei (Abb. 2) bei der
etwas älter und korpulenter wirkenden Frau im selben blauen Kleid und mit
demselben Hut ebenfalls um die Haushälterin handelt, ist ungewiß.
        Dies zu beurteilen ist um so schwieriger, da Cézanne grundsätzlich wenig
Interesse zeigte, den physischen oder psychischen Eigenarten der von ihm
Porträtierten auf die Spur zu kommen. Auch reduzierte er das, was die gefeierten
Porträtisten seiner Zeit an repräsentativen Aufmachungen einsetzten, etwa in diesem
Fall auf ein kaum erhellendes, eng begrenztes Ambiente, auf einen Tisch mit
gemusterter Decke, auf die Wand mit einem dunklen Vorhang (?) und auf den
Putz der Garderobe; auf Dinge also, die trotz des modischen Anstrichs keinerlei Rück-
schlüsse auf die gesellschaftliche Stellung, auf das Alter oder die soziale Herkunft
der Dargestellten erlauben. Deshalb sind uns seine Geschöpfe – in ihrer zeitlosen
Anonymität und eingebunden in eine unabänderliche Fügung – fremder und
unvertrauter als die von Manet, Degas oder Toulouse-Lautrec. Aus ihrer Zeitgenossenschaft heraus schufen jene das Bild des modernen Großstadtmenschen, das nichts

Abb. 1
Paul Cézanne, *Junge Italienerin, auf
ihren Ellbogen gestützt*, 1900.
Privatbesitz

Abb. 2
Paul Cézanne, *Sitzende Frau in
blauem Kleid*, 1900–1902. The Phillips
Collection, Washington

229

von seiner Gültigkeit eingebüßt hat und noch in den zynischen Gesellschaftsstücken Warhols nachklingt. Was ihre Bildnisse bis zur Entblößung offenlegten, verschloß Cézanne in Stilisierungen, deren mitunter einseitig erzwungener Formalismus durch die unbändige Kraft der Farbe mit Leben erfüllt wird. Allein wie er das Kleid erst durch Grünhöhungen zu einem leuchtenden Blau brachte und damit das Grün des Vorder- und Hintergrundes einbezog und wie er den Beziehungsreichtum gegensätzlicher Formeigenschaften planvoll aufbaute, zeigt, daß die geistige Substanz seiner Porträts von den Komplexen farbiger und formaler Bezüge herrührt und daß es ihm statt der psychischen Wesensmerkmale um die statuarische Festigkeit eines Körpers ging, dessen Vitalität er in Plastizität verwandelte.

PROVENIENZ: Ambroise Vollard, Paris; Sergej Schtschukín, Moskau; Museum für moderne westliche Kunst, Moskau.
BIBLIOGRAPHIE: Venturi S. 217 Nr. 705, Abb.; Dorival 1949, S. 96; Cooper 1954, S. 380; Barskaya 1975, Abb. 21, S. 186 Abb.; Rewald S. 232 (bei Nr. 571); Frank 1986, Abb.
AUSSTELLUNGEN: London 1925, Nr. 14, Abb.; New York 1977, S. 22, S. 64 f. Abb., S. 102, S. 204, S. 227 Abb. 19, S. 388, S. 402 Nr. 54; Paris 1978, S. 85 ff. Nr. 11, Abb., S. 240; *Impressionisten und Post-Impressionisten aus sowjetischen Museen II,* Collection Thyssen-Bornemisza, Lugano 1987, Nr. 19, Abb.

78   Sitzender Bauer   1902–1904
Paysan assis

Venturi Nr. 712 (1900–1904)
Ölfarben auf Leinwand, 92,7 x 73,7 cm
National Gallery of Canada (Inv. Nr. NGC 5769), Ottawa
Musée des Beaux-Arts du Canada, Ottawa

Außer diesem malte Cézanne noch drei weitere Innenraumporträts, die ein sitzendes
männliches Modell mit übereinandergeschlagenen, vom Bildrand angeschnittenen
Beinen zeigen. Frontal dem Betrachter zugewandt, handelt es sich um die Konterfeis
zweier Bauern, die dem Künstler in den neunziger Jahren in Aix Modell saßen, sowie
um das 1899 in Paris gefertigte Bildnis des Kunsthändlers Ambroise Vollard (Abb. 1).
Obwohl gerade zu letzterem in der stark stilisierten Zeichnung oder der Verteilung der
Schattenlagen enge Bezüge nachzuweisen sind, ist das vorliegende Porträt des Bauern
im Sonntagsstaat, dessen Indigoblau als Gegengewicht jenes ockerfarbenen Podests
bedurfte, das bereits einem stehenden Akt als Plattform gedient hatte (vgl. Kat.-Nr. 76),
gewiß später realisiert worden. Denn wir sehen hinter der Gestalt eine Wandgliederung, die in gleicher Form auch auf einigen der letzten Gemälde und Aquarelle
Cézannes nachzuweisen ist. Das läßt den Schluß zu, daß die grün gestrichene Wand
mit der braunen Sockelzone und einer breiten Bodenleiste, an die eine Zeichenmappe
gelehnt ist, eine Raumsituation im Neubau des Ateliers Les Lauves wiedergibt. Dieser
konnte im September 1902 bezogen werden und war bis zum Tode Cézannes 1906
seine hauptsächliche Arbeitsstätte.[1] Auf einigen Stilleben (Kat.-Nr. 86)[2], insbesondere
aber auf den drei Porträts des Gärtners Vallier[3], von denen man bislang annahm, sie
seien im Freien auf der Terrasse des Ateliers 1905–1906 gemalt worden, ist derselbe
Hintergrund mit Grün und verschiedenen Brauntönen für die Wand beziehungsweise
für den Sockel und die Bodenleiste zu erkennen. Da sich der pastose, wie mit dem
Spachtel »gemauerte« Farbauftrag der Vallier-Porträts grundsätzlich von den dünneren
Farbschichten unterscheidet, die das Bildnis des Bauern relativ gleichförmig bedecken,
kann man davon ausgehen, daß dieses nicht den beiden letzten Schaffensjahren
zuzurechnen ist, sondern bereits früher im Atelier Les Lauves ausgeführt wurde.

Nur im Spätwerk Tizians und Rembrandts findet sich ein gleiches Bemühen, die
Ataraxie des alt gewordenen, demütig mit seinem Fatum versöhnten Menschen derart
gewaltig und lautlos ins Bild zu setzen. Was Cézanne seinen Modellen an Gleichmut
und Geduld abverlangte, mit welchen Skrupeln er sein Vorgehen belastete und wie
wenig Sinn es macht, darüber zu rechten, in welchem Stadium der Vollendung ein
Gemälde nach der Vorstellung des Künstlers als tatsächlich zu Ende gebracht gilt, das
alles resümiert Vollard recht anschaulich in einem das mühevolle Entstehen seines
Porträts (Abb. 1) betreffenden Sitzungsbericht: »Die Sitzungen dauerten von morgens
acht bis halb zwölf Uhr … Jeden Nachmittag ging Cézanne in den Louvre oder ins
Trocadero, um nach den Meistern zu zeichnen. Es konnte geschehen, daß er gegen
fünf Uhr einen Augenblick bei mir eintrat und mir mit strahlender Miene verkündete:
›Monsieur Vollard, ich bringe Ihnen eine gute Nachricht; ich bin mit meiner Studie
von heute nachmittag ziemlich zufrieden; wenn das Wetter morgen hellgrau ist, wird
die Sitzung, glaube ich, gut‹ … Nur ganz wenige sahen Cézanne bei der Arbeit; er
konnte es nicht ausstehen, wenn man ihm über die Staffelei zuschaute. Für jeden, der
ihn nie malen sah, ist es schwer, sich vorzustellen, wie langsam und mühsam seine
Arbeit an gewissen Tagen sein konnte. Bei meinem Porträt gibt es auf der Hand zwei
Pünktchen, wo die Leinwand unbedeckt ist. Ich machte Cézanne darauf aufmerksam.
›Wenn meine Sitzung im Louvre heute nachmittag gut ist‹, antwortete er, ›kann ich
morgen vielleicht den richtigen Ton finden, um die weißen Punkte zu decken. Wissen
Sie, Monsieur Vollard, wenn ich da irgend etwas Zufälliges hinsetzte, wäre ich

gezwungen, das ganze Bild von diesem Punkt aus nochmals anzufangen!‹ Wenn man bedenkt, daß ich hundertfünfzehn Sitzungen hatte, ist es verständlich, daß die Aussicht, das Bild nochmals von vorn anzufangen, mich erschauern ließ!… Nach hunderfünfzehn Sitzungen hörte Cézanne mit meinem Porträt auf und kehrte nach Aix zurück. ›Ich bin mit dem Vorderteil des Hemdes nicht unzufrieden‹, sagte er mir, als er abreiste.«[4] Da Vollard als Modell während der nicht enden wollenden Sitzungen zu den wenigen gehörte, die den Maler bei der Arbeit ausgiebig beobachten konnten, sind seine Aufzeichnungen auch in technischer Hinsicht von Interesse: »Cézanne benutzte beim Malen ganz geschmeidige Pinsel, die an einen Marder oder Iltis erinnerten. Nach jedem Auftrag wusch er sie in einem Pinselhalter, der mit Terpentinöl gefüllt war. Wie viele Pinsel er auch hatte, er brauchte sie alle während einer Sitzung… Cézannes Arbeitsmethode erklärt die Beständigkeit seiner Malerei. Weil er die Farbe nicht dick auftrug, sondern ganz dünne Farbschichten fast wie Aquarellstriche übereinanderlegte, trocknete die Farbe sofort, und das innere Arbeiten des Farbauftrags, das Risse verursacht, wenn die Farbe nicht trocken ist, war nicht zu befürchten.«[5]

1   Cézannes Wunsch nach einem geräumigen Atelier, das insbesondere zur Arbeit an den um 1895 begonnenen, großformatigen Kompositionen der *Badenden* geeignet war (vgl. Kat.-Nrn. 81–83), führte im November 1901 zum Kauf eines Grundstücks am Chemin des Lauves auf den Hügeln nördlich von Aix. Nach Anweisungen des Künstlers, der die Bedeutung des Ateliers als Schauplatz für große Figurenkom-positionen und Stilleben-Arrangements niemals nach Art der Impressionisten in Frage stellte, wurde dort im darauffolgenden Jahr ein zweistöckiger Bau errichtet. Dessen Obergeschoß war fast ganz dem Atelierraum mit einer nach Norden geöffneten Fensterfront vorbehalten. Da das Tageslicht auch bei eigentlichen Atelierkompositionen Voraussetzung der Farbgestaltung war, wurde eigens auf der Nordseite des Raumes eine hohe Maueröffnung freigelassen, durch die die überdimensionierten Leinwände der *Grandes baigneuses* problemlos ins Freie geschoben werden konnten. Der Raum selbst war nur mit wenigen, aus dem Jas de Bouffan übernommenen Utensilien ausgestattet: der Staffelei, einer Kommode, einem niedrigen Tisch sowie verschiedenen für die Stilleben benötigten Requisiten. Zu ihnen gehörten zwei kleine Gipsabgüsse (vgl. Kat.-Nr. 3), Gläser, alte Flaschen, einige Totenschädel, ein blauer Ingwertopf, Keramikgeschirr, ein Gefäß für Oliven und ein braun, tiefgrün und rot gemusterter Teppich. Reproduktionen nach besonders geschätzten Werken von Rubens, Delacroix, Signorelli, Couture und Forain schmückten die Wände.
2   Rewald Nrn. 571, 572, 611; die dort angenommene Entstehungszeit 1900–1906 ließe sich demnach auf 1902–1906 eingrenzen.
3   Venturi Nrn. 716, 717; hinzu kommt eine von Venturi nicht aufgeführte Fassung (107,4 x 74,5 cm) in der National Gallery of Art, Washington.
4   Vollard 1960, S. 49 ff., S. 56.
5   Ibid., S. 53.

PROVENIENZ: Ambroise Vollard, Paris.
BIBLIOGRAPHIE: Venturi S. 218 Nr. 712, Abb.; Badt 1956, S. 130, S. 246; Feist 1963, Abb. 74; Andersen 1970, S. 43; J. S. Boggs, *The National Gallery of Canada*, Toronto 1971, S. 41, Abb. 52; Sutton 1974, S. 100 f. Abb.; New York 1977, S. 21; J. S. Boggs, *The Prophetic Paintings of Cézanne*; in: Artscanada, XXXV, 1, 1978, S. 38; *Masterpieces of Impres-sionism and Post-Impressionism. The Annenberg Collection*, Philadelphia 1989, S. 81, Abb., S. 179.
AUSSTELLUNGEN: *Paintings from the Vollard Collection*, National Gallery of Canada, Ottawa 1950, Nr. 4, Abb.; *French Impressionists*, Art Gallery, Vancouver 1953, Nr. 46; *European Masters*, Art Gallery, Toronto 1954, Nr. 67, Abb.; Den Haag 1956, Nr. 49; Zürich 1956, Nr. 80, Abb. 42; München 1956, Nr. 62, Abb.; Köln 1956, Nr. 30, Abb.; Tokyo 1974, Nr. 60, Abb.; Madrid 1984, Nr. 53, Abb.

Abb. 1
Paul Cézanne, *Porträt Ambroise Vollard*, 1899.
Musée du Petit Palais, Paris

79 Sieben männliche Badende 1896–1897
Sept baigneurs

Venturi Nr. 387 (1879–1882)
Ölfarben auf Leinwand, 37,5 x 45,5 cm
Sammlung Beyeler, Basel

Die trotz ihrer skizzenhaften Strichführung vollendet wirkende Komposition ist beispielhaft für die bevorzugten friesartigen Anordnungen mit männlichen *Badenden,* in denen stehende, an der Uferböschung hockende oder im Wasser befindliche Figuren alternieren.[1] Die meist gleichartig gereihten Figurenkombinationen stehen niemals für bestimmte, vom Betrachter nachvollziehbare Inhalte. Ihre zuwendungslose Zusammengehörigkeit spielt sich ausschließlich auf einer konzeptionell bedingten Ebene ab. Im Vergleich mit der »Ur-Version« der fünf *Badenden* (vgl. Kat.-Nr. 33) hat die Vorbildabhängigkeit der durch zwei sitzende Figuren ergänzten Akteure deutlich an Gewicht verloren. Ihr Eigencharakter wurde zugunsten einer malerischen Gesamt-struktur reduziert (vgl. Kat.-Nrn. 80–83), obwohl die Figuren von Anfang an als Einzel-wesen und nicht als untereinander kommunizierende Gruppen in das Bildgefüge eingeführt worden waren.

Die Diskrepanz von nah gesehener Figurenbetonung und einem etwas stereotypen Umraum ergibt ein irritierendes Spannungsmoment, das jedoch von der Aufgabenstellung her erklärbar wird. Denn nicht nur stilistische Gründe sprechen gegen die von Venturi vorgegebene Datierung 1879–1882, sondern auch die Tatsache, daß das Gemälde als Vorbild der im Auftrag des Kunsthändlers Ambroise Vollard gezeichneten Lithographie der sogenannten *Kleinen Badenden* (Abb. 1) entstanden sein dürfte. Als Cézanne vom Herbst 1896 bis zum April 1897 in Paris war und dort sein Domizil auf dem Montmartre hatte, wurde die Lithographie unter der Anleitung des Druckers Auguste Clot ausgeführt. Sie erschien 1897 in Vollards zweitem Album ›Les Peintres Graveurs‹. Auf ihr fehlt die Halbfigur im Wasser rechts, doch auch auf der Leinwand hatte der Künstler begonnen, sie mit hellbraunen Farblagen zu übermalen. Daß Gemälde und Lithographie im Zusammenhang zu sehen sind, ist nicht zuletzt

Abb. 1
Paul Cézanne, *Kleine Badende,* 1896–1897,
Lithographie. The Art Institute, Chicago

235

deshalb plausibel, weil Cézanne einer Vorlage bedurfte, um für das ihm wesensfremde druckgraphische Medium jene Umrißlinien im einzelnen erproben zu können, die dann mit Hilfe des Druckers auf Umdruckpapier oder direkt auf den Stein gezeichnet werden mußten. Es ist kaum anzunehmen, daß der in druckgraphischen Techniken nahezu Unerfahrene gleichsam aus dem Stand, das heißt ohne irgendeine Vorlage, das Umdruckpapier beziehungsweise den Stein bearbeitet hätte. Bekanntlich diente Cézanne ja auch für die gleichzeitig gezeichnete zweite Lithographie der *Großen Badenden*[2] das über zwei Jahrzehnte zurückliegende Gemälde *Les baigneurs au repos* als Muster.[3]

1   Vgl. die Kompositionen mit *Badenden* Venturi Nrn. 541, 590 sowie die Figurenstudien Rewald Nrn. 124, 125, 133, 494, 495, Chappuis Nrn. 440, 524, 526, 528, 962, 1066, 1218.
2   Venturi Nr. 1157.
3   Venturi Nr. 276.

PROVENIENZ: Ambroise Vollard, Paris; Bernheim-Jeune, Paris; Heinrich Thannhauser, München–Berlin; Werner Dücker, Düsseldorf; Margarete Oppenheim, Berlin; Auktion Oppenheim, Julius Böhler, München 18. 5. 1936, Nr. 1226; Auktion Sotheby's, London 2. 7. 1975, Nr. 58.
BIBLIOGRAPHIE: Meier-Graefe 1910, S. 34 Abb.; Meier-Graefe 1918, S. 190 Abb.; Meier-Graefe 1922, S. 230 Abb.; Pfister 1927, Abb. 108; Raynal 1936, Abb. 100; Venturi S. 149 Nr. 387, S. 279, S. 287, Abb.; Ratcliffe 1960, S. 24; Melvin Waldfogel, *Caillebotte, Vollard and Cézanne's ›Baigneurs au repos‹*, in: Gazette des Beaux-Arts, LXV, 107, 1965, S. 120; Schapiro 1968, S. 52; Cherpin 1972, S. 48, S. 67; Adriani 1978, S. 342; Adriani 1981, S. 286 f.; Hülsewig 1981, S. 21, Abb. 1, S. 41; Rewald S. 116 (bei Nr. 13), S. 208 (bei Nr. 495); Cézanne 1988, S. 263 Abb.; Teboul 1988, S. 88 f. Abb. 52; du 1989, S. 33 f. Abb.; Krumrine 1992, S. 595.
AUSSTELLUNGEN: New York 1977, S. 41, S. 123 Abb., S. 126 f., S. 205, S. 382 Abb. 202, S. 398 Nr. 36; Paris 1978, S. 228 Nr. 101, S. 230 f., Abb., S. 243; Lüttich 1982, Nr. 27, Abb.; Basel 1983, Nr. 22, Abb.; Madrid 1984, Nr. 51, Abb.; Tokyo 1986, Nr. 37, Abb.; Basel 1989, S. 183, S. 190, S. 192, Abb. 162, S. 315 Nr. 65; *Coleccion Beyeler* (Text und Katalogbearbeitung Reinhold Hohl), Centro de Arte Reina Sofia, Madrid 1989, S. 32 ff. Abb.

80　Fünf männliche Badende　1900–1904
Cinq baigneurs

Nicht bei Venturi
Ölfarben auf Leinwand, 42,2 x 55 cm
Stephen Hahn Collection, New York

Mit der ausnehmend weiträumigen Figurengruppierung beendete Cézanne die
Bildreihe mit männlichen *Badenden*. In lockerer Gliederung sind die fünf Figuren aus
den grundlegenden Anordnungen der vorangegangenen Fassungen (Kat.-Nrn. 33, 79)
zusammengestellt. Deren bloße Rekapitulation verhinderte jedoch die subsumierende
Kraft der Farbe. Sie vor allem hatte den Maler dazu gebracht, sich von den für die
Figuren benutzten Vorbildern zu lösen und im wohlüberlegten Neben- und
Hintereinander der Gestalten unumstößliche Bezüge im Ambiente der Natur
herzustellen. Den späten Aquarellen vergleichbar, sind die der Landschaft
eingebundenen Geschöpfe sowie das Dickicht der vegetativen Gründe einem
umfassenden malerischen Rhythmus unterstellt. Schmale, kurze Farbschwünge wurden
derart zusammengefaßt, daß sie, stellenweise gestützt durch entgegengesetzte, den
Eindruck lebendig bewegter Körperkonturen und Schattenlinien erwecken.
Gegen die Helligkeit des Leinwandgrundes gestellt, distanzieren konvexe Farbform-
Außenseiten die Körper von der Fläche, um andererseits als konkave Innenseiten diese
in ihrer lichterfüllten Plastizität zu umspannen. Cézanne, dem nach der Jahrhundertwende drei gewaltige Kompositionen mit weiblichen *Badenden* am Herzen lagen
(vgl. Kat.-Nrn. 81–83), zog mit dem letzten Bild der männlichen *Badenden* eine Summe
seines malerischen Könnens.

PROVENIENZ: Ambroise Vollard, Paris; Julius Schmits, Elberfeld; Wildenstein, Paris–London–New York;
Henry Ittleson, New York; Acquavella Galleries, New York.
BIBLIOGRAPHIE: Reff 1959 (enigma), S. 26 f. Abb. 1, S. 68.
AUSSTELLUNGEN: New York 1977, S. 383 Abb. 203, S. 398 Nr. 37; Paris 1978, S. 231 ff. Nr. 102, Abb.,
S. 243.

81   Acht weibliche Badende   1895–1896
      Huit baigneuses

Venturi Nr. 540 (1883–1887)
Ölfarben auf Leinwand, 28 x 44 cm
Links unten signiert: P. Cezanne
Musée d'Orsay (Inv. Nr. RF 1982–39), dépôt de l'Etat 1984,
Musée Granet (Inv. Nr. 84-7-1-8-), Aix-en-Provence

Die Figurenkomposition mit *Badenden* ist das einzige Bild Cézannes, das mit einer
Widmung versehen ist. Nach Venturi stammt folgende Inschrift auf der Rahmen-
rückseite von der Hand des Künstlers: »Hommage respectueux de l'auteur à la Reine
des Félibriges. P. Cézanne, 5 mai 1896.« Demnach hatte dieser das Bild im Mai 1896
der »Königin des Félibrige«, das heißt Marie Gasquet, der Frau des Dichters Joachim
Gasquet (vgl. Kat.-Nr. 68), dediziert. Er hatte das jungverheiratete Paar im Frühjahr
1896 in Aix kennengelernt und stand seit April des Jahres mit dem Literaten in regem
Briefwechsel.[1] Der leidenschaftliche Lokalpatriot war Mitglied eines Mitte des
19. Jahrhunderts gegründeten, neuprovenzalischen Dichterkreises namens »Félibrige«,
der um den Erhalt der provenzalischen Sprache bemüht war.

     Ein weiteres Indiz dafür, daß die Komposition in die Mitte der neunziger Jahre
gehört und nicht in das Jahrzehnt zuvor, wie von Venturi angenommen, ist die
Tatsache, daß sie in Zusammenhang mit den 1895 begonnenen *Großen Badenden*
zu sehen ist (Abb. 1). Die Anzahl und die Zusammenstellung der weiblichen Akte in
zwei pyramidal geordneten Gruppen, denen sich ein im Vordergrund liegender Hund
hinzugesellt hat, wurde in die große Fassung übernommen, jedoch in eine stärker
stilisierte Form gebracht. Acht über einen Zeitraum von zwei Jahrzehnten gezeichnete
Figurenstudien[2] bereiten die Komposition vor, die dann seit 1895 bildmäßig verwirklicht wurde.[3]

1   Cézanne schenkte Gasquet auch die großformatigen Gemälde *La montagne Sainte-Victoire au grand pin*
     Venturi Nr. 454 und *La vieille au chapelet* Venturi Nr. 702.
2   Chappuis Nrn. 371, 511, 649, 650, 969, 971, 1104, 1134.
3   Vgl. die Gemäldefassung Venturi Nr. 539 sowie das Aquarell Rewald Nr. 603.

PROVENIENZ: Marie Gasquet, Aix-en-Provence; Auguste Pellerin, Paris; Jean-Victor Pellerin, Paris.
BIBLIOGRAPHIE: Gasquet 1921, Abb.; Rivière 1923,
S. 220; Gasquet 1930, Abb.; Venturi S. 180 f. Nr. 540,
Abb.; Chappuis S. 126 (bei Nr. 371), S. 153 (bei Nr. 511),
S. 226 (bei Nrn. 969, 971), S. 252 (bei Nr. 1104); New
York 1977, S. 39 Abb., S. 52; Rewald S. 244 (bei Nr. 603);
Coutagne 1984, S. 226 ff. Abb.; S. Gache-Patin, *Douze
œuvres de Cézanne de l'ancienne collection Pellerin,* in:
La Revue du Louvre, 2, April 1984, S. 131; Aix-en-Pro-
vence 1990, S. 217 Abb. 193.
AUSSTELLUNGEN: Madrid 1984, Nr. 29, Abb.; Basel
1989, S. 167, S. 207, S. 221 Abb. 184, S. 315 Nr. 61.

Abb. 1
Paul Cézanne, *Die großen Badenden,* 1895–1906.
The Barnes Foundation, Merion

82 Neun weibliche Badende 1902–1905
Neuf baigneuses

Venturi Nr. 723 (1900–1905)
Ölfarben auf Leinwand, 29 x 36 cm
Privatbesitz

Die gewählten Figurenmuster, deren andersgeartete Herkunft hier nicht mehr ins
Gewicht fällt (vgl. Kat.-Nr. 33, 34), sind gänzlich vereinnahmt von einer durchdringend
blauen Atmosphäre, die charakteristisch ist für nahezu alle späten Fassungen mit
Badenden. Sie distanziert die Gestalten sowie ihr monomanes Tun in ähnlicher Weise
aus unserer Erfahrung wie im Falle der »blauen« Stilleben (vgl. Kat.-Nrn. 55, 58, 59) die
Gegenstände aus ihrer banalen Gegenwärtigkeit.

Cézanne, der im Figurenbild – wohlgemerkt nicht in der Landschaft – jenes
höchste Ziel sah, um das er sich insbesondere im ersten und letzten Jahrzehnt seines
Schaffens bemühte, beschäftigten von der Mitte der neunziger Jahre bis zu seinem
Tode 1906 drei monumentale Kompositionen mit weiblichen *Badenden*. In deren
unmittelbares Umfeld gehört auch diese wunderbar gemalte Variante, die eine freie
Zusammenfassung dessen ist, was der Künstler schließlich in den viel strafferen
Anordnungen der riesigen Leinwände verwirklicht sehen wollte. In der Figurenanordnung und der Behandlung des Raumes steht das Bild jenen *Grandes baigneuses*
am nächsten (Abb. 1), die möglicherweise erst nach Fertigstellung des Aixer Ateliers
am Chemin des Lauves im September 1902 bearbeitet wurden.[1] Doch welch ein
Unterschied in den Einzelheiten! Den kolossalen Stilisierungen auf der großen
Leinwand läuft hier in nahezu rokokohaft rhythmisiertem Pinselduktus eine tempera-
mentvoll bewegte Spontaneität parallel.[2] Der geschlossenen Figurenwand dort
antwortet hier eine offene Unterteilung in zwei deutlich geschiedene Figurengruppen.
Die klare Trennung der Gruppen sowie der Ausblick auf ein Gewässer wurden dann
1906 in die letzte der monumentalen Szenerien übernommen (Kat.-Nr. 83, Abb. 1) und
durch eine hockende Profilfigur in der Mitte neben dem kühn ausgestreckten
Rückenakt ergänzt.

Erfindungen wie diese tragen ohne genrehafte oder anekdotische Aussage etwas
von der Gewißheit des Anfänglichen und Endgültigen in sich. Abgeschieden von den
Daseinsstufen des Lebens, gewann in ihnen ein klassenlos gewordener, niemals den
Schritt aus der Anonymität vollziehender Menschheitszustand visionär Gestalt. Als Teil
einer Lebensraum spendenden Natur sind die Akte – in ihrer von der Antike bis zum

Abb. 1
Paul Cézanne, *Die großen Badenden*, 1902–1906.
National Gallery, London

Rokoko den Gleichheits- und Ewigkeitsanspruch menschlichen Seins bedeutenden Nacktheit – losgelöst von allen zeitgenössischen Reminiszenzen, seien es Kleidung, Gegenstände oder Örtlichkeiten. Mit derselben Radikalität, mit der Cézanne anfangs durch ein ganz auf sich gestelltes Kunstverständnis seiner Zeit gerecht werden wollte (vgl. Kat.-Nrn. 2, 11, 12), widerstand er den Inhalten dieser Zeit zuletzt mit seinen von ursprünglichen Vegetationszonen umgebenen Figurenzusammenstellungen an »mütterlichen Gewässern« (Novalis). Dokumentierten die teilweise dissonant zugespitzt frühen Aktionen den Aufbruch aus der Geborgenheit von Kindheit und Jugend, so offenbaren die selbstgenügsamen Gestaltformen der *Badenden* auch die Sehnsucht nach der Obhut unter die der Natur eingebundenen Menschen.

1   Vor der Erstellung des Neubaus dürfte weder in den Ateliers in Aix noch in Paris genügend Raum gewesen sein, um kontinuierlich an zwei Leinwänden, Venturi Nrn. 720, 721, mit überdimensionalen Abmessungen zu arbeiten!
2   Vgl. die gleichlautende Aquarellstudie Rewald Nr. 602, die figurenreichere Gemäldefassung Venturi Nr. 722 sowie die Figurenstudie Chappuis Nr. 1104. In skizzenhaften Anfängen blieb die größere Version, Venturi Nr. 1523, stecken.

PROVENIENZ: Ambroise Vollard, Paris; Alphonse Kann, Saint-Germain-en-Laye.
BIBLIOGRAPHIE: Meier-Graefe 1910, S. 35 Abb.; Meier-Graefe 1918, S. 191 Abb.; Meier-Graefe 1922, S. 231 Abb.; Venturi S. 221 Nr. 723, Abb.; Novotny 1938, S. 130; Guerry 1950, S. 143; Badt 1956, S. 118, S. 247, Abb. 45; Neumeyer 1959, S. 9, Abb. 6; Reff 1960, S. 173; Badt 1971, S. 47, S. 50 Abb.; Krumrine 1980, S. 122; Teboul 1988, S. 91 Abb. 55; Krumrine 1992, S. 590 f., S. 593, S. 595.
AUSSTELLUNGEN: Zürich 1956, Nr. 81, Abb. 44; New York 1977, S. 40 f., S. 205, S. 374 Abb. 192, S. 399 Nr. 39; Basel 1983, Nr. 24; Tokyo 1986, Nr. 38, Abb.; Basel 1989, S. 208, S. 214, S. 228 Abb. 194, S. 315 Nr. 69.

83   Erste Fassung der Großen Badenden   1904–1906
Ebauche des grandes baigneuses

Venturi Nr. 725 (1898–1905)
Ölfarben auf Leinwand, 73,5 x 92,5 cm
Privatbesitz

Die im Umfeld der größten, wohl erst 1906 begonnenen Version der *Grandes baigneuses* (Abb. 1) geschaffene Komposition ist eines der spätesten Figurenbilder Cézannes (vgl. Kat.-Nr. 82). Der von Venturi stammende Titel wird allerdings dem großformatigen Gemälde, in dem die langjährige Beschäftigung mit dem Thema der *Badenden* ein Höchstmaß an Freizügigkeit erreichte, nicht in vollem Umfang gerecht. Denn es hat mit der letzten der drei Konzeptionen der *Großen Badenden* nur bedingt zu tun. Was übereinstimmt, ist das Verhältnis der Figurengruppen zur Gesamtanlage des Bildraumes, ist der spitzbogenförmige Aufbau der ins Bild ragenden Bäume und die Sicht auf die fernen Ufer über dem Wasser. Ansonsten überwiegen die Unterschiede in der Farbigkeit oder in der Neuordnung der Figurenensembles, die an den Ufern und im Wasser agieren. Eine Besonderheit des Bildes, die nur in einem entsprechenden Aquarell aufgegriffen wird[1], ist nicht zuletzt der unverstellte Ausblick auf ein Gebirgsmassiv und auf Gewässer, die nach vorne bis zum Bildrand reichen. All dies spricht dafür, daß wir es hier mit einer autonomen Erfindung zu tun haben, die die stark formalistisch befangene Gewichtung der Riesenleinwand in eine unbeschwerte, ätherisch beschwingte Harmonie aus Mensch und Natur zu überführen suchte.

Mit diesem Spätwerk erreichte Cézanne die äußerste Möglichkeit eines von
der Erscheinung befreiten, der Phantasie weite Bereiche offen lassenden Duktus. Aus
gekurvten Pinselschwüngen und Zentren pulsierender Strichgespinste, die sich jeder
präzisen Umrißbezogenheit entziehen, wurden Formen nur andeutend entwickelt.
Dabei mag der Maler etwas von jenen zeichnerischen Erfahrungen eingebracht
haben, die er in der Spätzeit als Kopist barocker Bildnisbüsten im Louvre gewonnen
hatte. In die verhaltene Schönheit eines universalen Blaugraus haben sich Himmel
und Wasser, Berge, Bäume und das unbenennbare Handeln der Gestalten gleichermaßen zurückgezogen. Daß hauptsächlich im Bereich der Figuren einige Partien
unbearbeitet blieben und die Leinwand mit Spuren der Vorzeichnung offen zutage
tritt, vergißt man angesichts dessen, daß alles von diesem am wenigsten sinnlichen,
dafür aber am stärksten vergeistigten Farbreiz durchströmt erscheint.

Die anfängliche Strenge eines Formenkanons, der drei, vier oder fünf Mädchen-
akte vor einer Baumkulisse zu pyramidalen Ordnungen zwang, wich später lockeren,
nahezu ornamental verketteten Figurengliederungen. Doch wurden diese niemals
zuvor derart selbstverständlich von den herrlich blauen Weiten einer Landschafts-
vision vereinnahmt. Das unlösbare Zusammenwirken von Figuren und Landschaft
demonstriert weder eine Gegenwart mit Badeszenen, noch ist damit die Flucht in die
vermeintliche Idylle einer Vergangenheit gemeint, die in der Vermutung gipfelte,
Cézanne habe mit dem Bild die Geschichte von der Auffindung Moses' illustrieren
wollen. Was er tatsächlich mit den *Badenden* thematisierte, war die Versöhnungs-
hoffnung eines ver-wahr-losten Jahrhunderts, indem er, selbst als Scheiternder, dem
uralten Anliegen der Durchdringung von Realität und Idealität noch einmal
überzeugend Gestalt verlieh.

1   Rewald Nr. 607.

PROVENIENZ: Ambroise Vollard, Paris; Paul Cézanne *fils*, Paris.
BIBLIOGRAPHIE: Venturi S. 221 Nr. 725, Abb.; Badt 1956, S. 247; Neumeyer 1959, S. 9, Abb. 7; Reff 1960,
S. 173; Waldfogel 1962, S. 204; Cherpin 1972, S. 57 Abb.; Sutton 1974, S. 104 f. Abb.; Geist 1975, S. 12 Abb.;
Adriani 1981, S. 287; Rewald S. 245 (bei Nr. 607); Cézanne 1988, S. 266 Abb.; Teboul 1988, S. 81 Abb. 47;
Krumrine 1992, S. 586.
AUSSTELLUNGEN: Paris 1929, Nr. 43; Paris 1936, Nr. 106; Aix-en-Provence 1956, Nr. 63, Abb.; Den Haag
1956, Nr. 46, Abb.; Zürich 1956, Nr. 82, Abb. 39; München 1956, Nr. 63, Abb.; Köln 1956, Nr. 31, Abb.;
Aix-en-Provence 1961, Nr. 19, Abb. 14; Wien 1961, Nr. 42, Abb. 28; Hamburg 1963, Nr. 13, Abb. 55; Tokyo
1974, Nr. 55; New York 1977, S. 40, S. 205, S. 368 Abb. 186, S. 399 Nr. 41; Paris 1978, S. 233 Nr. 104, S. 235 f.,
Abb., S. 243; Basel 1989, S. 233 Abb. 199, S. 278, S. 280, S. 316 Nr. 72.

Abb. 1
Paul Cézanne, *Die großen Badenden,* 1906. Philadelphia Museum
of Art, W. P. Wilstach Collection

84 Stilleben mit Teller und Birnen   1895–1900
    Nature morte, assiette de poires
    Venturi Nr. 744 (1895–1900)
    Ölfarben auf Leinwand, 38 x 46 cm
    Wallraf-Richartz-Museum (Inv. Nr. WRM 3189), Köln

Obwohl die mehr als 170 Stilleben Cézannes in gewissem Sinne immer auch Bildnisse ihres Erfinders sind, der mit der Auswahl und der Zusammenstellung ihm nahe-stehender Dinge die ganze Wirklichkeit auf seine Seite brachte, gibt es kaum welche mit Utensilien, die Rückschlüsse auf seine künstlerische Tätigkeit erlauben würden (vgl. Kat.-Nr. 3). Lediglich in sechs Fällen erkennt man auf Keilrahmen aufgezogene Leinwände, die an der Wand lehnen, eine abgelegte Palette oder als Atelierrequisit den Abguß eines Puttos.[1] Diesen wenigen Beispielen ist das Stilleben mit dem Früchteteller und dem in weißem Seidenglanz schimmernden Chiffon hinzuzu-rechnen. Denn das zu eigenwilligen Formationen aufgebauschte Arrangement findet auf einer von Böcken getragenen Tischplatte statt, wie sie damals in den Ateliers als Zeichentische üblich waren. Die gegenläufigen Schrägen der Tischkante und des gleichfarbigen Wandstreifens sowie die diagonalen Teile der Trägerbalken verleihen dem Bild eine außerordentliche Dynamik.

1   Vgl. die Stilleben Venturi Nrn. 357, 594, 622, 623, 706, 707.

PROVENIENZ: Ambroise Vollard, Paris; Paul Cassirer, Berlin; Hugo Cassirer, Berlin; Lotte Fürstenberg, Berlin; Auktion Sotheby's, London 6. 12. 1961, Nr. 78; Feilchenfeldt, Zürich.
BIBLIOGRAPHIE: Venturi S. 226 Nr. 744, Abb.; Dorival 1949, Abb. 150, S. 173.
AUSSTELLUNGEN: Berlin 1921, Nr. 37.

85   Stilleben mit Teller und Pfirsichen   1895–1900
Nature morte, assiette de pêches
Venturi Nr. 743 (1895–1900)
Ölfarbe auf Leinwand, 38 x 46 cm
Privatbesitz, als Leihgabe im Kunsthaus Zürich

Es bedurfte der im letzten Lebensjahrzehnt konzipierten Stilleben, die an Größe und
barocker Gegenstandsfülle alles Bisherige übertrafen, um auch im kleineren Format
und mit bescheideneren Mitteln derart vollendete Kompositionen zu schaffen
(vgl. Kat.-Nr. 84). In ihnen verband sich das Interesse an der Wiedergabe plastischer
Formelemente mit der Absicht, deren Eigen-Sinn ausschließlich aus der Farbe zu
definieren. Die gegenseitige Vertrautheit so inkohärenter Dinge wie der ockerfarbenen
Tischplatte, des leicht in die Schräge gestellten Porzellantellers oder der wunderbar
gemalten Pfirsiche, die vom Faltenwurf einer bunten Decke zusätzlich nobilitiert
werden (vgl. Kat.-Nrn. 77, 86, 88), erzielte Cézanne vor allem durch die beziehungsreichen farbigen Durchdringungen. Durch die Farbe wirkt die Zusammengehörigkeit
selbstverständlich, obwohl ein solch »gekünsteltes« Arrangement kaum als Alltags-
situation in Frage käme. Nicht besondere Gegenstände oder die minuziös abgebildete
Stofflichkeit bestimmter Materialien machen die Stilleben Cézannes so kostbar,
sondern allein die in eine unvergleichlich suggestive Malerei umgesetzten
elementaren Anordnungen, wobei den Früchten meist eine zentrale Rolle zukommt.

PROVENIENZ: Ambroise Vollard, Paris; Paul Cassirer, Berlin; Hugo Cassirer, Berlin; Lotte Fürstenberg,
Berlin.
BIBLIOGRAPHIE: Venturi S. 226 Nr. 743, Abb.; New York 1977, S. 339 Abb. 150.
AUSSTELLUNGEN: Berlin 1921, Nr. 38.

86 Drei Schädel auf einem Orientteppich   1898–1905
    Trois crânes sur un tapis d'orient
    Venturi Nr. 759 (1904)
    Ölfarben auf Leinwand, 54 x 64 cm
    Kunstmuseum (Inv. Nr. C.80.2), Solothurn

Da das kleine Atelier, 23, Rue Boulegon, nicht ausreichte, ließ sich Cézanne 1902 auf einem Hügel im Norden der Stadt ein Atelierhaus bauen, das im September des Jahres bezugsfertig war. Den Erinnerungen Emile Bernards an seinen Aufenthalt in Aix-en-Provence und an die Besuche bei Cézanne im Februar 1904 ist unter anderem zu entnehmen, daß in diesem Atelier an dem Totenkopf-Stilleben gearbeitet wurde: »Nach dem Essen suchten wir das außerhalb der Stadt gelegene Atelier auf, und jetzt führte mich Cézanne endlich in seinen eigentlichen Arbeitsraum und zu seinen Gemälden. Es war ein großes, mit Leimfarbe grau angestrichenes Gemach, mit Nordlicht, das durch ein Fenster in Brusthöhe hereinfiel … Er arbeitete an einem Gemälde, das drei Totenköpfe auf einem orientalischen Teppich darstellte. Seit einem Monat malte er jeden Morgen von sechs bis halb elf daran. Seine Lebensweise war nämlich folgende: Er stand sehr früh auf und ging, und zwar zu jeder Jahreszeit, ins Atelier, wo er von sechs bis halb elf arbeitete. Dann kehrte er zum Essen nach Aix zurück. Gleich nachher begab er sich wieder weg, um bis fünf Uhr abends an seinem Motiv bzw. seiner Landschaft zu arbeiten. Dann nahm er sein Nachtessen ein und legte sich sofort schlafen. Ich sah ihn einige Male so müde von seiner Arbeit, daß er sich weder zu unterhalten noch auch nur zuzuhören vermochte … ›Was mir fehlt‹, sagte er vor diesen drei Totenköpfen zu mir, ›das ist die Realisation. Vielleicht komme ich noch soweit, aber ich bin alt, und es ist gut möglich, daß ich sterbe, ohne dieses höchste Ziel erreicht zu haben: Realisieren! Wie die Venezianer!‹… So sah ich ihn während des ganzen Monats, den ich in Aix zubrachte, an dem Bild mit den drei Totenköpfen, das ich als sein Vermächtnis ansehe, sich abmühen. Dieses Gemälde wechselte fast jeden Tag Farbe und Form, und doch hätte man es, als ich zum ersten Mal Cézannes Atelier betrat, als fertiges Werk von der Staffelei nehmen können. Wahrlich, seine Art zu arbeiten war ein Nachdenken mit dem Pinsel in der Hand.«[1]

Bernards Bericht gibt Einblicke in die Arbeitsweise Cézannes in den letzten Jahren. In pastosem, auch für einige der späten Bildnisse charakteristischem Farbauftrag, der immer wieder in neuen und dunkler werdenden Pigmentschichten vorgenommen wurde, sind vor einer dunkelgrünen Wand drei Totenköpfe aufgeschichtet. Ihnen liegen die Falten eines Teppichs zugrunde, der in der Spätzeit des öfteren Verwendung fand (vgl. Kat.-Nrn. 77, 85, 88). Ostentativ benachbarte der Maler Todesbewußtsein und Lebensbejahung aufs engste, indem er dem starkfarbigen Blumenornament jene fast abstrakte Musterung entgegenhielt, die sich aus den Augen- und Nasenhöhlen der Schädel ergab.[2] Obwohl man dem Bild die Mühsal der langwierigen Arbeit und der vielfachen Übermalungen ansieht, bemerkte Bernard anläßlich eines zweiten Besuches in Aix im Frühjahr 1905, daß das nun an der Atelierwand befestigte Totenkopf-Stilleben aufgegeben war.[3] Auch Cézannes Händler Ambroise Vollard entsann sich, als er ihn zum letzten Mal aufsuchte, das Bild 1905 gesehen zu haben: »Ende des Jahres 1905 ging ich nach Aix … Auf seiner Staffelei stand ein Stilleben, das er mehrere Jahre früher angefangen hatte; es stellte Schädel auf einem Orientteppich dar. ›Wie schön ist es, einen Schädel zu malen! Schauen Sie doch, Monsieur Vollard.‹ Auf dieses Werk setzte er die größten Hoffnungen. ›Verstehen Sie, ich bin der Verwirklichung nahe!‹ Und nach einer Pause: ›In Paris findet man also, was ich mache, sei gut? Oh, wenn Zola jetzt hier wäre, jetzt, wo ich den großen Wurf mache‹.«[4]

Vollards Hinweis, Cézanne habe das Totenkopf-Stilleben bereits mehrere Jahre früher begonnen, deckt sich mit einem Vermerk Rivières, daß das auf einem Teppich arrangierte Stilleben *Trois têtes de mort* um 1898 in Paris im Atelier der Rue Hégésippe-Moreau ausgeführt worden sei (vgl. Kat.-Nr. 76).[5] Es ist durchaus wahrscheinlich, und die kompakten Farbschichten sprechen dafür, daß Cézanne das Stilleben damals in Angriff genommen hatte und sich aus dem Wunsch, es ständig zu verbessern, bis 1905 damit beschäftigte. Über die oft jahrelange Ausführung bestimmter Gemälde berichtet auch Vollard: »Wenn Cézanne mit einer Studie aufhörte, geschah es fast immer in der Hoffnung, sie später zu vervollkommnen. Dadurch erklärt es sich, daß die bereits ›klassierten‹ Landschaften im folgenden Jahr, manchmal sogar zwei oder drei Jahre später, überarbeitet wurden, was ihm übrigens gar nicht lästig fiel; denn für ihn war das Malen nach der Natur kein Kopieren des Gegenstandes, sondern die Verwirklichung dessen, was er sehend empfand.«[6] Und der Maler selbst äußerte sich dazu im Nachsatz eines Briefes vom 8. Juli 1902: »Ich hatte eine Studie, die vor zwei Jahren begonnen war; es schien mir angemessen, sie fortzusetzen.«[7]

1   Bernard 1982, S. 78 f.
2   Dies wird auf der Aquarellfassung des Stillebens, Rewald Nr. 611, noch deutlicher.
3   Bernard 1982, S. 102.
4   Vollard 1960, S. 74, S. 76.
5   Rivière 1923, S. 222.
6   Vollard 1960, S. 56.
7   Cézanne 1962, S. 272.

PROVENIENZ: Ambroise Vollard, Paris; Gertrud Müller, Solothurn; Dübi-Müller Stiftung, Solothurn.
BIBLIOGRAPHIE: Vollard 1914, S. 148; Rivière 1923, S. 222; Bernard 1925, S. 25 f.; Graber 1932, S. 96 Abb.; Venturi S. 57, S. 228 Nr. 759 Abb.; Novotny 1938, S. 117, S. 132; Schmidt 1952, S. 12; Reff 1958, S. 57; Ratcliffe 1960, S. 29, S. 31; Vollard 1960, S. 74, S. 76; Reff 1962, S. 114; Schapiro 1968, S. 53; New York 1977, S. 33, S. 36, S. 51, S. 102, S. 344 Abb. 155, S. 393, S. 396, S. 408; Adriani 1978, S. 85; Adriani 1981, S. 280; *Dübi-Müller-Stiftung, Josef-Müller-Stiftung*, Solothurn 1981, S. 94 f. Abb.; Bernard 1982, S. 78 f.; Rewald S. 140 (bei Nr. 232), S. 232 (bei Nrn. 571), S. 247 (bei Nrn. 612, 613); du 1989, S. 26 Abb.
AUSSTELLUNGEN: Paris 1936, Nr. 110; *Europäische Meister*, Kunstmuseum, Winterthur 1955, Nr. 33; Den Haag 1956, Nr. 50; Zürich 1956, Nr. 83.

87   Schädelpyramide   um 1901
      Pyramide de crânes
      Venturi Nr. 753 (um 1900)
      Ölfarben auf Leinwand, 37 x 45,5 cm
      Privatbesitz

Niemals rückte Cézanne seine Bildobjekte dem Betrachter derart nahe wie auf der
makabren Anhäufung des Todes, die nahezu ohne Raum das Bild mit vier Schädeln zu
einem Gruppenporträt exzeptioneller Art füllt. Mit der gleichen Sorgfalt, mit der er die
pralle Plastizität der Früchte auf Tüchern arrangiert hatte, tat er dies mit den in fahles
Licht getauchten symbolträchtigen Relikten des Lebens. Was hier zum Triumph der
Vergänglichkeit pyramidal aufgerichtet wurde, ist letzter Ausdruck einer seit dem
Barock im Stilleben verankerten Verbindung zum Menschen, seinem Handeln, seinen
materiellen oder dekorativen Bedürfnissen, seinem Geschmack sowie seinen Symbol-
oder Moralbegriffen.
    Dem nachdenklichen Geiste Cézannes, der sich stets Spuren seiner schwer-
mütigen, dramatisch gegen das Unabdingbare opponierenden Ausgangspunkte
bewahrt hatte (vgl. Kat.-Nrn. 3, 4), waren im Alter wieder zunehmend Stimmungs- und
Gefühlswerte Anlaß der Phantasie. Die Betonung einer kontemplativen Vorstellungs-
welt des Memento mori, von Hinfälligkeit und Abgeschiedenheit, trat in den
Vordergrund. Noch einmal griff er in einigen herausragenden Bildschöpfungen, die
von Picasso bis zu Warhol nachwirkten (Abb. 1, 2), jene von Poussin für die Künste
entdeckte Tradition des Elegischen auf. Der Maler, der der stets untergeordneten
Bildgattung des Stillebens mit über 170 Arbeiten breiten Raum ließ – nicht von
ungefähr richteten die Kubisten ihr Augenmerk darauf –, reflektierte mit der *Schädelpyramide* ein tragisches Todesbewußtsein (vgl. Kat.-Nr. 86)[1], das in seinen Briefen schon
1896 angeklungen war: »Übrigens bin ich wie tot« oder »das Leben beginnt für mich
von einer tödlichen Monotonie zu sein«; und an anderer Stelle lesen wir: »Ich jedoch
werde alt. Ich werde nicht die Zeit haben, mich auszudrücken.« Ähnlich im Tenor sind
auch Briefstellen von 1899 und 1901: »Gegenwärtig fahre ich fort, den Ausdruck jener
wirren Wahrnehmungen zu suchen, die wir bei unserer Geburt mit auf die Welt
bringen. Wenn ich sterben sollte, wird alles zu Ende sein; doch was macht das!« »Die
Einsamkeit erhärtet wohl die Starken; sie ist jedoch ein Hindernis für die Unsicheren.
Ich muß Ihnen gestehen, daß es immer traurig ist, sozusagen das Leben aufzugeben,
während wir noch auf Erden weilen.«[2]
    Nach dem Verkauf des Landsitzes Jas de Bouffan im November 1899 mietete der
Künstler eine Wohnung in der Innenstadt von Aix-en-Provence, 23, Rue Boulegon, wo
er sich im Dachgeschoß ein kleines Atelier einrichtete. Der Archäologe Jules Borély,
der ihn im Juli 1902 dort aufsuchte, erinnert sich: »Ich habe Cézanne verlassen,
nachdem ich noch eine halbe Stunde bei ihm in seinem kalten Haus verbracht habe.
In seinem Zimmer, auf einem schmalen Tisch in der Mitte, bemerkte ich drei sich
gegenüberliegende menschliche Schädel, drei schöne polierte Elfenbeinstücke. Er
sprach von einer sehr schönen Malstudie, die er irgendwo auf seinem Dachboden
hatte. Ich wollte sie sehen. Er suchte den Schlüssel dieser Dachkammer, aber
vergeblich, das Dienstmädchen hatte ihn verloren.«[3] Die erwähnte Malstudie ließe sich
sowohl auf die *Schädelpyramide* beziehen als auch auf das Stilleben *Drei Schädel
auf einem Orientteppich* (Kat.-Nr. 86) sowie auf eine Nature morte mit drei auf einem
Tisch aneinandergereihten Totenköpfen.[4] Als Cézanne im September 1902 den
Neubau des großen Ateliers Les Lauves außerhalb der Stadt bezog, gehörten die
Schädel mit zum Umzugsgut. Sie sind dort heute noch zu besichtigen.

1 Vgl. das melancholische Bildnis *Jeune homme à la tête de mort* Venturi Nr. 679 sowie die Totenkopf-Stilleben Venturi Nrn. 751, 758, 1567 und das bei Venturi nicht aufgeführte *Stilleben mit Totenkopf und Kerzenhalter,* Staatsgalerie Stuttgart. Unter den Aquarellen und Zeichnungen bieten sich die Stillebenstudien Rewald Nrn. 231, 232, 611–613 sowie Chappuis Nrn. 1214, 1215 zum Vergleich an.
2 Cézanne 1962, S. 228, S. 234, S. 237, S. 254, S. 256.
3 Borély 1982, S. 39.
4 Venturi Nr. 1567.

PROVENIENZ: Ambroise Vollard, Paris.
BIBLIOGRAPHIE: Venturi S. 227 Nr. 753, Abb.; Novotny 1938, S. 117; Schapiro 1968, S. 53; Sutton 1974, S. 105 Abb.; Adriani 1978, S. 85; Adriani 1981, S. 280; Rewald 1986, S. 264 Abb.; Cézanne 1988, S. 251 Abb.; Erpel 1988, Abb.
AUSSTELLUNGEN: Zürich 1956, Nr. 79; Aix-en-Provence 1961, Nr. 16, Abb. 12; Wien 1961, Nr. 38, Abb. 25; Tokyo 1974, Nr. 50, Abb.; New York 1977, S. 36, S. 205, S. 346 Abb. 157, S. 396 Nr. 30; Paris 1978, S. 112 f. Nr. 25, Abb., S. 241.

Abb. 1
Pablo Picasso, *Stilleben mit Fisch, Schädel und Tintenfaß,* 1907, Tuschzeichnung. Musée Picasso, Paris, © 1993 VG Bild-Kunst, Bonn

Abb. 2
Andy Warhol, *Totenschädel,* 1972. Sammlung Fröhlich, Stuttgart, © 1993 Ars, New York

88 Stilleben mit Früchten
vor einem blumengemusterten Vorhang   1904–1906
Nature morte, rideau à fleurs, et fruits

Venturi Nr. 741 (1900–1906)
Ölfarben auf Leinwand, 73 x 92 cm
Privatbesitz

Im postmodernen Rückblick auf die Moderne erscheint das grandiose späte Stilleben
Cézannes von einer Modernität, die manches von dem in den Schatten stellt, was das
20. Jahrhundert so selbstbewußt als künstlerische Neuerung herausstrich. Hier ist das
Äußerste an Einsicht in den farbigen Geist des Bildes gegeben. Die Kühnheit, mit
der die lapidare malerische Kraft und die Freiheit im Umgang mit den Dingen
zusammenwirken, das war die epochale Möglichkeit eines zur »Vollendung gelangten
Genies«, um das kritische Zola-Wort der Anfänge ins Positive umzukehren. Das noch
niemals im Zusammenhang einer größeren Cézanne-Ausstellung gezeigte Werk ist das
großartigste Beispiel des Spätstils, der eine seit der Frühzeit immer latent vorhandene
ungezügelte Leidenschaft mit einem hinreißenden malerischen Können auswog.

Die jahrzehntelang erprobten Gegenstände sind zu Metaphern geworden für
eine zwischen euphorischer Lebensbejahung und verzweifelt düsterer Resignation
angesiedelte Wirklichkeitserfahrung. Es ist dies der gemusterte Vorhang, der seit den
späten achtziger Jahren schon einige besonders herausragende Porträts auszeichnete
(vgl. Kat.-Nr. 41)[1], um in der Spätzeit ausschließlich als barock entfaltetes Stilleben-
requisit verwandt zu werden[2], dann sind es der obligate Holztisch und das rotgrüne
Dekor einer Decke (vgl. Kat.-Nrn. 77, 85, 86)[3], aus der sich leuchtend die Früchte
mitsamt dem Teller, einem Kelchglas dahinter sowie dem grellen Schlaglicht einer
Serviette erheben. Alles erfährt eine aufs höchste gesteigerte Stilisierung in der
schweren Strahlkraft der Farbe. Ihre mächtige Energie verleiht auch dem einsam
an der Tischkante abgelegten Apfel als notwendigem Bildakteur eine voluminöse
Würde. Vor dem in schrägen Pinselschraffen gesetzten Kolorit der Wand, deren Grün
in kaltes Blau hineingesteigert ist, stürzt als Kaskade diagonal die warme Fülle der
Stoffdraperien über den Tisch und einen links herangeschobenen Stuhl (?). Niemals
zuvor hatte Cézanne den dramatischen Dialog zwischen Farbe und Form, zwischen
hellen und dunklen beziehungsweise kalten und warmen Farbharmonien derart
spannungsvoll ausgetragen wie in diesem Stilleben, das als Richtmaß weit in unser
Jahrhundert reicht.

1 Vgl. die großformatigen Bildnisse *Mardi gras* Venturi Nr. 552, *Jeune homme à la tête de mort* Venturi
Nr. 679, *Garçon au gilet rouge* Venturi Nr. 682 und *Homme assis* Venturi Nr. 697.
2 Vgl. die Stilleben Venturi Nrn. 731–734, 736, 738, 739, 742, 745, 747, Rewald Nr. 296.
3 Diese Decke fand ebenfalls auf Bildnissen und Stilleben der Spätzeit Verwendung: Venturi Nrn. 701,
703, 757, Rewald Nrn. 571, 572, 611, 612.

PROVENIENZ: Josse Bernheim-Jeune, Paris; Bernheim-Jeune, Paris.
BIBLIOGRAPHIE: Bernheim-Jeune 1914, Abb. 52; Rivière 1923, S. 221; Raynal 1936, Abb. 90; Venturi S. 57,
S. 225 Nr. 741, Abb.; Dorival 1949, S. 95, Abb. 152, S. 173; Guerry 1950, S. 135; Andersen 1967, S. 139; Elgar
1974, S. 221, S. 225 f.; New York 1977, S. 35, S. 80, S. 355 Abb. 167; Paris 1978, S. 21; Rewald S. 26.
AUSSTELLUNGEN: Paris 1914, Nr. 21; *L'Impressionnisme*, Palais des Beaux-Arts, Brüssel 1935, Nr. 4;
Quelques toiles importantes de collections particulières du XIXe et XXe siècle, Galerie Durand-Ruel,
Paris 1945, Nr. 6; *Voici des fruits, des fleurs, des feuilles et des branches …*, Galerie Bernheim-Jeune, Paris
1957, Nr. 10; *Cézanne, aquarelliste et peintre*, Galerie Bernheim-Jeune-Dauberville, Paris 1960, Nr. 30; *La
douce France*, Nationalmuseum, Stockholm 1964, Nr. 52; *Aquarelles de Cézanne*, Galerie Bernheim-Jeune,
Paris 1971, Nr. 27.

89 Das Gebirgsmassiv Sainte-Victoire   1900–1902
La montagne Sainte-Victoire

Venturi Nr. 661 (1890–1894)
Ölfarben auf Leinwand, 54,6 x 64,8 cm
National Gallery of Scotland, Edinburgh

Cézannes Schwester Rose Conil hatte westlich von Aix den Besitz Montbriand
erworben. Dessen hügelige Gegend mit dem benachbarten Gehöft Bellevue suchte
der Maler bis ins Alter auf, um das Arctal zu gewahren (vgl. Kat.-Nr. 71), hinter dem
sich das Gebirge Sainte-Victoire, nach den Worten Rilkes, »mit allen seinen tausend
Aufgaben unbeschreiblich erhob. Dort saß er dann stundenlang, damit beschäftigt, die
›plans‹ (von denen er sehr merkwürdigerweise genau mit denselben Worten wie Rodin
immer wieder spricht) zu finden und hereinzunehmen.«[1] Dem schon in der Jugend
erwanderten, sich »gegen Osten entfaltenden, begeisternden Motiv« des Bergmassivs[2]
widmete sich Cézanne jedoch erst seit der Mitte der achtziger Jahre ausführlich.
Zusammen mit den L'Estaque-Ausblicken (vgl. Kat.-Nrn. 8, 19, 22, 23, 72) gilt es als
einziges großräumiges Panorama im Gesamtwerk (vgl. Kat.-Nrn. 90–92). Häufig vom
Weg zwischen dem Jas de Bouffan und Montbriand gesehen, wurde der Gebirgszug
über den Niederungen der Stadt zunächst vorwiegend in der Westansicht – mit dem
allmählich aufsteigenden Nordhang, dem steileren Südabfall, mit den Hängen des
Mont du Cengle rechts und dem Eisenbahnviadukt im Tal – zum Bildereignis von
andauernder Eindringlichkeit.

Einer der letzten dieser geräumigen Ausblicke auf die von starken Horizontalen
beschwichtigte Bergkulisse über den Weiten des Arctals ist die mit kühlem Blau
erfüllte Landschaft, deren entlaubtes Geäst auf einen winterlichen Naturzustand
schließen läßt. Über die ockerfarbene Tiefenerstreckung der Felder hinweg entsteht
durch die Höhe des Blickpunktes gleichsam eine Partnerschaft zwischen dem Maler
und seinem Berg, dem erst er, in über 35 Ansichten, eine unverwechselbare
Physiognomie verlieh. Ungeachtet der Entfernung sind die Flächen und Linien der
Montagne Sainte-Victoire ebenso klar bestimmt wie die die Bergsilhouette spiegel-
bildlich aufnehmenden Zweige in der unmittelbaren Nähe des Betrachters. Ihr Blau
überbrückt die Distanz zwischen dem Vordergrund und jener symmetrisch gebildeten
Ferne, in der das wuchtige Massiv sich voller Leichtigkeit der Himmelsbläue öffnet.
Nur wenige linearperspektivische Effekte führen zur Illusion eines Bildraums, in den
die Zartheit des Liniengespinstes hineinschwingt. In Bereichen, wo ganze Flächen
farbleerer Stellen zugleich Transparenz und feste, vom Licht der Provence beschienene
Formen suggerieren, hat man den Eindruck, als ob eben von diesen Flächen aus
gestaltet wurde, daß sie es sind, die sich plastisch wölben, die Körpercharakter
annehmen und als dichte Materie erkennbar werden. Auf ihnen beruht nicht zuletzt
die Stimmigkeit zwischen einer dem Bildkontinuum immanenten Festigkeit und
durchgreifenden räumlichen Offenheiten.

1 Rilke 1977, S. 23. Vgl. die Ansichten Venturi Nrn. 452–457, 477, 488, 662.
2 Cézanne 1962, S. 151. Erstmals tritt das Bergmotiv um 1870 auf der Landschaft *La tranchée* Venturi Nr. 50
   monumental in Erscheinung; ansonsten bleibt die Montagne im Frühwerk Hintergrundkulisse einiger
   Figurenszenen, vgl. Kat.-Nr. 1 sowie Venturi Nrn. 273, 274, 276.

PROVENIENZ: Ambroise Vollard, Paris; Reid & Lefevre, London; Stanley W. Sykes, Cambridge; Arthur
Tooth, London; Alexander Maitland, Edinburgh.
BIBLIOGRAPHIE: Venturi S. 207 Nr. 661, Abb.; Badt 1956, S. 130; Chappuis S. 214 (bei Nr. 886); Paris 1974,
S. 96; New York 1977, S. 26, S. 48, S. 308 Abb. 115; Arrouye 1982, S. 95 Abb.; Cézanne 1988, S. 206 Abb.
AUSSTELLUNGEN: Paris 1978, S. 186 ff. Nr. 80, Abb., S. 242; Madrid 1984, Nr. 42, Abb.; Aix-en-Provence
1990, S. 205 Abb. 184, Nr. 40; Edinburgh 1990, Nr. 60, Abb.

90   Das Gebirgsmassiv Sainte-Victoire
      von Les Lauves aus gesehen   1904–1906
      La montagne Sainte-Victoire vue des Lauves

Venturi Nr. 800 (1904–1906)
Ölfarben auf Leinwand, 73,8 x 81,5 cm
The Nelson-Atkins Museum of Art, Nelson Fund (Inv. Nr. 38-6),
Kansas City, Missouri

Mit dem Neubau des Ateliers am Chemin des Lauves 1902 (vgl. Kat.-Nr. 78) in einer
bislang kaum frequentierten Gegend nördlich von Aix öffneten sich neue Ausblicke
auf die Stadt mit der Hügelkette der Chaîne de l'Etoile sowie auf die unzugänglich in
die Ferne entrückte Montagne Sainte-Victoire, deren wiederholte Darstellung von der
gestalterischen Unerschöpflichkeit ihres ingeniösen Erfinders zeugt (vgl. Kat.-Nrn. 91,
92).[1] Während in den meisten der früheren Panoramen eine ausgeglichene Wiedergabe des östlich von Aix aufragenden Kalksteingipfels im Profil mit der Groß-
räumigkeit des Arctals (Kat.-Nr. 89) oder en face mit der ganzen Breite der südlichen
Bergseite überwog (Kat.-Nr. 32), setzte Cézanne in den neunziger Jahren die Bergform
vor allem vom Weg nach Le Tholonet, vom Bibémus-Steinbruch oder von der Ortschaft Saint-Marc aus gesehen relativ nah ins Bild. Jedoch erst in den Jahren von 1902
bis 1906 wurde der vom Chemin des Lauves oder vom Plateau d'Entremont gesichtete
Berg schließlich zu jenem unvergleichlich visionären Landschaftsmonument, das wir
hier sehen.
      Wie auf eine riesige Plattform gesetzt, erwächst die Montagne ohne jedes
rahmende Repoussoir aus ihrem dunklen Fundament zum Licht. Als mittlere von
drei waagerecht gewichteten Bildzonen besteht dieses Fundament aus einem eng
verzahnten Gewebe meist rechtwinklig gegeneinandergesetzter Farbformen. In ihrer
nur von wenigen architektonischen Andeutungen durchbrochenen Gegenstandsferne
konzentriert sich ein unsagbarer Reichtum an Zwischentönen. Ihre Aufgabe ist es,
das nur nachlässig aufgetragene Grün des von Olivenbäumen bestandenen Vorder-
grundes mit dem Blau des konisch vom Himmel abgesetzten Berges zu verbinden.
Ein kompliziertes Konglomerat wild bewegter und in sich verwickelter Farbformen
aus Schraffen, Schattenlinien und schroff gebrochenen Pinselhieben ergibt eine
Landschaftsstruktur voller Klarheit, die den Berg förmlich als kristallinen Solitär
dem schwerbelasteten Schauplatz der Ebene enthebt.
      Bekanntlich fühlte sich Cézanne sowohl zur Naturtreue verpflichtet als
auch an einen Bildträger gebunden, dessen Zweidimensionalität gegenüber der Drei-
dimensionalität des Raumes als unabdingbares Faktum akzeptiert wurde. Sein Hauptanliegen, nämlich Raumdimensionen, Volumenbildungen und Flächengegebenheiten
angemessen durch Farben aufeinander zu beziehen, macht diese Landschaft
besonders anschaulich. Aus der Erkenntnis, daß man zuerst Farben wahrnimmt
und diese dann mit vorgewußten Gegenständen, Eigenschaften und räumlichen
Zuordnungen verbindet, modifizierte der Maler den mit Atmosphäre erfüllten
Illusions-Raum zu einem aus »taches colorées« geschichteten, vielfach horizontal
motivierten Bild-Raum. In ihm wird das Auge von Schicht zu Schicht in die Tiefe
geführt, wobei zuweilen vordergrundspezifische, warme Farben bis zu den Hintergründen reichen und umgekehrt kalte bis nach vorn. Das aus der Anschauung
gewonnene farbige Ordnungsgefüge, das Räumlichkeit nur insoweit suggeriert,
als die Fläche dadurch nicht in Frage gestellt wird, verdeutlicht allein die Wechsel-
beziehungen zwischen Tiefenerstreckung und Flächenzusammenhängen. Es aus seiner
jahrhundertealten Koppelung an ein zentralperspektivisches Gerüst gelöst zu haben,
ist eine der wegweisenden Neuerungen Cézannes. Genauso wie er auf Beleuchtungs-
effekte mit aufdringlichen Schlagschatten oder Gegenlichtern verzichtete, nahm er

Abstand von einseitigen perspektivischen Gepflogenheiten. Dabei wurden die Wirklichkeitsdaten keineswegs entwertet, sondern aufgrund des dem Bild eigenen Flächencharakters umgewertet. Wirkungen, die mit der Linearperspektive, mit Beleuchtung und Umrißgestaltung zusammenhängen, wurden durchaus ernst genommen, jedoch immer den Farbbezügen nachgeordnet. Zu seinen »flachen«, kaum konvergierenden Perspektiven bekannte sich der Maler im Hinblick auf den Mont Sainte-Victoire um 1896: »Er ist ein gutes Stück von uns entfernt, er selbst ist massig genug. An der Akademie lehrt man zwar die Gesetze der Perspektive. Ich habe es nach langen Anstrengungen entdeckt, und ich habe in Flächen gemalt, denn ich mache nichts, was ich nicht sehe.«[2] Seine diesbezüglichen Ansichten entwickelte Cézanne auch anläßlich eines Besuches des Sammlers Karl Ernst Osthaus in Aix am 13. April 1906: »Als Anschauungsmaterial dienten ihm einige unbedeutende Bilder und Studien, die die Habgier der Kunsthändler ihm gelassen hatte. Er trug sie aus verschiedenen Winkeln des Hauses zusammen. Sie zeigten hintereinanderge-schichtete Massen von Gebüschen, Felsen und Gebirgen. Darüber hingen Wolken. Die Hauptsache in einem Bilde, meinte er, sei das Treffen der Distanz. Die Farbe müsse jeden Sprung ins Tiefe ausdrücken. Daran erkenne man das Können des Malers. Er folgte dabei mit den Fingern den Grenzlinien der Schichten auf seinen Bildern. Er zeigte genau, wie weit ihm die Suggestion der Tiefe gelungen war und wo die Malerei sie ausließ. Hier sei die Farbe eben Farbe geblieben und nicht Ausdruck der Entfernung geworden. Seine Darlegung war so überzeugend und lebhaft, daß ich mich nicht erinnerte, mein Auge in so kurzer Zeit ähnlich geschult zu haben.«[3]

1   Vgl. auch die Ansichten Venturi Nrn. 798, 799, 801, 803, 804, 1529 sowie ein bei Venturi nicht aufgeführtes Hochformat, 83,8 x 65 cm, Estate of Henry Pearlman, New York.
2   Jean Royère, *Paul Cézanne – Erinnerungen,* in: Kunst und Künstler, X, 1912, S. 485.
3   Osthaus 1982, S. 123.

PROVENIENZ: Ambroise Vollard, Paris; William Rockhill-Nelson, Kansas City.
BIBLIOGRAPHIE: Venturi S. 64, S. 235 Nr. 800, Abb.; Novotny 1938, S. 12, S. 204; Badt 1956, S. 125, S. 242; Loran 1963, S. 105; Brion 1973, S. 81 Abb.; Barskaya 1975, S. 190 Abb.; Wechsler 1975, Abb. 22; Rewald 1986, S. 248 Abb.; Boehm 1988, S. 140; Teboul 1988, S. 50 Abb. 29; Aix-en-Provence 1990, S. 288 Abb. 231.
AUSSTELLUNGEN: New York 1947, Nr. 67, Abb.; New York 1959, Nr. 55, Abb.; New York 1977, S. 27, S. 67, S. 95, S. 205, S. 313 Abb. 120, S. 405 Nr. 61; Lüttich 1982, Nr. 26, Abb.

91   Das Gebirgsmassiv Sainte-Victoire
     von Les Lauves aus gesehen   1904–1906
     La montagne Sainte-Victoire vue des Lauves

Nicht bei Venturi
Ölfarben auf Leinwand, 54 x 73 cm
Privatbesitz, Schweiz

Die Landschaftsstudie ist ein Stück wunderbarer, nicht zu Ende gebrachter Malerei
(vgl. Kat.-Nrn. 90, 92). Sie begnügt sich damit, die Grundstrukturen des nur vage
angedeuteten Bergrückens sowie der Tiefenschichten festzulegen und, von den
Schattenlagen ausgehend, in einem zarten Farbformenmosaik aus horizontalen und
kurzen vertikalen Erstreckungen den Raum an die Bildfläche zu binden. In Arbeiten
wie dieser ist nicht zu übersehen, mit welcher Souveränität der alte Künstler
Erkenntnisse und Erfahrungen, die er als Aquarellist gewonnen hatte, auf die
Ölmalerei übertrug. Beispielsweise verdünnte er einige Blau-, Grau- oder Grüntöne
derart mit Terpentin, daß damit die transparent verfließende Wirkung der Wasser-
farben erzielt werden konnte. Wahrscheinlich zog er auch in Betracht, farbfreie Stellen
der Leinwand in ähnlicher Form offen zu halten, wie er das aquarellierend mit dem
Papierweiß tat, wo »höchsten« und »tiefsten« Helligkeiten, das heißt Lichtweiß und
offensichtlichem Grundweiß, bei gleichem Aussehen entgegengesetzte Aufgaben
zukamen. So hob er die charakteristische Form der Montagne durch wenige Striche
von jenem neutralen Grundweiß der Leinwand ab, das gleichzeitig für die Binnenform
des Berges an seinen höchsten und am meisten belichteten Stellen zu stehen hat. Das
eine Weiß ist also tiefgreifender Fond, während das andere, in entgegengesetzter
Richtung, höchste Helligkeit bedeutet. Um Vorder- und Hintergründe stärker zu
verklammern, wurden auch in der Aquarellmalerei weiträumige Übergänge vom
Grund zum Licht geschaffen, die nur bei genauerer Analyse auf ihre ursprünglichen
Weißkomponenten zurückgeführt werden können. Die allein durch die trennend
dazwischengesetzten Farben verschieden wirksamen Weißwertigkeiten verlieren dort
ihre Eindeutigkeit, wo kaum eine Unterscheidung ihrer Funktionen mehr möglich ist.
Wo das Licht unbehelligt in den Grund einfließt und sich auseinanderliegende
Bildebenen durchdringen, ist die gestaltpsychologische Tatsache, daß das von Farben
umschlossene Binnenweiß heller und plastischer auftaucht als die den Blicken weiter
entfernt erscheinenden, weiß gelassenen Außenbereiche, gegenstandslos.

PROVENIENZ: Ernst Beyeler, Basel.
BIBLIOGRAPHIE: Fritz Novotny, *Paul Cézanne,* London-Köln 1971, Nr. 48, Abb.; Elgar 1974, S. 216 f.
Abb. 126; Hülsewig 1981, S. 21, S. 41, Abb. 1; Arrouye 1982, Abb. (Umschlag); du 1989, S. 60 Abb.;
Aix-en-Provence 1990, S. 30 Abb. 5.
AUSSTELLUNGEN: *Autour de l'Impressionnisme,* Galerie Beyeler, Basel 1966, Nr. 69, Abb.; *Manet, Degas,*
Monet, Cézanne, Bonnard, Galerie Beyeler, Basel 1977, Nr. 16, Abb.; New York 1977, S. 68, S. 95, S. 110 Abb.,
S. 116, S. 320 Abb. 127, S. 406 Nr. 63; Paris 1978, S. 33, S. 203 Nr. 89, S. 205 Abb., S. 242; Basel 1983, Nr. 26,
Abb.

92 Das Gebirgsmassiv Sainte-Victoire
von Les Lauves aus gesehen   1904–1906
La montagne Sainte-Victoire vue des Lauves

Venturi Nr. 802 (1904–1906)
Ölfarben auf Leinwand, 66 x 81,5 cm
Privatbesitz, Schweiz

Nie zuvor begehrte das scharf zerklüftete Profil der Montagne Sainte-Victoire derart unvermittelt gegen das in verschwenderischer Weite ausgebreitete Gelände auf wie in dieser vom Chemin des Lauves aus gewählten Fernsicht (vgl. Kat.-Nrn. 90, 91). Auf gigantischem Sockel stößt die Bergsilhouette gegen den Himmel vor. Das kolossal der Ebene verwurzelte Denkmal seiner selbst, vor dessen sieghaft aufgipfelndem Höhenkamm einst Marius die Teutonen schlug, übersteigt die in plateauförmigen Übergängen gelagerten Territorien. Tiefe Blickpunkte ergeben ein Höchstmaß konstruktiver Vereinfachung aus Ebene, Bergform und Himmel. Daß Cézanne Hokusais 1883 in Paris erschienene Ansichten des Berges Fudschi zur Kenntnis genommen hat, ist eher unwahrscheinlich, obwohl die Holzschnitte des Japaners einen ähnlichen Abstraktionsgrad aufweisen.

Singulär ist das Gewicht des Berges über eine Landschaft gesetzt, in der sich aus dunklen Schattenlagen sonnenbeschienene Gefilde und Architekturen abheben. Diese Lichtzonen erwecken den Anschein, das ungleichmäßige Dreieck des Gebirgszuges zu spiegeln. Daß dieser pathetischer in Erscheinung tritt als in Wirklichkeit, hängt nicht zuletzt damit zusammen, daß sich Cézanne oft über die korrekte Anwendung zentralperspektivischer Gesetzmäßigkeiten hinwegsetzte und Entferntes näher liegend darstellte. Er legte Wert darauf, die Raumweiten derart zu ermessen, daß bis in die entlegensten Winkel Deutlichkeit und Konsistenz ungemindert erhalten blieben. Auch die fernsten Partien sollten dem Auge nachvoll- ziehbar sein. Es gibt bei ihm keine Entfernungen, die durch Nachlassen der Sehschärfe zu einer Abnahme der gegenständlichen Klarheit geführt hätten. Auf einem solchen Gleichmaß der Wiedergabe, die Endgültiges für Endloses setzt, beruht die Stille eines Landschaftsraumes, über dessen ausgedehntes Terrain hinweg sich die Blickachse an jenem zentralen Punkt orientiert, wo die horizontale Trennung von Hochebene und Berg für einen kurzen Augenblick nach unten ausschwingt.

Mit derartiger Malerei offenbarte Cézanne am Ende seines Lebens eine Gefühlsstiefe, die im Frühwerk revolutionär aufgebrochen war, um dann erst spät in hinreißend ungestümen Eruptionen der Farbe erneut Gestalt zu gewinnen. Sie ging konform mit der Freiheit eines Könnens, das Farbigkeiten voller Klang und Intensität zur klaren Tektonik der Bildform verdichtete.[1] Mit dem Inbild seiner Heimat brachte der Maler die Gefühle gesteigert zum Ausdruck, die er für diese Landschaft seit der Kindheit empfand. Vielleicht stand es auch für die Gewißheit, mit seinem Werk letztendlich über alle Entmutigungen den Sieg davongetragen zu haben.

1 Cézanne, der das »göttliche Schauspiel« der Natur in eines der Kunst verwandelte, scheiterte daran, das, was er vor einem solchen Motiv empfand, bedachte und ingeniös in Malerei umsetzte, entsprechend in Worte zu fassen. Ein dahingehender Versuch ist in einem Brief an Emile Bernard vom 15. April 1904 recht mißverständlich formuliert: »Erlauben Sie mir, Ihnen zu wiederholen, was ich Ihnen schon hier sagte: man behandle die Natur gemäß Zylinder, Kugel und Kegel und bringe das Ganze in die richtige Perspektive, so daß jede Seite eines Objektes, einer Fläche nach einem zentralen Punkt führt. Die mit dem Horizont parallel verlaufenden Linien geben die seitliche Ausdehnung, das heißt einen Ausschnitt der Natur oder, wenn Ihnen das lieber ist, des Schauspiels, das der Pater Omnipotens Aeterne Deus vor unseren Augen ausbreitet. Die zu diesem Horizont senkrecht stehenden Linien geben die Tiefe. Nun liegt aber die Natur für uns Menschen mehr in der Tiefe als in der Fläche, daher die Notwendigkeit, in unsere durch die roten und gelben Farbtöne wiedergegebenen Lichtvibrationen eine genügende Menge von Blau zu mischen, um die Luft fühlbar zu machen«, Cézanne 1962, S. 281.

PROVENIENZ: Ambroise Vollard, Paris; William Rockhill-Nelson, Kansas City; Rosengart, Luzern.
BIBLIOGRAPHIE: Venturi S. 64, S. 236 Nr. 802, Abb.; Novotny 1937, S. 8, S. 10, S. 20 f., Abb. 83; Novotny
1938, S. 204; Dorival 1949, Abb. 145, S. 172; Raynal 1954, S. 119 Abb.; Badt 1956, S. 125, S. 242; *Sammlung
Emil G. Bührle*, Zürich 1958, Abb. XIV, S. 134; Loran 1963, S. 105; Murphy 1971, S. 146, S. 156 f. Abb.; Wadley
1975, S. 77 Abb. 71; New York 1977, S. 27 f., S. 67 Abb., S. 98 Abb., S. 316 Abb. 123; Hülsewig 1981, Abb. 5;
Boehm 1988, S. 43, S. 46 Abb. 8, S. 90, S. 140; Aix-en-Provence 1990, S. 42 Abb. 8.
AUSSTELLUNGEN: Paris 1929, Nr. 41; Basel 1936, Nr. 58, Abb.; Lyon 1939, Nr. 39; *Ausländische Kunst in
Zürich*, Kunsthaus, Zürich 1943, Nr. 540; *Europäische Kunst, 13.–20. Jahrhundert*, Kunsthaus, Zürich 1950,
S. 26; *P. Cézanne, 28 Malerier*, Kunstnerforbundet, Oslo 1954, Nr. 28; *Meisterwerke der Sammlung Emil G.
Bührle, Zürich*, National Gallery of Art, Washington 1990 – Museum of Fine Arts, Montreal – Museum of
Art, Yokohama – Royal Academy of Arts, London 1991, Nr. 44, Abb.

93   Flußlandschaft   1904–1905
Paysage au cours d'eau

Venturi Nr. 1533 (1900–1906)
Ölfarben auf Leinwand, 65,5 x 81 cm
Privatbesitz

Wenn man sich darauf einigt, daß kaum ein Gemälde Cézannes in jenem Sinne
vollendet ist, wie er es sich vorgestellt haben mag, und wenn man bedenkt, daß vieles
im Stadium eines Entstehens verblieb, das zu Ende gedacht war, aber nicht zu Ende
gebracht wurde, dann empfiehlt es sich, die Malerei eines solchen Bildes als Zeichen
höchster Vollkommenheit zu werten. Der alte Maler konnte es sich leisten, die
Sicht auf die Dinge offener zu halten als je zuvor. Dazu äußerte er sich in einem
Brief vom 23. Oktober 1905: »Doch da ich nun alt bin – fast siebzig Jahre –, sind die
Farbeindrücke, die das Licht geben, bei mir die Ursache von Abstraktionen, die mir
weder erlauben, meine Leinwand ganz zu bedecken, noch die Abgrenzung der
Objekte zu verfolgen, wenn die Berührungsstellen fein und zart sind; daraus ergibt
sich, daß mein Abbild oder Gemälde unvollständig ist.«[1]
   Was in Cézannes Worten ungelenk klingen mag, wurde im Bild Ereignis. Seine
Einsicht in die Natur entspricht nun voll und ganz der Einsicht in die Natur des Bildes.
Innerhalb einer an sich beschränkten Farbigkeit ist der Reichtum der Farbwirkungen,
ist die Orchestrierung in volltönenden Akkorden und zarten Harmonien voll
ausgeprägt. Der Pinselduktus ist derart selbstsicher eingesetzt, daß die Farben fernab
konkreter Wirklichkeitsbestimmungen ihrer eigenen abstrakten Logik zu folgen
scheinen. Aus unterschiedlichsten, meist mit breitem Pinsel aufgetragenen Farbindivi-
dualitäten erwachsen Klänge von äußerster Feinheit und Formbezüge von hohem
Abstraktionsgrad. Erst im schrittweisen Zuschauen gewinnt die Landschaft aus der
Farbe Gestalt. Man erkennt Gebäude, die sich an der Andeutung eines Flußlaufes
ausrichten, darüber das Gewölk im tiefblauen Himmel, rechts auf einer ummauerten
Brüstung beschattete Bäume sowie zum Vordergrund hin eine vorwiegend grün
bewachsene Fläche.[2] Cézanne arbeitete im Sommer 1904 und noch einmal kurz im
Juli 1905 im Wald von Fontainebleau. Ein Resultat dieser letzten Sommeraufenthalte
in der Umgebung von Paris dürfte das wohl bei dem Kunsthändler Vollard zurück-
gelassene Landschaftsbild gewesen sein (vgl. Kat.-Nr. 94).
   Auch wenn die Formulierungen, die der Dichter Joachim Gasquet (vgl. Kat.-Nr. 68)
Cézanne in den Mund legte, in keiner Weise dessen Diktion entsprachen, geben sie
doch ziemlich authentisch die Überlegungen wieder, die ihn in der Spätzeit
beschäftigten: »›Ich habe mein Motiv erfaßt ... ‹ (Er faltet die Hände.) ›Ein Motiv, sehen

Sie, das ist so ...‹ (Er wiederholt seine Bewegung, löst seine Hände, die zehn Finger geöffnet, nähert sie langsam, langsam, faltet sie wieder, drückt sie, verkrampft sie, läßt die eine in die andere sich einbohren.) ›Hier, das muß man erreichen. Wenn ich zu hoch oder zu tief greife, ist alles verpfuscht. Keine einzige Masche darf zu locker sein, kein Loch, durch das die Erregung, das Licht, die Wahrheit hindurchschlüpfen kann. Ich bearbeite, verstehen Sie, das ganze Bild gleichmäßig, in der Gesamtheit... Alsdann füge ich ihre [der Natur] irrenden Hände zusammen ... Ich nehme von rechts, von links, hier, da, überall, ihre Töne, ihre Farben, ihre Abstufungen, ich halte sie fest, ich bringe sie zusammen ... Sie bilden Linien. Sie werden zu Gegenständen, Felsen, Bäumen, ohne daß ich daran denke. Sie bekommen Gewicht, sie besitzen einen Farbwert. Wenn dieses Gewicht, diese Farbwerte auf meinem Bilde, in meiner Empfindung den Plänen, den Flecken entsprechen, die ich habe, die da vor unseren Augen sind, nun, dann fügt mein Bild die Hände zusammen. Es wackelt nicht. Es greift nicht zu hoch, nicht zu tief. Es ist wahrhaftig, es ist dicht, es ist voll ... Aber wenn ich die leiseste Ablenkung, die leiseste Schwäche fühle, besonders, wenn ich eines Tages zu viel hineindeute, wenn mich heute eine Theorie fortreißt, die der von gestern widerspricht, wenn ich beim Malen denke, wenn ich dazwischen komme, pardauz, dann ist alles futsch‹.«[3]

1 Cézanne 1962, S. 295.
2 Vgl. das Gemälde *Paysage au cours d'eau* Venturi Nr. 769 und das Aquarell *La Seine aux environs de Paris* Rewald Nr. 627.
3 Gasquet 1930, S. 100.

PROVENIENZ: Ambroise Vollard, Paris; Christian de Galéa, Paris; Heinz Berggruen, Paris.
BIBLIOGRAPHIE: Venturi S. 334 Nr. 1533, Abb.; New York 1977, S. 49, S. 281 Abb. 78.
AUSSTELLUNGEN: *Het Fransk Landschaaf van Poussin tot Cézanne*, Rijksmuseum, Amsterdam 1951, Nr. 13; Tokyo 1974, Nr. 58.

94   Die Ufer eines Flusses   1904–1905
Bords d'une rivière

Venturi Nr. 771 (um 1900)
Ölfarben auf Leinwand, 65 x 81 cm
Privatbesitz, Schweiz

Die Tektonik der Flußlandschaft ist wie Mauerwerk aus farbgesättigten Quadersteinen gefügt. Kaum ein zweites Landschaftsbild Cézannes gesteht der Himmelsweite einen derart breiten Raum zu. Ihr mit Grün durchsetztes Blau wird von einem Flußlauf reflektiert, der sich an bebauten Ufern vorbei durch das sommerlich gebräunte Ocker von Getreidefeldern hinzieht. Den wenig spektakulären Landschaftsausschnitt, der im Sommer 1904 beziehungsweise 1905 in der Gegend von Paris zum Motiv wurde (vgl. Kat.-Nr. 93), verdichtete der Maler im Bild zu einem wunderbar geknüpften Gewebe aus braunen, grünen und blauen Farbformen.

PROVENIENZ: Ambroise Vollard, Paris.
BIBLIOGRAPHIE: Venturi S. 231 Nr. 771, Abb.; Badt 1956, S. 242; du 1989, S. 77 Abb.
AUSSTELLUNGEN: Basel 1983, Nr. 27, Abb.

95 Château Noir 1904–1906

Venturi Nr. 794 (1904–1906)
Ölfarben auf Leinwand, 73,6 x 93,2 cm
The Museum of Modern Art
Gift of Mrs. David M. Levy, 1957, New York

Die attraktiven Ausblicke auf die Häuser von L'Estaque (vgl. Kat.-Nrn. 8, 19, 23, 72) oder auf das Bergdorf Gardanne (vgl. Kat.-Nr. 31) im Süden von Aix hatten in der Spätzeit an Anziehungskraft verloren. Nun lagen die hauptsächlich frequentierten Standorte in nördlicher Richtung vor den Toren der Stadt und östlich auf halbem Wege nach dem Weiler Le Tholonet. In dem damals unberührten Gebiet mit seinen herrlichen Ansichten der Montagne Sainte-Victoire befinden sich La Maison Maria und oberhalb davon Le Château Noir. Dieser im Auftrag eines Kohlenhändlers in der zweiten Hälfte des 19. Jahrhunderts errichtete neugotische Gebäudekomplex verleiht der verlassenen Gegend einen romantisch-geheimnisvollen Anflug. Die meisten Wiedergaben des unvollendet gebliebenen Château Noir (vgl. Kat.-Nr. 96)[1] entstanden jedoch nach 1899, als der Wohnsitz Jas de Bouffan verkauft werden mußte und sich der Künstler vergebens bemüht hatte, als Ersatz das Château Noir zu erwerben.

Um die von hohen Kiefern und Gebüsch teilweise verdeckte Westansicht des Gebäudes mit den dunkelblauen Ausläufern des Mont du Cengle rechts über der Terrasse so in den Blick zu bekommen, hatte sich Cézanne einen Standort nahe am Weg von La Maison Maria zum Château Noir gewählt.[2] Die ockerfarbene Ecke links unten im Bild, die als Gegengewicht zu dem breit gestaffelten diagonalen Grün der Bäume erforderlich ist, deutet ein Stück dieses Weges an. Ocker ist auch das Mauerwerk des Gebäudes, dessen Fassade von einem fast in der Bildmitte plazierten dunkelbraunen Holztor und den spitzbogigen Fensteröffnungen darüber belebt wird.

Vom eher lichten Kolorit der achtziger Jahre abweichend, bevorzugte Cézanne in der Spätzeit eine impulsive Chromatik, deren Leuchtkraft sich wieder mehr an Delacroix ausrichtete. Zusammen mit dem kraftvollen Rhythmus der Pinselstriche und dem Auftrag relativ großer Farbmengen gewannen die komplementären Kontraste aus stärksten und geringsten Buntfarben abermals an Bedeutung. Ausgehend von Blau und Gelb beziehungsweise Orangeocker und tiefem Violett, stellte Cézanne farbige Folgen auf, die sich zum mächtigen Gegensatz aus Rot und Blau steigern konnten oder im Gegenüber von Purpur und Smaragdgrün zur Ruhe kamen. Auch machte sich der Maler die Tatsache zunutze, daß die drei Grundfarben Rot, Gelb und Blau in der Nachbarschaft ihrer Mischfarben eine besondere Intensivierung erfahren – und zwar Rot durch Orange und Violett, Gelb durch Orange und Grün sowie Blau durch Violett und Grün. Schon 1908 wies Henri Matisse auf dieses fulminante farbige Differenzierungsvermögen hin: »Cézanne verwendete Blau, um sein Gelb zur Geltung zu bringen, aber er benützte es wie alles andere mit jenem Unterscheidungsvermögen, dessen niemand sonst fähig war.«[3]

Eine verinnerlichte Ergriffenheit vor der Natur offenbarte im Alter ein hohes Maß jener Subjektivität, die noch etwas von den leidenschaftlichen existentiellen Behauptungen der Frühzeit ahnen läßt. Auch in gefühlsmäßiger Hinsicht vielschichtiger als das bisherige, gewann das Spätwerk jene Selbstverständlichkeit der Erscheinung, die am ehesten dem Natürlichen gleichkommt. Unter Verzicht auf komplizierte Bildaufbauten entstanden Bilderfindungen, in denen sich spannungsreich Emotion und Kunstverstand, Ausdruckswollen und die Erfahrung der Mittel sowie Empfindungen und Logik in prachtvollen Farbinstrumentierungen vereinigten. Die Größe des Zusammenschlusses von Architektur und Natur mußte auch der von Cézanne bewunderte Claude Monet empfunden haben, als er dieses Hauptwerk aus der Spätzeit kaufte, um es seiner Sammlung, die nicht weniger als 13 Gemälde des

Kollegen umfaßte, einzugliedern (vgl. Kat.-Nr. 27). Es hing lange in Monets Schlafzimmer in Giverny. Als der stolze Besitzer es Georges Clemenceau zeigte, bemerkte er dazu lakonisch: »Ja, Cézanne, er ist der Größte von uns allen!«[4]

1 Vgl. Venturi Nrn. 667, 765, 796, 797.
2 Vgl. die Aquarellwiedergabe Rewald Nr. 636.
3 Matisse 1982, S. 89.
4 M. Georges-Michel, *De Renoir à Picasso*, Paris 1954, S. 24.

PROVENIENZ: Claude Monet, Giverny; Paul Rosenberg, Paris–New York; David M. Levy, New York.
BIBLIOGRAPHIE: Raynal 1936, Abb.; Venturi S. 64, S. 234 f. Nr. 794, Abb.; Novotny 1938, S. 114, S. 195; Dorival 1949, S. 92, S. 94, S. 101, Abb. 141, S. 171; Guerry 1950, S. 129; Badt 1956, S. 126, S. 242; Neumeyer 1958, S. 61; Badt 1971, S. 40, S. 42 Abb.; Elgar 1974, S. 193 Abb. 113; Schapiro 1974, S. 122 f. Abb.; Barskaya 1975, S. 189 Abb.; Hülsewig 1981, Abb. 9; Philadelphia 1983, S. XVI; Rewald 183 (bei Nr. 394), S. 255 (bei Nr. 636); Cézanne 1988, S. 286 Abb.; Basel 1989, S. 283, S. 288, S. 302.
AUSSTELLUNGEN: Paris 1936, Nr. 111, Abb. 30; Paris 1939 (Rosenberg), Nr. 34, Abb.; New York 1942, Nr. 23, Abb.; Chicago 1952, Nr. 117, Abb.; New York 1977, S. 36, S. 86, S. 204, S. 264 Abb. 60, S. 401 f. Nr. 51; Paris 1978, S. 147 f. Nr. 52, Abb., S. 241; Basel 1983, Nr. 29, Abb.; Aix-en-Provence 1990, S. 34, Abb. 7, Nr. 29.

96 Château Noir 1904–1906

Venturi Nr. 795 (1904–1906)
Ölfarben auf Leinwand, 74 x 94 cm
Musée Picasso, Donation Picasso (Inv. Nr. RF 1973–60), Paris

Es wäre Cézannes Händler Ambroise Vollard durchaus zuzutrauen gewesen, daß er dieses Pendant zum vorangegangenen Bild des Château Noir, das im Besitz von Monet war (Kat.-Nr. 95), einem so prominenten Käufer und Geschäftspartner vorbehielt wie Picasso. Dieser muß das Spätwerk vor 1936 erworben haben, denn es ist im Werkkatalog Venturis bereits als Picasso-Besitz verzeichnet. In den hochkarätigen Sammlungen Monets und Picassos waren die nahezu identischen Ansichten vom Westflügel des Château Noir unbestritten die bedeutendsten Erwerbungen (vgl. Kat.-Nr. 23).
Für beide Fassungen hatte sich Cézanne denselben Standort am Weg zwischen La Maison Maria und dem Château ausgesucht, wobei er die Staffelei jedoch hier wohl etwas nach rechts gedreht hatte, so daß die Ausläufer des Plateau de Maurély und des Mont du Cengle deutlicher im Hintergrund zu erkennen sind. Bei gleichem Standort weichen die Farbeffekte der beiden Landschaften allerdings wesentlich voneinander ab. Die mit dünnen Farbschichten versehene Picasso-Version wirkt gedämpfter, matter und dadurch im ganzen homogener. Dafür hatte André Malraux im Zusammenhang mit einer japanischen Bildrolle des 12. bis 13. Jahrhunderts eine einfache Erklärung parat: »Im Westen bedeutet ein mattes Gemälde ein Fresko … Ich fand das Wesen dieser Bildrolle nur in dem *Château Noir* aus der Sammlung Picassos. Vollard, der Cézanne gegenüber stets gewissenhaft handelte, hatte es nicht gefirnißt.«[1]

1 André Malraux, *La tête d'obsidienne*, Paris 1974, S. 191.

PROVENIENZ: Ambroise Vollard, Paris; Pablo Picasso, Paris.
BIBLIOGRAPHIE: Venturi S. 64, S. 235 Nr. 795, Abb.; Novotny 1938, S. 114, S. 195; Badt 1956, S. 242; Neumeyer 1958, S. 61; *Donation Picasso. La collection personelle de Picasso*, Paris 1978, Nr. 6, Abb.; Rewald S. 255 (bei Nr. 636); Basel 1989, S. 293, S. 303.
AUSSTELLUNGEN: New York 1977, S. 28, S. 36, S. 86, S. 90 Abb., S. 204, S. 259 Abb., S. 263 Abb. 59, S. 402 Nr. 52; Paris 1978, S. 237 Nr. 53 bis, Abb.; Aix-en-Provence 1990, S. 184 Abb. 166, Nr. 30, S. 334 Abb. 266.

97   Jourdans Hütte   1906
     Le cabanon de Jourdan

Venturi Nr. 805 (1906)
Ölfarben auf Leinwand, 65 x 81 cm
Galleria Nazionale d'Arte Moderna, Rom

Der Kaufmann Jourdan hatte umfänglichen Grundbesitz nordöstlich von Aix, in der
Gegend von Beauregard, die Cézanne in den extrem heißen Sommer- und Frühherbst-
monaten am Ende seines Lebens des öfteren aufsuchte. Am 24. Juli 1906 schrieb er
seinem Sohn, daß man ihn »bei Jourdan« aufgestöbert habe[1], und im vorletzten Brief
an ihn vom 13. Oktober erfahren wir von der Arbeit in der Gegend von Beauregard:
»Da die Ufer des Flusses ein wenig kühl geworden sind, habe ich sie verlassen und bin
in die Gegend von Beauregard hinaufgestiegen, wo der Weg hügelig und sehr
pittoresk, aber sehr dem Mistral ausgesetzt ist. Zur Zeit gehe ich zu Fuß und nur mit
dem Aquarellsack dorthin und verschiebe die Ölmalerei auf später, wenn ich einen
Platz zum Unterstellen meines Gepäcks gefunden haben werde. Früher hatte man so
etwas für dreißig Francs im Jahr. Ich merke überall die Ausbeutung … Das Wetter ist
gewittrig und sehr veränderlich. Mein Nervensystem ist sehr geschwächt, nur die
Ölmalerei kann mich aufrechterhalten. Man muß weitermachen. Ich muß also nach
der Natur realisieren. – Die Skizzen, die Bilder, wenn ich welche machen würde, wären
nur Konstruktionen nach der Natur, ausgehend von den Mitteln, den Empfindungen
und Entwicklungen, die das Modell suggeriert, doch ich sage immer dasselbe. –
Könntest Du mir Marzipan in kleinen Mengen besorgen?«[2]
     Der Überlieferung nach war die Wiedergabe der von einigen Zypressen
umstandenen Steinhütte Jourdans mit ihrem spitzen Schornstein und einer kleinen
Tür, die die identische Bläue des Himmels inmitten eines glühenden Orangeockers
ansiedelt, das letzte Landschaftsgemälde, das in dramatisch kontrastierten Farbformen
von Cézanne vor dem Motiv realisiert wurde.[3] Damit schloß sich das Rund jener
trabantenartig um Aix gelegten Standorte, die ein Leben lang für ihn wichtig waren.
Begonnen hatte es mit dem Jas de Bouffan, mit Bellevue und Montbriand im
Südwesten, während sich der Kreis nach Süden und Südosten hin
mit den verschiedenen Plätzen an den Ufern des Arc sowie in der Umgebung der
Ortschaften Meyreuil und Gardanne erweiterte. In Richtung Osten folgte der Maler
der Route du Tholonet oder der alten Straße zum Bibémus-Steinbruch und dem von
Zolas Vater erbauten Staudamm, um schließlich Orte im Norden und Nordosten,
auf halbem Weg nach jenem Vauvenargues zu favorisieren, wo am Fuße des Mont
Sainte-Victoire der kongenialste unter den Cézanne-Nachfolgern ruht, Picasso.
     Am 23. Oktober 1906 starb Cézanne, fast so wie er es sich gewünscht hatte: »sur
le motif«. Bei der Arbeit in der Gegend von Beauregard und möglicherweise vor dem
Bild *Le cabanon de Jourdan* erlitt er am 15. des Monats während eines heftigen
Gewitters einen Schwächeanfall.[4] Darüber setzte die Schwester des Malers, Marie,
ihren Neffen Paul in Paris fünf Tage später in Kenntnis: »Dein Vater ist seit Montag
krank … Er ist während mehrerer Stunden dem Regen ausgesetzt geblieben, man hat
ihn auf einem Wäschereikarren nach Hause gebracht, und zwei Männer mußten ihn
in sein Bett hinauftragen. Am nächsten Tag ist er schon am frühen Morgen in den
Garten [des Ateliers Les Lauves] gegangen, um unter der Linde an einem Porträt von
Vallier zu arbeiten; er ist sterbend heimgekommen.«[5]

1   Cézanne 1962, S. 297.
2   Ibid., S. 311 f.
3   Vgl. das farbig ganz anders aufgebaute Aquarell Rewald Nr. 645. Auf dem im Bildausschnitt
    gleichlautenden Aquarell sind weder jene Mauer vorne rechts noch ein »typisch provenzalischer

Brunnen in Form eines Bienenstocks« im Hintergrund auszumachen, die Rewald im Gemälde zu
erkennen glaubt. Dagegen ist deutlicher als auf dem Gemälde am Dach vorne eine Regenrinne
wahrzunehmen, deren Inhalt sich in ein kleines Becken rechts an der Hütte ergießt.

4   Noch am Morgen des 15. Oktober hatte er seinem Sohn nach Paris mitgeteilt: »Du hast ganz recht, zu
sagen, daß hier tiefste Provinz sei. Ich fahre fort zu arbeiten, zwar mit Schwierigkeiten, aber schließlich
ist doch etwas daran. Das ist die Hauptsache, glaube ich. Da Sinneseindrücke die Grundlage meiner
Sache sind, glaube ich undurchdringlich zu sein... Alles vergeht mit einer erschreckenden Schnelligkeit.
Mir geht es nicht zu schlecht, ich pflege mich, ich esse gut. Ich möchte Dich bitten, mir zwei Dutzend
Marderhaarpinsel zu bestellen, wie die, welche wir voriges Jahr bestellt hatten... Ich wiederhole Dir, ich
esse gut, und ein wenig moralische Genugtuung – doch die kann mir nur die Arbeit geben – würde viel
für mich bedeuten... Alle meine Landsleute sind Arschlöcher neben mir... Ich glaube, die jungen Maler
sind viel intelligenter als die anderen; die alten können in mir nur einen verhängnisvollen Rivalen
sehen«, Cézanne 1962, S. 312 f.

5   Ibid., S. 313. Wahrscheinlich handelt es sich um das Porträt des Gärtners Vallier, Venturi Nr. 718.

PROVENIENZ: Paul Cézanne *fils*, Paris.
BIBLIOGRAPHIE: Rivière 1923, Abb., S. 225; Venturi S. 64, S. 236 Nr. 805, Abb.; Raynal 1954, S. 113, S. 121
Abb.; Badt 1956, S. 242; Gowing 1956, S. 192; Ratcliffe 1960, S. 32; Loran 1963, S. 105; Leonhard 1966, S. 10;
Brion 1973, S. 65, S. 71 Abb.; Elgar 1974, S. 231 Abb. 137; Geist 1975, S. 16; Adriani 1981, S. 278; Arrouye
1982, S. 53; Rewald S. 260 (bei Nr. 645).
AUSSTELLUNGEN: Lyon 1939, Nr. 40; Paris 1939, Nr. 20; London 1939, Nr. 45; Chicago 1952, Nr. 128,
Abb.; Aix-en-Provence 1953, Nr. 24; Zürich 1956, Nr. 207; New York 1977, S. 29, S. 69, S. 105, S. 116, S. 205,
S. 286 Abb. 83, S. 403 Nr. 56; Paris 1978, S. 38, S. 45, S. 168 ff. Nr. 65, Abb., S. 242.

Paul Cézanne am Chemin des Lauves,
Fotografie von Emile Bernard, 1904

Verzeichnis der abgekürzt zitierten Literatur

Aufgeführt ist in erster Linie die nach 1936 erschienene Literatur zum Werk Cézannes, wobei die zahlreichen vor allem seit 1970 herausgegebenen Bildbände und Textkompilationen unberücksichtigt blieben. Ausführliche Angaben zur Literatur vor 1936 findet man im Werkkatalog von Lionello Venturi, *Cézanne, son art, son œuvre*, Paris 1936, S. 365 ff.

Adhémar 1960	Jean Adhémar, *Le cabinet de travail de Zola*, in: Gazette des Beaux-Arts, November 1960, S. 285 ff.
Adriani 1978	Götz Adriani, *Paul Cézanne, Zeichnungen*, Köln 1978 (Die Publikation erschien anläßlich der Ausstellung *Paul Cézanne, Zeichnungen*, Kunsthalle Tübingen 1978).
Adriani 1980	Götz Adriani, *Paul Cézanne, ›Der Liebeskampf‹, Aspekt zum Frühwerk Cézannes*, München–Zürich 1980.
Adriani 1981	Götz Adriani, *Paul Cézanne, Aquarelle*, Köln 1981 (Die Publikation erschien anläßlich der Ausstellung *Paul Cézanne, Aquarelle*, Kunsthalle Tübingen 1982).
Andersen 1967	Wayne Andersen, *Cézanne, Tanguy, Choquet*, in: The Art Bulletin, XLIX, 2, Juni 1967, S. 137 ff.
Andersen 1970	Wayne Andersen, *Cézanne's Portrait Drawings*, Cambridge (Mass.) – London 1970.
Apollinaire 1989	*Apollinaire zur Kunst, Texte und Kritiken 1905–1918*, herausgegeben von Hajo Düchting, Köln 1989.
Arrouye 1982	Jean Arrouye, *La Provence de Cézanne*, Aix-en-Provence 1982.
Badt 1956	Kurt Badt, *Die Kunst Cézannes*, München 1956.
Badt 1971	Kurt Badt, *Das Spätwerk Cézannes*, Konstanz 1971.
Barnes, Mazia 1939	Albert C. Barnes, Violette de Mazia, *The Art of Cézanne*, Merion 1939.
Barskaya 1975	A. Barskaya, *Paul Cézanne*, Leningrad 1975.
Bernard 1925	Emile Bernard, *Sur Paul Cézanne*, Paris 1925.
Bernard 1982	Emile Bernard, *Paul Cézanne 1904* und *Erinnerungen an Paul Cézanne*, in: *Gespräche mit Cézanne*, herausgegeben von Michael Doran, Zürich 1982, S. 47 ff., S. 69 ff.
Bernheim-Jeune 1914	*Album Cézanne*, herausgegeben von Bernheim-Jeune, Paris 1914.
Berthold 1958	Gertrude Berthold, *Cézanne und die alten Meister*, Stuttgart 1958.
Boehm 1988	Gottfried Boehm, *Paul Cézanne, Montagne Sainte-Victoire*, Frankfurt/Main 1988.
Borély 1982	Jules Borély, *Cézanne in Aix*, in: *Gespräche mit Cézanne*, herausgegeben von Michael Doran, Zürich 1982, S. 34 ff.
Brion 1973	Marcel Brion, *Paul Cézanne*, München 1973.
Brion-Guerry 1961	Liliane Brion-Guerry, *Esthétique du portrait cézannien*, in: Revue d'esthétique, 14, 1961, S. 1 ff.
Burger 1913	Fritz Burger, *Cézanne und Hodler*, München 1913.
Cézanne 1962	Paul Cézanne, *Briefe*, herausgegeben von John Rewald, Zürich 1962 (französischsprachige Originalausgabe, Paris 1937).
Cézanne 1988	*Cézanne by himself*, herausgegeben von Richard Kendall, London–Sydney 1988.
Chappuis 1962	Adrien Chappuis, *Le dessins de Paul Cézanne au Cabinet des Estampes du Musée des Beaux-Arts de Bâle*, Text- und Bildband, Olten–Lausanne 1962.
Chappuis	Adrien Chappuis, *The Drawings of Paul Cézanne, a Catalogue Raisonné*, Text- und Bildband, London 1973.

Cherpin 1972	Jean Cherpin, *L'œuvre gravé de Cézanne*, in: Arts et Livres de Provence, 82, 1972.
Cogniat 1939	Raymond Cogniat, *Cézanne*, Paris 1939.
Cooper 1954	Douglas Cooper, *Two Cézanne Exhibitions, I–II*, in: The Burlington Magazine, XCVI, 620–621, November–Dezember 1954, S. 344 ff., S. 378 ff.
Cooper 1956	Douglas Cooper, *Cézanne's Chronology*, in: The Burlington Magazine, XCVIII, 645, Dezember 1956, S. 449.
Coquiot 1919	Gustave Coquiot, *Paul Cézanne*, Paris 1919.
Coutagne 1984	Denis Coutagne, *Cézanne au Musée d'Aix*, Aix-en-Provence 1984.
Denis 1982	Maurice Denis, *Cézanne*, in: *Gespräche mit Cézanne*, herausgegeben von Michael Doran, Zürich 1982, S. 202 ff.
Dorival 1949	Bernard Dorival, *Cézanne*, Hamburg 1949.
du 1989	*Das Tor zur Moderne. Paul Cézanne in Schweizer Sammlungen*, in: du, 9, September 1989, S. 16 ff.
Elderfield 1971	John Elderfield, *Drawing in Cézanne*, in: Artforum, Juni 1971, S. 51 ff.
Elgar 1974	Frank Elgar, *Cézanne*, London 1974.
Erpel 1988:	Fritz Erpel, *Paul Cézanne*, Berlin 1988.
Faure 1923	Elie Faure, *P. Cézanne*, Paris 1923.
Feist 1963	Peter H. Feist, *Paul Cézanne*, Leipzig 1963.
Frank 1986	Paul Frank, *Cézanne*, Reinbek 1986.
Franz 1956	H. G. Franz, *Cézanne und die Abkehr vom Impressionismus*, in: Forschungen und Fortschritte, 30, 1956, S. 50 ff., S. 82 ff.
Fry 1927	Roger Fry, *Cézanne, a Study of his Development*, London–New York 1927.
Gasquet 1921	Joachim Gasquet, *Cézanne*, Paris 1921.
Gasquet 1930	Joachim Gasquet, *Cézanne*, Berlin 1930.
Gasquet 1991	*Joachim Gasquet's Cézanne*, London 1991.
Geist 1975	Sidney Geist, *The Secret Life of Paul Cézanne*, in: Art International, XIX, 9, November 1975, S. 7 ff.
Geist 1988	Sidney Geist, *Interpreting Cézanne*, Cambridge (Mass.) – London 1988 (ohne der Verpflichtung seines Namens nachzukommen, glaubt der Autor aus Cézannes Kompositionen Rebusse machen zu müssen).
Gowing 1956	Lawrence Gowing, *Notes on the Development of Cézanne*, in: The Burlington Magazine, XCVIII, 639, Juni 1956, S. 185 ff.
Graber 1932	Hans Graber, *Paul Cézanne, Briefe, Erinnerungen*, Basel 1932.
Guerry 1950	Liliane Guerry, *Cézanne et l'expression de l'espace*, Paris 1950.
Hamilton 1956	G. H. Hamilton, *Cézanne, Bergson and the Image of Time*, in: College of Art, 16, 1956, S. 2 ff.
Hülsewig 1981	Jutta Hülsewig, *Das Bildnis in der Kunst Paul Cézannes*, Bochum 1981.
Huyghe 1936	René Huyghe, *Cézanne et son œuvre*, in: L'Amour de l'Art, Mai 1936.
Javorskaia 1935	Nina Javorskaia, *Cézanne*, Moskau–Mailand 1935.
Kirsch 1987	Bob Kirsch, *Paul Cézanne, ›Jeune fille au piano‹ and some Portraits of his Wife*, in: Gazette des Beaux-Arts, Juli–August 1987, S. 21 ff.
Klingsor 1923	Tristan L. Klingsor, *Cézanne*, Paris 1923.
Kosinski 1991	Dorothy Kosinski, *G. F. Reber, Collector of Cubisme*, in: The Burlington Magazine, CXXXIII, 1061, August 1991, S. 521.
Krumrine 1980	Mary Louise Krumrine, *Cézanne's Bathers, Form and Content*, in: Arts Magazine, Mai 1980, S. 115 ff.

Krumrine 1992   Mary Louise Krumrine, *Cézanne's ›Restricted Power‹, further Reflections on the ›Bathers‹*, in: The Burlington Magazine, CXXXIV, 1074, September 1992, S. 586 ff.

Larguier 1925   Léo Larguier, *Le dimanche avec Paul Cézanne*, Paris 1925.

Lehel 1923   François Lehel, *Cézanne*, Budapest 1923.

Leonhard 1966   Kurt Leonhard, *Paul Cézanne*, Reinbek 1966.

Lewis 1989   Mary Tompkins Lewis, *Cézanne's early Imagery*, Berkeley 1989.

Lichtenstein 1964   Sara Lichtenstein, *Cézanne and Delacroix*, in: The Art Bulletin, XLVI, 1, März 1964, S. 55 ff.

Lichtenstein 1975   Sara Lichtenstein, *Cézanne's Copies and Variants after Delacroix*, in: Apollo, Februar 1975, S. 116 ff.

Loran 1963   Erle Loran, *Cézanne's Composition*, Berkeley 1963.

Mack 1935   Gerstle Mack, *Paul Cézanne*, New York–London 1935.

Mack 1938   Gerstle Mack, *La vie de Paul Cézanne*, Paris 1938.

Matisse 1982   Henri Matisse, *Über Kunst*, herausgegeben von Jack D. Flam, Zürich 1982.

Meier-Graefe 1904   Julius Meier-Graefe, *Entwicklungsgeschichte der modernen Kunst*, Stuttgart 1904.

Meier-Graefe 1910   Julius Meier-Graefe, *Paul Cézanne*, München 1910.

Meier-Graefe 1918   Julius Meier-Graefe, *Cézanne und sein Kreis*, München 1918.

Meier-Graefe 1922   Julius Meier-Graefe, *Cézanne und sein Kreis*, München 1922.

Murphy 1971   Richard W. Murphy, *Cézanne und seine Zeit 1839–1906*, 1971.

Neumeyer 1958   Alfred Neumeyer, *Cézanne Drawings*, New York–London 1958.

Neumeyer 1959   Alfred Neumeyer, *Die Badenden*, Stuttgart 1959.

Novotny 1932   Fritz Novotny, *Das Problem des Menschen Cézanne im Verhältnis zu seiner Kunst*, in: Zeitschrift für Ästhetik und allgemeine Kunstwissenschaft, 26, 3, 1932, S. 268 ff.

Novotny 1937   Fritz Novotny, *Cézanne*, Wien 1937.

Novotny 1938   Fritz Novotny, *Cézanne und das Ende der wissenschaftlichen Perspektive*, Wien 1938.

Ors 1936   Eugenio d'Ors, *Paul Cézanne*, New York 1936.

Osthaus 1982   Karl Ernst Osthaus, *Ein Besuch bei Cézanne 1906*, in: *Gespräche mit Cézanne*, herausgegeben von Michael Doran, Zürich 1982, S. 122 ff.

Perruchot 1956   Henri Perruchot, *Cézanne*, Eßlingen 1956.

Pfister 1927   Kurt Pfister, *Cézanne, Gestalt, Werk, Mythos*, Potsdam 1927.

Pissarro 1953   Camille Pissarro, *Briefe an seinen Sohn Lucien*, herausgegeben von John Rewald, Erlenbach–Zürich 1953.

Ratcliffe 1960   Robert William Ratcliffe, *Cézanne's Working Methods and their Theoretical Background*, Dissertation Maschinenschrift Courtauld Institute of Art, University of London, London 1960.

Raynal 1936   Maurice Raynal, *Cézanne*, Paris 1936.

Raynal 1954   Maurice Raynal, *Cézanne*, Genf 1954.

Reff 1958   Theodore Franklin Reff, *Studies in the Drawings of Cézanne*, Dissertation Maschinenschrift Harvard University Cambridge, Cambridge (Mass.) 1958.

Reff 1959   Theodore Reff, *Cézanne's Drawings, 1875–85*, in: The Burlington Magazine, CI, 674, Mai 1959, S. 171 ff.

Reff 1959 (enigma)   Theodore Reff, *Cézanne, the Enigma of the Nude*, in: Art News, LVIII, 7, November 1959, S. 26 ff., S. 68.

Reff 1960   Theodore Reff, *Cézanne and Poussin*, in: Journal of the Warburg and Courtauld Institutes, 23, 1960, S. 150 ff.

Reff 1962   Theodore Reff, *Cézanne, Flaubert, St. Anthony, and the Queen of Sheba*, in: The Art Bulletin, XLIV, Juni 1962, S. 113 ff.

284

Reff 1962 (stroke)	Theodore Reff, *Cézanne's Constructive Stroke*, in: The Art Quarterly, XXV, 3, Herbst 1962, S. 214 ff.
Reff 1963	Theodore Reff, *Cézanne's Dream of Hannibal*, in: The Art Bulletin, XLV, 2, Juni 1963, S. 148 ff.
Reff 1983	Theodore Reff, *Cézanne, the severed Head and the Scull*, in: Arts, Oktober 1983, S. 90 ff.
Rewald 1936	John Rewald, *Cézanne et Zola*, Paris 1936.
Rewald 1939	John Rewald, *Cézanne, sa vie, son œuvre, son amitié pour Zola*, Paris 1939.
Rewald 1969	John Rewald, *Chocquet and Cézanne*, in: Gazette des Beaux-Arts, LXXIV, 111, Juli–August 1969, S. 33 ff.
Rewald 1975	John Rewald, *Some Entries for a New Catalogue Raisonné of Cézanne's Paintings*, in: Gazette des Beaux-Arts, CXXXIV, 117, September 1975, S. 157 ff.
Rewald	John Rewald, *Paul Cézanne, the Watercolours*, London 1983.
Rewald 1986	John Rewald, *Cézanne, Biographie*, Köln 1986 (deutsche Fassung der 1936 und 1939 bereits erschienenen Biographie).
Rewald 1989	John Rewald, *Cézanne and America*, Princeton 1989.
Rilke 1977	Rainer Maria Rilke, *Briefe über Cézanne*, herausgegeben von Clara Rilke, Frankfurt/Main 1977.
Rivière 1923	Georges Rivière, *Le maître Paul Cézanne*, Paris 1923.
Rivière 1933	Georges Rivière, *Cézanne, le peintre solitaire*, Paris 1933.
Rousseau 1953	Theodore Rousseau, *Paul Cézanne*, New York 1953.
Salmon 1923	André Salmon, *Cézanne*, Paris 1923.
Schapiro 1968	Meyer Schapiro, *The Apples of Cézanne, an Essay on the Meaning of Still-life*, in: Art News Annual, XXXIV, 1968, S. 35 ff.
Schapiro 1974	Meyer Schapiro, *Paul Cézanne*, Köln 1974.
Schmidt 1952	Georg Schmidt, *Aquarelle von Paul Cézanne*, Basel 1952.
Shiff 1984	Richard Shiff, *Cézanne and the End of Impressionism*, Chicago–London 1984.
Strauss 1980	Ernst Strauss, *Nachbetrachtungen zur Pariser Cézanne-Retrospektive 1978*, in: Kunstchronik, XXXIII, 7–8, Juli–August 1980, S. 246 ff. und S. 281 ff.
Sutton 1974	Denys Sutton, *The Paradoxes of Cézanne*, in: Apollo, August 1974, S. 98 ff.
Teboul 1988	Jacques Teboul, *Les Victoires de Cézanne*, Paris 1988.
Venturi	Lionello Venturi, *Cézanne, son art, son œuvre*, Text- und Bildband, Paris 1936.
Venturi 1978	Lionello Venturi, *Cézanne*, Genf 1978.
Vollard 1914	Ambroise Vollard, *Paul Cézanne*, Paris 1914.
Vollard 1919	Ambroise Vollard, *Paul Cézanne*, Paris 1919.
Vollard 1924	Ambroise Vollard, *Paul Cézanne, his Life and Art*, London 1924.
Vollard 1931	Ambroise Vollard, *Souvenirs sur Cézanne*, in: Cahiers d'Art, 9–10, 1931, S. 386 ff.
Vollard 1960	Ambroise Vollard, *Paul Cézanne*, Zürich 1960.
Wadley 1975	Nicholas Wadley, *Cézanne and his Art*, London 1975.
Waldfogel 1961	Melvin Waldfogel, *The Bathers of Paul Cézanne*, Dissertation Maschinenschrift Harvard-University, Cambridge (Mass.) 1961.
Waldfogel 1962	Melvin Waldfogel, *A Problem in Cézanne's ›Grandes Baigneuses‹*, in: The Burlington Magazine, CIV, 710, Mai 1962, S. 200 ff.
Wechsler 1975	Judith Wechsler, *Cézanne in Perspective*, Englewood Cliffs 1975.
Wedderkop 1922	H. von Wedderkop, *Paul Cézanne*, Leipzig 1922.
Williams 1953	F. Williams, *Cézanne and French Phenomenology*, in: The Journal of Aesthetics and Art Criticism, 12, 1953, S. 481 ff.

Ausstellungen und Ausstellungskataloge

Aix-en-Provence 1953	*Cézanne, peintures, aquarelles, dessins* (Text Jean Leymarie), Pavillon de Vendôme, Aix-en-Provence 1953 – Nizza 1953.
Aix-en-Provence 1956	*Exposition pour commémorer le cinquantenaire de la mort de Cézanne* (Texte Lionello Venturi, Fritz Novotny), Pavillon de Vendôme, Aix-en-Provence 1956.
Aix-en-Provence 1961	*Paul Cézanne* (Text Fritz Novotny), Pavillon de Vendôme, Aix-en-Provence 1961.
Aix-en-Provence 1990	*Sainte-Victoire, Cézanne* (Texte Denis Coutagne, Jean Arrouye u. a.), Musée Granet – Pavillon de Vendôme, Aix-en-Provence 1990.
Basel 1936	*Paul Cézanne,* Kunsthalle, Basel 1936.
Basel 1983	*Paul Cézanne,* Galerie Beyeler, Basel 1983.
Basel 1989	*Paul Cézanne. Die Badenden* (Texte Mary Louise Krumrine, Gottfried Boehm, Christian Geelhaar), Kunstmuseum, Basel 1989.
Berlin 1900	*III. Jahrgang der Kunst-Ausstellungen,* Galerie Bruno und Paul Cassirer, Berlin 1900.
Berlin 1909	*XII. Jahrgang – III. Ausstellung,* Galerie Paul Cassirer, Berlin 1909.
Berlin 1921	*Paul Cézannes Werke in deutschem Privatbesitz,* Galerie Paul Cassirer, Berlin 1921.
Berlin 1927	*Erste Sonderausstellung in Berlin,* Galerie Thannhauser, Berlin 1927.
Chicago 1952	*Cézanne, Paintings Watercolors and Drawings* (Text und Katalogbearbeitung Theodore Rousseau, Patrick T. Malone), The Art Institute, Chicago 1952 – The Metropolitan Museum of Art, New York 1952.
Den Haag 1956	*Paul Cézanne* (Text Fritz Novotny), Gemeentemuseum, Den Haag 1956.
Edinburgh 1990	*Cézanne and Poussin, the Classical Vision of Landscape* (Text Richard Verdi), National Gallery of Scotland, Edinburgh 1990.
Hamburg 1963	*Cézanne, Gauguin, van Gogh, Seurat, Wegbereiter der modernen Malerei* (Text Hans Platte), Kunstverein, Hamburg 1963.
Köln 1912	*Internationale Kunstausstellung des Sonderbundes,* Köln 1912.
Köln 1956	*Cézanne,* Wallraf-Richartz-Museum, Köln 1956.
London 1925	*Paul Cézanne,* The Leicester Galleries, London 1925.
London 1933	*French Painting of the 19th Century, Ingres to Cézanne,* Reid & Lefèvre Gallery, London 1933.
London 1935	*Cézanne,* Reid & Lefèvre Gallery, London 1935.
London 1939	*Homage to Paul Cézanne* (Text John Rewald), Wildenstein Galleries, London 1939.
London 1954	*Cézanne* (Text Lawrence Gowing), Tate Gallery, London 1954.
London 1988	*Cézanne, the early years 1859–1872* (Texte Götz Adriani, Lawrence Gowing, Mary Louise Krumrine, Mary Tompkins Lewis, Sylvie Patin, John Rewald, Katalogbearbeitung Lawrence Gowing), Royal Academy of Arts, London 1988 – Musée d'Orsay, Paris – National Gallery of Art, Washington 1989.
Lüttich 1982	*Cézanne,* Musée Saint-Georges, Lüttich 1982.

Lyon 1939	*Centenaire de Cézanne* (Text Joseph Billiet), Palais Saint-Pierre, Lyon 1939.
Madrid 1984	*Paul Cézanne* (Texte John Rewald, Jean Cassou u. a.), Museo Español de Arte Contemporaneo, Madrid 1984.
München 1956	*Paul Cézanne* (Text Fritz Novotny), Haus der Kunst, München 1956.
Newcastle 1973	*Watercolour and Pencil Drawings by Cézanne* (Text Lawrence Gowing, Katalogbearbeitung Robert William Ratcliffe), Laing Art Gallery, Newcastle 1973 – Hayward Gallery, London 1973.
New York 1916	*Cézanne,* Montross Gallery, New York 1916.
New York 1919	*Cézanne,* Arden Galleries, New York 1919.
New York 1921	*Cézanne, Redon and others,* Museums of French Art, New York 1921.
New York 1928	*Paul Cézanne,* Wildenstein Galleries, New York 1928.
New York 1929	*Cézanne, Gauguin, Seurat, van Gogh,* The Museum of Modern Art, New York 1929.
New York 1935	*Cézanne and the Impressionists,* Galerie Bignou, New York 1935.
New York 1942	*Cézanne* (Text Lionello Venturi), Galerie Paul Rosenberg, New York 1942.
New York 1947	*Paul Cézanne 1839–1906* (Katalogbearbeitung Vladimir Visson, Daniel Wildenstein), Wildenstein Galleries, New York 1947.
New York 1952	*Cézanne, rarely shown Works* (Text Karl-Ernst Osthaus), Fine Arts Associates, New York 1952.
New York 1959	*Cézanne* (Text Meyer Schapiro, Katalogbearbeitung Daniel Wildenstein, Georges Wildenstein), Wildenstein Galleries, New York 1959.
New York 1977	*Cézanne, the Late Work* (Texte Theodore Reff, Lawrence Gowing, Liliane Brion-Guerry, John Rewald, Fritz Novotny, Geneviève Monnier, Douglas Druick, George Heard Hamilton, William Rubin, Katalogbearbeitung John Rewald), The Museum of Modern Art, New York 1977 – Museum of Fine Arts, Houston 1978 (der umfassende Abbildungsteil des Kataloges war nicht identisch mit den tatsächlich ausgestellten Werken).
Paris 1895	*Paul Cézanne,* Galerie Ambroise Vollard, Paris 1895.
Paris 1904	*Salon d'Automne,* Petit Palais, Paris 1904.
Paris 1907	*Salon d'Automne,* Grand Palais, Paris 1907.
Paris 1910	*Cézanne,* Galerie Bernheim-Jeune, Paris 1910.
Paris 1914	*Cézanne,* Galerie Bernheim-Jeune, Paris 1914.
Paris 1920	*Cézanne* (Text Octave Mirbeau), Galerie Bernheim-Jeune, Paris 1920.
Paris 1924	*Cézanne,* Galerie Bernheim-Jeune, Paris 1924.
Paris 1926	*Paul Cézanne,* Galerie Bernheim-Jeune, Paris 1926.
Paris 1929	*Cézanne 1839–1906* (Text Ambroise Vollard, Katalog-bearbeitung Roger Gaucheron), Galerie Pigalle, Paris 1929.
Paris 1930	*Cent ans de peinture française,* Galerie Georges Petit, Paris 1930.
Paris 1935	*Aquarelles et Baignades de Cézanne,* Galerie Renou et Colle, Paris 1935.
Paris 1936	*Cézanne* (Texte Jacques-Emile Blanche, Paul Jamot, Katalog-bearbeitung Charles Sterling), Musée de L'Orangerie, Paris 1936.

Paris 1939   *Paul Cézanne, centenaire du peintre indépendant* (Text Maurice Denis), Musée de L'Orangerie, Paris 1939.

Paris 1939 (Rosenberg)   *Cézanne* (Text Tabarant), Galerie Paul Rosenberg, Paris 1939.

Paris 1954   *Hommage à Cézanne* (Text Germain Bazin), Orangerie des Tuileries, Paris 1954.

Paris 1960   *Cézanne, aquarelliste et peintre,* Galerie Bernheim-Jeune, Paris 1960.

Paris 1974   *Cézanne dans les musées nationaux* (Text Maurice Merleau-Ponty), Orangerie les Tuileries, Paris 1974.

Paris 1978   *Cézanne, les dernières années, 1895–1906,* (Texte William Rubin, Liliane Brion-Guerry, John Rewald, Geneviève Monnier, Katalogbearbeitung John Rewald), Grand Palais, Paris 1978 (reduzierte Fassung der 1977 in New York gezeigten Ausstellung).

Philadelphia 1934   *Works of Cézanne,* Pennsylvania Museum of Art, Philadelphia 1934.

Philadelphia 1983   *Cézanne in Philadelphia Collections* (Text und Katalog-bearbeitung Joseph J. Rishel), Museum of Art, Philadelphia 1983.

San Francisco 1937   *Paul Cézanne* (Texte G. L. Cann Morley, Gerstle Mack), Museum of Art, San Francisco 1937.

Tokyo 1974   *Cézanne* (Texte John Rewald, Denys Sutton u. a.), Musée National d'Art Occidental, Tokyo 1974 – Musée de la Ville, Kyoto – Centre Culturel, Fukuoka 1974.

Tokyo 1986   *Paul Cézanne* (Text und Katalogbearbeitung Ronald Pickvance), Isetan Museum of Art, Tokyo 1986 – The Hyogo Prefectural Museum of Modern Art, Kobe – The Aichi Prefectural Art Gallery, Nagoya 1986.

Venedig 1920   *XII. Esposizione internazionale d'arte della Città di Venezia. Mostra individuale di P. Cézanne,* Venedig 1920.

Washington 1971   *Cézanne, an Exhibition in Honor of the fiftieth Anniversary of the Phillips Collection,* (Texte John Rewald, Duncan Phillips), The Phillips Collection, Washington 1971 – The Art Instiute, Chicago – Museum of Fine Arts, Boston 1971.

Wien 1961   *Paul Cézanne* (Text Fritz Novotny, Katalogbearbeitung Klaus Demus), Österreichische Galerie, Wien 1961.

Zürich 1956   *Paul Cézanne* (Text Gotthard Jedlicka), Kunsthaus, Zürich 1956.

Biographische Hinweise

1839	Paul Cézanne wird am 19. Januar in Aix-en-Provence, 28, Rue de l'Opéra, geboren. Er ist der älteste Sohn von Louis-Auguste Cézanne (1798–1886) und Anne-Elisabeth-Honorine Aubert (1814–1897).
1844	29. Januar Heirat der Eltern.
1848	Der Vater, der es durch den Verkauf und Export von Filzhüten zu etwas Vermögen gebracht hat, gründet am 1. Juni die Bank *Cézanne & Cabassol* in Aix.
1849	Besuch der Ecole de Saint-Joseph (bis 1852).
1852	Schulzeit im traditionsreichen Collège Bourbon (bis 1858), wo sich Cézanne mit dem aus Paris zugezogenen Emile Zola (1840–1902) anfreundet.
1857	Zeichenunterricht in der Ecole Spéciale et Gratuite de Dessin (bis 1862).
1858	Im Februar übersiedelt Zola mit seiner Mutter nach Paris. Ein reger Briefwechsel zwischen den Freunden beginnt. Nach einem zweiten Anlauf besteht Cézanne das Abitur im November.
1859	Cézanne entspricht dem Wunsch des Vaters und schreibt sich als Student an der rechtswissenschaftlichen Fakultät der Universität Aix ein. – Der reich gewordene Bankier kauft das knapp zwei Kilometer westlich von Aix gelegene Herrenhaus Le Jas de Bouffan (das Haus der Winde). – Durch die Bezahlung eines Ersatzmannes kauft er den Sohn vom Militärdienst frei.
1860	Cézanne ist gezwungen, das ungeliebte Jurastudium fortzusetzen, obwohl er insgeheim davon träumt, Maler zu werden.
1861	Abbruch des Jurastudiums. Am 22. April trifft Cézanne unter der Obhut des Vaters in Paris ein. Auf Empfehlung Zolas besucht er die vom alten Père Suisse geführte Académie Suisse, wo man nach dem Modell arbeiten kann. Er lernt dort Camille Pissarro (1830–1903) kennen. – Im September Rückkehr nach Aix, um in der väterlichen Bank zu volontieren.
1862	Im Herbst in Paris vergeblicher Versuch, in die Ecole des Beaux-Arts aufgenommen zu werden.
1863	Fortsetzung der Modellstudien an der Académie Suisse. Im Salon des Refusés wird ein Stilleben Cézannes ausgestellt.
1864	Der angehende Maler kopiert nach Delacroix und im Louvre nach Poussin. – Es beginnt die nahezu alljährliche Zurückweisung der eingereichten Arbeiten durch die Jury der Salon-Ausstellungen.
1865	Der Parisaufenthalt wird nur von einer Sommerreise nach Aix unterbrochen. – Zolas Erstlingsroman *La Confession de Claude* ist den beiden Aixer Freunden Cézanne und Baptistin Baille (1841–1918) gewidmet.
1866	Nachdem Cézanne erneut von der Pariser Salon-Ausstellung ausgeschlossen wird, richtet er einen Protestbrief an den Superintendanten der Schönen Künste, in dem er einen Salon des Refusés fordert. Auch Zola exponiert sich in der Zeitung ›L'Evénement‹ durch eine kritische Salon-Berichterstattung. Zusammen verbringen die Freunde den Monat Juli in Bennecourt.
1867	Cézanne hält sich vorwiegend in Paris auf.
1868	Von Mai bis Dezember arbeitet er im Süden, hauptsächlich im Jas de Bouffan.
1869	Anfang des Jahres lernt Cézanne in Paris Hortense Fiquet kennen, die sich, damals neunzehnjährig, als Modell verdingt und die später seine Frau wird.
1870	Am 31. Mai ist Cézanne Trauzeuge bei Zolas Hochzeit. – Vor Ausbruch des Deutsch-Französischen Krieges am 18. Juli verläßt er die Hauptstadt und zieht mit Hortense Fiquet nach L'Estaque an die Mittelmeerküste.
1871	Unbehelligt von den sich überstürzenden Ereignissen in Paris, von der Ablösung des Kaiserreiches durch die Republik, von der Belagerung und Kapitulation, der Herrschaft der Commune sowie deren Unterwerfung, bleibt Cézanne bis März in L'Estaque und widmet sich seinen Studien.

1872 Am 4. Januar bringt Hortense Fiquet den Sohn Paul zur Welt. – Im Herbst folgt Cézanne Pissarros Rat und zieht mit Hortense und seinem Sohn in das nordwestlich von Paris gelegene Pontoise. Enge Zusammenarbeit mit Pissarro. Gegen Ende des Jahres übersiedelt die junge Familie nach Auvers-sur-Oise, wo auch der kunstinteressierte Arzt Paul Fernand Gachet (1828–1909) wohnt.

1873 Unter Anleitung von Doktor Gachet entstehen in Auvers einige Radierungen.

1874 Im Frühjahr Rückkehr nach Paris. Mit drei Bildern ist Cézanne an der ersten Gruppenausstellung der sogenannten Impressionisten beteiligt, die unter dem Titel *Société anonyme des artistes, peintres, sculpteurs, graveurs* vom 15. April bis 15. Mai im Atelier des Fotografen Nadar stattfindet.

1875 Durch Renoir (1841–1919) lernt Cézanne den Sammler Victor Chocquet (1821–1891) kennen. Dieser erwarb gerade bei dem Farbenhändler Tanguy eines jener Bilder, die Cézanne für Malutensilien in Zahlung gegeben hatte.

1876 Vorwiegend ist Cézanne in Aix und L'Estaque.

1877 Der Maler verbringt den größten Teil des Jahres in Paris und in der Umgebung der Stadt. In der dritten Impressionisten-Ausstellung, die im April in einer angemieteten Wohnung in der Rue Le Peletier veranstaltet wird, werden 14 Gemälde und drei Aquarelle von ihm gezeigt. Als erster und einziger berichtet der Kritiker Georges Rivière positiv über Cézanne.

1878 Trotz Unstimmigkeiten mit dem Vater, vor dem Cézanne nach wie vor die Existenz seiner Lebensgefährtin sowie seines Sohnes verheimlicht, arbeitet er hauptsächlich in Aix und L'Estaque. Zola, der in Médan ein Landhaus gekauft hat, unterstützt ihn regelmäßig finanziell.

1879 Von April bis Dezember wohnt Cézanne in Melun bei Paris.

1880 Von Melun übersiedelt er im März wieder nach Paris, wo er – abgesehen von einem Sommeraufenthalt in Médan bei Zola – bis April 1881 bleibt.

1881 Erneut arbeitet Cézanne von Mai bis Oktober mit Pissarro in Pontoise; hier begegnet er Paul Gauguin (1848–1903).

1882 Im Frühjahr Zusammenarbeit mit Renoir in Aix und L'Estaque; von März bis Oktober in Paris. Dank der Hilfe Antoine Guillemets (1843–1918) wird Cézanne als dessen »Schüler« mit einem Porträt zur Salon-Ausstellung zugelassen. Nach Besuchen bei Zola in Médan und bei Chocquet in Hattenville trifft er Pissarro in der Umgebung von Pontoise.

1883 Cézanne arbeitet meist in Aix und L'Estaque; dort suchen ihn im Dezember Monet (1840–1926) und Renoir auf.

1884 Arbeit in Aix und L'Estaque.

1885 Der Aufenthalt im Süden wird im Juni und Juli durch einen Besuch in La Roche-Guyon bei Renoir unterbrochen.

1886 Cézanne wohnt mit seiner Familie in Gardanne, südlich von Aix. – Im März erscheint Zolas Roman *L'Œuvre,* der deutlich autobiographische Züge trägt. Der Maler erkennt sich in der Hauptfigur des Romans, einem an seinem Anspruch gescheiterten Künstler wieder. Er ist sehr verletzt und bricht jeden Kontakt mit dem Jugendfreund ab. – 28. April Heirat mit Hortense Fiquet. – 23. Oktober Tod des Vaters, der ein beträchtliches Vermögen hinterläßt.

1887 Cézanne lebt meist in Aix.

1888 Im Januar Besuch Renoirs in L'Estaque; gemeinsam kehren sie nach Paris zurück; Arbeit in Chantilly, in Alfort und in anderen Orten der Umgebung.

1889 Die zweite Jahreshälfte verbringt Cézanne vorwiegend in Aix.

1890 Zurück in Paris wird Cézanne eingeladen, in Brüssel bei der Künstlergruppe *Les Vingt* einige Arbeiten auszustellen. – Sommerreise mit der Familie in die französische Schweiz, danach wieder in Aix. – Erste Anzeichen von Diabetes.

1891 Cézanne wohnt bei seiner Mutter im Jas de Bouffan, während seine Frau und der Sohn andernorts in Aix untergebracht sind. – Er wird gläubiger Katholik.

1892	Cézanne hält sich in Aix und Paris auf. Er arbeitet im Wald von Fontainebleau und kauft kurzfristig ein Haus in dem Dorf Marlotte. – Der Maler Emile Bernard (1868–1941) veröffentlicht in der Reihe *Hommes d'aujourd'hui* einen Text über Cézanne.
1893	Cézanne lebt abwechslungsweise in Aix, Paris und Marlotte.
1894	Aufenthalte in Aix, Paris und Giverny, wo Cézanne den Herbst bei Monet verbringt. – Nach dem Tode des Farbenhändlers Tanguy wird dessen Nachlaß versteigert; Arbeiten Cézannes erreichen 45 bis 215 Francs. Auch der junge Kunsthändler Ambroise Vollard (1865–1939) ist unter den Käufern.
1895	Die erste Jahreshälfte ist Cézanne in Paris, die zweite in Aix. – Vollard veranstaltet von November bis Mitte Dezember in seiner Galerie in der Rue Laffitte die erste Cézanne-Ausstellung.
1896	Von Januar bis Juni ist Cézanne in Aix. Auch Zola ist einige Tage dort, ohne daß sich die beiden Freunde getroffen hätten. – Einer Kur in Vichy folgt im Juli und August ein Sommeraufenthalt in Talloires am Lac d'Annecy.
1897	Seit Juni ist Cézanne wieder in Aix, wo er häufig im nahen Le Tholonet und am Steinbruch Bibémus malt. – Am 25. Oktober stirbt seine Mutter. – Cézanne hat keinerlei Verständnis für Zolas mutiges Verhalten in der Dreyfus-Affäre. – Die Berliner Nationalgalerie kauft als erstes Museum ein Gemälde Cézannes, der allerdings befürchtet, daß ihn die französischen Museen deshalb kaum mehr berücksichtigen werden.
1898	Den ersten Teil des Jahres in Aix, geht Cézanne im Sommer nach Paris, wo er sich zum letzten Mal für längere Zeit aufhält.
1899	Im Herbst Rückkehr nach Aix. – Auf Drängen seines Schwagers wird das Anwesen Jas de Bouffan am 25. November verkauft. Cézanne mietet eine Wohnung in der Aixer Innenstadt, 23, Rue Boulegon. – Vollard berichtet Gauguin nach Tahiti, daß er sämtliche Bilder in Cézannes Pariser Atelier gekauft habe.
1900	Der Pariser Kunsthändler Durand-Ruel überläßt im Oktober seinem Berliner Kollegen Paul Cassirer zwölf Cézanne-Bilder für eine erste Ausstellung in Deutschland. Die Leihgaben gehen jedoch unverkauft nach Paris zurück.
1901	Am 18. November erwirbt der Maler ein Grundstück im Norden von Aix am Chemin des Lauves zum Bau eines kleinen Atelierhauses.
1902	Ein lokaler Architekt namens Mourgues baut das Atelier, das im September bezugsfertig ist. – Am 26. des Monats verfaßt Cézanne sein endgültiges Testament, darin ist sein Sohn als Alleinerbe eingesetzt. – In Paris stirbt Zola am 29. September, Cézanne ist zutiefst betroffen.
1903	Bei der Versteigerung von Zolas Nachlaß am 7. März werden für zehn Werke Cézannes im Durchschnitt 1500 Francs erzielt.
1904	Unter anderen besucht der junge Maler Emile Bernard den Künstler im Februar in Aix. – Anläßlich einer Ausstellung mit 30 Gemälden im Salon d'Automne Reise nach Paris und kurzer Aufenthalt in der Gegend von Fontainebleau.
1905	Im Sommer reist Cézanne noch einmal in den Norden, um im Wald von Fontainebleau zu arbeiten.
1906	Im Januar besuchen Maurice Denis (1870–1943) und Ker-Xavier Roussel (1867–1944) den alten Maler in Aix. – Am 23. Oktober stirbt Paul Cézanne in Aix, 23, Rue Boulegon.

Ambroise Vollard in seinem Pariser Büro, Fotografie
um 1930

Walter Feilchenfeldt

Zur Rezeptionsgeschichte Cézannes in Deutschland

Tanguy und Vollard

Vor ziemlich genau 100 Jahren landete ein junger Mann aus La Réunion, einer Insel der westindischen Kolonien Frankreichs, im Hafen von Marseille, um sich nach Paris zu begeben und dort sein Glück zu machen. Er hieß Ambroise Vollard und wollte eigentlich in Montpellier Jurisprudenz studieren. Er endete aber in Paris und wurde Kunsthändler. Im Jahre 1893 zog er in die Rue Laffitte, das Zentrum des Handels mit zeitgenössischer Kunst, und wurde in den darauffolgenden Jahren die maßgebliche Figur des Pariser Handels mit der Kunst der Nachimpressionisten.

Es wird behauptet, er habe, von Pissarro darauf aufmerksam gemacht, seinen ersten Cézanne im Schaufenster des legendären Père Tanguy gesehen: eine kleine Landschaft, die er für ungefähr 200 Francs gekauft habe.[1]

Der Laden von Julien Tanguy war der Treffpunkt der Künstler jener Generation. Gauguin, Cézanne, van Gogh, Guillaumin, Emile Bernard und andere kauften dort ihre Farben, Leinwände und Keilrahmen und gaben Bilder in Zahlung, wenn sie kein Geld hatten, was meist der Fall war. Die Künstler profitierten von der Großzügigkeit und Gutmütigkeit des Ladenbesitzers. Aus dem Briefwechsel zwischen Cézanne und Tanguy geht hervor, daß ihm der Maler im Jahre 1878 den Betrag von 2174 Francs schuldete, der bis ins Jahr 1885 auf 4015 Francs anstieg.[2] Tanguy hatte Cézannes Bilder als Sicherheit und verwaltete den Schlüssel zu dessen ehemaligem Atelier am Boulevard Montparnasse. Die Gemälde waren dort stapelweise gelagert und wurden nur selten gezeigt.

Im Jahre 1883 kaufte Gauguin dort für 120 Francs zwei Gemälde von Cézanne.[3] Auch Théodore Duret, der Kunstkritiker und Sammler, hatte seine Cézannes dort erworben. Die kleinen Formate kosteten damals 40 Francs, die großen 100 Francs. Im Jahre 1894 ließ Duret, zusammen mit seiner bedeutenden Sammlung, seine drei Cézannes versteigern, die im Auktionsprotokoll folgendermaßen aufgeführt waren:

3. *Route*	59:71	800 frs. [an] Helleu		[V.329]*
4. *Nature morte*	47:59	660 frs. [an] Abbé Gauguin		[V.346]
5. *La moisson*	43:54	650 frs. [an] Chabrier		[V.249]

Ein weiterer Sammler von Cézanne war Armand Comte Doria, der als erster Käufer eines Cézanne-Bildes gilt. Er hatte das *Haus des Gehängten in Auvers* (V. 133) in der ersten Impressionisten-Ausstellung 1874 erworben und es später mit Chocquet gegen das Bild *Schneeschmelze in Fontainebleau* (V. 336) getauscht. Als im Jahre 1899 die Sammlung Doria versteigert wurde, erzielte dieses Bild den Höchstpreis von 6750 Francs; als bei diesem Zuschlag im Saal Unruhe entstand, da man Manipulation witterte, stand der Käufer auf und gab sich als solcher zu erkennen: Es war Claude Monet, der damals renommierteste und anerkannteste der lebenden impressionistischen Künstler.[4]

Das eingetauschte Bild *Haus des Gehängten in Auvers* (V. 133) wurde auf der Auktion Chocquet 1899 von Isaac de Camondo erworben und ging 1911 mit dessen Sammlung, darunter drei weitere Cézannes, die *Zwei Kartenspieler* (V. 558;

---

* Die im folgenden benutzte Abkürzung V. bezeichnet die Nummern im Werkverzeichnis von Lionello Venturi: *Cézanne, son art, son œuvre*, Paris 1936.

Kat.-Nr. 66) und zwei Stilleben (V. 732 und V. 512), an den französischen Staat mit der testamentarischen Auflage, 50 Jahre lang geschlossen in eigenen Räumen im Louvre ausgestellt zu werden.[5]

Cézanne war nach dem Tode seines Vaters, frei von finanziellen Sorgen, wieder in den Süden Frankreichs, nach Aix-en-Provence, gezogen, wo er sich kompromißlos seiner Kunst hingab. Er galt als schwierig und unnahbar, ein Gerücht, das Vollard durchaus gelegen kam.[6] Der Kunsthändler erkannte nicht nur die Bedeutung Cézannes, er sah auch, daß dieser außer Père Tanguy niemanden hatte, der seine Interessen vertrat, und so begann er, sich um Cézanne händlerisch zu bemühen.

Julien Tanguy starb 1894, und im Juni desselben Jahres wurde im Hôtel Drouot von Octave Mirbeau eine Auktion zugunsten der Witwe Tanguys organisiert. Die Auktion war zusammengestellt aus Werken, die Tanguy besessen hatte, und solchen, die von Künstlern und Freunden zur Unterstützung der Witwe Madame Tanguy aus Dankbarkeit für ihren verstorbenen Gatten gestiftet wurden.

Sechs Gemälde Cézannes wurden in dieser Auktion versteigert. Die Titel, Maße, Preise und der jeweilige Käufer sind folgendermaßen verzeichnet.[7]

Les Dunes	55:46	frs. 95	[an] Volat
Village	46:55	frs. 175	[an] Volat
Coin de Village	45:54	frs. 215	[an] Volat
Le Pont	60:73	frs. 170	[an] Volat
Le Pont (toile crevée)	60:72	frs. 102	[an] Malcoud
Ferme	60:73	frs. 145	[an] Murat

Vollard trat in dieser Auktion als neunfacher Käufer auf. Er gab im ganzen 1212 Francs aus und überzog damit sein Budget und seinen Kredit um ein Vielfaches, wie er in seinen *Erinnerungen* zu erzählen weiß.[8] Daß er dem Auktionator zu jenem Zeitpunkt noch unbekannt war, beweist, daß dieser seinen Namen mit »Volat« ins Auktions-protokoll eintrug. Er erwarb, laut »procès verbal«, neben vier der sechs Cézannes eine Landschaft von Pissarro, einen Gauguin, einen Guillaumin und ein als Vincent katalogisiertes Bild, das ein Paar Schuhe darstellte.[9]

Den Kauf der vier Bilder Cézannes nahm Vollard zum Anlaß, mit dem Maler Kontakt aufzunehmen und ihm seine Ideen zu unterbreiten. Hilfreich war ihm dabei Cézannes Sohn Paul, der sein Vorhaben unterstützte und sich als Vermittler zwischen Künstler und Händler einschaltete. Man wurde handelseinig, und Vollard soll an die 150 Werke von Cézanne, gerollt, zugeschickt erhalten haben.

So kam es im Dezember 1895 zur ersten großen Cézanne-Ausstellung bei Vollard in der Rue Laffitte, die beiden, dem Künstler und dem Händler, zum Durch-bruch verhalf. Einen Katalog zu dieser Ausstellung gab es nicht. Vollard identifizierte in seiner 1914 erschienenen Monographie über Cézanne 23 Bilder, die in dieser Aus-stellung gezeigt worden waren.[10]

In der Folge lassen sich die wesentlichen Cézanne-Sammler bestimmen. Die ersten, die von 1895 an bei Vollard Werke von Cézanne kauften, waren die in Florenz lebenden Amerikaner Charles Loeser und Egisto Fabbri. Fabbri besaß im Jahre 1899 bereits 16 Bilder von Cézanne. H. O. Havemeyer, der wichtigste amerikanische Sammler impressionistischer Kunst, kaufte seinen ersten Cézanne bei Vollard im Jahre 1898.[11]

Der bedeutendste Sammler in dieser Zeit war jedoch der Holländer Cornelis Hoogendijk, der eines Tages im Laden des Kunsthändlers erschien und laut Vollard bei einem einzigen Besuch über 30 Gemälde von Cézanne erwarb. Die Passage in Vollards *Erinnerungen* gibt Einblick in die Mentalität des Händlers. Es scheint, daß Hoogendijk ohne zu zögern oder zu handeln die Bilder erwarb, die Vollard ihm vorschlug.[12] Daß Hoogendijk dabei hervorragend bedient war, zeigt die Gruppe der Bilder von Cézanne, von denen zwei, eine frühe Landschaft (V. 58) und ein Blumenbild (V. 752), am 21. Mai 1912 mit der Sammlung Hoogendijk in Amsterdam versteigert wurden, während die anderen über Paul Rosenberg in Zusammenarbeit mit Durand-Ruel nach

1918 teils an Albert Barnes in Philadelphia, teils an französische Kunden verkauft wurden.

Der Name von Auguste Pellerin, dem größten französischen Sammler der Werke Cézannes, tauchte zum erstenmal im Jahre 1898 in Vollards Geschäftsbüchern auf. Er kaufte, im Gegensatz zu den bisher genannten Sammlern, auch die frühen Werke des Künstlers und besaß die umfassendste Cézanne-Sammlung.

Hugo von Tschudi

Die erste Gruppe impressionistischer Bilder, die man in Berlin in einer Sammlung betrachten konnte, gehörte dem Ehepaar Carl und Felicie Bernstein, das – aus Paris kommend – um 1875 eine Wohnung im Tiergartenviertel bezogen hatte. Im Jahre 1882 erwarben die beiden etwa zehn Gemälde, vor allem drei Meisterwerke von Edouard Manet, dem damals im In- und Ausland am höchsten geschätzten Impressionisten. 1883 wurde die Sammlung Bernstein bei Gurlitt zusammen mit einer Auswahl impressionistischer Bilder der Galerie Durand-Ruel gezeigt. Werke von Cézanne waren nicht dabei.

Auch Max Liebermann, der Künstler und Sammler französischer Impressionisten, der schon in den siebziger Jahren regelmäßig nach Paris reiste, blieb seiner Liebe zu Manet treu und besaß nur zwei Bilder von Cézanne: *Flußlandschaft mit Fischern* (V. 243; Kat.-Nr. 16) und eine Landschaft (V. 466).

Neben Max Liebermann war ein Museumsdirektor wegbereitend für das Verständnis des französischen Impressionismus in Deutschland: der Kunsthistoriker Hugo von Tschudi. Zunächst Assistent von Wilhelm von Bode in der Berliner Gemäldegalerie der Alten Meister, wurde er 1896 Direktor der Nationalgalerie, des modernen Museums. Kurz nach Amtsantritt begab er sich mit Max Liebermann, mit dem er befreundet war, auf eine Einkaufsreise nach Paris. Von dort kehrte er mit Manets *Im Wintergarten* und Monets *Kirche St. Germain l'Auxerrois* zurück, zwei Bildern, die sich heute noch in der Berliner Nationalgalerie befinden. Ein Jahr später, 1897, erwarb er in Paris ein Hauptwerk aus Cézannes konstruktiver Zeit, 1881 entstanden, als dieser mit Pissarro in Pontoise gearbeitet hatte: *Die Mühle an der Couleuvre bei Pontoise* (V. 324; Kat.-Nr. 25). Es gehörte dem Journalisten und Romancier Robert de Bonnières. Damals stand in der Pariser Zeitschrift ›Revue Blanche‹, Juni 1897:

> »Wir müssen uns in diesen Tagen ein Datum merken, das in der Geschichte der zeitgenössischen französischen Kunst von Bedeutung ist. Das Museum von Berlin hat soeben eine wichtige Landschaft von Cézanne erworben. Der Preis ist nicht beträchtlich, aber das ist nebensächlich [laut Meier-Graefe waren es 1500 Francs]. Genügt es nicht, daß im Jahre 1897 eine fremde Behörde ein Bild erworben hat, das keines der Museen dieses Landes gewollt hätte, nicht einmal als Geschenk.
> Man wird mir natürlich zustimmen, daß die Ämter, die uns regieren, wie auch die Mehrheit des Publikums, von dem sie abhängen, für die Werke von Cézanne keinen Sinn haben, auch nicht vorgeben. Aber man kann sich mit Recht darüber wundern, daß sie – wäre es auch nur für die historische Erziehung der Menge – so wenig Notiz nehmen von einem Mann, der von Renoir, Degas, Monet, Pissarro, Sisley, Gauguin und vielen jungen Talenten verehrt wird.«[13]

Die Kontroverse, die in diesen Zeilen sichtbar wird, war ein Jahr zuvor, 1896, entfacht worden, als bei der Schenkung des Malers und Sammlers Gustave Caillebotte an den französischen Staat die Nationalen Museen nur 38 Bilder akzeptierten und 29 refüsierten. Von Cézannes fünf Bildern waren nur zwei akzeptiert worden, der *Farmhof in Auvers* (V. 326) und die *Landschaft bei L'Estaque* (V. 428).

So kam der erste Cézanne nach Berlin, ein Bild, das in seinem klassischen Landschaftskonzept keinen Anlaß zur Kontroverse gab. Doch schon ein Jahr später, gleichzeitig mit der Eröffnung des Kunstsalons Cassirer, setzte in Berlin eine Strömung gegen den Erwerb französischer Kunst ein. Dieser Trend, der einerseits von mittelmäßigen deutschen Künstlern angeregt wurde, andererseits bei Kaiser Wilhelm II. offene Ohren fand – er behielt sich ein Vetorecht für die Ankäufe der

Nationalgalerie vor –, führte im Jahre 1909 zur Demission Hugo von Tschudis als Direktor der Nationalgalerie und zu seiner Anstellung in der Königlichen Pinakothek München.

Die ersten Cézannes im Kunstsalon Bruno & Paul Cassirer

Die Vettern Bruno und Paul Cassirer eröffneten im Winter 1898 mit einer Ausstellung von Max Liebermann, Edgar Degas und Constantin Meunier ihre von Henry van de Velde ausgestattete Galerie an der Viktoriastraße 35 in Berlin. Bereits 1901 trennten sich die Partner. Paul übernahm den Kunstsalon und das Sekretariat der Berliner Sezession, Bruno den Verlag und wurde als Herausgeber der Zeitschrift ›Kunst und Künstler‹ zu einem wichtigen Faktor des Berliner Kulturlebens.

Paul Cassirer, der perfekt französisch sprach und sich in Paris zu Hause fühlte, ging in den dortigen Galerien ein und aus. Besonders zu den Kunsthandelshäusern Durand-Ruel und Bernheim-Jeune war die Geschäftsbeziehung sehr eng. Aber auch zwischen Vollard und Cassirer fanden regelmäßig geschäftliche Transaktionen statt. Aus dem am vollständigsten erhaltenen Dokumentationsmaterial, dem der Firma Durand-Ruel, geht hervor, daß am 18. Oktober 1900 zwölf Bilder von Cézanne an Paul Cassirer geschickt wurden, die am 9. Januar 1901 wieder zurückkamen.[14]

Nur aus zwei Zeitungsrezensionen war bisher bekannt, daß bereits im November 1900 bei Bruno & Paul Cassirer in Berlin eine Ausstellung mit Arbeiten Cézannes zu sehen war. Kürzlich wurde ein Exemplar des Kataloges zu dieser Ausstellung entdeckt, aus dem ersichtlich ist, daß in einer Gruppenausstellung Paul Cézanne mit 13 Bildern gezeigt wurde, während die Berliner Maler Corinth mit 18, Leistikow mit elf, Klimsch mit sieben und D. Y. Cameron aus Glasgow mit zwei Werken vertreten waren.[15] Es handelte sich um Bilder Cézannes mit folgenden Titeln:

1. *Stilleben, Äpfel*
2. *Stilleben*
3. *Eine Wiese*
4. *Porträt des Herrn C.*
5. *Kleine Häuser in Antwerpen*
6. *Die Landstraße*
7. *Blumen in einer Vase*
8. *Porträt des Herrn C. sitzend*
9. *Winkel im Gehölz*
10. *Fasching*
11. *Sommerlandschaft*
12. *Äpfel auf einem Tisch*
13. *Harlekin*

Das kurze Vorwort ohne Autorenangabe in dem von Cassirer herausgegebenen Katalog lautete folgendermaßen:

»Die Ausstellung eines so unbekannten und seltsamen Malers bedarf einiger orientierender Worte. Nachdem Cézanne, der ein Mitstrebender von Manet und ein Altersgenosse von Claude Monet ist, im Anfang der impressionistischen Bewegung eine Rolle gespielt, verschwand er dann ganz vom Schauplatz. Er blieb seither nur wenigen Amateuren bekannt und weiteren Kreisen blieb sein Name nur geläufig, als Zola ihm, dem Jugendfreunde, seinen berühmten Band Malerkritiken *Mon salon* widmete. Zuweilen sieht man ihn in der Nähe von Paris, in der Landschaft vor seiner Leinwand sitzend; er lebt vereinsamt und weicht der Begegnung mit früheren Bekannten aus. Seine Kunst, lange Jahre fast vergessen – Muther nennt seinen Namen nicht –, findet seit einigen Jahren in Frankreich mehr und mehr Freunde, man sieht jetzt jeweilen seine Bilder, der Impressionistensaal der Pariser Weltausstellung enthält einige seiner Landschaften. In Deutschland ist Cézanne völlig unbekannt. Die jetzige Ausstellung ist seine erste. Der kurze Aufsatz, den ihm Huysmans in seiner 1894 erschienenen Kritiksammlung *Certains* widmete, möge zeigen, wie seine Freunde über seine Vorzüge und seine Fehler denken.

›Im vollen Licht, in Schalen von Porzellan oder auf weißen Tischtüchern Birnen und Äpfel, brutal und rauh wie mit einer Kelle gemauert und mit dem Daumen zusammengestrichen, von nahe ein wildes Gemäuer von zinnober und gelb, grün und blau, in der richtigen Entfernung wundervolle reife und saftige Früchte, wie für das Schaufenster von Chvet (sic) [großes Obstgeschäft in Paris].

Und bis dahin nie gesehene Wahrheiten thun sich auf, seltsame und doch reale Farbtöne, Flecke von eigentümlicher Richtigkeit, Nuancen der Wäsche, welche durch die Schatten, die die runden Früchte werfen, erzeugt und in einer schönen, blauen Skala aufgelöst werden, das macht aus diesen Bildern gereifte Werke, wenn man an die gewöhnlichen Stilleben zurückdenkt, die sich mit ihren Asphalt-Schatten vor unkenntlichen Hintergründen loslösen.

Dann wieder Freilichtstudien, Versuche, die in den ersten Anfängen stecken bleiben, Skizzen, deren Frische durch Übermalen verdorben ist, kindliche und barbarische Entwürfe und zuguterletzt stupende Entgleisungen; Häuser, die nach einer Seite hängen, wie betrunken; Früchte in turkelnden (sic) Töpfen;

296

Paul Cassirer, Fotografie um 1920

badende Frauen mit wahnsinnigen Linien umrändert, aber – ein Fest für die Augen – hingestrichen mit dem Furor eines Delacroix, doch ohne das Raffinement seiner Anschauung und ohne die Fügsamkeit seiner Hand, wie heulend in einem Rausch wirbelnder Farben auf der allzuschweren Leinwand, die zu bersten droht.
Und schließlich ein Colorist-Entdecker, der mehr als Manet die impressionistische Bewegung beeinflußt hat, ein Künstler mit kranker Netzhaut, der mit der aufs Höchste gesteigerten Empfindung seiner Augen die Anfänge einer neuen Kunst entdeckte, das ist dieser viel zu sehr vergessene Maler – Cézanne.
Seit dem Jahre 1877, in dem er 16 Bilder gezeigt hatte, hat er nicht mehr ausgestellt. Damals diente die absolute Ehrlichkeit seiner Kunst dazu, den Pöbel für lange zu belustigen‹.«

In der hier erwähnten Ausstellung waren zwei Bildnisse des Herrn C. aufgelistet. Es handelte sich dabei um Porträts von Victor Chocquet.

Chocquet war Oberinspektor bei der Zollverwaltung und ein passionierter Sammler der Impressionisten gewesen. Auch er hatte, von Renoir darauf aufmerksam gemacht, seine ersten Cézannes bei Père Tanguy gesehen. Cézanne und Chocquet wurden große Freunde, unter anderem, weil sie die Begeisterung für Delacroix teilten. Cézanne malte von Chocquet fünf Porträts, von denen eines 1877 in Paris und zwei 1900 in Berlin ausgestellt wurden.

Chocquet besaß in den achtziger Jahren die umfangreichste Cézanne-Sammlung. Rewald bestimmt sie mit 36–37 Bildern, während zur selben Zeit Caillebotte und de Bellio, ein rumänischer Sammler, der in Paris lebte, nur je fünf Cézanne-Bilder besaßen.[16] Die Sammlung Chocquet wurde nach dem Tode des Ehepaars – Victor Chocquet starb 1891, seine Frau Caroline 1899 – in Paris versteigert.

John Rewald hat in seinem Artikel »Chocquet und Cézanne« die Bilder der Auktion Chocquet identifiziert; ebenso die drei Cézanne-Aquarelle, die in der Impressionisten-Ausstellung von 1877 ausgestellt waren; dabei stellte er fest, daß sie sich damals im Besitz von Chocquet befanden.[17]

Es spricht jedoch alles dafür, daß sämtliche Cézannes, die 1877 ausgestellt waren, Victor Chocquet gehörten.[18] Es ist durchaus logisch, daß Chocquet damals die Werke Cézannes aus seinem Besitz für diese Ausstellung zur Verfügung stellte. Hinzu kommt, daß 14 der 16 ausgestellten Bilder signiert sind, ein für Cézanne ungewöhnliches Merkmal, aber für Bilder, die Chocquet besaß, bezeichnend. Obwohl Chocquets Name nirgends in der Ausstellung auftauchte, schließt Rewald, daß dies wohl von Chocquet beabsichtigt war, um mit seiner Vorliebe für Cézanne die Kollegen Monet und Renoir, von denen er nur (!) je elf Bilder besaß, nicht zu verärgern.[19] Meier-Graefe schrieb über die Chocquet-Nachlaßauktion:

> »Der große Schlager war für ihn [Cézanne] die Vente seines Freundes Chocquet im Sommer 1899 bei [Georges] Petit. An drei heißen Nachmittagen, mitten in der toten Saison, wo sonst keine Katze in Paris ist, riß man sich um seine besten Sachen, die ein gestern noch als verrückt verschriener Wunderling gesammelt hatte.«[20]

Durand-Ruel, von Monet aufgefordert, endlich etwas für Cézanne zu tun, trat in dieser Auktion als Großkäufer auf. Er erwarb dort mindestens 17 Gemälde.[21] Von den im Jahre 1900 bei Cassirer ausgestellten 13 Bildern lassen sich acht eindeutig als Werke identifizieren, die von Durand-Ruel in der Auktion Chocquet erworben wurden. Dazu kamen noch zwei Stilleben, die Durand-Ruel von seiner New Yorker Filiale übernommen hatte.

Aber woher kamen die drei restlichen Bilder? In den Geschäftsbüchern von Vollard ist die Eintragung eines Verkaufs vom 14. April 1900 von drei Cézannes für 6000 Francs an Heilbut verzeichnet. Dies könnte Emil Heilbut, Freund von Bruno Cassirer und nachmaliger Chefredakteur von ›Kunst und Künstler‹, gewesen sein, der im Auftrag der Galerie handelte. Die drei Bilder sind aus den Vollardschen Stockbüchern identifizierbar.[22] Die Ausstellung setzte sich somit aus folgenden Bildern zusammen:

Nr. 1 −10 Bilder in Kommission von Durand-Ruel.
Nr. 11−13 Bilder im Besitz von Bruno und Paul Cassirer, erworben von Emil Heilbut im April 1900 bei
　　　　　Ambroise Vollard.

In den Katalogen der Firma Paul Cassirer sind die Werke aus dem Besitz der Galerie meistens am Schluß
aufgelistet. Ferner wurden in der Regel nie Bildergruppen gezeigt, aus denen nicht einige im Eigentum
der Galerie waren.

1.	*Stilleben, Äpfel*	nicht identifiziert
2.	*Stilleben*	[V. 337] oder [V. 338]
	Beide Bilder am 21. 2. 1894 von Durand-Ruel aus deren New Yorker	
	Filiale übernommen, ehemals Besitz von Miss Sara Hallowell, die sie	
	bei Tanguy erworben hatte.	
3.	*Eine Wiese*	[V. 442]
	Un pré, Auktion Chocquet Nr. 10 an Durand-Ruel.	
4.	*Porträt des Herrn C.*	[V. 562]
5.	*Kleine Häuser in Antwerpen*	[V. 156]
	Les petites maisons à Auvers, Auktion Chocquet Nr. 15 an Durand-Ruel.	
	Die mit der Materie unvertraute Sekretärin las in der handgeschriebenen	
	Liste Anvers statt Auvers.	
6.	*Die Landstraße*	[V. 158]
	La route, Auktion Chocquet Nr. 14 an Durand-Ruel.	
7.	*Blumen in einer Vase*	[V. 181]
	Fleurs dans un vase, Auktion Chocquet Nr. 20 an Durand-Ruel.	
8.	*Porträt des Herrn C. sitzend*	[V. 373] Kat.-Nr. 15
9.	*Winkel im Gehölz*	[V. 173]
	Un coin de bois, Auktion Chocquet Nr. 9 an Durand-Ruel.	
10.	*Fasching*	[V. 552]
	Mardi gras, Auktion Chocquet Nr. 1 an Durand-Ruel.	
11.	*Sommerlandschaft*	[V. 633] Kat.-Nr. 48
12.	*Äpfel auf einem Tisch*	[V. 502]
13.	*Harlekin*	[V. 555]
	Jayne Warman identifiziert dieses Bild mit V. 553.	
	V. 555 tauchte 1912 in der Ausstellung der Sammlung Reber wieder auf	
	und verschwand dann bis zur Auktion bei Sotheby vom 29. November 1988,	
	um von neuem zu verschwinden.	
	Nicht im Katalog, aber in der Rezension von H. R. erwähnt:	
	Vase mit Tulpen	[V. 617]
	Fleurs et fruits, Auktion Chocquet Nr. 13 an Durand-Ruel.	

Die Ausstellung wurde in der ›Kunstchronik‹ rezensiert. Corinth und Leistikow wurden
ausgiebig besprochen. Über Cézanne las man erheblich weniger:

> »Einer allerdings aus älterer Zeit ist auch hier vertreten, ein noch lebender Mitkämpfer von Manet
> und den Seinen, der Franzose Paul Cézanne. Im Katalog ist seinen Arbeiten eine kurze Einleitung
> vorausgeschickt und das allerdings mit vollem Recht. Es wird daraus ein Passus aus einem Essay
> Huysmans' citiert, der von warmer Verehrung des Künstlers diktiert ist. – Aber diese Anpreisung genügt
> doch nicht, um derartige Sudeleien genießbar zu machen. In der That: Die Landstraße, der Winkel im
> Gehölz sind nicht ohne farbenperspektivische Reize, und selbst in den geschmack- und kunstlosen
> Porträts und Harlekinbildern wie besonder den Stilleben offenbart sich ohne Zweifel ein starkes
> Farbengefühl, ein malerischer Blick. Aber immer noch muß man Kunst von Können herleiten, das bloße
> Gefühl allein, die absolute Ehrlichkeit thut es denn doch nicht. Darum verdienen diese von tollen
> Verzeichnungen wimmelnden Farbenergüsse nicht den Namen ernst zu nehmender Kunstwerke.«[23]

Und der renommierte Kritiker Hans Rosenhagen schrieb in ›Die Kunst‹:

> »Unter den Künstlern, deren Verdienste um die Entwicklung des impressionistischen Prinzips in der
> französischen Malerei nicht hoch genug geschätzt werden können, ist PAUL CEZANNE einer der
> bedeutendsten; aber die Zeit scheint für die Erkenntnis seiner Verdienste als Maler und als Vorkämpfer
> immer noch nicht reif. Die dreizehn Bilder von ihm, die Bruno und Paul Cassirer in ihrem Salon
> vorführen, entzücken zwar die Kenner, die in Cézanne den größten Maler unter den Nachfolgern Manets
> sehen, werden aber vom Publikum, das sich an einigen Gewaltsamkeiten in der Zeichnung seiner
> Figurenbilder stößt, rundweg abgelehnt. Und doch ist Cézanne ein ganzer Künstler. Wie wunderbar wahr
> und schön ist die Farbe seiner Landschaften, wie großartig diese breite impressionistische Malerei, wie
> fein klingen die stärksten Töne auf seinen Landschaften, seinen Harlekinbildern, den Äpfelstilleben, in
> der *Vase mit Tulpen* zusammen!«[24]

Es war richtig zu sagen, daß die Zeit noch nicht reif war. Paul Cassirer zog wohl auch
die kunsthändlerische Konsequenz, und in Berlin wurde es für einige Jahre wieder
ruhig um Cézanne.

Der Aufschwung im neuen Jahrhundert

In den ersten Jahren nach der Jahrhundertwende war der Neoimpressionismus Mode
bei den intellektuellen Sammlern in Deutschland. Harry Graf Kessler, der von 1895
bis 1900 die Kunstzeitschrift ›Pan‹ herausgab, ein Freund von Liebermann war und
Meier-Graefe in den Pariser Kunsthandel einführte, war einer der großen Förderer von
Seurat und dessen Kreis. Ausgerechnet er kaufte zu jener Zeit drei Cézannes bei
Vollard. Es handelte sich um *Stilleben mit Teller und Früchten* (V. 206; Kat.-Nr. 57), am
2. Februar 1902 erworben, um die beiden Landschaften *Die Eisenbahnbrücke bei
L'Estaque* (V. 402; Kat.-Nr. 29) und *Landschaft in der Provence* (V. 403), die er im
Dezember desselben Jahres kaufte.[25]

In der ersten Berliner Sezessionsausstellung mit internationaler Beteiligung im
Frühling 1901 war Cézanne nicht vertreten. In der Impressionisten-Ausstellung der
Wiener Sezession 1903 waren laut Rezension sieben Bilder ausgestellt. Im Katalog sind
sie nicht aufgeführt. Emil Heilbut [H] schrieb jedoch zu diesem Anlaß einen ausführlichen Artikel in ›Kunst und Künstler‹, der jeden Maler in einem kurzen Abschnitt
würdigte. Abgebildet sind in diesem Artikel *Fastnacht* (V. 552) und *Stilleben* (V. 341).[26]

Im Jahre 1904 vergrößerte sich die Galerie Bernheim-Jeune. Die Söhne von
Alexandre Bernheim-Jeune, Josse und Gaston, die sich stärker für die zeitgenössische
Kunst interessierten und sich intensiver damit befassen wollten, eröffneten ein zweites
Geschäft, in welchem Félix Fénéon zuerst als Berater, dann als Direktor die Führung
übernahm. Fénéons Interesse galt anfangs vorwiegend Seurat und den Neoim-
pressionisten, doch er setzte sich für alle zeitgenössische Kunst ein.

Im Herbst 1904 wurden 30 Gemälde von Cézanne im Salon d'Automne gezeigt.
Diese Ausstellung im Petit Palais war mit Werken aus dem Besitz der Händler Vollard
(23 Bilder), Blot (2 Bilder) und Durand-Ruel (5 Bilder) zusammengesetzt.

Ebenfalls im Jahre 1904 erschien die erste Auflage von Julius Meier-Graefes
Entwicklungsgeschichte der modernen Kunst. Der Autor hatte schon in den neunziger
Jahren viel Zeit in Paris verbracht und die dortige Kunstszene genau kennengelernt.
Sein erstes Buch über den Impressionismus, *Manet und sein Kreis,* erschien 1902.
Wesentlich für die Rezeptionsgeschichte war jedoch zwei Jahre später die *Entwick-
lungsgeschichte* in drei Bänden mit einem sechsseitigen Artikel über Cézanne, worin
der Autor, wie es seine Art war, den Mythos um die Person des Künstlers zu betonen
suchte. Er nannte Cézanne einen Revolutionär.[27]

>»Er war eine ganz verschlossene Natur; von der jungen Generation hat ihn nie jemand gesehen; die
>Künstler, die ihm alles zu verdanken haben, haben nie ein Wort mit ihm gewechselt. Zuweilen zweifelt
>man, ob er überhaupt gelebt hat … Er soll in Aix wohnen.«

Aber auch über die Kunst Cézannes schrieb Meier-Graefe für jenen Zeitpunkt
Erstaunliches:

>»Neben allem überrascht etwas ganz anderes, das rätselhaft bleibt, ja von weitem zuweilen als purer
>Wahnsinn erscheint. Es ist eine Vergrößerung, ohne daß man recht weiß, was vergrößert wird. Jede Kunst
>ist Übertreibung in irgend einem Sinne; hier frappiert, daß sich der Sinn versteckt…«
>»Seine Stilleben sind zum Verwechseln ähnlich. Wie oft hat er die lächerlich zusammengedrückte
>Serviette mit dem Teller, dem Topf und den Früchten gemacht…«
>»So ein Cézanne'scher Apfel ist gekonnt wie ein Kostüm bei Velasquez, mit der gewissen Selbstver-
>ständlichkeit, an der nicht zu rütteln ist…«
>»Seine Akte sehen aus wie zerhackte Fleischklumpen. Alle Anatomie scheint in ihnen mit Füßen
>getreten, es ist nur Fleisch, dick und ungeschlacht, und trotzdem lebt es, nur daß man nie daran denkt,
>es mit den Händen zu greifen; man möchte es mit den Augen aufsaugen…«

Er war sich über Cézannes Bedeutung im klaren, zu einem Zeitpunkt, als kaum
jemand wußte, wer Cézanne war, der ja damals noch lebte.

>»Man wird die Provence nie sehen, ohne an Cézanne zu denken; er malt sie mit einem wahren
>Fanatismus, der eine eigene Malerei erfindet, um das Eigene, das nur ihr gehört, zu treffen. Haarscharf
>steht sie vor uns, man glaubt hunderte von Details auf den Bildern wiederzufinden …«

300

Und über Cézannes Malweise sagte er:

> »Bei Cézanne spottet die Mannigfaltigkeit, wie er seine kleinen Pinselstriche setzt, aller Systeme und bleibt doch im höchsten Sinne systematisch …«

Meier-Graefe hatte mit seinem Buch, das 1908 auf englisch und 1914 in der bekannteren, völlig neu konzipierten und geschriebenen zweiten Auflage bei Piper erschien, großen Einfluß auf die Kunstbetrachtung des frühen 20. Jahrhunderts. Jeder Kunstinteressierte las die brillant und gleichzeitig burschikos geschriebenen Betrachtungen Meier-Graefes mit Vergnügen und Gewinn.

Noch vor dem Salon d'Automne, schon im Frühling 1904, tauchte der Name Cézanne wieder in einer Berliner Rezension auf. Diesmal stand in ›Kunst und Künstler‹ die kurze Notiz:

> »Bei Paul Cassirer findet eine Ausstellung des schwer verständlichen, herrlichen gewaltigen Künstlers Cézanne statt.«[28]

Es muß sich jedoch um eine größere Ausstellung gehandelt haben, denn sonst hätte Hans Rosenhagen nicht so ausführlich in ›Die Kunst für Alle‹ zu diesem Ereignis und diesem Künstler Stellung genommen.[29]

> »…Der Pariser Centennale verdankt man die Wiederentdeckung Cézannes. Seine Arbeiten im Saal der Impressionisten ließen erkennen, wie stark er ist. Manet wirkte neben ihm elegant, Monet dekadent, Sisley süß und Pissarro fast schwach. Man begann seine Größe zu begreifen und, da man seinem Schaffen näher trat, konnte man feststellen, daß er der eigentliche Pfadfinder des Manetschen Kreises gewesen, daß seine Wirkung auf das jüngere Künstlergeschlecht augenblicklich ganz außerordentlich ist und erst im Beginn steht. Eine ganze Reihe moderner Künstler, an deren Spitze sich Vuillard und Bonnard befinden, sind bemüht, seine herbe Kunst dem Publikum mundgerechter, verständlicher zu machen. Nachdem schon wiederholt einzelne Bilder von ihm im Salon Cassirer gezeigt und vom Publikum und vom größten Teil der Kritik entschieden abgelehnt worden waren, mußte einmal der Versuch gemacht werden, durch eine umfassendere Ausstellung die Bedeutung Cézannes den Kunstfreunden darzulegen. Im Salon Paul Cassirer ist nun eine große Kollektion seiner Werke ausgestellt, die einen vollständigen Überblick über die Entwicklung des Künstlers gestattet. Die vorgeführten Arbeiten stammen vielfach aus Privatbesitz…
> Cézannes Bilder sind dekorativ fast im monumentalen Sinne und bei aller äußerlichen Derbheit ganz hochstehende Geschmacksäußerungen. Seine Farben mögen so stark und leuchtend sein, wie sie wollen – niemals schreien seine Bilder. Er hat hier eine Frühlingslandschaft mit blauer Luft, blauem Wasser und weißem Segel, grünen Wiesen und Bäumen und buntgekleideten Menschen, die phantastisch schlecht gezeichnet sind. Die Ähnlichkeit mit Böcklin ist frappant; aber der Franzose dem Schweizer Meister an Kultur unendlich überlegen. Daß er trotz dieser Kultur wie ein eben mit reinen, unverbrauchten, unverdorbenen Sinnen aus der Hand des Schöpfers hervorgegangener Mensch wirkt, daß man ihn in allem, in seinem Geschmack, wie in seiner Art, den Pinsel zu führen, als eine Natur im Goetheschen Sinne aus dem geringsten seiner Werke empfindet, ist das beste Zeugnis für seine Größe. Und die Zeit, wo diese Größe nicht bloß von einem kleinen Kreis anerkannt wird, dürfte näher sein, als man heute glaubt.«

Einen Katalog zu dieser Ausstellung gibt es nach aller Kenntnis nicht. Die wenigen in der Rezension erwähnten Bilder lassen keinen Schluß darauf zu, wer der Hauptlieferant war und wie die Ausstellung zustande kam.

Die ersten Verkäufe Cézannes durch Paul Cassirer

Tatsächlich tauchte von diesem Zeitpunkt an der Name Cézanne regelmäßig in den Cassirerschen Geschäftsbüchern auf. Eine der ersten Eintragungen war die eines *Stillebens* (V. 610; Kat.-Nr. 55), Datum 2. April 1904, Einkauf von Bernheim-Jeune für 9000 Francs und Verkauf an Hugo von Tschudi, Nationalgalerie Berlin, für 10 000 Francs. Am 1. Juni 1904 folgte der Einkauf dreier Cézannes von Bernheim-Jeune. Diese drei Landschaftsbilder mit den französischen Titeln: *Paysage*, *Déchargeurs* und *Paysage* dürften als Leihgaben Bernheim-Jeunes in der gerade erwähnten Ausstellung gewesen und aus dieser verkauft worden sein. Es ist anzunehmen, daß der Hauptteil der Ausstellung von Bernheim-Jeune zur Verfügung gestellt worden war. Die Käufer waren der Dresdener Sammler und Händler Rothermundt für eine *Landschaft* (V. 318), der damals in Hamburg lebende Sammler Victor von Mutzenbecher für die *Schiffsentlader*

(V. 242) und ein Berliner Oberstleutnant Kuthe für eine nicht identifizierte Landschaft, die im Jahre 1913 von Cassirer wieder zurückgekauft wurde.

Weitere Cézannes erwarb Paul Cassirer in den Jahren 1904 und 1905 von Bernheim-Jeune und Vollard, und Namen wie Max Linde aus Lübeck und Theodor Behrens aus Hamburg tauchen als Käufer in den Geschäftsbüchern auf.

Julius Stern kaufte 1905 das Bild *Vase mit Tulpen* (V. 618), das Cassirer gerade von Vollard erworben hatte. Der legendäre und dubiose Prince de Wagram, von dem behauptet wurde, er habe 1907 mit 28 Jahren 28 Gemälde Cézannes besessen[30], kaufte in jener Zeitspanne drei Stilleben bei Cassirer, die wohl alle später von Bernheim-Jeune übernommen wurden.

Durand-Ruel organisierte zur selben Zeit eine Impressionisten-Ausstellung in London mit zehn Werken Cézannes aus eigenem Besitz.[31] Es handelte sich dabei weitgehend um jene Bilder, die fünf Jahre vorher bei Cassirer ausgestellt gewesen waren.

Merkwürdigerweise ist im Jahre 1906, dem Todesjahr des Künstlers, keine einzige Transaktion mit Werken Cézannes in den Geschäftsbüchern Cassirers verzeichnet. In diesem Jahr reiste Karl Ernst Osthaus, der Mäzen aus Hagen, nach Aix, um Cézanne zu besuchen, der ihn gegen alle Erwartung höflich und freundlich empfing und ihm seine Bilder zeigte. Auf der Rückreise kaufte Osthaus bei Vollard den *Steinbruch von Bibémus* (V. 767) und *Häuser bei Bellevue mit Taubenschlag* (V. 651) für sein Privatmuseum.

Unmittelbar nach Cézannes Tod verkauften seine Witwe Hortense und sein Sohn Paul den Großteil des Nachlasses an Vollard. Es handelte sich um 27 Ölbilder und 187 Aquarelle. Die geforderte Summe von 275 000 Francs überstieg die finanziellen Möglichkeiten von Vollard, so daß er die Partnerschaft der Galerie Bernheim-Jeune in Anspruch nehmen mußte.[32] In der Folge dieser Transaktion organisierte die Galerie Bernheim-Jeune im Juni 1907 eine Cézanne-Ausstellung mit 79 Aquarellen, die Cassirer im September in etwas kleinerer Form nach Berlin übernahm und die im April 1908 noch in der Galerie Emil Richter in Dresden gezeigt wurde.[33]

Ebenfalls im Jahre 1907 wurden in Paris im Salon d'Automne 49 Gemälde und sieben Aquarelle von Cézanne ausgestellt. 25 Gemälde gehörten dem größten Sammler Cézannes, dem Industriellen Auguste Pellerin, fünf Gemälde und sieben Aquarelle dem Sohn Paul Cézanne, sieben Gemälde dem Sammler Maurice Gangnat, je eines dem Maler Eugène Boch und dem Kunsthändler Aubry. Die restlichen zehn waren wohl im Besitz von Vollard und Bernheim-Jeune.

Rainer Maria Rilke kam in seinen Briefen zwischen dem 5. Oktober und dem 4. November immer wieder auf den Cézanne-Saal des Salon d'Automne zu sprechen, wo er Meier-Graefe und Graf Kessler traf. An seine Frau Clara schrieb er:

> »Eigentlich kann man ja an zwei oder drei gut gewählten Cézannes alle seine Bilder sehen, und gewiß hätten wir schon irgendwo, bei Cassirer etwa, so weit kommen können in Einsicht, wie ich mich jetzt vorrücken sehe. Aber man braucht lange lange Zeit für alles.«[34]

Cassirer kaufte in diesem Jahr von Vollard eine Landschaft, *Allee im Park des Schlosses von Chantilly* (V. 627), die sein Bruder Hugo erwarb, sowie drei Bilder von Bernheim-Jeune: eine *Straßenbiegung* (V. 330), die später der Hamburger Sammler Theodor Behrens kaufte, das *Stilleben mit Äpfeln* (V. 600), das Bernheim-Jeune im Jahr darauf wieder zurückkaufte, und die *Flußlandschaft mit Fischern* (V. 243; Kat.-Nr. 16), auch *Scène fantastique* oder *L'après-midi bourgeois* genannt, die Cassirer laut Geschäftsbuch am 4. Januar 1908 an Hugo von Tschudi für die Nationalgalerie Berlin verkaufte. Da Tschudi sich jedoch mit diesem Einkauf nicht durchsetzen konnte, wurde der Handel rückgängig gemacht. Cassirer nahm das Bild, das im Frühling 1908 in der Sezessions-ausstellung zu sehen war, am 21. August 1908 zurück und verkaufte es am 26. Januar 1909 an Max Liebermann, der es seinen Nachkommen hinterließ.

Das Jahr 1909 stand wieder im Zeichen einer bedeutenden Cézanne-Ausstellung bei Cassirer. Vom 27. November bis zum 10. Dezember wurden 42 Gemälde ausgestellt.[35] 16 Gemälde waren aus deutschem Privatbesitz. 18 Bilder kamen nachweislich von Vollard. Nur ein Bild der frühen Zeit, das *Stilleben mit Brot und Eiern* (V. 59), wurde in dieser Ausstellung verkauft. Ein sonst unbekannter Sammler, Dr. Walter Lewinstein aus Schoeneberg, erwarb es. Im Jahre 1915 kaufte es Cassirer über den Händler Wolfgang Gurlitt zurück und verkaufte es weiter an seinen Bruder Hugo.

Inzwischen war Hugo von Tschudi Direktor der Königlichen Pinakothek in München geworden. Er hatte bei Bernheim-Jeune im Jahre 1909 ein bedeutendes Bild von Greco, die *Entkleidung Christi*, gekauft und statt einer Preisreduktion eines der wichtigsten frühen Gemälde Cézannes, den *Eisenbahndurchstich in Aix* (V. 50), ausgehandelt, das er auf diese Weise seinem Museum einverleibte. Dieses Bild wurde im Frühling 1910 in der Sezessionsausstellung in Berlin gezeigt und im Katalog abgebildet.

Die großen Jahre bis zum Ersten Weltkrieg

Am 2. Oktober 1910 erwarb Cassirer von Théodore Duret eine der bedeutendsten Landschaften von Cézanne mit dem Titel *Die Ebene von Bellevue* (V. 450) und verkaufte sie an die Bremer Sammlerin Frau Adele Wolde. Dieses Bild, das noch 1921 bei Cassirer als »im Besitz Wolde« ausgestellt war, wurde später unter dem Druck der Weltwirtschaftskrise verkauft und befindet sich heute in der Barnes Foundation in Merion bei Philadelphia.

Ende 1910 wurden in der Londoner Grafton Gallery in der Ausstellung *Manet and the Post-Impressionists* 20 Gemälde von Cézanne ausgestellt, die alle aus dem Pariser Handel kamen.

1912 wurde das wichtigste Jahr für den Durchbruch der modernen Kunst, und zwar dank der Sonderbund-Ausstellung in Köln, die nicht nur für Deutschland, sondern weltweit als bedeutungsvoll galt. Paul Cassirer gehörte dem Arbeitsausschuß dieser Ausstellung an, die fünf Monate, von Mai bis September, dauerte.

Von den 26 dort ausgestellten Gemälden Cézannes waren 14 als deutscher Privatbesitz ausgewiesen. Die im Katalog genannten Sammler waren unter anderen Bernhard Koehler, Berlin, mit drei Bildern, von denen er eines, ein Bildnis der Madame Cézanne (V. 577), im Beisein von Franz Marc bei Vollard in Paris erworben hatte, Tilla Durieux, die Gattin Paul Cassirers, Hugo Cassirer und Julius Stern aus Berlin sowie Leonhard Tietz aus Köln und Frau Georg Wolde aus Bremen. Der Kunsthändler Alfred Flechtheim war als Besitzer von drei Bildern und einem Aquarell aufgelistet.[36] In den Cassirerschen Geschäftsbüchern sind in diesem Jahr 14 Cézanne-Einkäufe verzeichnet, darunter vier von Bernheim-Jeune und sechs von Vollard.

Allmählich ließen sich auch in Deutschland spezifische Cézanne-Sammler feststellen. Als erster wäre der Industrielle Gottlieb Friedrich Reber aus Barmen zu nennen. Seine Sammlung wurde im Januar 1913 bei Cassirer mit elf Gemälden und im Mai 1913 in Darmstadt mit 14 Gemälden Cézannes ausgestellt.[37] Aus den Vollardschen Geschäftsbüchern ist ersichtlich, daß einige der in diesen beiden Ausstellungen gezeigten Bilder unmittelbar vorher verkauft worden waren. Jedoch ist es wiederum unklar, ob die Bilder auch wirklich Reber gehörten.

In einem Artikel über die Sammlung, der 1913 in ›Kunst und Künstler‹ erschien, wurde in bezug auf die Ausstellung bei Cassirer festgestellt, Reber habe um 1910 angefangen zu sammeln und seine Sammlung sei ein Durcheinander von Objekten des 15. Jahrhunderts bis zu Manet und Cézanne gewesen. Acht Gemälde Cézannes wurden folgendermaßen beschrieben: *Stilleben mit Zuckerdose, Quitten, Zitrone und Birnen* (V. 624), *Der Harlekin* (V. 555), *Der junge Mann, der am Tisch vor dem Totenkopf sitzt* (V. 679), *Der Mann mit den gekreuzten Armen* (V. 689), *Der Fuhrmann* (V. 687), *Die badenden Männer* (V. 580), *Die ›lutteurs amoureux‹* (V. 380) und *Das Haus im Park*

(V. 635).[38] Meier-Graefe, der den Sammler 1931 in seinem neuen Heim in Lausanne besucht hatte, schrieb:

> »Er hat die überwiegende Mehrzahl der Cézannes gegen Bilder Picassos vertauscht und tat im Prinzip ähnlich wie vor Jahren Pellerin, der seine kostbare Manet-Sammlung verkaufte, um sich ausschließlich auf Cézanne zu stürzen. Man sagt Pellerin nach, er sei, beraten von Vollard, geschäftlichen Überlegungen gefolgt. Über Reber wurde ähnlich gemunkelt, und man warf ihm nicht nur Spekulation vor, sondern nannte ihn einen schlechten Spekulanten, weil er für zehn Picassos einen Cézanne hergab. Marktmäßig gedacht handelte er wahrscheinlich klug. Man kann es heute noch nicht mit derselben Sicherheit bestimmen wie im Falle Pellerin, der ein Riesengeschäft gemacht hat. Davon abgesehen ist Rebers Transaktion so gut ein Stück Kunstgeschichte wie vorher der Austausch Manets gegen Cézanne.«[39]

Der Pariser Kunsthändler Paul Rosenberg verkaufte eine Reihe bedeutender Bilder Cézannes, die laut Venturi Reber besessen haben soll: *Gebirgsmassiv Sainte-Victoire mit der großen Pinie* (V. 455), *Haus und Farm des Jas de Bouffan* (V. 460; Kat.-Nr. 49), *Waldstück* (V. 788), *Stilleben* (V. 742), den *Bauern* (V. 687) und zwei Versionen der *Badenden* (V. 541 und V. 580).

Reber war einer der ersten sogenannten »marchands-amateurs«: ein Sammler, der jeweils durchaus zu verkaufen bereit war. Am längsten besaß er den *Jungen Philosophen* (V. 679), die kleine Version des *Knaben mit der roten Weste* (V. 683), die er in einer finanziellen Notlage über den Pariser Kunsthandel an Barnes verkaufte. Sein Stolz war jedoch die große Version des *Knaben mit der roten Weste* (V. 681; Kat.-Nr. 45) – von Meier-Graefe 1931 im Artikel über Reber erwähnt –, die erst nach dem Krieg, 1948, von Emil Georg Bührle erworben wurde.

Auch Egisto Fabbris *Knabe mit der roten Weste* (V. 682) befand sich in einer deutschen Sammlung. Der Berliner Bankier Jakob Goldschmidt erwarb dieses Bild durch Paul Rosenberg im Jahre 1937 und nahm es mit nach Amerika. Es war eines der sieben Bilder aus der legendären Sotheby-Auktion des Nachlasses Jakob Goldschmidt in London 1958, wo es von Paul Mellon ersteigert wurde.

Ein weiterer Sammler Cézannes war der gebürtige Schweizer Oskar Schmitz, Teilhaber eines Exportgeschäfts in Le Havre, der in Dresden lebte. In den Jahren 1909/10 und 1920/21 erschienen zwei Artikel über ihn und seine Sammlung in ›Kunst und Künstler‹.[40] Seine sechs Cézannes, ein Porträt (V. 72), ein Stilleben (V. 338) und vier Landschaften (V. 328, V. 401, V. 410 und V. 411), wurden erst im zweiten Artikel erwähnt, was bedeuten dürfte, daß er sie erst nach 1910 erwarb, obwohl er noch bis 1903 in Paris gelebt hatte und mit Durand-Ruel befreundet gewesen war.

Die wichtigste Sammlerin Cézannes in Deutschland war jedoch die Berlinerin Margarete Oppenheim. Sie besaß zehn bedeutende Gemälde und drei Aquarelle des von ihr verehrten Künstlers. Im Jahre 1913 kaufte sie drei Cézanne-Landschaften bei Cassirer, die alle von Vollard kamen: im Februar *In der Ebene von Bellevue* (V. 448); im November *Die Umgebung von Gardanne* (V. 436) und das *Haus mit rotem Dach* (V. 468; Kat.-Nr. 48). Diese beiden Bilder waren im November und Dezember 1913 bei Cassirer mit vier anderen Bildern ausgestellt.[41] Die Sammlerin besaß außerdem eine Skizze der *Badenden* (V. 257) und *Sieben männliche Badende* (V. 387; Kat.-Nr. 79). Dazu kamen noch vier Landschaften: *Dorf und Meer bei L'Estaque* (V. 294), *Umgebung von Marseille* (V. 407), *Der gekrümmte Baum* (V. 420) und *Die Häuser bei Bellevue mit Taubenschlag* (V. 652). Ihre Bilder wurden nach 1930 von der Firma Cassirer verkauft. Drei Gemälde (V. 407, V. 652, V. 387) und die drei Aquarelle wurden am 18. Mai 1936 zusammen mit den Möbeln der Sammlung Margarete Oppenheim bei Julius Böhler in München versteigert. Die Firma Paul Cassirer Berlin gab es damals schon nicht mehr. Nur die *Sieben männlichen Badenden* (V. 387; Kat.-Nr. 79) fanden einen Käufer.

1916 wurden in den Cassirerschen Geschäftsbüchern Einkäufe von Vollard und Bernheim-Jeune registriert. Es muß sich dabei um Ankäufe gehandelt haben, die sich schon vor Kriegsbeginn in Berlin befanden und nun verkauft wurden: So ein Bild *Anwesen des Jas de Bouffan* (V. 466) von Bernheim-Jeune, das Max Liebermann erwarb, und *Der Mord* (V. 121; Kat.-Nr. 2), der nach kurzem Aufenthalt bei dem Mannheimer Industriellen Sally Falk noch vor Kriegsende via Cassirer zu Julius Elias gelangte.

Die im Krieg getätigten Verkäufe von Bildern, welche die Pariser Kollegen Cassirer in Kommission gegeben hatten, führten zum irreparablen Zerwürfnis zwischen Paul Cassirer und seinen traditionellen französischen Geschäftspartnern. Da das für diese Bilder erzielte deutsche Geld nach dem Krieg wertlos war, fühlten sich die Pariser Kollegen betrogen und brachen den Kontakt zu Paul Cassirer ab. Er, als Deutscher zusätzlich nun auch noch der politische Feind, wurde nach dem Krieg in Paris nicht mehr empfangen, was nicht nur Folgen für seine kunsthändlerische Tätigkeit hatte, sondern ihn auch menschlich zutiefst kränkte.

Im Jahre 1917 wurde noch ein Landschaftsbild, *Die Dorfstraße* (V. 141), von Josse Hessel, dem Vetter der Bernheim-Jeunes, übernommen.

Im Jahre 1921 stellte die Firma Paul Cassirer 42 Gemälde Cézannes aus deutschem Privatbesitz aus. Sie gehörten 20 deutschen Sammlern.[42] In der Folge hat nur eines der Bilder, die *Schiffsentlader* oder die *Seine bei Bercy* (V. 242), Deutschland nicht verlassen. Dieses Bild aus dem Besitz von Theodor Behrens wurde im Jahre 1924 an die Kunsthalle Hamburg verkauft, wo es sich heute noch befindet.

Zwischen den beiden Weltkriegen

Die Firma Paul Cassirer hatte sich bereits im Krieg auf Auktionen spezialisiert, die sie in Berlin zusammen mit dem Münchener Auktionshaus Hugo Helbing durchführte.

Die erste Auktion am 22. Mai 1916 betraf die Sammlung des Bankiers Julius Stern, der bereits 1905 die *Vase mit Tulpen* (V. 618) bei Cassirer erworben hatte. Dieses Bild, Nr. 8 der Auktion, wurde für 40 000 Mark an den Mannheimer Industriellen Sally Falk verkauft.[43] Die gesamte Sammlung Falk wurde jedoch zwei Jahre später von Paul Cassirer übernommen, und die *Vase mit Tulpen* wurde laut Geschäftsbüchern am 20. April 1918 an Frau F. Schütte, Bremen, verkauft. Danach gab es zu Cassirers Lebzeiten keine belegbaren Transaktionen mit Werken Cézannes mehr.

Ebenfalls im Jahre 1916 präsentierte die Moderne Galerie (Heinrich Thannhauser) München einen 168 Seiten schweren Lagerkatalog mit Werken von Goya bis Picasso. Heinrich Thannhauser hatte sich im Jahre 1909 von seinem Partner Brakl getrennt, um sich intensiver der modernen Kunst zu widmen. Im Jahre 1911 trat der 1892 geborene, stark nach Frankreich orientierte Justin Thannhauser in das väterliche Geschäft ein. Er organisierte im Dezember 1913 eine Ausstellung mit etwa 20 Werken von Cézanne.[44] Der Lagerkatalog von 1916 enthielt vier Gemälde Cézannes: *Pfirsich-Stilleben* (V. 12), *Gattin des Künstlers* (V. 571), *Früchte-Stilleben* (V. 210) und *Männliches Bildnis* (V. 20). Diese Bilder wurden in drei Nachtragsbänden noch um die Gemälde *Gattin des Künstlers* (V. 522), *Hagar* (V. 708), *Auvers sur Oise* (V. 141), *Berglandschaft* (V. 48) und *Felsenlandschaft* (nicht bei Venturi) ergänzt. Nur ein Werk, die *Hagar* (V. 708), fand einen deutschen Käufer. Die wichtigen Bilder dieser Gruppe wurden erst viele Jahre später in Amerika verkauft.

Nach der Inflationszeit der frühen zwanziger Jahre, die viele Sammler zu Verkäufen zwang, fand Ende des Jahrzehnts in Deutschland ein wirtschaftlicher Aufschwung statt, der Berlin zu einer Hochburg des Kunsthandels machte. Die Kunsthändler Marcel Goldschmidt aus Frankfurt, Justin Thannhauser aus München und Alfred Flechtheim aus Düsseldorf eröffneten Filialen in Berlin. Alfred Gold und Hugo Perls gründeten neue Galerien und handelten mit den nun schon allgemein anerkannten Meistern des französischen 19. Jahrhunderts.

Nach dem Tod von Paul Cassirer im Januar 1926 übernahmen die Mitinhaber Dr. Walther Feilchenfeldt und Dr. Grete Ring die Geschäftsführung. Beide waren im Jahre 1919 bei Paul Cassirer eingetreten.

Feilchenfeldt erwarb für die Firma Paul Cassirer im Juni 1929 die Sammlung des Pariser Verlegers Paul Gallimard. Im Oktober 1929 brach die amerikanische Börse und damit auch der Kunstmarkt zusammen. Bilder konnte man über Jahre nicht mehr

verkaufen, so auch das Gallimardsche Cézanne-Stilleben *Tasse, Glas und Früchte*
(V. 186), das sechs Jahre auf einen Käufer warten mußte. Der Bankier Siegfried
Kramarsky erwarb es im November 1936.

Nach der Machtergreifung der Nationalsozialisten im Jahre 1933 stellte sich für
die Kunstsammler und Kunsthändler jüdischer Herkunft, die zu jenem Zeitpunkt nicht
ahnten, daß nicht nur ihre Existenz, sondern auch ihr Leben bedroht war, das Problem,
ihre Vermögen retten zu müssen. Das bedeutete, Wege zu suchen, die Sammlungen
von Kunstwerken ins Ausland zu bringen.

Feilchenfeldt und Grete Ring beschlossen, die Berliner Firma zu liquidieren, was
am 31. März 1935 registriert wurde. Feilchenfeldt begab sich nach Amsterdam, wo
Dr. Helmuth Lütjens die bereits in den zwanziger Jahren gegründete Cassirer-Filiale
leitete. Grete Ring eröffnete eine neue Firma, Paul Cassirer Ltd., in London.

Feilchenfeldt hatte jedoch damals schon gute Verbindungen zur Schweiz, und
als er hörte, daß Dr. Wartmann, der Direktor des Züricher Kunsthauses, im Frühling
1933 eine Ausstellung französischer Maler des 19. Jahrhunderts plante, bot er seine
Hilfe an. Der Großteil der 103 ausgestellten Werke kam aus Deutschland. Feilchenfeldt
hatte 37 Werke beschafft, von denen 17 Eigentum der Firma Paul Cassirer waren.[45]
13 Werke Cézannes waren in Zürich ausgestellt. Die Besitzer waren Oskar Schmitz,
Bruno Cassirer und Estella Katzenellenbogen. Oskar Schmitz war 1931 in die Schweiz
übergesiedelt und hatte in Basel und Zürich seine Sammlung ausgestellt.

In Bern fand im Februar 1934 die Ausstellung *Französische Meister des 19. Jahrhunderts und Van Gogh* mit sieben Werken Cézannes statt. Drei Gemälde (Nrn. 3–5)
kamen aus der Sammlung Staechelin in Basel, vier (Nrn. 6–9) hatte Feilchenfeldt aus
Deutschland in die Schweiz gebracht.[46]

Nach Beendigung der Schweizer Ausstellungen mußte eine Möglichkeit
gefunden werden, die Bilder nicht nach Deutschland zurückzuschicken. Das Museum
Boymans in Rotterdam nahm die Gelegenheit wahr, eine Ausstellung französischer
Kunst des 19. Jahrhunderts mit 85 Exponaten zu organisieren. Die Hauptwerke der
Sammlung Gallimard, miteinbezogen das Stilleben *Tasse, Glas und Früchte* (V. 186),
sowie das *Stilleben mit einer Kommode* (V. 497) des Verlegers Samuel Fischer und die
beiden Bilder aus der Sammlung Dr. Alexander Lewin aus Guben, *Das Meer bei
L'Estaque* (V. 770; Kat.-Nr. 72) und *Vier Badende* (V. 726), wurden auf diese Weise nach
Holland verfrachtet, wo sie bis auf weiteres gelagert werden konnten.[47]

Auch das Gemeentemuseum in Den Haag war ein verständnisvoller Partner, der
Bilder aufnahm und für die heimatlosen Besitzer lagerte. So listet Venturi in seinem
1936 erschienenen Werkverzeichnis die Bilder der Familie Hugo Cassirer-Fürstenberg
als Depositum im Gemeentemuseum, Den Haag auf.[48] Mit Hilfe von Justin Thannhauser wurden die Werke dieser Sammlung im April 1939 nach Montevideo geschickt,
von wo sie nach dem Krieg nach New York geholt werden konnten. Das frühe *Stilleben
mit Brot und Eiern* (V. 59) verkaufte Thannhauser nach Cincinnati, das *Stilleben mit
Kanne und verschiedenen Früchten* (V. 615) an den New Yorker Sammler Harry Bakwin.

Feilchenfeldts bester Freund und Kunde war der Schriftsteller Erich Maria
Remarque, der Anfang der dreißiger Jahre im Moment der größten Depression als
Käufer aufgetaucht war und unter anderem die Cézanne-Landschaft aus der Samm-
lung Margarete Oppenheim *In der Ebene von Bellevue* (V. 448) erwarb. Remarque,
nicht aus rassischen, sondern aus politischen Gründen verfolgt, emigrierte zuerst in die
Schweiz und kurz vor Kriegsausbruch nach Amerika.

Inzwischen wurden Kunstwerke als »entartet« aus deutschen Museen entfernt.
Feilchenfeldt weigerte sich, irgendein so gebrandmarktes Kunstwerk zu erwerben oder
zu vermitteln. Siegfried Kramarsky, der deutsche Bankier aus Hamburg, der schon seit
den zwanziger Jahren in Amsterdam gelebt hatte, bevor er rechtzeitig nach Amerika
emigrierte, war da anderer Meinung. Er erwarb unter anderem den *Steinbruch von
Bibémus* (V. 767), der am 27. August 1937 zusammen mit 145 Werken aus dem Museum
Folkwang in Essen beschlagnahmt worden war.[49]

Dieses Bild, der Ankauf von Karl Ernst Osthaus aus dem Jahre 1906, war das Werk, dessen Verlust für das Museum Folkwang am schwersten wog. So schrieb Paul Vogt zur Geschichte des Essener Museums zu einem Zeitpunkt, als das Bild noch in Amerika war.

Nach dem Krieg

Walther Feilchenfeldt gründete nach dem Krieg in Zürich eine Firma unter seinem Namen, die am 1. Januar 1948 eröffnet wurde. Es war jedoch seine Frau Marianne Feilchenfeldt, die nach seinem Tod im Jahre 1953 das Geschäft weiterführte und einen wesentlichen Beitrag zur Rezeptionsgeschichte Cézannes in Deutschland leistete, indem sie zwischen 1959 und 1964 vier Gemälde Cézannes an deutsche Museen verkaufte.

Das erste war *Das Meer bei L'Estaque* (V. 770; Kat.-Nr. 72), ehemals Sammlung Dr. Alexander Lewin aus Guben, später New York, das im März 1959 Jan Lauts bei ihr kaufte. Es wurde aus Sonderfonds des Baden-Württembergischen Kultusministeriums für die Kunsthalle Karlsruhe erworben.

Im Juni 1965 kaufte Gert von der Osten für das Wallraf-Richartz-Museum in Köln bei ihr die beiden Gemälde *In der Ebene von Bellevue* (V. 448), ehemals Sammlung Erich Maria Remarque, und das *Stilleben mit Teller und Birnen* (V. 744; Kat.-Nr. 84), ehemals Sammlung Hugo Cassirer.

Die wichtigste Transaktion war jedoch die Rückführung von Cézannes *Steinbruch von Bibémus* (V. 767) an das Museum Folkwang in Essen. Dem Direktor des Museums, Heinz Köhn, der bei der Beschlagnahme des Bildes als Assistent dabeigewesen war, gelang es, mit Hilfe des Westdeutschen Rundfunks die Mittel aufzutreiben, dieses bedeutende Gemälde Cézannes, das die Kramarskys im Dezember 1964 zum Verkauf angeboten hatten, nach 27 Jahren Abwesenheit in sein angestammtes Museum zurückzuholen.[50]

Je zwei weitere Bilder Cézannes kamen nach 1945 in je zwei deutsche Museen. Die Stuttgarter Staatsgalerie erwarb 1955 das *Stilleben mit Totenkopf und Leuchter* (nicht bei Venturi) aus Pariser Privatbesitz und 1960 die *Weiblichen Badenden vor einem Zelt* (V. 543; Kat.-Nr. 34) aus der Sammlung Moltzau. Das Von der Heydt-Museum in Wuppertal erhielt, zusätzlich zu der 1912 von Julius Schmits aus Elberfeld gestifteten

Paul Cézanne, *Steinbruch von Bibémus*, um 1895. Museum Folkwang, Essen (Obwohl das Leihgesuch nun über ein Jahr zurückliegt, konnte eine Entscheidung, ob das Bild als Leihgabe für die Ausstellung zur Verfügung gestellt wird oder nicht, bis zur Drucklegung des Kataloges nicht herbeigeführt werden! G. A.)

307

Landschaft *Die Eremitage in Pontoise* (V. 176), im Jahre 1964 mit dem Vermächtnis Von der Heydt den *Liegenden weiblichen Akt* (V. 551; Kat.-Nr. 35) und das *Bildnis des Sohnes Paul* (V. 536).

Heute befinden sich 20 Gemälde Cézannes in deutschen Museen, nicht mitgerechnet das angeblich verbrannte Bild *Blick auf Auvers durch die Bäume* (V. 151) aus dem Kaiser-Friedrich-Museum in Magdeburg, bei dem die Hoffnung auf ein Wiederauftauchen nicht aufgegeben werden sollte.

Chronologisch nach ihrem Erwerbungsjahr aufgelistet, handelt es sich um folgende Bilder:

1897	*Die Mühle an der Couleuvre bei Pontoise*	(V. 324) Kat.-Nr. 25
	Berlin, Nationalgalerie	
1904	*Stilleben mit Blumen und Früchten*	(V. 610) Kat.-Nr. 55
	Berlin, Nationalgalerie	
1906	*Stilleben mit Topf und Flasche*	(V. 71)
	Berlin, Nationalgalerie	
1906	*Steinbruch von Bibémus*	(V. 767)
	1937 beschlagnahmt und verkauft	
1906	*Häuser in Bellevue mit Taubenschlag*	(V. 651)
	Essen, Museum Folkwang	
1909	*Eisenbahndurchstich in Aix*	(V. 50)
	München, Neue Pinakothek	
1910	*Der Raucher*	(V. 684)
	Mannheim, Städtische Kunsthalle	
1912	*Selbstporträt*	(V. 284)
	Stilleben mit Kommode	(V. 496) Kat.-Nr. 53
	München, Neue Pinakothek	
1912	*Die Eremitage in Pontoise*	(V. 176)
	Wuppertal, Von der Heydt-Museum	
1918	*Dorf hinter Bäumen*	(V. 438) Kat.-Nr. 73
	Bremen, Kunsthalle	
1924	*Die Seine bei Bercy*	(V.242)
	Hamburg, Kunsthalle	
1929	*Felslandschaft*	(nicht bei V.) Kat.-Nr. 9
	Frankfurt, Städtische Galerie	
1955	*Stilleben mit Totenkopf und Leuchter*	(nicht bei V.)
	Stuttgart, Staatsgalerie	
1959	*Das Meer bei L'Estaque*	(V. 770) Kat.-Nr. 72
	Karlsruhe, Kunsthalle	
1960	*Weibliche Badende vor einem Zelt*	(V. 543) Kat.-Nr. 34
	Stuttgart, Staatsgalerie	
1964	*Steinbruch von Bibémus*	(V. 767)
	Essen, Museum Folkwang	
1964	*Liegender weiblicher Akt*	(V. 551) Kat.-Nr. 35
	Bildnis des Sohnes Paul	(V. 536)
	Wuppertal, Von der Heydt-Museum	
1965	*In der Ebene von Bellevue*	(V. 448)
	Stilleben mit Teller und Birnen	(V. 744) Kat.-Nr. 84
	Köln, Wallraf-Richartz Museum	

So verdanken die deutschen Museen ihren Cézanne-Bestand letzten Endes drei Personen: Hugo von Tschudi erwarb sechs Bilder. Drei sind heute in Berlin, drei in München. Karl Ernst Osthaus kaufte seine zwei Bilder zu Lebzeiten des Künstlers in Paris. Paul Cassirer holte die sechs Bilder nach Deutschland, die sich heute in den Museen in Mannheim, Bremen, Hamburg, Karlsruhe und Köln befinden.
Cézanne hat in Deutschland nie die Popularität Van Goghs erreicht, aber für Paul Cassirer war er der Größte. Auf die Frage, warum er mit französischer und nicht mit deutscher Kunst »spekulierte«, antwortete er im Jahre 1911, bei einem der wenigen Male, die er sich schriftlich äußerte:

»Weil ich Manet liebte,
weil ich in Monet, Sisley und Pissarro starke Künstler sah,
weil ich in Daumier, Renoir Genies,
in Degas einen der größten Meister,
in Cézanne den Träger einer Weltanschauung erblickte.«[51]

Die Zeit hat ihm recht gegeben.

John Rewald und seine Assistentin Jayne Warman bereiten das neue Werkverzeichnis der Gemälde von Paul Cézanne vor. Ich danke ihnen, Titia Hoffmeister, Gerrard White und Roland Dorn für Unterlagen und Hinweise sowie allen meinen Freunden für ihre Unterstützung.

Die *kursiv* gesetzten Titel der Werke Cézannes sind, im Zusammenhang ersichtlich, wörtlich aus den zitierten deutschsprachigen Geschäftsbüchern, Katalogen und Rezensionen übernommen oder Übersetzungen der französischen Titel aus dem Werkverzeichnis von Lionello Venturi, *Cézanne, son art, son œuvre*, Paris 1936, abgekürzt: V.

1   A. Vollard, *Souvenirs sur Cézanne*, [25e Anniversaire de la mort de Cézanne], in: Cahier d'Art 14, 1931, S. 386.
2   Paul Cézanne, *Briefe*, Zürich 1962; Cézanne an Julien Tanguy, 4. März 1878, und Julien Tanguy an Cézanne, 31. August 1885.
3   M. Bodelsen, *Early Impressionist Sales 1874–94*, in: Burlington Magazine, June 1968, S. 335, und *Gauguins Cézannes*, in: Burlington Magazine, May 1962, S. 204–211.
4   J. Rewald, *Chocquet and Cézanne*, in: Studies in Impressionism, New York 1985, S. 162
    Dieser Artikel erschien zuerst 1969 in der Gazette des Beaux-Arts, Tome LXXIV, 11. Jg., S. 33 ff. Hier und im folgenden wird die überarbeitete Version von 1985 zitiert.
5   G. Migeon, *Isaac de Camondo*, in: Musée National du Louvre, Catalogue de la Collection Isaac de Camondo, Paris 1922.
6   J. Meier-Graefe, *Handel und Händler*, in: Kunst und Künstler, 11. Jg., 1912/13, S. 205.
7   M. Bodelsen, *Early Impressionist Sales 1874–94*, in: Burlington Magazine, June 1968, S. 348.
8   A. Vollard, *Erinnerungen eines Kunsthändlers*, Zürich 1957, S. 32.
9   Vincent van Gogh, *Schuhe*, Baltimore Museum of Art (Cone Collection).
10 A. Vollard, *Paul Cézanne*, Paris 1914, S. 58.
11 J. Rewald, *Cézanne and America*, New York 1989, S. 21–30.
12 A. Vollard, *Erinnerungen eines Kunsthändlers*, Zürich 1957, S. 131.
13 Anonym: Revue Blanche, 15. Juni 1897.
14 J. Rewald, *Paul Cézanne*, Köln 1986, S. 270, und J. Rewald, *Cézanne and America*, New York 1989, S. 49, Anm. 7.
    Die zwölf Bilder waren, laut einer Liste von Durand-Ruel, deren Inhalt mir von John Rewald und Jayne Warman zugänglich gemacht wurde: unverkäuflich: V. 156, V. 158, V. 181, V. 373, V. 522, V. 617, verkäuflich: V. 173, V. 337, V. 338, V. 442, V. 562 und *Pommes* (weder von Rewald noch von Durand-Ruel bisher identifiziert).
15 Ausstellungskatalog: Berlin, Bruno und Paul Cassirer, *III. Jahrgang der Kunstausstellungen*, Winter 1900/01. Dieser Katalog wurde von Titia Hoffmeister gefunden und mir dankenswerterweise zugänglich gemacht.
16 J. Rewald, *Chocquet and Cézanne*, in: Studies in Impressionism, New York 1985, S. 181, Anm. 30.
17 Ibid. S. 167.
18 3e Exposition de peinture, 6 rue le peletier, Paris, 1877, Paul Cézanne:

17–19. *Nature Morte*	[V. 196]
17–19. *Nature Morte*	[V. 197]
17–19. *Nature Morte*	[V. 207]
20–21. *Etude de fleurs*	[V. 181]
20–21. *Etude de fleurs*	[V. 182]
22–25. *Paysage, étude d'après nature*	[V. 158]
22–25. *Paysage, étude d'après nature*	[V. 168]
22–25. *Paysage, étude d'après nature*	[V. 171]
22–25. *Paysage, étude d'après nature*	[V. 173]
26. *Les Baigneurs, étude, projet de tableau*	[V. 273]
27. *Un Tigre, d'après Delacroix*	[V. 250]
28. *Figure de femme*	[?]
29. *Tête d'homme*	[V. 283]
30–31. Aquarelle, *Impression d'après nature*	[RWC. 10]
30–31. Aquarelle, *Impression d'après nature*	[RWC. 17]
32. Aquarelle, *Fleurs*	[RWC. 8]
Außer Katalog: *Scène fantastique*	[V. 243]

    Meine Identifizierungen gehen von der Hypothese aus, daß alle Werke Cézannes Victor Chocquet gehörten.
19 J. Rewald, *Chocquet and Cézanne*, in: Studies in Impressionism, New York 1985, S. 182, Anm. 47.
20 J. Meier-Graefe, *Entwicklungsgeschichte der modernen Kunst*, Stuttgart 1904, S. 166.
21 Ankäufe von 17 Werken durch Durand-Ruel in der Auktion Chocquet V. 145, V. 156, V. 158, V. 171, V. 173, V. 181, V. 182, V. 196, V. 197, V. 207, V. 266, V. 320, V. 369, V. 400, V. 442, V. 552, V. 617.
22 *Sommerlandschaft* (V. 633) AV Stock Nr. 3773:
    »Huile; sur un terrain vert deux massifs d'arbres, au milieu comme un monticule rougeatre et verdoyant 73:60«
    Äpfel auf einem Tisch (V. 502) AV Stock Nr. 3361:
    »Peinture à l'huile; representant deux assiettes une petite avec des fruits d'une harmonie verte; et une grand harmonie rouge 54:60«
    Harlequin (V. 555) AV Stock Nr. 3908:
    »Huile; Harlequin tenant sa batte 62:46«
    Die Vollard-Stockbücher (AV) wurden mir dankenswerterweise von John Rewald und Gerrard White zugänglich gemacht.

23 p.w. [Paul Warncke], *Sammlungen und Ausstellungen*, in: Kunstchronik, Neue Folge, 12. Jg., 29. 11. 1900,
S. 105 f.
Die Artikel in Kunstchronik und Kunst für Alle zu Ausstellungen bei Cassirer wurden mir dankenswerterweise von Roland Dorn zugänglich gemacht.
24 h.r. [Hans Rosenhagen], *Aus Berliner Kunstsalons*, in: Die Kunst, 3, 1900/01, S. 193.
25 B. v. Bismarck, *Harry Graf Kessler und die französische Kunst*, in: Zeitschrift des Deutschen Vereins für
Kunstwissenschaft, Berlin 1988, S. 60, Anm. 36.
26 H [E. Heilbut], *Die Impressionistenausstellung der Wiener Sezession*, in: Kunst und Künstler, 1. Jg., S. 189 f.
27 J. Meier-Graefe, *Entwicklungsgeschichte der modernen Kunst*, Stuttgart 1904, S. 165–170.
28 h [E. Heilbut], *Chronik*, in: Kunst und Künstler, 2. Jg., 1903/04, S. 378.
29 H. Rosenhagen, *Von Ausstellungen und Sammlungen*, in: Die Kunst für Alle, Mai–Juni 1904, S. 401.
Diese Rezension haben mir dankenswerterweise John Rewald und Jayne Warman zugänglich gemacht.
30 A. Distel, *Wagram*, in: Petit Larousse de la Peinture, Paris 1979, S. 1960.
31 J. Rewald, *Cézanne and America*, New York 1989, S. 134.
32 J. Rewald, *Cézanne*, Köln 1986, S. 264 f. und J. Rewald, *Cézanne-Watercolours*, London 1983, S. 39 f.
33 Ibid., S. 469.
34 Rainer Maria Rilke, *Briefe*, Frankfurt/Main 1985–87, An Clara Rilke, 10. 10. 1907.
35 Ausstellungskatalog: Berlin, Paul Cassirer, XII/3, 27. November–10. Dezember 1909,
42 Gemälde von Cézanne

1. *Dorf unter Bäumen*	[V. 406]
2. *L'Estague* [sic]	[V.]
3. *Stilleben*	[V. 59]
4. *Nähende Frau (Madame Cézanne)*	[V. 291]
5. *Die Dächer*	[V. 175]
6. *Stilleben (Früchte)*	[V. 615]
7. *Landschaft*	[V. ?]
8. *Landschaft*	[V. ?]
9. *Portrait: Valabrègue*	[V. 126]
10. *Portrait: Madame Cézanne*	[V. 570]
11. *Landschaft*	[V. 667?]
12. *Bauer, Zeitung lesend*	[V. 25]
13. *Dame mit Krinoline im Interieur*	[V. 24]
14. *Kastanienbäume*	[V. 462]
15. *Landschaft*	[V. 468]
16. *Landschaft*	[V. 635]
17. *Freilichtbildnis: Madame Cézanne*	[V. 569]
18. *Portrait: Valabrègue*	[V. 127]
19. *Stilleben mit Brot*	[V. 59]
20. *Landschaft mit kleinen Häusern*	[V. 448]
21. *Stilleben mit Uhr*	[V. 69]
22. *Landschaft, Auvers*	[V. 178]
23. *Landschaft*	[V. 414?]
24. Studie zu *Nana* von Zola	[V. 247]
25. *Landschaft, Auvers*	[V. ?]
26. *Selbstbildnis*	[V. 579]
27. *Sommer-Sonntag* (Privatbesitz)	[V. 243]
28. *Tulpen* (Privatbesitz)	[V. 618]
29. *Selbstbildnis*	[V. 290]
30. *Aus der Umgegend von Marseille* (Privatbesitz)	[V. 407]
31. *Die Kartenspieler* (Privatbesitz)	[V. 557]
32. *Stilleben*	[V. ?]
33. *Landschaft* (Privatbesitz)	[V. 455?]
34. *Landschaft* (Privatbesitz)	[V. 460?]
35. *Stilleben* (Privatbesitz)	[V. 624?]
36. *Stilleben* (Privatbesitz)	[V. ?]
37. *Stilleben* (Privatbesitz)	[V. ?]
38. *Junger Mann mit roter Weste* (Privatbesitz)	[V. 681?]
39. *Stilleben* (Privatbesitz)	[V. 495?]
40. *Stilleben* (Privatbesitz)	[V. 345?]
41. *Saint Victoire bei Marseille* (Privatbesitz)	[V. 664?]
42. *Bildnis Madame Cézanne* (Privatbesitz)	[V. 577?]

Die Nummern 1–8 waren Werke, die sich schon längere Zeit bei Cassirer in Kommission befanden.
Nrn. 9–26 waren eine Sendung von Vollard, speziell für diese Ausstellung, in einem Brief vom
11. November 1909 von Vollard an Cassirer aufgelistet. Nrn. 33–35 gehörten möglicherweise Gottlieb
Friedrich Reber, Nrn. 36–38 Marcel von Nemes, Nrn. 39–42 Bernhard Koehler.
36 Ausstellungskatalog: Köln, *Sonderbund*, 25. Mai–30. September 1912,
24 Gemälde und 2 Aquarelle von Cézanne

126. *Stilleben, Früchte mit Glas und Porzellanschale.* Leonhard Tietz, Cöln	[V. 351?]
127. *Ansicht von Pontoise.* A. Bonger, Amsterdam	[V. 307]
128. *Früchte auf blauem Teller.* Bernhard Koehler, Berlin	[V. 345]
129. *Apfelstilleben, Tisch mit blauem und weissem Tuch.* Baron Franz v. Hatvany, Budapest-Paris	Abb. [V. 598]
130. *Stilleben, Früchte und Kanne auf weißer Tischdecke.* Dr. Hugo Cassirer, Berlin	[V. 615]
131. *Tulpen.* Bankdirektor Julius Stern, Berlin	[V. 618]

132.	*Madame Cézanne.* Bernhard Koehler		[V. 577]
133.	*Blumenstrauß in grünem Topf.* A. Bonger		[V. 511]
134.	*Rosenstrauß in braunem Topf.* A. Bonger		[V. 358]
135.	*Baumwiese mit Durchblick auf Häuser am Hügel*		[V. 651]
136.	*Baumbestandener Weg mit Durchblick auf Dächer.* Dr. Hugo Cassirer		[V. 627]
137.	*Häuser im Grünen.* Frau Georg Wolde, Bremen	Abb.	[V. 450]
138.	*Durchblick durch einen Parkweg*		[V. 626]
139.	*Felshalde mit Buschwerk*		[V. 775]
140.	*Provenzalische Berglandschaft.* Dr. Eberhard Freiherr von Bodenhausen, Essen		[V. 434]
141.	*Sainte-Victoire bei Aix.* Bernhard Koehler	Abb.	[V. 664]
142.	*Sitzender Mann mit Buch*		[V. 697]
143.	*Knabe im Hut mit aufgeschlagenem Buch*		[V. 678]
144.	*Mann mit verschränkten Armen.* Tilla Durieux-Cassirer, Berlin	Abb.	[V. 685]
145.	*Frau im roten Kleid.* Alfred Flechtheim, Düsseldorf		[V. 573]
146.	*Bauer mit rotem Halstuch*		[V. 687]
147.	*Landschaft.* Elsa Tischner-von Durant, Freising		[V. 427]
148.	*Knabenkopf.* Alfred Flechtheim, Düsseldorf		[V. 536]
149.	*Frauenkopf.* Alfred Flechtheim		[V. 533]
150.	*Pfirsiche* (Aquarell). Victor Mössinger, Frankfurt		[R. 293]
151.	*Blumen in grünem Topf* (Aquarell). Alfred Flechtheim		[R. 374]

37 Ausstellungskatalog: Berlin, Paul Cassirer, *XV/3, Sammlung Reber,* Januar 1913,
11 Gemälde von Cézanne

19.	*Stilleben mit Äpfeln*	[49: 40]	[V. ?]
20.	*Stilleben mit Birnen*	[46: 60]	[V. 624]
21.	*Großes Stilleben*	[72:100]	[V. 742]
22.	*Stilleben*	[Aquarell; 47:63]	[R. 552/R. 572?]
23.	*Landschaft*	[80: 64]	[V. 635]
24.	*Lutteurs amoureux*	[37: 45]	[V. 380]
25.	*Große Acte*	[60: 81]	[V. 580]
26.	*Harlekin*	[61: 46]	[V. 555]
27.	*Der junge Philosoph*	[103: 98]	[V. 679]
28.	*Porträt eines Fuhrmanns*	[80: 64]	[V. 687]
29.	*Mann mit gekreuzten Armen*	[92: 72]	[V. 689]

Die Maße sind dem Ausstellungskatalog der Sammlung Reber in Darmstadt entnommen.

38 E. Waldmann, *Die Sammlung Reber,* in: Kunst und Künstler, 11. Jg., 1912/13, S. 441–451.

39 J. Meier-Graefe, *Die Sammlung Reber,* in: Kunstschreiberei-Essays und Kunstkritik, Leipzig 1987, S. 210.

40 P. Fechter, *Die Sammlung Schmitz,* in: Kunst und Künstler, 8. Jg., 1909/10, S. 15–25, und *Die Sammlung Rothermundt,* in: Kunst und Künstler, 8. Jg., 1909/10, S. 356–355, K. Scheffler, *Die Sammlung Oskar Schmitz in Dresden,* in: Kunst und Künstler, 19. Jg., 1920/21, S. 178–190.

41 Ausstellungskatalog: Berlin, Paul Cassirer, XVI/2, 1. November–Dezember 1913,
6 Gemälde von Cézanne:

30.	*Das schwarze Schloß*		[V. 667]
31.	*Haus mit rotem Dach*		[V. 468]
32.	*Blick auf eine Stadt*		[V. 411]
33.	*Waldinneres*	Abb.	[V. 332]
34.	*Das Haus Provence*		[V. 436]
35.	*Landschaft*		[V. 401]

42 Berlin, Paul Cassirer, *Cézanne-Ausstellung,* Nov–Dez 1921:
Cézannes Werke in Deutschem Privatbesitz
Theodor Behrens, Hamburg 7 (V. 330); 16 (V. 290); 17 (V. 242)
Alfred Cassirer, Berlin 10 (V. 194)
Bruno Cassirer, Berlin 19 (V. 633); 34 (V. 323); 35 (V. 596)
Hugo Cassirer, Berlin 4 (V. 59); 11 *(Stilleben mit Blumenkohl);* 12 (V. 627);
    25 (V. 412); 32 (V. 598); 37 (V. 744); 38 (V. 743)
Paul Cassirer, Berlin 6 (V. 175); 21 (V. 667); 22 (V. 573); 24 (V. 775?)
Dr. Julius Elias, Berlin 1 (V. 121)
Samy Fischer, Berlin 33 (V. 497)
Alfred Flechtheim, Berlin 8 (V. 274); 23 (V. 533)
Jacobi, Berlin 41 (V. 420)
Harry Graf Kessler, Berlin 9 (V. 402); 39 (V. 206)
Max Liebermann, Berlin 3 (V. 243); 29 (V. 466)
Franz von Mendelsohn-Bartholdy, Berlin 18 (V. 669)
Henry Newman, Hamburg 26 (V. 467); 27 (V. 163)
Margarete Oppenheim, Berlin 13 (V. 294); 14 (V. 468); 15 (V. 407);
    20 (V. 448); 30 (V. 436)
Emil Orlik, Berlin 42 (V. 507?)
Hugo Perls, Berlin 2 (V.108)
Friedrich Gottlieb Reber, Barmen 31 (V. 681); 36 (V. 580)
Baron von Simolin, Berlin 5 (V. 708)
Frau Georg Wolde, Bremen 28 (V. 450)
Slg. Wolff, Hamburg 40 (V. 332)

43 R. Dorn, *Sammlung Falk,* Unveröffentlichtes Manuskript, 16. 2. 1991, Text S. 2, Dokumentation (Cézanne) S. 5–7.

44 Wilhelm Hausenstein, *Katalog der Modernen Galerie Heinrich Thannhauser,* München 1916, S. XII.

45 Ausstellungskatalog: Zürich, Kunsthaus, *Französische Maler des XIX. Jahrhunderts*, 14. 5.-6. 8. 1933,
    13 Gemälde von Cézanne

77.	*Der Mönch*	54:64.5	Abb. [V. 72]
78.	*Felsige Landschaft*	55:46.5	[V. 401]
79.	*Die Straßenbiegung*	46:55	[V. 328]
80.	*Früchte im Trinkglas und Tasse*	46:32.5	[V. 187]
81.	*Regenlandschaft*, signiert	54.5:46	[V. 323]
82.	*Badende*	47:38.5	[V. 274]
83.	*L'Estaque*	81.5:65.5	[V. 411]
84.	*Früchtestilleben mit gelbbraunem Hintergrund*	73:60	[V. 59]
85.	*Früchtestilleben mit blaugrauem Hintergrund*	61:50	[V. 615]
86.	*Landschaft*	92:73	[V. 471]
87.	*Stilleben mit Melonen*	61.5:46.5	[V. 596]
88.	*Landschaft, Blick auf eine kleine Stadt*		[V. 410]
89.	*Waldinneres*		[V. 628]

46 Ausstellungskatalog: Bern, Kunsthalle, *Französische Meister des 19. Jahrhunderts und Van Gogh*,
    18. Februar-2. April 1934,
    7 Gemälde von Cézanne

3.	*Häuser eines Dorfes hinter Bäumen*		[V. 146]
4.	*Stilleben mit Äpfeln und einem Glas*	32:40	[V. 339]
5.	*Selbstbildnis*	55:47	[V. 1519]
6.	*Stilleben mit Äpfeln, Tasse und Glas*	41:55	[V. 186]
7.	*Stilleben mit Ingwertopf und Äpfeln*	65:81	[V. 497]
8.	*Landschaft*	73:92	[V. 471]
9.	*Amor*	57:25	[V. 711]

47 Ausstellungskatalog: Rotterdam, Museum Boymans, *Schilderijen van Delacroix tot Cézanne en Vincent van Gogh*,
    20. Dezember 1933-21. Januar 1934,
    6 Gemälde von Cézanne

1.	*Stilleven met appels*	41:55	Abb. [V. 186]
2.	*Stilleven met gemberpot*	65:81	Abb. [V. 497]
3.	*De kust van Estaques*	79:78	Abb. [V. 770]
4.	*Badende vrouwen*	72:92	Abb. [V. 726]
5.	*Landschap*	73:92	[V. 471]
6.	*Amor*	57:25	[V. 711]

48 Reinhold Cassirer, der heute vierundachtzigjährige Sohn von Pauls Bruder Hugo Cassirer, erzählte mir,
    wie er im Juli 1933 die restlichen Bilder der Sammlung, die nicht in Zürich ausgestellt waren, zusammen
    mit seinem Schwager, der Kunstmaler war, in Packpapier gewickelt im Schlafwagen in zwei Abteilen von
    Berlin nach Holland gebracht hat. Als der deutsche Zoll zur Kontrolle kam und wissen wollte, was in den
    Paketen war, sagte er, es seien die Bilder seines Schwagers, der im Nebenabteil schlafe. Darauf hätten
    sich die Zöllner mit »Heil Hitler« verabschiedet.

49 E. Göpel, *Die Irrwege des Essener Cézanne* und *Ein Bild kehrt zurück*, Süddeutsche Zeitung, 23. 12. 1964.

50 P. Vogt, *Entartete Kunst*, in: Das Museum Folkwang, Köln 1965, S. 72–142 und Köln 1983 (verb. u. erw.
    Aufl.) S. 81-163 und S. 168.

51 P. Cassirer, *Kunst und Kunsthandel*, in: Pan, 1. Jg., 16. Mai 1911, S. 467.

Personenregister

Erfaßt sind alle Texte mit Anmerkungen, nicht jedoch die Angaben zu Provenienz, Bibliographie und Ausstellungen bei den jeweiligen Katalognummern.

Abbate, Niccolo dell' 39
Alexandre, Père (Gärtner) 201
Alexis, Paul S. 52 ff., 55–58, 204; Abb. S. 53, 57
Apollinaire, Guillaume 31 f., 35, 198, 200
Aubert, Anne-Elisabeth-Honorine siehe Cézanne
Aubry, Kunsthändler 302

Baille, Baptistin 289
Bakwin, Harry 306
Barnes, Albert 295, 304
Barr, Alfred 51
Batle, Louis Le 172
Baudelaire, Charles 35, 56, 129, 196
Bazille, Jean-Frédéric 68
Beckmann, Max 9, 32, 35
Beethoven, Ludwig van 48
Behrens, Theodor 302, 305, 311
Béliard, Edouard 110
Bellio, de 298
Bernard, Emile 18, 24, 26, 27, 31, 34, 35, 128, 191, 196, 251, 252, 268, 281, 291, 293; Abb. S. 29
Bernheim-Jeune 30, 31, 32, 88, 296, 300, 301, 302, 303, 304, 305
Bernheim-Jeune, Josse und Gaston 300
Bernstein, Carl und Felicie 295
Bismarck, B. von 310
Bizet, Georges 190
Blanche, Jacques-Emile 108
Blot, Eugène 300
Boch, Eugène 302
Bode, Wilhelm von 295
Bodelsen, Merete 35, 309
Bodenhausen, Eberhard Freiherr von 311
Böcklin, Arnold 301
Böhler, Julius 304
Bonger, A. 310, 311
Bonnard, Emile 33
Bonnières, Robert de 108, 110, 295
Borély, Jules 34, 204, 256
Brakl 305
Brancusi, Constantin 153
Braque, Georges 9, 30, 31, 94, 122
Brassat, Gyula H. 35
Brémond, Madame 229
Breton, André 106
Bührle, Emil Georg 304

Caillebotte, Gustave 295, 298
Cameron, D.Y. 296
Camoin, Charles 18
Camondo, Isaac de 293, 309
Caravaggio 42, 48; Abb. S. 44
Cassatt, Mary 206
Cassirer, Alfred 311
Cassirer, Bruno 296, 298, 299, 306, 309, 311

Cassirer, Hugo 302, 303, 307, 310, 311, 312
Cassirer, Paul 8, 32, 82, 291, 295, 296, 298, 299, 301, 302, 303, 304, 305, 308, 309, 310, 311, 312; Abb. S. 297
Cassirer, Reinhold 312
Cassirer-Fürstenberg 306
Cézanne, Anne (Anne-Elisabeth-Honorine Aubert) 96, 162, 198, 289, 290, 291
Cézanne, Hortense (Marie Hortense Fiquet) 63, 76, 79 f., 86, 122, 130, 136–153, 211, 213, 226, 289, 290, 302, 303, 310; Abb. S. 81, 137, 139, 141, 142, 145, 148, 149, 151, 152, 198
Cézanne, Louis-Auguste 79, 80, 96, 122, 162, 289, 290, 294
Cézanne, Marie 198, 278
Cézanne, Paul fils 15/16, 22, 54, 79, 86, 121, 122, 130, 169, 198, 204, 213, 220, 226, 278, 280, 290, 291, 294, 302
Cézanne, Rose siehe Conil
Chappuis, Adrien 34, 40, 47, 54, 75, 85, 89, 94, 96, 102, 118, 124, 128, 130, 134, 164, 176, 179, 191, 196, 201, 213, 240, 244, 256
Charbonnier, Georges 35
Chardin, Jean-Baptiste-Siméon 179
Chocquet, Caroline 88, 298
Chocquet, Victor 27, 82–85, 88, 93, 94, 108, 124, 196, 290, 293, 298, 299, 309; Abb. S. 83, 85
Clémenceau, Georges 276
Clot, Auguste 235
Clouet, François 153
Conil, Maxime 291
Conil, Paule 34, 218
Conil, Rose 216, 260
Corinth, Lovis 296, 299
Corot, Jean-Baptiste-Camille 59, 195
Courbet, Gustave 16, 33, 48, 50, 55, 56, 59, 75, 76, 82, 110, 129, 134, 198
Couture, Thomas 234

Daubigny, Charles 50
Daudet, Alphonse 206
Daumier, Honoré 39, 129, 130, 195, 198, 308
Degas, Edgar 16, 17, 27, 28, 32, 79, 84, 114, 128, 190, 195, 226, 229, 295, 296, 308
Delacroix, Eugène 23, 32, 68, 75, 76, 82, 84, 85, 88, 89, 110, 130, 191, 195, 196, 234, 274, 289, 298, 312
Delaroche 111
Denis, Maurice 17, 26, 34, 178, 291
Distel, A. 310

Doria, Armand Comte 293
Dorn, Roland 309, 310, 311
Duchamp, Marcel 9, 31, 35
Dürer, Albrecht 154
Durand-Ruel, Paul 110, 291, 294, 295, 296, 298, 299, 300, 304, 309
Duret, Théodore 27, 84, 114, 293, 303
Durieux, Tilla 303, 311

Elder, Marc 34
Elias, Julius 304, 311
Emperaire, Achille 79

Fabbri, Egisto 294, 304
Falk, Sally 304, 305, 311
Fechter, P. 311
Feilchenfeldt, Marianne 307
Feilchenfeldt, Walther 305, 306, 307
Fénéon, Félix 300
Fiquet, Marie Hortense siehe Cézanne
Fischer, Samuel 306, 311
Flaubert, Gustave 15, 34, 129, 194, 208
Flechtheim, Alfred 45, 303, 305, 311
Forain, Jean-Louis 228, 234
Francesca, Piero della 153
Frank, Paul 35, 111

Gachet, Paul Fernand 27, 34, 290
Gallimard, Paul 305, 306
Gangnat, Maurice 302
Gasquet, Henri 208, 218; Abb. S. 210
Gasquet, Joachim 45, 47, 121, 208–210, 211, 240, 270, 272; Abb. S. 209
Gasquet, Marie 240
Gauguin, Paul 16, 27, 30, 290, 291, 293, 294, 295
Geffroy, Gustave 27, 82, 154
Georges-Michel, M. 276
Géricault, Théodore 32
Giacometti, Alberto 9, 33, 35, 76, 226
Giorgione 126, 129
Göpel, E. 312
Goethe, Johann Wolfgang von 301
Gogh, Vincent van 16, 27, 82, 108, 114, 195, 218, 293, 306, 308, 309, 312
Gold, Alfred 305
Goldschmidt, Jakob 304
Goldschmidt, Marcel 305
Goncourt, Brüder 56
Goya, Francisco 32, 42, 305
Grandville 74; Abb. S. 75
Greco, El 32
Guillaume, Louis 54, 204
Guillaumin, Armand 293, 294

Fotonachweis

Die Fotovorlagen wurden dankenswerterweise von den Leihgebern zur Verfügung gestellt oder stammen aus den Archiven des Autors und des Verlages. Nicht aufgeführt sind die Namen der Fotoquellen, die bereits als Leihgeber im Katalogteil erscheinen.

The Art Institute of Chicago
Abb. S. 235
Ashmolean Museum, Oxford
(Pissarro Archives) Abb. S. 5
The Baltimore Museum of
Art Abb. S. 30
The Barnes Foundation, Merion,
(Pa.) Abb. S. 132, 240
Bibliothèque Nationale,
Paris Abb. S. 281
Bildarchiv Preußischer
Kulturbesitz, Berlin Foto Klaus
Göken Kat.-Nrn. 25, 55
The Central Art Archives,
Helsinki Kat.-Nr. 29
Ursula Edelmann, Frankfurt/Main
Kat.-Nr.9
Besitz Walter Feilchenfeldt,
Zürich Abb. S. 297, 307
Chauderon, Lausanne
Abb. S. 204
Fogg Art Museum, Harvard
University, Cambridge (Mass.)
Abb. S. 85 (rechts)
Giraudon, Paris Abb. S. 39, 44,
45 (links), 71
Bruno Hartinger, München
Kat.-Nrn. 48, 93

Gerhard Howald, Kirchlindach–
Bern Kat.-Nrn. 28, 64
H. Humm, Brüttisellen
Kat.-Nrn. 82, 83, 87
Kunsthaus Zürich Kat.-Nrn. 58,
85
Los Angeles County Museum of
Art Abb. S. 211
The McNay Art Institute, San
Antonio, Texas Abb. S. 210
The Metropolitan Museum of Art,
New York Abb. S. 129 (links);
Foto Malcolm Varon: Kat.-Nrn.
16, 41, 59
Musée d'Orsay, Paris Abb. S. 45
(rechts), 58 (beide), 89
Musée du Petit Palais, Paris
Abb. S. 234
Musée Granet, Aix-en-Provence
Foto Bernard Terlay
Kat.-Nrn. 63, 81
Musée Picasso, Paris Abb. S. 256
(links)
Museu de Arte, São Paulo
Foto Luiz Hossaka
Kat.-Nrn. 6, 22, 43
The Museum of Modern Art,
New York Abb. S. 228

National Gallery, London
Abb. S. 242
Philadelphia Museum of
Art Abb. S. 246
The Phillips Collection,
Washington Abb. S. 229
(rechts)
Besitz Rodo Pissarro Abb. S. 111.
Réunion des Musées Nationaux,
service photographique,
Paris Kat.-Nrn. 23, 66,
96
Rheinisches Bildarchiv, Köln
Kat.-Nr. 84
Peter Schälchli, Zürich
Kat.-Nr. 19
Giuseppe Schiavinotto, Rom
Kat.-Nr. 97
Schweizerisches Institut für
Kunstwissenschaft, Zürich
Kat.-Nr. 86
Steiner-Jaeggli, Winterthur
Kat.-Nrn. 21, 47
Virginia Museum of Fine Art,
Richmond, (Va.) Abb. S. 85
(links)
Zindman/Fremont, New York
Abb. S. 256 (rechts)

Paul Cézanne und Gaston Bernheim de Villers,
Fotografie von Josse Bernheim-Jeune, 1904

Inhalt